LA FONCTION DE CONSEIL AUPRÈS DES ORGANISATIONS

YVAN BORDELEAU, Ph.D.

Professeur titulaire
Psychologie industrielle et organisationnelle
Département de Psychologie, Université de Montréal

Agence d'ARC inc. (les éditions)
L'ÉDITEUR DES PME

6872, rue Jarry est, Montréal (Québec) H1P 3C1
(514) 321-2041

La rédaction de ce volume a été facilitée par une subvention de Fonds FCAC du ministère de l'Éducation du Québec.

La photocomposition, le montage ainsi que la figuration technique de cet ouvrage furent la responsabilité de «Composition Concept», Laval (Québec).

Dépôt légal: 4e trimestre 1986
Bibliothèque Nationale du Canada
Bibliothèque Nationale du Québec

ISBN 2-89022-072-9

À Louise, Caroline et Éric

En reconnaissance
pour leur encouragement,
pour leur compréhension
et pour les nombreuses heures
pendant lesquelles ils m'ont
permis de travailler à la
rédaction de ce volume.

Ne pas regarder les faits en face serait absurde.

La manière d'aborder une dure réalité, quelle qu'elle soit, compte généralement davantage que la situation elle-même.

Il faut toujours chercher à tirer le meilleur parti possible d'une situation quelconque, puis découvrir une nouvelle optique et ne pas se laisser intimider par les faits.

CLAUDE I. TAYLOR*
Président du Conseil
Air-Canada

---

* Extraits tirés d'un article intitulé «Attitude et détermination» dans la revue *En Route* (août 1986).

Préface

Il n'y a pas si longtemps encore, notre confiance dans la continuité de la croissance économique provoquait, presqu'à notre insu, des attitudes plus laxistes. Mais aujourd'hui, les gestionnaires savent que rien n'est acquis. Le passé n'est plus garant de l'avenir: l'évolution industrielle, économique et sociale l'a prouvé dans les dernières années. L'explosion technologique a permis bien des miracles dans notre société industrielle, mais la concurrence demeure une lutte de tous les instants. Ce climat concurrentiel et les nouvelles exigences du marché ont inspiré la philosophie moderne des gestionnaires et font poindre à l'horizon des attitudes beaucoup plus déterministes. On planifie pour améliorer la gestion de l'entreprise, sa productivité, la qualité de ses produits et services. Plus que jamais on définit des stratégies de développement, de rentabilité et de croissance à moyen et à long terme. Les entreprises mettent l'accent également sur le développement d'une culture organisationnelle d'entreprise plus forte.

La vitesse éclair de l'évolution des aspects techniques, sociaux et économiques complexifie la gestion d'entreprise et aide l'administration, particulièrement depuis une décennie, à acquérir ses lettres de noblesse dans les firmes des pays industrialisés et, peu à peu, dans celles des pays en voie de développement.

Il est naturel, dans un contexte en pleine mouvance, que l'on ressente le besoin de consulter. Pour survivre et rester en tête, entrepreneurs et gestionnaires doivent miser sur l'excellence. Ils n'hésitent plus à avoir recours à des experts pour se faire conseiller. Même si l'on consulte depuis la nuit des temps, aujourd'hui cette façon de faire n'est plus seulement le privilège des rois. Si la grande entreprise a toujours pu s'offrir les services-conseils de spécialistes dans différents domaines, ce sont maintenant les moyennes et petites entreprises qui ont découvert, elles aussi, les bienfaits de l'expertise externe. Celle-ci permet de s'améliorer sans nécessairement avoir à alourdir les infrastructures en embauchant tous les experts dont elle a besoin à tout moment.

Par ailleurs, les besoins actuels des entreprises sont beaucoup trop diversifiés pour retrouver tous les spécialistes requis à l'emploi d'une même firme. Faire appel aux conseillers est donc devenu une pratique courante pour accroître la compétitivité d'une entreprise. Le conseil est, entre autres, lié à l'élaboration et à la diffusion de systèmes, méthodes et techniques de gestion adaptés aux besoins changeants de l'entreprise pour que cette dernière relève les défis que lui imposent ses clients et ses concurrents.

Cette nouvelle tendance chez les gestionnaires a moult avantages. Pensons seulement aux échanges rendus possibles entre les différents pays. Chacun peut développer des cordes un peu plus exclusives et les exporter. L'amalgame des différentes expertises risque de donner des résultats fort intéressants et d'aider les entreprises à prévoir ou à se sortir, au besoin, des périodes de crise. Les conseils en gestion peuvent intervenir dans tous les secteurs structurés de l'organisation; la consultation est devenue internationale.

Avec la recrudescence actuelle de la demande en consultation, cet ouvrage deviendra sûrement le livre de chevet d'un bon nombre de conseillers. Il a la belle qualité de favoriser une approche globale. Il couvre tous les sujets inhérents à la pratique de la consultation et illustre, de manière pragmatique et avec des exemples, les différentes étapes à suivre. Il ne présente pas seulement des concepts mais fait état d'approches très concrètes non seulement pour «faire de la consultation» mais également pour développer une société de consultation.

Pour les conseillers qui débutent leur carrière, que d'erreurs pourront être évitées grâce à ce précieux guide. Pour les conseillers expérimentés, ce livre contribuera, sans aucun doute, à rafraîchir leur connaissance. Quant aux dirigeants des entreprises de consultation, ils pourront comparer leur approche et les fondements de leur pratique de consultation.

À l'ère où le besoin d'équipes multidisciplinaires en consultation est grandissant, le contenu de ce livre est d'autant plus pertinent pour tous ceux qui ont ou auront à conseiller des clients; ce serait dommage que seuls les conseillers en administration puissent en profiter.

Ce livre sera aussi un bon outil de référence pour les gestionnaires-clients qui ont recours aux services de conseillers.

Jean Brassard

Le 28 octobre 1986

Président
Institut des conseillers en administration du Québec

Table des matières

Avant-propos

Après quelques expériences personnelles, j'en suis venu à conclure qu'écrire un volume constitue toujours une aventure à la fois difficile et agréable. Difficile parce qu'il n'est malheureusement pas toujours possible d'en mesurer exactement l'ampleur et les efforts nécessaires à sa réalisation. Agréable parce que cette aventure permet de faire le point sur un sujet précis, de faire oeuvre utile (du moins, l'auteur l'espère...) et surtout de vivre une expérience humaine exceptionnelle. En effet, tout au long de la rédaction de ce volume, j'ai souvent pensé à tous ceux et celles qui m'ont fourni, au cours des années, l'occasion de réfléchir et de cheminer dans la connaissance, la compréhension et l'application du processus de consultation auprès des organisations.

Je voudrais ici remercier les gestionnaires auprès desquels j'ai agi à titre de conseil, au cours de ma pratique professionnelle des quinze dernières années, de m'avoir fourni l'occasion de les conseiller dans le contexte de leur vécu quotidien. Je tiens également à exprimer, d'une façon particulière, toute ma reconnaissance aux étudiants de psychologie industrielle et organisationnelle avec qui j'ai eu des discussions intéressantes et enrichissantes à l'intérieur du cadre d'un séminaire de doctorat consacré à la consultation. J'espère, pour ma part, les avoir également aidés à entreprendre avec motivation et intérêt leur carrière. Je me rappelle ici les noms de Jean Phaneuf, Ahmed Benhadji, Line Cardinal, Michel Lemay, Johanne Daoust, Danielle Desjardins, Serge Dupont, François Berthiaume, Yves Chagnon, Luc Doré, Lucie Loiselle, Ann-Marie Lussier et Monique Rondeau. L'enseignement universitaire serait certainement moins attrayant s'il n'y avait là, pour les étudiants et les professeurs, une occasion de partage, de stimulation et d'enrichissement réciproque.

La préparation d'un volume exige un support technique essentiel qui se traduit par de très nombreuses heures de mise en forme et de dactylographie. À mesure que les diverses versions du manuscrit sont complétées, l'auteur est alors capable de mieux apprécier ce qui a été réalisé et ce qui reste à faire. Dans ce contexte, un support technique compétent est très important et je suis fort reconnaissant à Mesdames France Lacoursière et Jeanne d'Arc Gagné pour leur célérité et leur efficience exemplaires. J'ai beaucoup apprécié leur collaboration.

Tout compte fait, s'il s'agit d'une aventure à la fois difficile et agréable, je dois conclure que le volet agréable l'emporte sur les difficultés. Il ne me reste plus, en tant qu'auteur, à souhaiter que cet ouvrage vive maintenant par lui-même et trouve sa raison d'être dans sa capacité d'aider ceux et celles qui sont ou seront éventuellement conseillers auprès des organisations.

YVAN BORDELEAU, Ph.D.
OCTOBRE 1986

Introduction

Depuis environ cinquante ans, la profession de conseiller auprès des organisations a connu un essor tout à fait exceptionnel caractérisé par la croissance et l'innovation, la productivité et l'amélioration de la gestion. De nouvelles techniques de diagnostic et d'intervention sont venues régulièrement appuyer les techniques plus classiques dans le but ultime d'améliorer l'efficacité des organisations. Le futur s'est bâti continuellement en prenant appui sur l'acquis pour mieux le dépasser. Ce mouvement ou cette évolution de la consultation a laissé, au cours des années, des empreintes très nettes dans le fonctionnement des organisations: la mesure des temps de travail, l'organisation administrative, l'ergonomie, les relations humaines, le contrôle budgétaire, la technologie de production, la productivité, l'informatique et la bureautique, etc. Les principes du management scientifique se sont alliés, au cours des vingt dernières années environ, aux sciences du comportement afin de fournir aux organisations l'expertise et l'aide la mieux adaptée à la complexité actuelle de la dynamique organisationnelle. Au seuil de la société dite post-industrielle ou de la civilisation des loisirs, les conseils auprès des organisations seront de plus en plus en demande et l'évolution de la société entraînera certes l'évolution de la profession.

Dans le contexte actuel, le conseiller joue un rôle social déterminant, soit celui d'un agent de changement. Bien que l'évolution ne soit pas une fin en soi, elle constitue cependant le moyen, pour toute organisation ou société en mouvance, d'atteindre certains objectifs économiques et sociaux précis. L'évolution ou le changement est, dans cette perspective, planifié avant d'être mis en application. Le conseil voit donc à ce que ce mouvement évolutif respecte et s'appuie sur les valeurs et croyances fondamentales caractéristiques du milieu. En ce sens, le conseil apporte une contribution sociale décisive.

À notre époque, l'activité-conseil est très étendue et diversifiée. La consultation existe pratiquement dans tous les secteurs d'activités et dans tous les milieux. La complexité des organisations et des stratégies d'action a encouragé l'utilisation et l'intervention de l'expertise-conseil auprès des gestionnaires des milieux privés (entreprises de production et de service), publics (gouvernements) et parapublics (hôpitaux, écoles, universités). À ceux-ci, il faut ajouter également les milieux politiques, syndicaux, communautaires, etc. Le spectre des activités de consultation est très large et en constante évolution cherchant sans cesse à répondre aux besoins nouveaux de la société et des organisations.

Avant d'expliquer, de façon plus précise, ce qu'est la consultation auprès des organisations, il paraît intéressant de situer l'ampleur de l'activité-conseil dans le contexte économique contemporain. Aux États-Unis, la progression de l'activité des conseillers a été énorme depuis 1950. Entre 1950 et 1960, le rythme de croissance a été d'environ 15 % par année. De 1970 à 1976, les conseils américains ont facturé annuellement pour une valeur approximative de 2 milliards $ (U.S.). Ce chiffre est monté à 2,5 milliards $ (U.S.) pour les années 1977 et 1978 (Business Week, 1979). Dans un écrit récent, Laberge (1982) mentionne que présentement le chiffre d'affaires annuel des quelque 50 000 conseillers américains regroupés dans 20 000 firmes ou cabinets-conseils totalise la somme de 3,2 milliards $ (U.S.). Chaque année, on évalue qu'environ 2 000 conseillers font leur entrée sur le marché du travail.

En France, le chiffre d'affaires des cabinets-conseils totalise, en 1983, des honoraires de 20 milliards de francs actuels (environ 2,5 milliards de dollars U.S. et 3 milliards de dollars CAN.) dont 40 % venaient de l'intervention des conseils à l'étranger. C'est donc dire que 60 % de ce chiffre d'affaires est réalisé en France. Il semble que, depuis 1978 environ, le chiffre d'affaires progresse de 20 % en moyenne par an (Syntec-Management, 1984). Les conseillers oeuvrent généralement dans les secteurs suivants: ingénierie, gestion/marketing et informatique. Au total, on identifie en France 50 000 conseillers dont plus de la moitié sont des ingénieurs et des cadres. La profession est relativement jeune puisqu'il semble que 75 % des conseils en management aient moins de 40 ans.

Au Canada, l'Association canadienne des conseillers en administration mentionne, dans son rapport annuel de 1978, que le nombre de mandats confiés à ses membres, soit une vingtaine des plus importantes firmes de conseillers au Canada, passe de 3 138 en 1969 à 8 028 en 1978. Il s'agit donc là d'une augmentation de 250 % en dix ans. Durant cette même période, la facturation totale de ces cabinets-conseils progresse de 18,3 millions $ (CAN.) à 63,2 millions $ (augmentation de 345 %). Ces quelques données sur la situation canadienne mettent en relief une évolution analogue à celle des États-Unis. La progression de l'activité-conseil a été vertigineuse au cours de la décennie des années 1970.

Quant à la situation au Québec, un relevé effectué récemment auprès des 58 principales sociétés-conseils québécoises (Gélinas-Beauchamp, 1983) permet d'évaluer la totalité du chiffre d'affaires annuel de ces cabinets à environ 240 millions $ (CAN.).[1] Ces données, bien que limitées, donnent une idée approximative de l'ampleur de l'activité des conseillers établis au Québec. Il faut se rappeler qu'il s'agit du chiffre d'affaires des 58 cabinets-conseils les plus importants au Québec. De plus, bon nombre de conseillers agissent seuls ou avec un ou deux associés. Il est difficile d'évaluer leur nombre exact et le chiffre d'affaires de ces petits cabinets-conseils.

Tant aux États-Unis qu'en France, au Canada ou au Québec, l'activité des conseils représente une dimension économique fort importante par l'ampleur du chiffre d'affaires, le nombre de cabinets-conseils et surtout par le rôle important que ceux-ci jouent dans le développement des organisations et de la société en général. Depuis le début des années 1970, la croissance de ce type d'activités a pris un essor remarquable parallèlement au développement technologique et à la complexité reliée à l'utilisation des nombreuses ressources de l'organisation. À long terme, tout porte à croire que cette progression continuera malgré certaines crises économiques passagères qui nécessiteront de la part des cabinets-conseils un effort continu d'adaptation pour répondre aux besoins des divers milieux organisationnels.

Cet ouvrage est consacré à la présentation de ce qu'est la consultation auprès des organisations. Nous y aborderons donc la profession de conseiller en dégageant essentiellement deux dimensions fondamentales: ce qu'est l'activité conseil et comment elle se pratique dans la société contemporaine. L'essence même de la consultation est l'objet des quatre premiers chapitres portant respectivement sur la problématique de la consultation, les phases du processus de consultation, la carrière de conseiller et les activités du conseil. Les modalités d'exercice de la profession, ou le contexte de la pratique professionnelle, sont présentées dans les trois derniers chapitres consacrés au marketing des activités professionnelles du conseiller, aux honoraires professionnels et contrats, à la structuration et au fonctionnement d'un cabinet-conseil.

---

1. Cette estimation est basée sur le chiffre d'affaires disponible de 36 des 58 sociétés-conseils. Ces données relatives à une période de 9 mois ont été ramenées à une base annuelle:

$$\frac{110{,}1 \text{ millions } \$ \times 58 \text{ compagnies} \times 12 \text{ mois}}{36 \text{ compagnies} \times 9 \text{ mois}} = 236{,}5 \text{ millions } \$$$

Chapitre 1
PROBLÉMATIQUE DE LA CONSULTATION

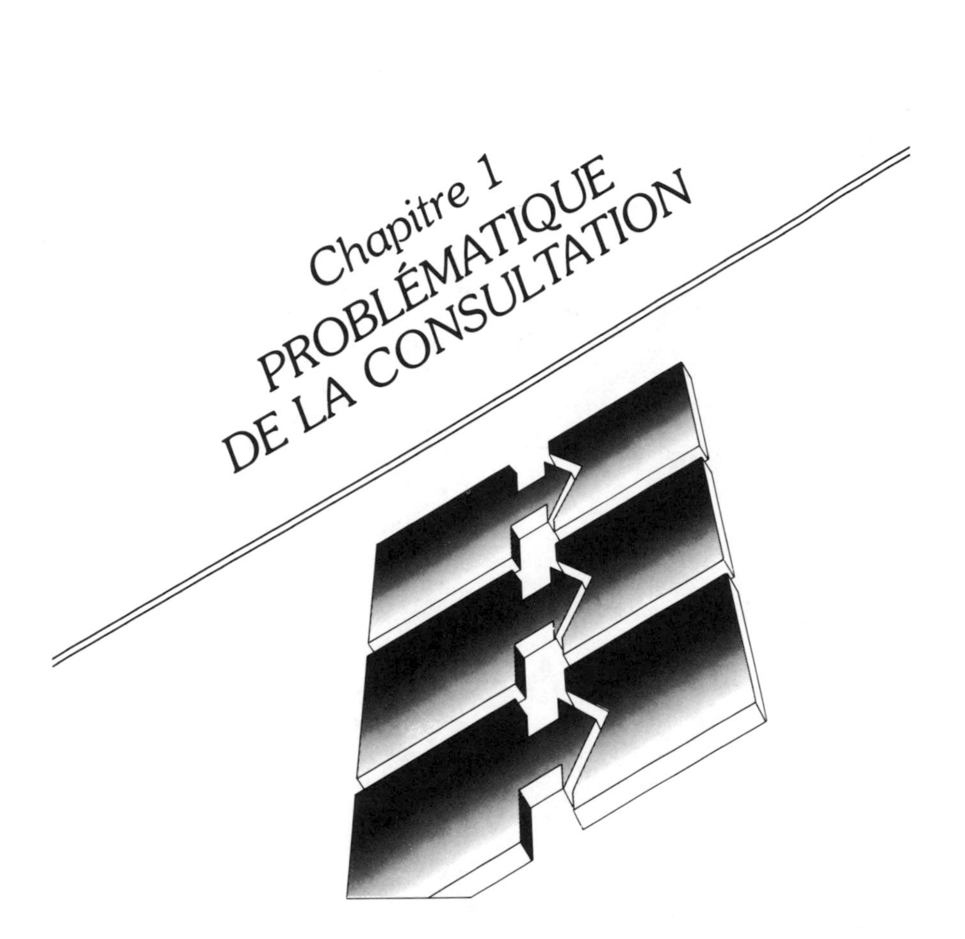

Ce premier chapitre sera consacré à établir les paramètres de la consultation en milieu organisationnel. Il convient d'abord de définir ce qu'est la consultation dans ses grandes dimensions, de décrire les divers secteurs d'activités du conseil, de se pencher sur les rôles que le conseiller[1] *peut assumer dans ses relations avec le client et enfin mettre en évidence les conditions nécessaires au succès de la mission du conseil.*

Ces grandes lignes directrices situeront la consultation dans les organisations de façon à pouvoir aborder, par la suite, les phases du processus de consultation de même que tous les aspects professionnels et pratiques de la relation de conseil.

1 Consultation: *définition et dimensions*

Plusieurs auteurs ou spécialistes de la consultation ont fourni diverses définitions de la consultation ou de l'activité-conseil.[2] Comme l'évolution de cette activité est un phénomène tout à fait contemporain, il ne nous apparaît pas utile de faire un relevé exhaustif de ces définitions. Par contre, une attention particulière sera portée à quelques définitions récentes qui décrivent bien les diverses facettes de la consultation telle qu'elle s'exerce auprès des nombreuses organisations de la société actuelle.

En 1977, Hunt définit la consultation en gestion comme un «effort organisé par des individus indépendants, expérimentés et spécialement entraînés pour aider la direction à régler des problèmes et améliorer les opérations à l'aide d'un jugement objectif qui repose sur des connaissances, habiletés et une analyse systématique des faits».

---

1. Le générique masculin est employé dans ce volume sans discrimination et dans le seul but d'alléger le texte.

2. Dans le présent ouvrage, les termes consultation et activité-conseil seront utilisés dans un sens identique.

Kuhr (1978) propose la définition suivante: «service rendu par une ou plusieurs personnes indépendantes et qualifiées pour recenser et approfondir les problèmes concernant la politique, l'organisation, les procédures et les méthodes, pour recommander les actions à entreprendre et pour aider à leur mise en oeuvre dans les meilleures conditions». Kuhr emprunte cette définition à «*l'Institute of Management Consultants*» du Royaume-Uni.

Deux auteurs fort importants dans le domaine de la consultation, Lippitt et Lippitt (1978) fournissent cette définition: «la consultation est une interaction à double direction — un processus visant à rechercher, donner et recevoir de l'aide — qui a pour but d'aider une personne, un groupe, une organisation ou un système important, à mobiliser des ressources internes et externes pour être en mesure de faire face aux problèmes et aux efforts de changement».

Pour sa part, Block (1981) mentionne qu'une personne fait de la consultation «chaque fois qu'elle tente de changer ou d'améliorer une situation tout en n'ayant aucun contrôle direct sur l'implantation».

Enfin, Stryker (1982) définit la consultation comme «un mandat suivant lequel un conseiller[3] et un client cherchent à résoudre le problème organisationnel de ce dernier en utilisant un processus spécifique».

Malgré le recouvrement existant entre ces quelques définitions de l'activité-conseil, chacun des auteurs y apporte une contribution spécifique (tableau 1.1). Alors que certains auteurs ont un apport original au niveau des personnes responsables de l'activité, d'autres apportent un point de vue intéressant quant aux modalités de réalisation de la consultation. Enfin, tous les auteurs se penchent sur les buts multiples de l'activité-conseil.

Cet exposé de quelques définitions récentes de la consultation permet de formuler maintenant une définition-synthèse qui regroupe les éléments essentiels soulignés. La consultation peut donc se définir comme suit:

La consultation auprès des organisations est une activité professionnelle:

(Qui)

— exécutée par une ou des personnes compétentes (internes ou externes à l'organisation) qui ne sont pas en ligne d'autorité directe avec le client spécifique,

3. Les expressions conseil et conseiller seront utilisées dans ce volume pour désigner la personne qui agit à titre d'expert-conseil auprès d'un client.

Tableau 1.1
Analyse des définitions de la consultation

	QUI	COMMENT	QUOI
Hunt (1977)	Individus - indépendants - expérimentés - entraînés	À l'aide d'un jugement objectif qui repose sur: - connaissances - habiletés - analyse systématique des faits	Aider la direction à: - régler des problèmes - améliorer les opérations
Kubr (1978)	Une ou plusieurs personnes indépendantes		Recenser et approfondir les problèmes (politique, organisation, procédure, etc.) Recommander actions à entreprendre Aider à leur mise en oeuvre
Lippitt et Lippitt (1978)	Ressources internes et externes	Interaction à double direction (conseiller-client)	Aider une personne, groupe, organisation ou système important à faire face aux problèmes et efforts de changement
Block (1981)		Sans contrôle direct sur l'implantation	Changer ou améliorer une situation
Stryker (1982)	Conseiller et client	Processus spécifique	Résoudre un problème organisationnel du client

(Comment)
— selon un processus spécifique caractérisé par l'interaction continuelle entre le conseiller et le client et par une analyse systématique des faits (recenser les faits, les approfondir, faire des recommandations et appuyer la gestion dans l'implantation de celles-ci),

(Quoi)
— dans le but d'aider la direction d'une organisation à résoudre un problème, à améliorer une situation ou à faire face à une situation totalement nouvelle.

Il convient maintenant de s'attarder à décrire, de façon plus précise, les diverses dimensions retenues dans cette définition-synthèse.

1.1 *Activité professionnelle*

La consultation auprès des organisations constitue une activité professionnelle dans la mesure où celle-ci repose d'abord essentiellement sur une compétence résultant d'une formation spécifique reçue dans une institution spécialisée ou sur le terrain (académique et / ou expérience). Deuxièmement, l'activité professionnelle du conseil est régie par le code d'éthique de sa profession (comptable, psychologue industriel et organisationnel, ingénieur, etc.). Si le conseiller n'est pas membre d'un tel organisme professionnel, il adhère généralement au code d'éthique d'une des nombreuses associations regroupant les professionnels de la consultation.

1.2 *Conseiller*

Les termes conseiller ou conseil s'appliquent à toute personne (ou groupe de personnes) qui répond à la demande d'aide d'un client. Le conseiller peut être un individu seul ou une équipe de personnes dont l'expertise est sollicitée. Cette ou ces personnes doivent être qualifiées dans un domaine de spécialisation tel le personnel, la production, la mise en marché, le recrutement de cadre, la formation, etc. et dans l'approche ou la méthodologie de l'activité-conseil (processus). Le conseil n'a aucune autorité directe pour faire des changements ou implanter des programmes dans une organisation sinon il agirait non plus comme conseil mais comme gestionnaire. Essentiellement, il ne fournit qu'une aide à un client qui demeure le seul responsable de la prise de décision suite à ses recommandations. De plus, le conseiller peut être interne ou externe à l'organisation-client.

Le conseil externe vient de l'extérieur de l'organisation et est totalement indépendant du client du point de vue juridique et administratif. Le recours à un conseil externe est généralement retenu quand nous rencontrons une des situations suivantes:

— L'organisation ne possède pas les ressources spécialisées nécessaires pour réaliser la mission.[4]
— Le caractère impartial du conseil est important pour la réussite du mandat.
— Les ressources internes, bien que compétentes, n'ont pas le temps nécessaire pour accomplir le travail désiré.

Le conseil externe permet à l'organisation-client d'avoir recours à une ressource spécialisée qu'elle ne pourrait généralement utiliser, de façon rentable, à plein temps. Cette ressource lui est disponible à un coût abordable et directement proportionnel à un usage maximal. De plus, le conseil externe apporte au client une expérience très riche compte tenu de ses interventions dans de nombreux contextes organisationnels différents. Le client est généralement bénéficiaire de cette vaste expérience. Par contre, la limite principale du conseiller externe est son manque de connaissance de la dynamique interne ou de la culture de l'organisation-client. Il doit alors investir un certain temps pour se familiariser avec la mentalité et le fonctionnement de l'organisation dans laquelle il pratique une intervention.

Le conseil interne est un des membres de l'organisation. Il fait ainsi partie de l'entité sur laquelle il intervient. Cependant, il faut souligner qu'il n'a pas d'autorité formelle directe sur l'implantation des changements ce qui relève du gestionnaire. Le conseiller n'est donc pas dans la ligne d'autorité de l'organisation ou du département qui bénéficie de l'activité-conseil. Il agit donc comme «*staff*» (par opposition à «*line*») ce qui correspond essentiellement à la notion de consultation.

La consultation interne existe dans les cas où un système est suffisamment important pour justifier, de façon constante, la présence d'un conseiller interne ou d'une équipe multidisciplinaire de conseils.

Il peut être avantageux d'utiliser un conseil interne si la connaissance des relations interpersonnelles, des procédures, des politiques et des diverses fonctions est une condition nécessaire à une mission qui doit se réaliser dans un très court délai. Cependant, le conseiller interne est une ressource plus polyvalente ou moins spécialisée que la ressource externe à laquelle on fait appel pour une expertise précise. Le conseil interne possède généralement une expérience plus limitée quant à la variété des milieux d'intervention.

---

4. Nous utiliserons les mots mission, activité, intervention ou mandat pour désigner l'acte professionnel du conseil.

Dans sa pratique professionnelle, le conseiller interne rencontre à peu près les mêmes difficultés que celui qui vient de l'extérieur. Cependant, le fait de venir du coeur de l'organisation fait en sorte que celles-ci peuvent se faire sentir avec encore plus d'intensité:

— Le conseil interne est parfois évalué sur le nombre de ses interventions. Il doit donc vendre ses services au sein du système-client ce qui met sur lui une certaine pression.

— Si certains cadres de l'organisation sont négatifs face au conseil interne, il est très difficile pour lui de pouvoir intervenir dans le système et les conséquences d'un échec peuvent avoir un impact très important sur la crédibilité du conseiller interne.

— Le statut ou niveau hiérarchique du conseil interne est bien connu dans l'organisation ce qui peut rendre plus difficile les contacts directs avec les cadres hiérarchiques supérieurs.

— Les dirigeants de l'organisation peuvent considérer que le conseil interne est pris dans le même contexte organisationnel qu'eux et qu'il n'a pas le recul nécessaire pour les aider.

Il arrive parfois que certaines missions soient confiées à une équipe formée de conseillers internes et externes. Le conseil interne apporte alors une excellente connaissance du milieu organisationnel ce qui facilite l'intégration rapide du conseiller externe. Quant à ce dernier, il fournit une expertise plus précise, une expérience plus variée et des connaissances généralement plus riches et plus actuelles. De cette façon, le conseil interne a la possibilité d'améliorer sa compétence personnelle au cours d'une telle expérience du travail.

Pinto et Noah (1980) font une étude très intéressante des caractéristiques des conseils internes et externes. À partir d'un groupe de 287 conseillers membres de l'«American Society for Training and Development», les auteurs en arrivent aux conclusions suivantes:

— Une plus grande proportion des conseillers externes (26,9 %) possède un doctorat comparativement aux conseils internes (14,8 %).

— Moins de conseils externes (37,2 %) consacrent tout leur temps à la formation et au développement que les conseillers internes (59,9 %). Ceci laisse donc supposer que les conseils externes se spécialisent moins dans un seul secteur d'activités comme la formation.

— Les conseillers externes semblent avoir des salaires plus élevés que les conseils internes:

	Conseils internes	Conseils externes
Moins de 35 000 $	84 %	58 %
Plus de 35 000 $	16 %	42 %

— Les conseils internes travaillent généralement plus que les conseillers externes dans les grandes firmes. Les plus petites organisations font appel à des experts de l'extérieur.
— Les conseillers externes se rapportent généralement à des officiers hiérarchiquement plus élevés dans l'organisation que ne le font les conseils internes.

1.3 *Client*

Le client[5] se définit comme étant toute personne, groupe, organisation ou autre système social qui requiert l'aide du conseil.

Une personne peut agir individuellement comme client (ex.: un cadre veut se faire évaluer dans le but de planifier sa carrière) ou comme représentant responsable de l'organisation dans la relation avec le conseiller (ex.: le directeur du personnel demande une enquête sur la satisfaction des employés). Par représentant responsable, nous faisons ici référence à la personne qui a l'autorité pour confier un mandat à un conseil et non à l'agent de liaison qui sert généralement de personne-ressource dans l'organisation afin de faciliter les contacts avec le personnel même de l'organisation. Quant au groupe, celui-ci correspond à un sous-système d'une organisation plus vaste (ex.: les départements du personnel ou du marketing, un ministère particulier, etc.). L'expression organisation réfère par contre à toute organisation privée (ex.: production ou service), parapublique (ex.: hôpital, école) et publique (ex.: gouvernement national, provincial ou régional, municipal). Quant aux autres systèmes sociaux, nous pouvons mentionner les syndicats, les organismes de bienfaisance, les associations professionnelles, les partis politiques, etc.

1.4 *Processus spécifique*

Le processus suivi par le conseil, et plus particulièrement les méthodes utilisées durant la réalisation des missions, est évidemment adapté aux problèmes particuliers. Il n'en demeure cependant pas moins que le processus ou l'approche du conseiller se caractérise par deux aspects importants: analyse systématique des faits et interaction permanente client-conseil.

Le processus de consultation se présente d'abord comme une approche systématique qui passe par l'analyse des faits. Certains auteurs dont Stryker (1982) vont jusqu'à dire que ce processus se fonde sur la méthode scientifique qui a servi au développement de la plupart

5. La notion de client correspond, dans ce livre, aux expressions client individuel, système-client ou organisation-client.

des sciences modernes. Comme nous le verrons plus loin dans ce volume, le processus de consultation suit généralement d'assez près les sept étapes de la méthodologie scientifique: observation, analyse des faits, hypothèse, intervention, analyse des résultats, conclusion, implantation des modifications.

La seconde caractéristique du processus met en évidence l'interaction qui existe entre le conseil et le client et ce, en tenant compte de deux objectifs principaux: bénéficier des connaissances du client quant à sa compréhension ou perception de l'objet de la consultation et tenir compte de l'aspect affectif qui entoure cette relation interpersonnelle conseil-client.

Le conseiller fait d'abord l'analyse du problème en collaboration étroite avec le client. Il est très important de prendre conscience de la façon dont le client perçoit la réalité que va étudier le conseil. Les perceptions du client sont, comme le soutient si justement Block (1981), du domaine des faits. En effet, ceux-ci ne sont pas constitués que par les données observables et mesurables. Tout conseil connaît bien l'importance prépondérante des perceptions dans la réalité vécue des entités organisationnelles. Ces perceptions constituent des éléments qui ont une influence directe sur les problématiques auxquelles est confronté le conseiller.

Le deuxième aspect de l'interaction conseil-client a pour objectif d'assurer l'implication continuelle, et absolument nécessaire, du client dans le processus de consultation. Le conseil aide essentiellement le gestionnaire à régler certains problèmes ou à préparer certaines décisions qu'il doit prendre. Il est donc important qu'il chemine avec le conseil dans le but de mieux intégrer les éléments de la problématique, de se familiariser avec cette réalité et avec la façon d'aborder certains problèmes en regard desquels il se sent parfois démuni. De plus, dans la mesure où les recommandations du conseiller sont également ressenties, par solidarité, comme étant un peu les siennes, le gestionnaire se sentira plus responsable de la phase d'implantation des changements.

Donc, le processus de consultation se présente sous un angle rationnel (l'analyse du problème ou de l'amélioration souhaitée, soit le «contenu») et sous un angle affectif (le phénomène de résistance, les perceptions du client, soit le «contexte»). La relation et la collaboration conseil-client méritent beaucoup d'attention dans le processus de consultation.

1.5 *Objectif*

La raison d'être de la consultation est la relation d'aide. Le conseil agit dans le but ultime d'aider le gestionnaire à faire face à une situation problématique à laquelle il n'est pas en mesure d'apporter une solution pour de multiples raisons: ne possède pas personnellement la compétence nécessaire, n'a pas dans son organisation les ressources spécialisées nécessaires, etc.

Le client cherche alors à s'assurer une expertise (connaissances spécialisées, expériences particulières). À ses yeux, le conseil possède les atouts qui peuvent lui fournir les réponses qu'il cherche en tant que client. La plupart des conseils actuels adhèrent à la conception de la relation d'aide suivante : «une aide destinée au client afin de l'aider à mieux s'aider lui-même» (Schein, 1969).

Certains problèmes surgissent dans la relation client-conseiller si ces derniers ne partagent pas la même conception de la relation de consultation. Ces difficultés existent, par exemple, si le client croit acheter exclusivement une solution ou une expertise et si le conseil accorde, dans la conception de son rôle, une grande importance à la relation d'aide. L'inverse peut être tout aussi néfaste: le client veut être continuellement impliqué dans la mission du conseil alors que ce dernier se perçoit comme un expert technique qui doit essentiellement fournir une réponse à un problème qui lui est soumis. Ce qu'il y a d'important à retenir, c'est que peu importe la conception du client et du conseiller quant à la nature de leur relation, il doit y avoir priorité accordée au fait de s'entendre sur une conception commune partagée à la fois par le client et le conseiller.

Les principaux objectifs de la consultation sont les suivants: résoudre un problème, améliorer une situation ou faire face à une situation totalement nouvelle. Kuhr (1978) parle alors de trois types de problèmes, respectivement les problèmes correctifs, les problèmes progressifs et les problèmes créatifs. Dans son esprit, un problème se définit par «toute situation préoccupant la direction qui ne voit pas clairement quels remèdes y apporter, par où commencer et comment procéder».

Le problème correctif correspond à une situation qui se dégrade et qui exige des corrections immédiates. Il est alors important de bien cerner la problématique en mettant en évidence l'écart qui existe entre la situation normale et la situation actuelle. Une fois cet écart bien identifié, il faut en chercher les causes et y apporter les corrections nécessaires. Par exemple, il peut s'agir d'une augmentation importante du taux d'absentéisme ou de roulement des employés de l'organisation.

Le problème progressif concerne surtout la possibilité d'améliorer une situation actuelle qui, bien que plus ou moins satisfaisante, peut être rendue meilleure. Par exemple, mettre en place un meilleur système d'évaluation du rendement, de meilleures conditions de travail, améliorer les programmes de formation des employés constituent quelques illustrations de ce que Kuhr (1978) appelle problèmes progressifs.

Enfin, un problème créatif réfère à une situation extrêmement nouvelle à laquelle est confronté la direction ou les membres d'une organisation. Le conseil ne prend que très peu d'information dans la situation actuelle. Le conseiller doit faire preuve d'imagination et de créativité dans un tel contexte. Il peut s'agir, par exemple, d'étudier les conséquences de l'automatisation des opérations sur le personnel de l'entreprise, d'évaluer les avantages ou désavantages de faire une restructuration de l'organigramme, de mesurer l'impact de la mise en marché d'un nouveau produit, etc.

Cette typologie, bien que très utile pour mettre en évidence les objectifs généraux de l'activité-conseil, ne doit pas laisser croire que toute problématique organisationnelle se classe exclusivement dans une de ces catégories. Certains problèmes particuliers soumis au conseiller peuvent très bien revêtir les trois formes. Un problème progressif peut mettre en évidence un aspect correctif et un aspect créatif. Pour améliorer le système d'évaluation du rendement (problème progressif), il faut d'abord changer la perception négative des cadres et employés face à l'évaluation du rendement (problème correctif) et ensuite faire preuve de créativité dans l'élaboration du nouveau système d'évaluation (problème créatif). Néanmoins, cette typologie permet de mieux comprendre les diverses facettes de l'activité du conseiller.

2 *Secteurs d'activités du conseil*

Les activités spécifiques sur lesquelles le conseil est appelé à intervenir sont multiples et fort variées. Il est évident que les conseillers possèdent d'abord une expertise technique correspondant à leur compétence professionnelle (génie, management, mise en marché, finance, informatique, etc.) ce qui justifie l'existence de nombreuses spécialités. Tout conseil est un professionnel qui intervient à l'intérieur de sa propre compétence (connaissances et expériences) en respectant certaines règles d'éthique de son groupe progressionnel d'appartenance ou groupe relié à la consultation.

Tableau 1.2
Classification des activités de consultation

A Secteurs économiques	+	**B** Fonctions de l'organisation	**C** Champs de connaissances
1. Privé a) Production b) Service		1. Finance 2. Personnel	1. Administration 2. Psychologie 3. Économique
2. Parapublique a) Éducation b) Santé		3. Production 4. Relations publiques	4. Recherche opérationnelle 5. Sociologie 6. Génie 7. Médecine
3. Publique a) Gouv. national b) Gouv. provincial (état-région) c) Gouv. municipal		5. Sécurité 6. Marketing 7. Organisation et méthodes	8. Informatique 9. Relations de travail 10. Ergonomie 11. Journalisme/ communication
4. Autre...		8. Autre...	12. Autre...

Plusieurs auteurs ont décrit les multiples facettes de la consultation auprès des organisations (Hunt, 1977; Kuhr, 1978; Block, 1981; Stryker, 1982). Les nombreuses réalités soumises au conseil sont aussi diversifiées que les fonctions de l'organisation, les multiples champs de connaissances dans lesquels puisent les gestionnaires et la multiplicité des grands secteurs économiques.

Un conseil est généralement reconnu comme expert à cause de sa maîtrise d'un secteur économique particulier (A), par sa compétence dans une des fonctions spécifiques de l'organisation (B) ou par ses connaissances approfondies dans un champ précis de connaissances (C) tel que décrit dans le tableau 1.2.

Généralement, les mandats confiés au conseiller se présentent comme une conjugaison des dimensions A et B du tableau 1.2. En effet, il peut s'agir d'un problème ou d'une interrogation qui se rattache à une des fonctions que doit assumer une organisation d'un secteur économique précis. Par exemple, le problème peut concerner le personnel dans un hôpital, la production dans une entreprise privée, la mise en marché des services du gouvernement, la sécurité dans une entreprise privée de production, etc. Les missions confiées au conseil sont habituellement beaucoup plus précises mais il est impossible de toutes les énumérer. À titre d'illustrations concrètes, une liste non exhaustive de ces problématiques est annexée à l'appendice I.

La dimension C du tableau 1.2 (champ de connaissances) sert habituellement à identifier l'expertise professionnelle d'un conseil (psychologue, ingénieur, gestionnaire, etc.). Cependant, cette dimension sert de bassin pour illustrer l'ensemble des disciplines qui peuvent être impliquées dans la réalisation d'un mandat.

Chacune des dimensions du tableau 1.2 se termine par l'item «autre» afin de bien démontrer que cette classification n'est pas statique et finale mais plutôt très fluide, dynamique et sujette à l'évolution très rapide qui caractérise le domaine de la consultation.

3 *Rôles du conseil*

L'objectif de la consultation est d'aider le système-client à résoudre un problème ou à améliorer une situation. La façon dont le conseil s'y prend pour y arriver se traduit dans le ou les rôles assumés. Le conseil agit essentiellement en adoptant les comportements qui lui paraissent bien appropriés aux circonstances. Cependant, ces rôles sont également influencés par les valeurs et les croyances du conseiller. Ses comportements en sont l'expression manifeste.

Dans cette section, nous présenterons les rôles multiples du conseiller selon la conception des auteurs les plus importants dans le domaine. Ainsi sera couverte la période des vingt dernières années qui correspond sensiblement à l'époque où la consultation a pris un essor considérable et est devenue de plus en plus sujet d'analyse et de réflexion de la part de spécialistes.

Les modes d'agir du conseiller sont excessivement importants dans la relation-conseil. Ce dernier doit bien en saisir toutes les dimensions. Une synthèse permettra, à la fin, d'en faire ressortir les caractéristiques fondamentales.

3.1 *Typologie de Gouldner (1961)*

En 1961, Gouldner élabore une conception simple mais fort utile des rôles du conseil qui aide grandement à mieux saisir la dynamique de la consultation. Il considère que le conseiller peut agir comme «conseiller expert» («*engineering approach*») ou comme «conseiller facilitateur» («*clinical approach*»).

□ **Conseiller «expert»**

L'expert est essentiellement centré sur le problème technique que lui soumet le client et non sur l'expérience vécue par ce dernier. Il cherche à fournir au système-client le plus d'idées, de solutions ou de recommandations possibles qui visent d'abord et avant tout à résoudre le problème du client. Ce genre de conseil se définit surtout comme une somme de connaissances dans un secteur donné. Le conseiller expert cherche à influencer le client dans le choix de la solution qu'il croit personnellement, de par sa compétence, la plus valable.

□ **Conseiller «facilitateur»**

Le conseil facilitateur est axé surtout sur la démarche par opposition au contenu. Le facilitateur veut aider le client à résoudre ses problèmes en lui montrant comment comprendre les processus d'interaction sociale qui existent dans l'organisation relativement à la situation problématique. Le conseiller postule que le problème se situe au niveau d'un ensemble dynamique complexe. Le conseil guide le client dans l'exploration de cette dynamique interne. Il aide ce dernier à mieux situer sa propre expérience dans l'ensemble du vécu organisationnel. De plus, le conseiller fait le postulat que le client est sensibilisé, peut apprendre à la suite cette démarche et peut transférer éventuellement cet apprentissage dans son activité quotidienne. Le conseil facilitateur agit en quelque sorte comme un psychothérapeute le fait avec un individu en difficulté.

Cette vision fort simple des rôles du conseiller a tout de même l'avantage de faire ressortir deux types d'approche en consultation qui correspondent bien à la réalité. D'ailleurs, Tessier et Tellier (1973) l'ont reprise et présentée dans ses grandes lignes (tableau 1.3).

3.2 *Typologie de Schein (1969)*

Schein (1969) a également été un des premiers à présenter un modèle intéressant et complet des rôles que le conseiller peut assumer lors de son intervention dans un système-client.

Schein identifie trois rôles principaux: le conseil «catalyseur», le conseil «médecin» et le conseil «fournisseur».

□ **Conseil «catalyseur»**

Le conseil catalyseur est fondamentalement orienté sur les processus. Il aide le client à mieux percevoir, comprendre et corriger les situations problématiques. Ce type de conseil postule que le client a de la difficulté à identifier ce qui ne va pas et désire de l'aide pour le faire. Il arrive souvent que le client ignore le support que peut lui apporter le

Tableau 1.3
Caractéristiques du conseiller expert et du conseiller facilitateur
(Gouldner, 1961)

Conseiller facilitateur	Conseiller expert
• Préoccupé par les personnes qui vivent un problème.	• Préoccupé par le problème que vivent les personnes.
• Aider les personnes à résoudre elles-mêmes leur problème.	• Produit lui-même des idées et des actions utiles à la résolution du problème.
• Définit la situation problème comme un ensemble de processus sociaux à élucider pour faciliter le fonctionnement optimal de la personne ou du groupe.	• Définit la situation problème comme une matrice de contenus sur lesquels il faut travailler intellectuellement pour ensuite intervenir.

conseiller. Ce dernier travaille avec les membres de l'organisation à compléter un diagnostic complet du problème, à chercher des solutions, à suggérer de nouvelles actions tout en mettant la priorité sur le fait que le système-client doit apprendre, par la même occasion, à résoudre lui-même ses propres difficultés. Conséquemment, le client participe au processus d'élaboration des solutions. L'apport majeur de ce type de conseiller est d'enseigner au client le contrôle et l'utilisation des processus humains (relations interpersonnelles, communication, prise de décision, résolution de conflits, leadership, etc.). Il transmet alors au client son approche, ses méthodes et ses valeurs.

□ Conseil «médecin»

Le conseil médecin a pour objectif de trouver ce qui ne fonctionne pas dans le système-client et de recommander des solutions. Le conseil vient dans l'organisation «tâter le pouls du client» et diagnostiquer la cause du problème. Généralement, le client identifie les unités ou départements de l'organisation qui posent problème. Les dangers de ce type d'intervention se retrouvent à deux niveaux. D'abord, il y a risque que l'information recueillie par le conseil soit très affectée par le climat de l'organisation. La qualité de l'information est parfois très discutable. Deuxièmement, les recommandations du conseiller peuvent être rejetées par le client si celles-ci provoquent dans le système-client une certaine dissonance cognitive. Ce risque est d'autant plus grand que le client n'a pas participé, de façon active, au diagnostic et au processus menant à l'élaboration des recommandations.

☐ **Conseil «fournisseur»**

Fondamentalement, le conseil fournisseur apporte des informations ou des services en tant qu'expert technique. Le client identifie un besoin spécifique qui correspond à l'acquisition de connaissances précises ou à la mise en fonction d'une activité et il cherche alors une réponse à ce besoin. Le postulat sous-tendant ce genre de relation est que le client connaît et identifie bien son besoin et que le conseil possède l'expertise technique pour répondre directement à la demande du client. Il arrive souvent que le système-client soit plus ou moins satisfait des services de ce type de conseil et il faut alors se demander si l'organisation-client a bien identifié ses besoins (ce qui est beaucoup plus complexe qu'on peut le croire a priori) et a communiqué ceux-ci avec clarté. Le conseil a-t-il bien compris la demande? Le client et le conseiller sont-ils conscients des conséquences des recommandations sur la vie organisationnelle étant donné qu'il y a eu peu de collaboration véritable entre eux durant la réalisation du mandat?

Ce modèle des rôles du conseiller a été retenu, de façon quasi-intégrale, par Kuhr (1978) dans son travail sur le conseil en management. Schein s'est également appuyé sur la conception mise de l'avant par Gouldner (1961) pour ensuite la compléter.

3.3 *Typologie de Margulies et Raia (1972)*

Margulies et Raia (1972) prônent sensiblement le même modèle que celui de Gouldner (1961) et Schein (1969) mais en y associant l'expert technique à une orientation vers la tâche et le facilitateur à une orientation vers le processus. L'apport majeur de ces auteurs consiste à présenter ces deux rôles en définissant les comportements de ces deux genres de conseil selon certains moments-clés du processus de consultation. Dans le tableau 1.4, on retrouve donc la conception schématisée de Margulies et Raia. De plus, en parlant d'étendue des rôles, ceux-ci laissent sous-entendre qu'il peut y avoir des styles de conseillers intermédiaires sans les identifier de façon précise dans leur modèle.

3.4 *Typologie de Lippitt et Lippitt (1978)*

Lippitt et Lippitt (1978) ont innové dans la conception des rôles du conseiller en fondant leur typologie sur deux aspects complémentaires moins soulignés dans les modèles précédents: l'importance de l'implication du client et du conseil associée à l'attitude de directivité ou de

Tableau 1.4
Étendue des rôles du conseil
(Margulies et Raia, 1972)

ORIENTE VERS LA TÂCHE ▼	ORIENTE VERS LE PROCESSUS ▼
1. Vérification du problème	
• Par une évaluation d'experts et une cueillette de données.	• Par une sensibilisation au problème qui intègre clairement les attitudes et les sentiments.
2. Solution du problème	
• Fournit des idées, devis de recherche et développe des solutions pour le système-client.	• Travaille sur la capacité du système-client à solutionner ses problèmes, améliore le processus de résolution de problèmes et facilite la créativité.
3. Rétroaction	
• Présente les résultats de la recherche avec ses interprétations expertes.	• Fournit des données significatives, facilite l'assimilation de celles-ci et permet au client d'y apporter ses interprétations.
4. Utilisation de la recherche	
• Fait des recommandations spécifiques et concrètes basées sur les données.	• Développe par l'apprentissage du client sa capacité d'utiliser des données de recherche et de prendre action.

5. Relation avec le client	
• Est objective, détachée et centrée sur la tâche. Le lien est à court terme et orienté sur le problème.	• Est personnelle, impliquante et orientée sur le processus. Le lien est à long terme et orienté sur le système-client.
6. Implication	
• Est prioritairement fonction du problème à résoudre.	• Est prioritairement fonction des individus et groupes dans l'organisation.
7. Approches des systèmes	
• Concerné par les implications du problème pour les autres unités de l'organisation.	• Concerné par les relations de collaboration et d'échange entre les diverses unités de l'organisation.

non-directivité du conseiller dans son intervention. Un autre élément important de leur modèle est la multiplicité des rôles qui sont tous bien identifiés (tableau 1.5). Il est possible de constater que, selon le rôle assumé, le conseil implique plus ou moins son client et agit avec plus ou moins de directivité durant sa mission.

☐ Avocat persuasif

L'avocat persuasif est généralement un conseil combatif qui possède de profondes convictions et valeurs. Il tente d'exercer une influence marquée sur les autres. C'est un expert qui favorise fortement la directivité et il va jusqu'à exercer une certaine pression sur le système-client pour le convaincre de ses positions.

Il faut ici distinguer deux types d'avocat persuasif: celui axé sur le contenu et celui axé sur le processus. L'avocat du contenu veut influencer le client dans le choix des objectifs et des actions à prendre. L'avocat du processus influence le système-client dans le choix de la méthodologie à suivre pour résoudre le problème. Ces deux styles de consultation se basent essentiellement sur les croyances et valeurs du conseiller.

Les études sur la relation de conseil suggèrent que la dépendance du client envers le conseiller avocat n'est pas dans les meilleurs intérêts du système-client à long terme car il n'améliore pas son autonomie. Il est cependant quasi-irréaliste de penser que le conseiller n'exerce

Tableau 1.5
Rôles multiples du conseiller

(Lippitt et Lippitt, 1978)

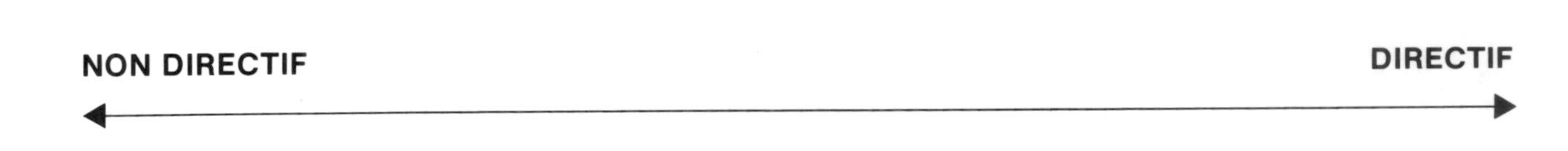

aucune influence sur le système-client. Cependant, il faut ici voir jusqu'à quel degré le conseil exerce cette influence.

□ Expert de l'information

L'expert de l'information est un spécialiste qui, par ses connaissances, ses habiletés et son expérience, est appelé à fournir des services spécialisés. Le client est responsable de la définition du problème et des objectifs de la mission. Quant au conseil, il assume un rôle assez directif jusqu'à ce que le système-client soit suffisamment à l'aise avec l'approche recommandée. L'expert de l'information peut être aussi bien un spécialiste du contenu qu'un spécialiste du processus.

Tenant compte des besoins de reconnaissance du conseil et le désir naturel du client de faire diminuer l'anxiété, il faut être prudent quant à l'utilisation de ce rôle qui, à première vue, semble attrayant aux deux parties. Le conseil ne doit pas adopter exclusivement ce rôle car il perpétue la dépendance du système-client. Le conseiller est souvent appelé à donner des avis techniques, surtout au début de la relation, mais le rôle d'expert de l'information devrait être restreint dans le temps.

□ Formateur/éducateur

Le conseil peut agir comme concepteur d'expériences d'apprentissage et animateur par sa compétence au niveau de sa compréhension des processus d'apprentissage. Ce rôle est important quand il est nécessaire de faciliter l'apprentissage du système-client en regard de changements organisationnels. Le but est alors de rendre le système-client compétent dans certaines domaines.

L'implantation de nouvelles méthodes de travail a parfois été un échec parce que les conseillers n'ont pas suffisamment mis l'accent sur l'apprentissage des responsables de l'organisation-client. Le rôle de formateur/éducateur est un des rôles très importants du conseil. Il s'agit, selon Lippitt et Lippitt (1978), d'une compétence primaire que tout conseil devrait posséder.

□ Pair dans la résolution du problème

Le rôle de pair dans la résolution du problème implique une collaboration et une complémentarité avec le client dans tous les aspects perceptuels, cognitifs et émotionnels reliés à l'expérience en cours. Cette coopération existe au niveau de la formulation du problème, de l'identification des causes possibles, de la pondération des alternatives et des moyens à prendre pour résoudre le problème.

En agissant ainsi, le conseil devient une ressource importante qui aide à développer chez les clients des habiletés qui vont lui permettre éventuellement de mieux solutionner ses problèmes. L'utilisation de ce rôle implique une réceptivité chez le client et une flexibilité chez le conseil.

□ **Agent d'identification des alternatives**

Quand il s'agit de solutionner un problème, il y a généralement plusieurs alternatives qui se présentent. Le conseil agit alors comme celui qui peut identifier ces alternatives, les évaluer en termes d'avantages et d'inconvénients et les relier aux caractéristiques et capacités des ressources internes et externes du système-client.

Le conseiller doit être capable de présenter au client une vaste gamme d'alternatives et des options précises parmi lesquelles les responsables de l'organisation pourront établir un choix. Tout ce travail implique à la fois le conseil et le client.

□ **Chercheur de faits**

La cueillette d'informations est une des étapes les plus cruciales de la consultation. En ce sens, le conseil assume donc un rôle qui consiste essentiellement à agir comme chercheur. Cette phase de recherche est fondamentale pour le succès des autres étapes de la mission. Le chercheur de faits doit également maîtriser les techniques de rétroaction si utiles dans les réunions de groupe.

Le conseiller aide indirectement le client à acquérir certaines habiletés au niveau des techniques de cueillette de données: analyse de dossiers, questionnaires, entrevues individuelle et de groupe, observations, etc. Il est cependant conscient que sa seule présence peut affecter les acteurs de la situation problématique à l'étude (Bordeleau et al., 1982).

□ **Conseiller sur les processus**

Bien que le conseil puisse toujours intégrer les processus sociaux dans son intervention, il est possible de concevoir un rôle où celui-ci agit en tant que spécialiste des processus. L'objectif est de travailler avec le client à la compréhension de ceux-ci de façon à lui transmettre certaines connaissances et habiletés. Le conseiller focalise ici sur la dynamique des relations interpersonnelles et intergroupes pour être ensuite en mesure de localiser les obstacles au fonctionnement du système-client et en faire prendre conscience aux responsables.

□ **Observateur/réflecteur objectif**

Ce rôle est le plus non directif de tous les rôles conçus par Lippitt et Lippitt (1978). Le conseil cherche ici à créer chez le client des intuitions qui vont lui permettre de découvrir les caractéristiques du problème, les moyens de l'aborder et de le solutionner. Le conseiller ne communique pas ses connaissances, opinions ou habiletés mais il agit un peu comme un miroir qui retourne au client l'image des problèmes qui le confrontent. La relation de conseil n'est pas terminée tant que le client n'a pas pris une décision finale.

Assumer un tel rôle implique, chez le conseiller, un engagement important en termes de temps et de flexibilité. Quant au client, celui-ci doit accepter très bien le conseil et lui faire confiance énormément. Cette relation qui est perçue dans une perspective temporelle à long terme, est souvent caractérisée par des phases de frustration et d'impatience chez le client.

3.5 *Typologie de Block (1981)*

Block (1981) s'est également inspiré des modèles de Gouldner (1961) et de Schein (1969) pour développer sa conception des principaux rôles assumés par les conseillers. Deux de ces rôles sont déjà bien identifiés dans les modèles précédents: l'expert et le collaborateur. Le troisième rôle est plus original et mérite que l'on s'arrête quelque peu sur le modèle de cet auteur (tableau 1.6).

Block (1981) mentionne que la difficulté reliée au rôle d'expert correspond au fait que la plupart des problèmes techniques contiennent également des dimensions humaines auxquelles le conseil n'attache pas suffisamment d'attention. Quant au rôle d'exécutant, la difficulté majeure réside dans l'inexactitude possible du diagnostic fait par le client ce qui peut rendre le travail du conseil non pertinent. Devant l'échec de la mission, le conseil devient alors le bouc émissaire tout désigné. Le client peut également interpréter toute remise en question de son diagnostic par le conseiller comme une attitude d'insubordination ou d'attaque de sa propre compétence ce qui est de nature à rendre la relation de conseil très difficile. Enfin, le rôle de collaborateur est privilégié par cet auteur puisqu'il permet de joindre la compétence technique du conseiller et l'expérience organisationnelle du client. Ainsi seront pris en compte les aspects techniques et humains du problème. De plus, le système-client est actif dans le processus de consultation. Cependant, le client qui cherche un conseil expert ou exécutant sera problablement insatisfait de cette approche de collaboration.

Tableau 1.6
Rôles du conseil (Block, 1981)

EXPERT	EXÉCUTANT	COLLABORATEUR
• Client ne joue pas un rôle actif.	• Conseil joue un rôle passif	• Conseil et client travaillent de façon interdépendante
• Décisions sur la façon de procéder prises par l'expert	• Décisions sur la façon de procéder prises par le client	• Décisions bilatérales suite à échanges mutuels
• Cueillette d'informations faite par le conseil	• Méthodes de cueillette de l'information choisies par le client	• Cueillette d'informations est un effort conjoint
• Contrôle technique demeure entre les mains de l'expert	• Contrôle technique demeure entre les mains du client	• Contrôle est l'objet de discussion et de négociation
• Collaboration n'est pas requise	• Collaboration n'est pas requise	• Collaboration essentielle
• Communication client-conseil limitée	• Communication client-conseiller limitée	• Communication client-conseil importante
• Conseiller voit aux détails de l'implantation	• Client voit aux détails de l'implantation	• Implantation suite à la discussion et à l'accord du client et conseiller
• Rôle du client: évaluer après l'intervention	• Rôle du client: juger et évaluer en surveillant de près	
• Objectif du conseiller: résoudre le problème le plus vite possible	• Objectif du conseiller: aider à l'efficacité du système en appliquant ses connaissances spécialisées	• Objectif du conseiller: solutionner le problème pour longtemps

3.6 *Typologie de Stryker (1982)*

Tout récemment, Stryker (1982) a élaboré une typologie des rôles du conseil qui comprend sept rôles principaux. Parmi ceux-ci, cinq se retrouvent sensiblement tel quel dans le modèle de Lippitt et Lippitt (1978): le médecin, le scientiste, le détective, l'expert et le courtier collaborateur («*broker*»). Quant aux deux autres rôles, ils constituent des aspects du rôle du conseiller moins soulignés dans les modèles présentés précédemment: le vendeur («*marketer*») et l'ingénieur conservateur («*sanitary engineer*»).

Voici maintenant les principales caractéristiques que Stryker attribue à chaque rôle.

☐ **Médecin**

Le client réalise l'existence d'un problème dans l'environnement organisationnel. Il fait alors appel au conseiller pour que ce dernier effectue le diagnostic et prescrive le remède nécessaire. Le conseil agit en ayant le minimum d'interaction avec le client et suggère des solutions possibles. Dans ce contexte, il s'attend à ce que le client suive ses recommandations.

☐ **Vendeur**

Le conseiller vendeur tente de vendre au client des services standardisés développés à l'avance. Il cherche d'abord à établir l'image de son client potentiel et suggère des solutions qui sont conformes à ce que fait l'organisation.

☐ **Scientiste**

Ce type de conseil agit comme un catalyseur au niveau du changement. Il observe et réfléchit, de façon objective, les divers aspects de la situation. Il suit, étape par étape, le processus qui apporte la résolution du problème.

☐ **Détective**

Celui-ci met l'accent sur la cueillette d'informations dans le but de résoudre le casse-tête. Il s'implique généralement peu dans la phase d'implantation.

☐ **Expert**

Le conseiller expert est au fait des dernières connaissances touchant le problème du client. Il tente de convaincre ce dernier d'aborder la problématique selon tel ou tel moyen d'action. Généralement, son travail est fait et terminé avant la période d'implantation. Il connaît ce qui est bon pour le client. Dans son intervention, l'expert considère surtout les aspects techniques du problème et moins la dimension humaine.

☐ **Courtier collaborateur**

Le conseil et le client partagent la responsabilité de résoudre le problème. Les décisions sont élaborées de façon conjointe mais prises finalement par le client. Le conseiller aide les responsables du système-client à développer des habiletés pour résoudre éventuellement les problèmes qui se présenteront à lui. Ainsi, il y a interaction continue entre les deux collaborateurs tout au long du processus de consultation.

☐ **Ingénieur conservateur**

Ce conseiller assiste le client dans le maintien du statu quo. Il produit des résultats qui ne suggèrent pas de changements substantiels. Il peut parfois aider le client à remettre à plus tard les décisions qui pourraient changer l'équilibre actuel.

Comme il est possible de le constater, la conception des rôles du conseil de Stryker (1982) recouvre, de façon importante, celles de Lippitt et Lippitt (1978), de Schein (1969) et Gouldner (1961). L'originalité de Stryker (1982) est reliée à la mise en évidence du style de conseil vendeur et ingénieur conservateur.

3.7 *Synthèse des rôles*

L'exposé des conceptions des divers auteurs met en relief la très forte filiation de ces modèles. Les deux rôles exposés par Gouldner (1961) servent de toile de fond à tous les autres modèles. Seuls, Lippitt et Lippitt (1978) de même que Stryker (1982) ont ajouté un élément, soit l'identification de rôles intermédiaires entre les deux rôles extrêmes retenus dans les modèles de Gouldner (1961), Schein (1969), Margulies et Raia (1972) et Block (1981). Tous ces modèles sont fort valables bien que certains retiennent l'essentiel alors que d'autres mettent plus l'accent sur le détail.

Comme l'utilisation de n'importe quel modèle décrit antérieurement peut être tout à fait justifié, il ne semble pas très utile de tenter d'imaginer un nouveau modèle issu des précédents. Il apparaît plus utile de faire ressortir les grandes orientations qui sous-tendent l'émergence des principaux rôles du conseiller mentionnés dans ces divers modèles.

Premièrement, l'activité-conseil se situe sur le continuum du contenu: «problème technique ⟷ processus sociaux». Le conseil peut être axé exclusivement sur les demandes techniques du client ou être centré sur la dynamique des processus. Le conseil peut également vouloir occuper un rôle qui tienne compte, avec un certain équilibre, des deux dimensions de la relation de conseil, soit le problème et les processus.

Deuxièmement, le conseil tient compte du type de relation qu'il désire entretenir dans sa relation de consultation. Le continuum est donc celui qui va de «directif ⟷ non directif». Encore ici, le conseiller peut occuper une position extrême ou une position qui vise un meilleur équilibre entre ces deux pôles opposés.

Enfin, le troisième continuum descriptif de la relation de consultation concerne l'implication des acteurs: «client ⟷ conseiller». Le conseil peut adopter un rôle où il sera l'acteur exclusif. Il peut également opter pour un rôle passif au service de l'acteur principal, en l'occurrence le client. La dernière possibilité vise une implication plus équilibrée des deux acteurs dans la relation de consultation.

Il est ainsi possible de situer approximativement les divers rôles sur chacun des axes considérés séparément. Voici d'abord la liste des rôles du conseil constitué à partir des divers modèles décrits précédemment:

1. Expert (Gouldner, 1961)
2. Facilitateur (Gouldner, 1961)
3. Catalyseur (Schein, 1969)
4. Médecin (Schein, 1969)
5. Fournisseur (Schein, 1969)
6. Expert technique (Margulies et Raia, 1972)
7. Facilitateur (Margulies et Raia, 1972)
8. Avocat persuasif (Lippitt et Lippitt, 1978)
   8a. Contenu
   8b. Processus
9. Expert de l'information (Lippitt et Lippitt, 1978)
   9a. Contenu
   9b. Processus
10. Formateur/éducateur (Lippitt et Lippitt, 1978)
11. Pair dans la résolution des problèmes (Lippitt et Lippitt, 1978)
12. Agent d'identification des alternatives (Lippitt et Lippitt, 1978)
13. Chercheur de faits (Lippitt et Lippitt, 1978)
14. Conseiller sur les processus (Lippitt et Lippitt, 1978)
15. Observateur/réflecteur objectif (Lippitt et Lippitt, 1978)
16. Expert (Block, 1981)
17. Exécutant (Block, 1981)
18. Collaborateur (Block, 1981)
19. Médecin (Stryker, 1982)
20. Vendeur (Stryker, 1982)
21. Scientiste (Stryker, 1982)

22. Détective (Stryker, 1982)
23. Expert (Stryker, 1982)
24. Courtier collaborateur (Stryker, 1982)
25. Ingénieur conservateur (Stryker, 1982)

Voyons maintenant où se situe chacun des rôles soulignés par les auteurs cités sur chaque axe mentionné ci-dessus:

Axe «directif — non directif» (TYPE DE RELATION)

←						→
1, 5, 6, 8a	9a		12			
16, 22, 23		17	18, 24	13	14, 21	
20			11		25	15
4, 19		10	2, 3, 7			
8b	9b					

Axe «problème technique — processus sociaux» (CONTENU)

←				→
1, 5, 6, 8a, 9a	20	4, 19	12, 13, 25	2, 3, 7, 10, 8b
16, 22, 23		17	18, 24, 11	14, 21, 15, 9b

Axe «conseiller — client» (IMPLICATION ACTEURS)

←			→
1, 5, 6, 8a, 9a	10	2, 3, 7	17
16, 20, 22, 23		12, 18, 24	
4, 19		11, 13, 25	
8b, 9b		14, 21, 15	

En tenant compte simultanément des trois axes mentionnés, ces divers rôles seront maintenant situés dans un graphique (figure 1.1) qui permettra de faire ressortir les rôles favorisant le plus grand équilibre entre le contenu technique et les processus sociaux, entre l'implication du conseil et celle du client, entre l'attitude de directivité et l'attitude de non-directivité.

Certains auteurs ont, de façon plus ou moins explicite, opposé catégoriquement et avec exclusivité les concepts problème technique et processus, associé à tort les concepts problème technique et directif ou processus sociaux et non directif. De telles oppositions ou associations mènent à des conceptions incomplètes qui n'exposent pas suffisamment la complexité et le caractère dynamique des rôles du conseiller. Il apparaît plus réaliste de tenir compte simultanément des trois continuum mis en relief dans la figure 1.1 en ayant à l'esprit que le conseil pourrait théoriquement jouer un rôle localisé n'importe où dans le cube, rôle que l'on peut ensuite décrire en se référant aux trois axes.

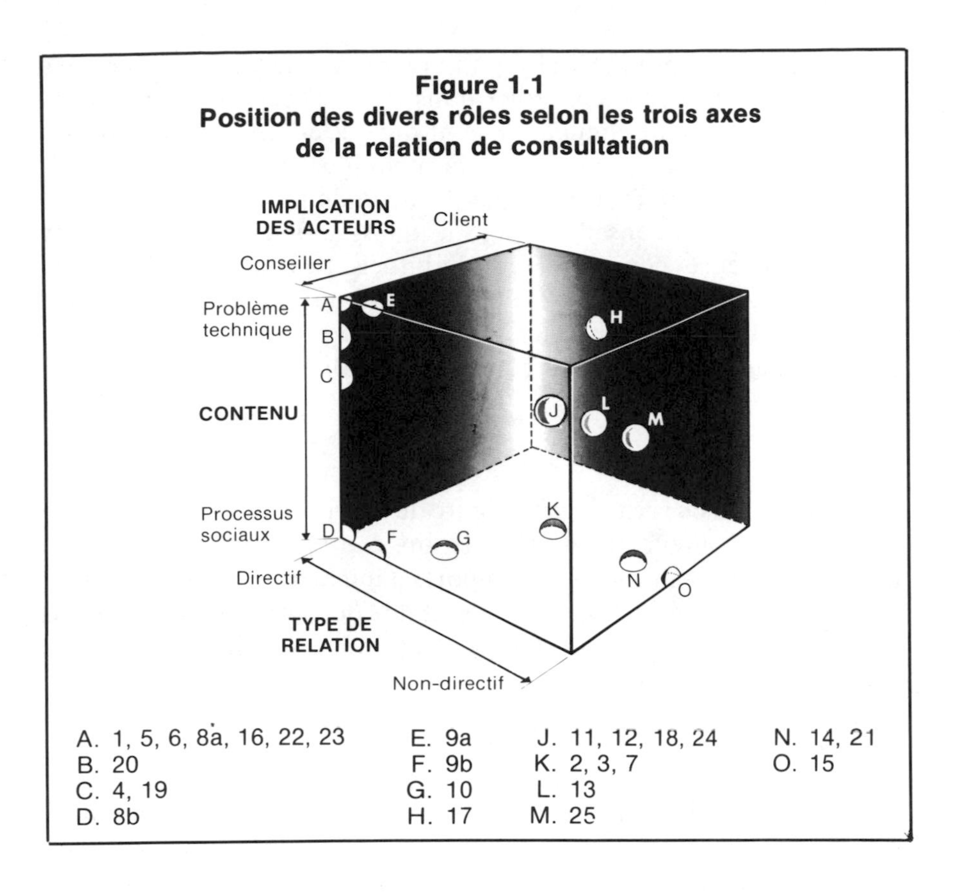

Figure 1.1
Position des divers rôles selon les trois axes de la relation de consultation

3.8 *Multiplicité ou unicité des rôles du conseil*

La très grande majorité des auteurs, intéressés à la consultation, soutiennent que le conseiller ne doit pas se cantonner dans un rôle unique tout au long de sa mission. Le respect intégral d'un rôle spécifique n'est pas sans mettre en danger le succès de l'intervention. Comme la connaissance du problème et les relations client-conseil évoluent, leurs rapports formels doivent également évoluer. De plus, chaque contexte organisationnel est unique ce qui permet de croire que l'adoption d'un seul rôle ne semble une stratégie pertinente.

Un conseiller a la possibilité d'agir plus comme un expert au moment où le client a besoin d'une information qu'il ne possède pas et agir, par la suite, comme facilitateur ou catalyseur pour rendre le client de plus en plus capable d'affronter et de solutionner lui-même ses problèmes. Le conseil utilise ainsi, de façon complémentaire, ces deux rôles.

Lippitt et Lippitt (1978) font un bon exposé des différents critères qui devraient guider le conseiller dans le choix des rôles à assumer. Il faut cependant dire immédiatement que ces critères ne doivent pas être utilisés de façon prescriptive. Tout au plus, ces lignes directrices servent de guides. Il n'y a certes pas de façon simpliste de déterminer le rôle à adopter. Le conseiller réagit à une situation avec ses traits de personnalité et ses comportements habituels. Le choix du rôle adopté est plus ou moins le résultat d'une décision rationnelle et délibérée. Ceci étant dit, passons maintenant à ces critères qui sont à considérer pour bien adapter le rôle du conseil à la réalité situationnelle:

□ **Nature du contrat**

Le contrat, oral ou écrit, décrit le genre de relations qui existent entre le client et le conseil. Il en déroule un contrat psychologique qui détermine par le fait même les rapports d'interaction. Si le contrat est très structuré, il permet moins la flexibilité des rôles que si celui-ci est plus général ou s'il spécifie l'objectif et non le détail des moyens à prendre pour y arriver.

□ **Buts**

Les buts de la mission font partie d'un processus qui favorise souvent la modification des objectifs initiaux fixés par le client et le conseiller. Les priorités sont revues de temps à autre et elles sont réajustées. Évolution des objectifs veut également dire évolution des rôles du conseil.

□ **Valeurs du système-client et du conseiller**

Les valeurs influencent grandement le style de comportement. Ainsi, le système-client et le conseil se sentiront plus à l'aise dans un contexte de relations conforme aux valeurs et normes du milieu. Généralement, plus le spectre des valeurs du système-client est restreint, plus le rôle du conseiller est précis et unique.

□ **Préférences et limites du conseil**

Le rôle assumé par le conseil est également affecté par le fait que celui-ci se sent plus confortable et plus efficace dans tel ou tel rôle. Le répertoire des rôles d'un conseiller augmente avec sa flexibilité et sa versatilité. Il peut alors avoir du succès dans un plus grand nombre d'environnements organisationnels différents.

□ **Tradition**

Le conseiller a tendance à répéter les conditions qui ont mené au succès d'une mission antérieure. Ainsi, si le système-client n'est pas très différent, le conseil est porté à intervenir en agissant dans un cadre semblable à celui du rôle déjà assumé.

□ **Statut interne ou externe**

Il arrive que le fait d'être membre de l'organisation puisse favoriser, chez le conseiller, le choix de certains rôles comparativement aux rôles que pourrait jouer un conseil externe.

□ **Événements spéciaux**

Certains événements spéciaux, extérieurs au conseiller, apportent certains changement dans les rôles du conseil durant l'exécution de son mandat: changement du président de l'organisation, certaines opportunités du marché, grève, etc.

Comme la consultation constitue un processus dynamique spécifique à l'intérieur du processus évolutif global de la vie organisationnelle, il apparaît que la très grande majorité des auteurs favorisent implicitement les rôles qui visent à aider le client à le rendre moins dépendant et plus habile à résoudre lui-même ses problèmes. Ainsi, cette préférence accorde une valeur particulière aux rôles 11, 12, 18, et 24 localisés dans la sphère qui occupe le centre du cube à trois dimensions décrit dans la figure 1.1.

Il est important de signaler que cette préférence pour certains styles n'est pas en contradiction avec le fait que ces auteurs plaident en faveur de la multiplicité des rôles. En effet, le conseiller peut occuper divers rôles selon les caractéristiques du problème, du client ou du moment, tout en visant, à plus ou moins long terme, à rendre le système-client plus autonome et plus habile à résoudre lui-même ses problèmes. Cet objectif implique la collaboration client-conseiller, un certain équilibre entre la directivité et la non-directivité, une attention égale portée aux aspects technique et humain des situations problématiques.

4 Conditions nécessaires au succès d'une mission de consultation

Dans la section précédente, les divers rôles assumés par le conseil ont été décrits de façon détaillée. Il est évident que ces rôles sont multiples et que le conseiller choisit et adapte sa stratégie d'action au type de client et au mandat précis que ce dernier lui confie.

Malgré la diversité des approches du conseil, la majorité des spécialistes de la consultation s'accordent pour soutenir que la présence d'un certain nombre de conditions est nécessaire pour améliorer les chances de succès de l'activité-conseil.

4.1 *Être authentique en tant que conseiller*

Le conseil acquiert la confiance du client dans la mesure où il présente sa compétence sans recourir à des artifices qui ne peuvent, à la longue, que lui faire perdre sa crédibilité. La vraie compétence n'a pas besoin d'un cadre artificiel visant à épater ou aveugler le client éventuel. De toute façon, l'emballage de présentation ne tient pas le coup si la compétence ne s'y trouve pas. Les charlatans de la consultation sont généralement vite démasqués bien qu'il soit malheureux que certains clients aient eu parfois à vivre des expériences fort décevantes. Pour le conseiller, être authentique constitue également le meilleur moyen d'encourager le client à faire également preuve d'authenticité dans ses relations avec le conseil.

La notion d'authenticité implique la possibilité, pour le client et le conseiller, de faire connaître respectivement leurs sentiments, opinions, perceptions dans le but de rendre la relation ouverte et franche. La maturité de la relation de consultation est un élément fort important dans le succès d'une mission. La confiance, la confidentialité et le respect mutuel des besoins de chacun sont indispensables et constituent les pierres angulaires de toute relation de consultation.

4.2 *Avoir une vision systémique des réalités organisationnelles*

Le conseiller doit être sensibilisé à l'approche systémique qui s'adapte fort bien à la complexité du fonctionnement des organisations. Le dynamisme et l'interdépendance sont deux caractéristiques importantes des systèmes-clients dont il faut tenir compte. En effet, le conseil cherche toujours à avoir à l'esprit «l'image totale» de la situation s'il désire recueillir toute l'information nécessaire et s'il veut améliorer la possibilité de formuler des recommandations vraisemblables ayant plus de chances d'être appliquées suite à la mission. L'harmonisation et l'intégration de l'activité-conseil considèrent les multiples dimensions du système-client et les interrelations constantes entre celles-ci.

4.3 *Posséder la compétence technique nécessaire*

Il peut paraître superflu de mentionner, comme condition de succès, la compétence technique du conseiller mais cet aspect mérite tout de même que l'on s'y arrête quelque peu.

La qualité des recommandations du conseil est évidemment d'une très grande importance. Les spécialistes connaissent tous l'impact que peuvent avoir ces dernières au moment de leur implantation dans l'organisation et les conséquences désastreuses de mauvaises recommandations. Le conseiller compétent possède une bonne formation de base dans le domaine de son expertise et il se tient continuellement à l'affût des nouveaux développements dans son secteur de compétence. Il est souvent assez difficile pour le conseil vivant continuellement dans le tourbillon de l'action, de prévoir certains moments consacrés à son perfectionnement. Bien que cette décision soit plus facile à prendre qu'à appliquer par la suite, il est évident que le conseiller qui ne prendrait pas les moyens de se perfectionner continuellement (lecture, sessions de perfectionnement, contacts professionnels, etc.) est voué à voir la qualité de ses interventions diminuer et sa compétence s'amoindrir.

4.4 *Reconnaître la dimension affective de la relation client-conseiller*

Le conseil garde constamment à l'esprit que la relation de consultation n'est pas que rationnelle. Ce type de relation est beaucoup plus complexe et, comme toute relation humaine, est empreinte de sentiments, de réactions affectives, de perceptions subjectives.

Les données ou le matériau sur lequel travail le conseil ne sont pas que des données objectives. La réaction des gens face à la réalité problématique fait également partie du champ d'observation du conseiller. Ce dernier fonde son diagnostic et son intervention sur des données valides. Celles-ci concernent tout autant les faits objectifs que les éléments affectifs qui les entourent. Ignorer la dimension affective dans la relation de consultation, c'est rendre quasi-impossible la réalisation d'un mandat dans toute sa globalité.

Chaque situation de l'activité-conseil est caractérisée par un problème technique et par l'interaction qui existe entre les individus concernés. Trop souvent, le focus est dirigé sur l'aspect technique du problème et pas suffisamment sur les processus humains qui conditionnent l'acceptation ou le rejet des recommandations et leur implantation.

Le conseiller, par son statut d'indépendant, est particulièrement bien placé pour faire prendre conscience au client de cette dimension cruciale des processus affectifs entourant le problème technique et ainsi en faciliter chez celui-ci une meilleure maîtrise. Très souvent, le client acceptera bien cette aide du conseil dans le but de mieux faire face éventuellement à d'autres problèmes semblables sans se sentir menacé ou dévalorisé. Dans la section précédente, nous avons attiré l'attention du lecteur sur la compétence technique du conseil. Ici, nous soulignons l'importance du second volet de l'expertise du conseiller, soit la maîtrise des processus de consultation.

4.5 *Respecter la compatibilité entre le client et le conseiller*

Comme dans toute situation impliquant des relations interpersonnelles, il se peut que la relation entre le client et le conseil soit marquée par une certaine empathie ou antipathie. Il faut cependant faire en sorte qu'il y ait une bonne communication et acceptation réciproque si les parties désirent améliorer les chances de succès de l'intervention. Comme il n'est pas réaliste de penser que le client puisse changer subitement son attitude, il est plus facile de chercher à présenter au client (surtout dans le cas d'une firme-conseil importante) un conseiller avec qui il se sentira à l'aise. Il faut évidemment tenir compte de cet aspect puisque la relation de conseil est relativement impliquante pour les deux parties et qu'elle se déroule généralement dans un délai relativement court ne supportant pas une longue période d'adaptation.

4.6 *Clarifier les termes de la mission*

Sans entrer ici dans les détails du contrat ce qui fera l'objet d'un chapitre ultérieur, mentionnons cependant que le contrat favorise l'émergence d'un cadre référence commun sans lequel de nombreux conflits ou malentendus pourraient surgir au cours de la mission et compromettre ainsi la relation d'aide que constitue la consultation.

Le client entretient toujours des attentes à l'égard du conseil en termes de la nature de l'aide, de la durée, des responsabilités mutuelles, des ressources nécessaires, des modalités de collaboration, des coûts, etc. Le contrat prend donc la forme d'un document signé par les deux parties, document qui constitue l'aboutissement de l'entente négociée entre le client et le conseil. Cet effort de discussion permet alors une certaine ouverture qui facilite les réajustements en cours de réalisation du mandat si ceux-ci s'avèrent nécessaires. Il est dangereux qu'à l'origine, une mauvaise communication rende les deux parties prisonnières du contrat initial et risque ainsi d'être dysfonctionnelles par rapport à la situation. Selon l'évolution des circonstances, il faut être prêt à une réinterprétation possible des divers termes du contrat. Une bonne discussion initiale entre le client et le conseiller facilite les négociations ultérieures.

4.7 *Maximiser la fréquence des contacts avec le client*

Les contacts entre le client et le conseil constituent autant d'occasions de partage entre les parties. Ces rencontres permettent au client de contrôler les progrès de la mission. Quant au conseil, il peut alors recueillir de nouvelles informations, faire partager au client certaines décisions stratégiques de recherche et susciter les réactions de ce dernier. Il n'est pas raisonnable de penser que la perception du problème une fois définie au départ ne sera pas modifiée par la suite. Les contacts client-conseiller permettent une prise de conscience mutuelle de l'évolution de la problématique et de l'intervention.

Ces contacts peuvent se dérouler dans un cadre informel ou formel (par écrit ou en personne). Les rapports intermédiaires ou d'étapes constituent également de telles occasions d'échange qu'il faut chercher à maximiser en termes de fréquence et de qualité.

4.8 *Éviter la dépendance du client*

Dans l'immédiat, la consultation a pour objectif général d'aider le client à régler un problème qui le préoccupe, à améliorer un système ou à faire face à une situation nouvelle. À plus long terme, le conseil cherche également à «aider le client à s'aider lui-même» de façon à ce qu'il soit en mesure éventuellement de se confronter avec plus de facilité à des situations semblables. Le conseiller facilite donc l'acquisition de certaines connaissances techniques et une meilleure compréhension des processus humains qui agissent dans toute situation problématique.

Le conseil doit éviter également la dépendance à long terme du client ce qui est généralement néfaste à une saine relation. Tout sentiment de dépendance chez un client risque de rendre celui-ci insécure parce qu'il est à la merci d'une autre personne qui contrôle indirectement son avenir. Le conseil cherche à favoriser de plus en plus l'autonomie du client et non pas à étouffer son développement personnel. Il est un guide qui accompagne le client dans cette démarche continuelle de perfectionnement.

Cette attitude face au problème de la dépendance du client implique un choix évident au niveau du rôle que désire assumer le conseil et de la conception que se fait le client de sa relation avec celui-ci. En effet, si le conseil ressent le besoin d'être perçu comme un expert par le client, il agit alors plus avec l'autorité de son expertise, satisfaisant le besoin primaire de sécurité du client mais augmentant l'état de dépendance de ce dernier et renforçant ainsi son propre pouvoir personnel. Par contre, si le client cherche, à cause de son insécurité personnelle, à être pris en charge par le conseiller, il peut être très insatisfait du conseil qui cherche à l'impliquer constamment dans la résolution du problème. Dans ce contexte, le client développe alors des attitudes d'opposition face à un conseiller qui ne se présente pas avec la solution-miracle en poche. À l'occasion, ces attitudes négatives du client poussent le conseil à développer une certaine agressivité envers celui-ci et il en résulte une guerre de pouvoir plus ou moins larvée. Le conseil a avantage à être sensible à ce type de dynamique et prêt à assumer et vivre certaines expériences agressives à son égard. Malgré tout, il peut s'agir là de la meilleure façon de faire cheminer le client vers un état de non-dépendance qui s'avère généralement rentable à long terme pour le client et le conseil.

4.9 *Définir conjointement le problème à l'étude*

La base de la relation de consultation a trait à la définition du problème. Généralement, lorsque le client fait appel au conseil, il s'est déjà fait une idée du problème de façon à pouvoir expliquer au conseiller la raison de sa demande. Cependant, ce dernier ne doit pas accepter comme tel le diagnostic posé par le client car celui-ci peut très bien n'être que partiel ou même erroné. Le client peut ne percevoir que les symptômes du problème et non le vrai problème, peut être trop impliqué personnellement pour pouvoir aborder cette problématique avec une certaine objectivité, peut refuser d'admettre divers aspects du problème. Donc, avant de donner son accord au client, le conseil s'assure de l'exactitude de l'objet du mandat.

La définition conjointe du problème permet de considérer ce dernier sous des angles différents qui sont habituellement complémentaires. Cette confrontation des opinions et des perceptions du client et du conseil est de nature à établir une relation plus profonde entre les deux parties qui sous-tendra toute la dynamique du processus de consultation. La définition conjointe du problème est une étape préliminaire absolument nécessaire au succès de l'intervention.

4.10 *Avoir accès à toute l'information nécessaire*

Le client doit être prêt à fournir au conseil toute l'information dont ce dernier a besoin pour l'exécution de son mandat. Certains clients filtrent ou limitent la diffusion de l'information et laissent ainsi le conseiller se débrouiller seul. Ceux-ci jouent au chat et à la souris. Le conseil peut arriver à dénicher par lui-même l'information mais il serait beaucoup plus profitable et efficace que les responsables du système-client soutiennent le conseil dans sa quête d'informations. En agissant de façon non collaboratrice, le client minimise par le fait même l'importance de l'intervention du conseil. Il est un peu aberrant qu'un client puisse faire appel à un conseiller tout en diminuant, par ses comportements, l'importance de son travail. Le conseil accorde de l'importance à bien cerner les motifs de la démarche du client et est prudent de façon à éviter certaines tentatives de manipulation possible par le client. Ainsi, un tel comportement de restriction par rapport à la diffusion de l'information peut constituer un sérieux avertissement pour le conseiller. Si le client pose de tels gestes au cours de la réalisation du mandat, il n'y a pas lieu d'être optimiste pour ce qui est de l'implantation des recommandations ultérieures du conseil.

Si un client estime, pour diverses raisons, que le conseiller ne peut avoir accès à certaines informations importantes nécessaires, il serait alors préférable qu'il ne fasse pas appel à un conseil externe et qu'il tente de solutionner le problème avec des ressources internes.

Le client doit communiquer au conseil toute information actuelle ou passée même si celle-ci peut lui paraître futile. C'est à ce dernier de juger lui-même de leur pertinence en fonction du mandat. Il faut qu'il y ait entre le client et le conseil une relation de confiance basée sur le respect mutuel et la confidentialité.

4.11 *Informer les gens du système-client*

L'information des membres de l'organisation est importante au début de la mission et en cours de réalisation de celle-ci. Un des phénomènes les plus manifestes généralement présent dans toute intervention est la méfiance qui existe suite à l'incertitude des personnes vivant dans ces systèmes-clients. Il est important, sous peine de vivre toutes sortes de réactions de résistance et d'animosité, que le conseiller dissipe l'incertitude, voire même le mystère, qui entoure son intervention.

Afin d'éliminer les spéculations concernant sa mission, il est souhaitable que le conseil soit présenté aux membres de l'organisation et que les objectifs de sa mission soient exposés clairement et expliqués. Cette responsabilité incombe d'abord à la direction de l'organisation. Cette présentation peut se faire aux cours de réunions ou par écrit (avis aux cadres et aux syndicats, journal de l'organisme, etc.). Le conseiller a avantage à collaborer avec le client dans le but de planifier les modalités, le moment et le contenu de cette présentation. Toutes les personnes concernées directement et indirectement par l'intervention du conseil sont bien informées. Le conseil doit être particulièrement conscient que le contenu de son intervention peut affecter les termes de la convention collective existant entre les syndicats des employés et l'organisation. Toute erreur ou omission d'informer peut dans ce contexte rendre l'exécution du mandat plutôt périlleuse.

Durant la présence du conseiller, il est certes avantageux d'informer régulièrement les gens concernés (ou au moins à certains moments cruciaux) de l'évolution de la mission. Ceci peut être réalisé par des rapports d'étapes ou un rapport provisoire des résultats obtenus. Ce geste est de nature à réduire l'anxiété soulevée par la simple présence du conseil ce qui risque d'affecter la réalité de travail des membres de l'organisation. Le conseil s'assure qu'il n'y a pas formation d'attitude négative à son égard puisqu'il doit compter sur la collaboration et le soutien des gens du milieu pour exécuter son travail. Il est souhaitable que le conseiller suggère à la direction certaines modalités de diffusion auprès des membres. Il est toujours important que la direction soit impliquée dans cette communication afin de bien démontrer que la direction y accorde toute l'importance nécessaire. Il est évident que le conseil doit, au point de vue éthique professionnelle, s'assurer qu'il n'y a pas manipulation de l'information transmise aux membres du système-client.

4.12 *Impliquer le client à toutes les phases de la consultation*

Les raisons principales pour lesquelles le conseil implique le client à toutes les étapes de son intervention sont multiples :

- Utiliser de façon optimale les ressources disponibles pour solutionner le problème.
- S'assurer continuellement de l'attitude réelle du client à l'égard de son intervention.
- Augmenter les chances de succès quant à l'implantation de ses recommandations.

Les responsables du système-client possèdent une expérience et des informations relatives au contenu du mandat très importantes et utiles au conseiller. Il ne faut pas dédaigner ces éléments d'information. Le conseil apporte son expertise technique mais les ressources internes possèdent une connaissance indispensable de la dynamique interne du système. Le mariage de ces deux niveaux de ressources et d'informations est garant du succès éventuel de la mission.

Deuxièmement, le fait d'impliquer le client permet de percevoir continuellement son attitude et son niveau d'engagement face au mandat qu'il a confié au conseil. Il faut d'abord que le client soit prêt à appuyer le conseil dans ses démarches et lui facilite au maximum la tâche. Ce dernier a besoin de recueillir des informations et de rencontrer certaines personnes-clés de l'organisation. Ces besoins du conseil sont justifiés s'il veut remplir son mandat et le client doit être disposé à les satisfaire. Sur ce plan, le conseiller doit sentir le support inconditionnel des responsables de l'organisation. Dans un contexte positif, le conseil constate dans sa relation que le client est prêt à payer les coûts nécessaires à la réalisation d'un travail de qualité et qu'il respecte les délais nécessaires au conseiller pour réaliser son mandat. Si le client cherche sans cesse à diminuer les coûts au détriment de la qualité de l'intervention ou pousse indûment dans le dos du conseil au point d'affecter la valeur de la mission, celui-ci peut être amené à se retirer puisqu'il semble que le client n'accorde pas beaucoup d'estime à son travail.

Troisièmement, le succès de la mission implique d'abord que le client reconnaisse l'existence du problème et qu'il ne considère pas connaître à l'avance la réponse que devrait apporter le conseiller. Il ne faut pas qu'il y ait de tentative d'utiliser le conseil comme une étampe («*rubber stamp*»). De plus, le conseil évite d'agir comme arbitre pour régler des conflits internes entre gestionnaires. Le conseil fait preuve de prudence et évite de devenir un enjeu politique. Il faut que le client fasse lui-même preuve de volonté pour résoudre le problème. Toute recommandation d'excellente qualité n'a aucune valeur si elle demeure sur une tablette et n'est pas appliquée par le client. Il se peut que les responsables du système-client fassent appel à un conseiller, sans trop de conviction, sous la pression de certains éléments internes ou externes à l'organisation. Généralement, ce type de client n'est pas enclin à faire les efforts nécessaires pour résoudre un problème qui, à ses yeux, n'existe possiblement pas.

L'implantation des recommandations du conseil par le client exige d'abord que ce dernier considère que cette recommandation est le résultat d'une démarche conjointe. Il faut être conscient que la direction du système-client demeure toujours responsable de la mise en oeuvre des changements même si le conseil peut aider le client dans cette opération.

Prendre une décision est relativement simple mais s'assurer qu'elle aura le support des membres du système-client est une toute autre question. Les gens s'impliquent généralement plus grand ils ont l'impression ou la conviction de pouvoir influencer les décisions susceptibles d'avoir un impact sur leur vie de travail. Si ceux-ci sentent qu'ils peuvent avoir un certain contrôle sur les recommandations, les gestionnaires sont habituellement prêts à faire les efforts nécessaires pour s'impliquer dans la mission du conseiller. Cette collaboration permet au client d'apprendre, avec l'aide du conseil, à résoudre ses problèmes et fournit à ce dernier une plus grande probabilité de voir appliquer ses recommandations par les gestionnaires du système-client.

Le conseiller prend tous les moyens à sa disposition pour favoriser l'implication continuelle du client dans le processus de consultation. Block (1981) encourage une approche collaboratrice qui favorise des rapports se rapprochant le plus possible de l'équilibre 50/50. Certains conseils craignent à tort voir diluer la reconnaissance de leur expertise.

Comment un client faisant appel à un conseiller peut-il assumer une telle implication dans la relation de consultation? Il y a sur ce plan beaucoup de confusion. Il ne faut pas confondre les aspects techniques du problème et la façon d'entrevoir le déroulement de la consultation. Indépendamment du domaine de l'expertise, le processus dynamique de la consultation affecte grandement l'utilisation que le client fait des recommandations du conseil et c'est sur ce plan que la collaboration est essentielle.

Tout au long de la mission du conseil, il y a de nombreuses étapes et moyens d'impliquer le client (Block, 1981):

— Demander au client de vous décrire le problème. Ajouter ce que vous pensez être les causes sous-jacentes car ce n'est pas au client seul à faire état du problème.
— Si le conseil croit que les chances de succès de l'intervention sont faibles, il peut négocier avec le client les conditions de son acceptation. Le client n'est pas seul à décider si oui ou non l'intervention aura lieu. La décision d'aller de l'avant est une décision conjointe.
— Par son expertise, le conseil peut faire connaître les aspects du problème susceptibles d'être analysés. Le client, par son expérience du milieu, est invité à y ajouter son opinion. Ce dernier peut aider le conseil à choisir le type d'information à recueillir.
— Le client croit parfois que le conseiller fait tout le travail seul. Impliquer le client dans l'équipe d'intervention peut être une bonne façon de créer une certaine identification. Le conseil doit éviter le moyen apparemment plus rapide et plus facile de faire le travail, soit travailler seul.
— Le client peut donner son idée sur les moyens à prendre pour recueillir les données nécessaires: questionnaire, observation ou entrevue.
— Vouloir ordonner une masse importante d'informations de façon à ce qu'elles soient utilisables et utiles éventuellement demande des choix complexes et parfois difficiles. Insister pour que le client assiste le conseil aux moments cruciaux des décisions à ce niveau.

— Analyser les résultats et les interpréter constituent la phase la plus intéressante de la mission. Il faut impliquer le client dans cette démarche.
— Au moment de la présentation des résultats aux membres de l'organisation, réserver une partie de cette présentation aux responsables du système-client qui dévoilent alors eux-mêmes certains résultats. Ceci peut aider à faire baisser les réactions de défense du client.
— Afin de présenter des recommandations réalistes et utiles, le conseil apporte son expertise et le client sa connaissance pratique du milieu organisationnel. Demander au client ce qu'il ferait avec la situation après avoir pris connaissance des résultats. Ceci aide à formuler des recommandations mieux adaptées. Même si le client n'est pas très créatif quant aux actions à prendre, il est important qu'il soit personnellement confronté avec le problème et avec la recherche de solutions.

4.13 *Partage des responsabilités entre le client et le conseiller*

Il est d'abord essentiel que le conseil s'assure du niveau de responsabilité réelle du représentant du système-client. Celui-ci doit avoir suffisamment d'autonomie et avoir été clairement mandaté par son organisation pour prendre des décisions concernant la mission. Règle générale, les interventions d'un conseiller sont du ressort des cadres supérieurs de l'organisation. Le niveau hiérarchique du cadre qui confie une mission à un conseil est en rapport avec l'étendue et l'importance (organisationnelle et monétaire) de l'intervention.

Parler d'implication tel que nous l'avons fait au point précédent, c'est parler également du partage des responsabilités. Quelles sont les diverses responsabilités qu'il est possible de répartir entre le client et le conseiller tout au long du processus de consultation? Il n'est pas possible d'être ici très précis puisqu'il faut s'adapter au contexte situationnel. Il peut être utile en terminant cette section de souligner les attitudes et perceptions du client et du conseiller sur les divers aspects du processus de consultation ce qui devrait, par la suite, permettre un meilleur partage des responsabilités. Stryker (1982) a bien résumé les attitudes à l'origine des responsabilités de chacune des deux parties (tableau 1.7).

Étant donné que le conseil n'a pas d'autorité directe sur l'implantation des recommandations, il travaille continuellement en étroite collaboration avec les gestionnaires qui auront la responsabilité d'en faire l'implantation. Trop souvent, les recommandations des conseillers

Tableau 1.7
Responsabilités du client et du conseiller dans le processus de consultation

CLIENT	CONSEILLER
• Accepte le changement	• Aide à la création d'un environnement dans lequel le changement peut se produire
• Apprend de nouvelles habiletés et les applique	• Interagit avec le client dans un climat de support mutuel
• Prêt à faire confiance au conseil	• Aide le client à accepter et supporter le changement dans l'organisation
• Est attentif à la nature du processus de consultation	• Transmet l'information concernant le processus de consultation
• Accepte d'être le responsable des décisions	• Écoute attentivement le client et lui manifeste de l'empathie
• Discute ouvertement de l'état de l'organisation et du problème soumis au conseiller	• Remplit le mandat de consultation de la façon la plus efficace et rapide possible
• Fournit au conseil l'information nécessaire le plus rapidement possible	• Est motivé pour compléter le mandat en respectant les règles d'éthique
• Informe le conseil de tout changement au projet	• Crée un milieu d'interaction caractérisé par la rétroaction et la résolution de conflits
• Évalue efficacement et critique l'activité du conseiller	• Donne au client une aide additionnelle si le besoin se fait sentir
• Continue à surveiller les changements dans l'organisation et rappelle le conseil au besoin	• Utilise ses missions pour améliorer les relations de travail dans le groupe de conseillers et dans l'organisation.
• Apprend comment définir et corriger les problèmes dans l'environnement organisationnel	

demeurent sur les tablettes parce que ces derniers n'ont pas suffisamment impliqué les responsables du système-client dans toute la démarche du processus de consultation.

Il n'est pas dit que le respect de ces conditions peut garantir le succès de la relation de consultation mais il augmente grandement les probabilités de réussite. Certains conseillers inexpérimentés ne sont pas suffisamment sensibles à ces éléments ou se font croire (dans l'enthousiasme de l'obtention du mandat) que ces difficultés se résorberont automatiquement durant la mission. Ces conseils se dirigent vers un échec évident ou vers des résultats dont la qualité pourra être fort douteuse. Le conseiller doit être très prudent et réagir quand il perçoit certains indices négatifs quant au climat ou aux conditions généralement nécessaires au succès de la mission.

Chapitre 2
PHASES DU PROCESSUS DE CONSULTATION

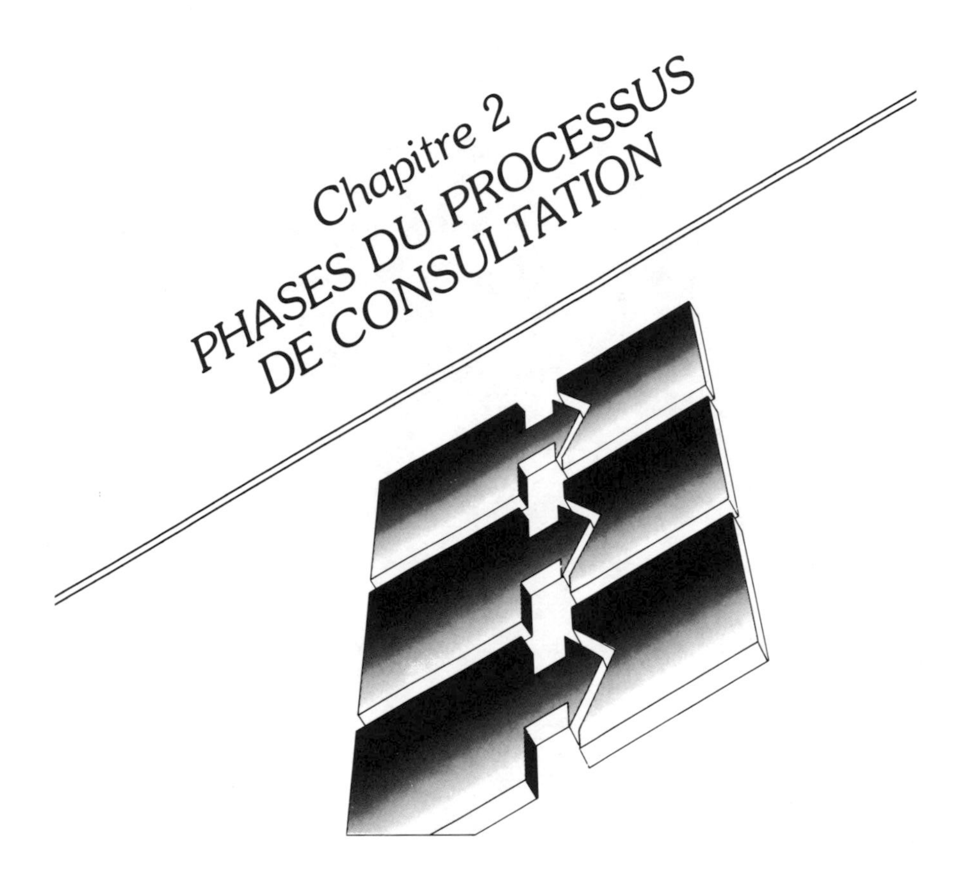

Le processus de consultation se caractérise essentiellement par une série d'étapes que doivent franchir le conseil et le client. Malgré le fait que les missions soient essentiellement différentes tant par la situation, le contenu technique et la dynamique interpersonnelle, il existe tout de même des étapes communes et essentielles à toute mission de consultation.

Il faut signaler que l'ensemble des phases du processus de consultation ne sont pas toujours toutes franchies. Il se peut, compte tenu du type de mission, que certaines étapes du processus ne soient pas exécutées. En effet, le conseiller peut être appelé à ne faire que le diagnostic d'un problème organisationnel et à proposer des solutions possibles. Bien que nous traiterons dans ce chapitre de toutes les étapes du processus de consultation, il faudra garder à l'esprit qu'une mission spécifique n'exige pas nécessairement de traverser toutes les phases.

Le processus de consultation est associé à de nombreux champs de connaissances particuliers: la méthodologie scientifique (Stryker, 1982), la conduite des réunions (Stryker, 1982; Block, 1981), l'entrevue (Hunt, 1977; Block, 1981), la résistance au changement (Kubr, 1978), la recherche-action (Lippitt et Lippitt, 1978), la communication persuasive (Kurb, 1978). Il est souhaitable que le conseil possède, comme pré-requis, une excellente connaissance de ces divers secteurs puisqu'il s'agit des assises mêmes du processus de consultation. Celui-ci constitue essentiellement une démarche ou une dynamique d'action beaucoup plus qu'un contenu technique relativement statique.

Les divers auteurs intéressés à la consultation conçoivent, de façon quelque peu différente, l'étendue des phases ou étapes du processus de consultation. Certains limitent le processus aux aspects directement impliqués dans la réalisation de la mission elle-même: recherche des faits, analyse des faits, propositions et mise en oeuvre. D'autres élargissent cette conception en y ajoutant certaines étapes préparatoires (développement de la clientèle, premier contact avec le client, offre de service, diagnostic exploratoire, contrat) et subséquentes à la mission (évaluation, clôture).

Dans ce volume, nous avons opté pour présenter le processus de consultation dans sa totalité, soit la préparation et l'exécution de la mission (tableau 2.1). La dimension préparation de la mission comprend trois phases: contact avec le client potentiel, l'offre de service et la formulation du contrat. La dimension exécution de la mission regroupe sept étapes: l'organisation de la mission, la cueillette des informations (diagnostic), l'analyse des informations en vue d'élaborer des propositions, la présentation des propositions, l'implantation, l'évaluation de la mission et enfin la clôture de la mission.

Signalons ici qu'il apparaît plus conforme à la réalité de concevoir le processus de consultation en tenant compte des aspects relatifs à la préparation de la mission car ils sont quotidiennement présents dans la pratique du conseil. De plus, il faut remarquer que la dimension exécution de la mission se termine par les phases évaluation et clôture de la mission. En effet, toute mission de consultation bien exécutée devrait inclure une phase d'évaluation et une phase consacrée, au moment de la fin de la mission, au retrait du conseil.

Ainsi, le présent chapitre est axé sur la description des diverses phases du processus global de consultation. Nous voulons donner ici une image complète et compréhensible de l'ensemble du processus en dégageant les trois phases préparatoires et les sept phases de la dimen-

Tableau 2.1
Phases du processus de consultation

Préparation de la mission

Phase 1	Contact avec le client potentiel
Phase 2	Offre de service
Phase 3	Formulation du contrat

Exécution de la mission

Phase 4	Organisation de la mission
Phase 5	Cueillette de l'information ou diagnostic
Phase 6	Analyse des informations ou élaboration des propositions
Phase 7	Présentation des propositions au client
Phase 8	Implantation
Phase 9	Évaluation de la mission
Phase 10	Clôture de la mission

sion exécution de la mission. Certains aspects pratiques très importants méritent beaucoup plus d'attention que celle consacrée dans ce chapitre, nous y reviendrons donc, dans des chapitres ultérieurs, de façon plus approfondie.

1 *Préparation de la mission*

1.1 Phase 1 *Contact avec le client potentiel*

La première rencontre avec le client potentiel revêt une très grande importance pour le conseiller. C'est lors de ce premier contact que le client et le conseil se forment une impression réciproque qui permet d'initier ou non une mission. Malgré la brièveté de cette rencontre, le conseiller cherche à créer une bonne impression auprès du client éventuel et à gagner sa confiance. Ces premiers échanges sur la situation problématique ont pour effet de satisfaire chez le client et le conseil certaines attentes formulées plus ou moins explicitement.

Cette première entrevue doit être bien préparée par le conseil. Il est nécessaire pour ce faire de connaître le mieux possible les caractéristiques du futur client. Il est souhaitable d'avoir une idée de l'histoire de l'organisation, de ses objectifs (service/production), de sa localisation, de ses succès ou échecs passés, de son personnel. En un mot, ces données guident les discussions et décrivent l'environnement global dans lequel fonctionne l'organisation-client.

Les principales sources d'information disponibles pour se préparer à cette première rencontre sont les suivantes:
- les archives du conseiller s'il a déjà eu des contacts antérieurs avec ce client
- les contacts auprès d'informateurs en dehors de l'organisation du client
- les rapports financiers et rapports d'activités annuels de l'organisation
- les brochures de promotion pour le recrutement du personnel ou pour la vente
- les communiqués de presse
- le curriculum vitae ou la biographie des dirigeants
- les associations patronales ou syndicales

Il est important ici de signaler que le conseiller a avantage à bien s'assurer du statut organisationnel occupé par la personne qu'il rencontrera. S'agit-il de la personne qui prend la décision finale quant au mandat à confier aux conseillers? Il est évident qu'il est plus avantageux pour le conseil de rencontrer l'individu qui autorise la mission. Si le délégué de l'organisation auprès du conseil pour cette première rencontre détient un poste important, la firme de conseillers envoie habituellement un conseil senior. Il faut toujours tenter de mettre en présence, lors de cette première entrevue, des interlocuteurs d'un niveau comparable dans l'organisation du client et du conseil.

Quelles sont les diverses circonstances qui permettent le contact initial entre le client potentiel et le conseil? Selon Kubr (1978), il y a quatre situations particulières:

— La recherche directe d'un client qui désire les services d'un conseil.
— La démarche directe d'un conseiller qui va offrir ses services auprès de divers clients potentiels.
— L'introduction par une tierce personne (un ancien client, un collègue, un ami) qui facilite ainsi le contact entre le client éventuel et le conseiller.
— Le travail antérieur avec le client (satisfait de la façon dont le conseil s'est acquité d'une mission antérieure).

Quand le client connaît plusieurs conseillers, celui-ci fait généralement une première pré-sélection basée sur une vérification des références ou sur la réputation des conseils. Le but de cette pré-sélection est de restreindre le choix du conseil à quatre ou cinq candidats. Le client est alors en mesure de les rencontrer, de fournir les informations relatives au problème et de leur demander une offre de service, tout en les informant de sa démarche auprès d'un certain nombre de candidats-conseils. Si les conseillers sont intéressés, ils peuvent ensuite soumettre un projet détaillé de service.

Les objectifs à atteindre au cours de cette première rencontre sont nombreux et cruciaux à la fois pour le conseil et le client. Le succès ou l'échec d'une mission, ou plus simplement la décision d'entreprendre cette démarche de changement, dépend de ce bref entretien. Les premiers instants d'une relation sont toujours d'une importance capitale car ils peuvent signifier la fin ou le début de cette dernière.

Le premier objectif de la rencontre consiste, pour le conseil, à compléter ses informations sur les caractéristiques de l'organisation du client. Au cours de la discussion ou suite à l'étude des documents remis, le conseiller développe une meilleure compréhension de l'histoire, des caractéristiques et des incidents divers reliés au problème rencontré par le client.

Le second objectif vise à informer le client sur le déroulement hypothétique de la relation de consultation. En effet, les clients potentiels n'ont souvent aucune idée sur la façon de travailler des conseils. Les clients ont parfois des doutes sur le travail de ces derniers suite à toutes sortes d'histoires qui circulent sur les conseillers ou suite à des expériences plus ou moins négatives de certains gestionnaires. Ces derniers ont pu malheureusement faire des affaires avec des supposés conseils à la compétence douteuse. Il est alors nécessaire de bien informer le client sur les méthodes de travail, les honoraires, la compétence des conseils qui seront éventuellement impliqués dans le mandat.

Le troisième objectif du conseil est de vérifier si le client est réellement prêt à faire tous les efforts pour supporter le changement nécessaire à la solution de la situation actuelle. La tension causée par la présence du problème dans l'organisation doit être reconnue par le client qui est prêt à y consacrer temps, énergie et ressources. Le conseiller évalue, par des comportements concrets, si le client est ouvert au changement et prêt à s'impliquer personnellement dans le processus de résolution de problème.

Le quatrième objectif de ce premier contact est centré sur l'interaction client-conseil. Chaque partie évalue sa capacité potentielle à travailler avec l'autre en établissant une relation de travail efficace. Dans ce contexte, le client tente d'évaluer la compétence du conseil et sa capacité de l'aider à résoudre les difficultés de son organisation. Le conseiller, pour sa part, cherche à déceler le niveau de flexibilité du client, sa capacité de modifier sa perception de la réalité et son ouverture face à des recommandations éventuelles. Toute relation de consultation est fondée sur la confiance et le respect réciproques. Le client ne doit pas craindre que son image personnelle soit attaquée par l'intervention du conseil. Ce dernier apprend au client à avoir confiance en ses propres habiletés en lui faisant sentir son désir de travailler en collaboration (et non en compétition) dans le respect de l'autorité absolue du client dans la prise de décision. Enfin, le conseil évalue si le client comprend bien et accepte le rôle actif qu'il aura lui-même à assumer au cours de la mission éventuelle.

Le cinquième objectif constitue certes le coeur de cette première rencontre. Il s'agit d'obtenir de la part du client des informations sur la nature du problème qui l'amène à considérer l'opportunité d'utiliser les services d'un conseiller. Ce dernier explore les perceptions du client et si nécessaire l'aide à redéfinir, de façon plus précise, les caractéristiques de la situation problématique. Quand un client fait appel à un conseil, c'est qu'il n'a pu résoudre lui-même le problème ou qu'il n'a pas une idée claire sur la façon de s'y prendre pour le résoudre. Cependant, il faut conclure que, peu importent les raisons, le client a de la difficulté à décrire de façon appropriée les causes du malaise. La première description du problème est fréquemment celle faite par le client et elle se situe généralement plus au niveau des symptômes que des causes réelles. Au tout début, le client a certaines idées plus ou moins vagues de la nature du problème. Au cours du diagnostic exploratoire, le conseiller essaie d'obtenir le plus d'informations possibles sur les activités de l'organisation de façon à pouvoir isoler et identifier le problème. Par l'accumulation de ces bribes d'information, il est alors en mesure de se bâtir un schème conceptuel sur la nature du malaise. À ce niveau, le conseil joue un rôle très important auprès du client en l'aidant à redéfinir plus précisément le problème auquel il est confronté. À cette étape, il est essentiel que le diagnostic exploratoire soit accepté et partagé à la fois par le client et le conseiller puisque c'est à partir de cette base que s'élabore l'offre de service.

Quant à l'approche utilisée par le conseil dans la phase du diagnostic exploratoire, elle doit être caractérisée par son dynamisme et sa globalité. En effet, l'approche est dynamique en ce sens qu'elle favorise l'étude de l'évolution de l'organisation en s'appuyant sur les tendances qui se dégagent suite à la considération de son passé, de son présent et de son futur. Le conseiller cherche ainsi à avoir une vue dynamique de la vie de l'organisation-client en tenant compte de tous les aspects majeurs qui peuvent avoir une incidence sur le problème actuel:

— relation entre les prévisions passées et les résultats obtenus
— étude des tendances pour l'avenir en extrapolant à partir de l'écart existant actuellement entre les résultats obtenus et les prévisions passées
— relations dans le temps entre les principaux indices d'efficacité.

Il peut être très utile à ce stade d'utiliser des techniques comparatives faisant référence, par exemple, à la situation d'entreprises comparables.

L'approche globale encourage le conseil à tenir compte du fait que le problème se présente dans un système fort complexe et que le malaise a généralement des ramifications beaucoup plus étendues que celles imaginées à première vue. Ainsi, un problème de difficulté de recrutement peut être causé par une échelle salariale inadéquate, des critères de sélection douteux, une mauvaise image publique de l'organisation, un environnement de travail désagréable, une localisation géographique dont l'accès est difficile, etc. L'approche systémique implique que le conseil considère toutes les facettes de l'organisation même si le problème est apparemment limité à un secteur fonctionnel spécifique. Cette attitude n'empêche évidemment pas l'exploration plus en profondeur du secteur fonctionnel directement impliqué.

Tableau 2.2
Domaines de l'organisation à considérer dans le diagnostic exploratoire

Organisation globale

- **Caractéristiques:** activités, historique, importance, propriété, gestion
- **Environnement:** emplacement, population, culture, gouvernement, transport, législation
- **Ressources:** capitaux, personnel, équipements
- **Politiques générales:** objectifs, plans, stratégies

Unités fonctionnelles: finance, personnel, production, relations publiques, sécurité, marketing, recherche et développement, organisation et méthodes, etc.

- **Politiques sectorielles:** objectifs, plans, stratégies
- **Activités**
- **Résultats**

Les principaux domaines à considérer sont décrits dans le tableau 2.2. Il s'agit essentiellement, au moment du diagnostic d'exploration, de se faire une idée des caractéristiques de l'organisation globale et de chaque unité fonctionnelle dans la mesure où il a des liens avec l'objet du futur mandat.

Bien que cette première réunion prend la forme d'un entretien où chaque partie tente de mieux connaître l'autre, le conseil est cependant à l'écoute du client afin de bien comprendre la nature de son problème ou de son inquiétude et de bien saisir les raisons pour lesquelles il croît qu'un conseiller peut l'aider. Essentiellement, ce dernier pose des questions ayant pour objectif de rendre la demande du client la plus explicite possible.

De plus, le conseil juge s'il est utile de compléter son diagnostic exploratoire par des entrevues de groupe ou individuelles avec certains autres dirigeants de l'organisation. La visite des lieux s'avère souvent très utile puisque le conseil observe les travailleurs dans leur milieu naturel et peut ainsi mieux comprendre la situation concrète.

Le but ultime de cette première phase du processus de consultation est d'en arriver à un accord entre le client et le conseiller sur les termes du mandat prévu. Cet échange réciproque de connaissances et de perceptions vise à clarifier la position de chacun. Le client se fait une idée de la compétence professionnelle du conseiller alors que ce dernier se sensibilise sur les ressources et sur la capacité du client à faire de cette mission un succès. Suite à cette rencontre, le conseil décide s'il a les habiletés et l'intérêt nécessaires pour accepter le mandat et si les chances de succès justifient le risque. Quant au client, il prend la décision de continuer ou non cette démarche qui peut éventuellement bousculer l'équilibre de son environnement. Si la décision est positive dans les deux cas, le client demande au conseil de lui proposer une offre de service détaillée qui amènera une décision finale quant à l'attribution de la mission prévue.

1.2 Phase 2
Offre de service

L'offre de service constitue un sujet fort important puisqu'il s'agit de l'élément majeur sur lequel se base le client pour choisir un conseil et lui confier un mandat. L'offre de service doit donc être claire et complète. Il faut même la considérer comme la carte d'affaires du conseil auprès des instances décisionnelles. C'est la raison pour laquelle le conseil aborde cet aspect du processus avec soin et attention.

Le contenu de l'offre de service comprend généralement les parties suivantes:

- État général de la situation
- Propositions
- Méthodologie
  - Méthodes de travail
  - Responsabilités
- Qualifications du conseil
- Avantages attendus
- Échéancier
- Budget
- Clauses contractuelles spéciales.

La première partie de l'offre de service décrit la situation actuelle telle que le conseiller l'a perçue lors du diagnostic exploratoire. Cette description constitue, pour le client, un rappel puisqu'il s'agit essentiellement de la perception sur laquelle se sont entendus le conseil et le client lors de la première rencontre. Celle-ci sert de base à l'étude et permet d'introduire les propositions et la méthodologie.

La seconde partie de l'offre de service présente les solutions ou les actions possibles suggérées par le conseil et celles qu'il recommande plus particulièrement. Il s'agit donc des propositions qui visent à apporter éventuellement une réponse à la situation problématique décrite précédemment.

Vient ensuite l'exposé de la méthodologie. Le conseiller développe à ce stade un modèle de ce que sera la mission. Ce plan d'action aide par la suite à justifier le recrutement des ressources humaines nécessaires, le temps et les coûts de la mission. Le conseil expose, en termes généraux, les méthodes et les techniques de travail. Il est essentiel de décrire ici les rôles et les responsabilités du client et du conseil de même que, le cas échéant, la participation du personnel de l'organisation.

La quatrième section de l'offre de service est consacrée à la présentation des qualifications du ou des conseils qui seront appelés à participer à la mission. Cette section est relativement importante quand il s'agit d'un nouveau client ou si l'offre de service est évaluée par des personnes que n'a pas rencontrées le conseiller lors du premier contact avec le client. Les curriculum vitae détaillés peuvent être ajoutés en annexe à l'offre de service. Dans cette section, on retrouve également une description de la firme et des expériences antérieures en mettant l'accent sur celles qui sont les plus reliées à l'objet de l'offre de service.

Dans la cinquième partie, le conseil fait ressortir les bénéfices ou les avantages attendus suite à son intervention. Il faut démontrer en quoi l'acceptation de l'offre de service du conseil améliorera la situation du client. Ces avantages sont le plus possible exprimés de façon quantitative pour que le client et le conseiller puissent mesurer éventuellement l'atteinte des objectifs. Ceux-ci doivent donc être réalistes puisqu'il y va de la crédibilité du conseiller. Quand cela est possible, on traduit en termes monétaires ces avantages afin que le client en saisisse bien les implications concrètes. Il est évident que certains avantages peuvent difficilement se quantifier ou s'exprimer sous forme monétaire; il faut alors les décrire et les expliquer en détails. Ces objectifs à atteindre orientent l'action du conseil et deviennent des critères d'évaluation du succès de la mission.

Dans la partie suivante de l'offre de service, le conseil spécifie le moment du début de la mission et sa durée. Il est parfois fort utile de présenter un échéancier du genre profil de Gantt qui permet de découper le temps selon les diverses opérations et de faire aussi ressortir un plan d'action situé dans le temps en mettant en évidence les tâches successives ou parallèles qui seront réalisées. Cet échéancier constitue également pour le conseil l'outil de base pour l'évaluation des coûts.

La septième section du document est consacrée au budget ou à l'estimé des coûts de réalisation de la mission. Après avoir préparé l'échéancier, le conseil traduit celui-ci en jours/homme, selon les diverses ressources humaines spécialisées nécessaires à la réalisation. Selon les honoraires quotidiens de chaque personne impliquée, il fixe alors les coûts totaux de la mission. Si certains facteurs peuvent affecter les coûts à la hausse ou à la baisse, il faut alors en faire mention de façon à ce que le client puisse choisir l'alternative qui lui convient le mieux. Les coûts du projet peuvent également inclure le prix de certaines fournitures, services ou équipements indispensables pour mener à terme la mission. La fixation des honoraires revêt une importance capitale en consultation et ce sujet sera abordé en détails au sixième chapitre.

Enfin, la huitième et dernière partie de l'offre de service concerne certaines clauses spéciales ou contractuelles. Il peut s'agir, par exemple, de spécifier les modalités de facturation, le mode de paiement des honoraires, les dépenses particulières qui devront être payées directement par le client, etc. Il est important que ces clauses spéciales soient très bien comprises à la fois par le client et le conseil afin d'éviter tout malentendu ultérieur.

Quant à la forme que prend l'offre de service, trois aspects doivent être considérés: le style général, la présentation visuelle et la stratégie. Il n'est pas souhaitable que le style de l'offre de service souffre d'inflation. On doit plutôt présenter les faits de façon enthousiaste mais réaliste. Il faut viser à établir la crédibilité du conseil par la clarté, la précision et le sérieux de l'offre de service. Dès le début, le conseiller capte l'attention du client en présentant la situation de façon vivante, soulève son intérêt par l'originalité et la valeur de sa méthodologie et enfin fait en sorte que cet intérêt devienne chez le client une conviction que l'utilisation des services du conseil apportera des bénéfices appréciables. En ce qui concerne l'importance de la présentation visuelle de l'offre de service, mentionnons que celle-ci représentera le conseiller (en son absence) auprès du client au moment crucial de la prise de décision de lui attribuer ou non le mandat. L'offre de service parle par elle-même et doit être convaincante. Dans cette optique, la présentation visuelle ne peut se permettre de laisser à désirer. L'utilisation de graphiques ou tableaux est grandement recommandable si ceux-ci permettent une meilleure compréhension. Au niveau stratégique, il est utile de connaître la mentalité du ou des évaluateurs du projet, les politiques de l'organisation quant au respect des échéances pour la soumission de l'offre de service, l'attitude des gestionnaires en regard des coûts et enfin leur habitude de faire appel à des conseils. Le conseiller est alors en mesure de tirer profit au maximum de ces informations et ainsi d'augmenter ses chances de se voir confier la mission.

Lorsque vient le moment de transmettre au client l'offre de service, le conseil peut soit la présenter en personne au client ou lui faire parvenir par la poste. Dans le cas d'une présentation personnelle, le conseiller rencontre les personnes impliquées chez le client et leur fait une présentation verbale en s'appuyant sur certains documents audio-visuels. Après avoir ainsi résumé l'offre de service, il la remet aux personnes présentes pour qu'elle soit discutée librement entre elles. Certains clients souhaitent cependant avoir le rapport avant la présentation du conseil. Il faut faire preuve de souplesse à ce niveau. Comme il est plutôt rare qu'une décision finale soit prise par le client à la fin de cette réunion, le conseil informe l'auditoire de sa disponibilité pour toute réunion supplémentaire jugée appropriée. Bien qu'il soit utile, même dans le cas d'une présentation verbale, de joindre au projet une lettre accompagnatrice, celle-ci prend une importance beaucoup plus grande dans le cas où l'offre de service est expédiée au client par courrier spécial ou par la poste. Cette lettre présente l'offre de service et résume les bénéfices futurs pour l'organisation suite à la mission de même que les principales étapes qu'entend suivre le conseiller. Parfois, les dirigeants qui autoriseront la mission, suite à une recommandation favorable d'un comité d'évaluation, ne liront que cette lettre accompagnant l'offre de service. Celle-ci a donc une importance prépondérante. D'ailleurs, il arrive quelquefois que le contenu de cette lettre constitue l'essentiel du contrat plus ou moins formel établi entre le client et le conseiller.

Pour terminer la description de cette seconde phase du processus, il convient de se pencher quelque peu sur la façon fréquemment utilisée par les clients pour évaluer une ou plusieurs offres de service présentées par divers conseils. Généralement, le responsable, mandaté par l'organisation pour prendre contact avec le ou les conseils, forme un comité d'évaluation. Les membres de ce comité peuvent être des ressources internes particulièrement au fait du problème et possédant les connaissances techniques nécessaires à l'évaluation du projet ou/et des ressources externes à l'organisation reconnues pour leur expertise dans le domaine concerné. Quant à la méthode de travail de ce comité, il arrive souvent, afin de ne pas être biaisés par les coûts, que ce comité évalue les projets en ne possédant pas la section budget. Ainsi, les membres ne jugent que la valeur technique de l'offre de service avec le plus d'objectivité possible. Pour ce faire, on utilise certains critères pondérés. Un nombre total de points est subdivisé selon l'importance relative de chaque facteur déterminée au préalable. Les membres évaluent alors individuellement chaque offre de service pour ensuite discuter ces évaluations et en arriver à un consensus qui fait l'objet de recommandation. À titre d'illustration, voici une grille d'évaluation suggérée par Stryker (1982):

Critères	**Points**
— Compréhension du problème	40
— Validité et pragmatisme de l'approche	20
— Expérience et qualification de la firme de conseils	20
— Disponibilité et compétence de l'équipe de conseillers	20
Total	100

Vient ensuite l'étape de la décision du client. Le responsable décisionnel prend en considération les recommandations du comité d'évaluation, les coûts de réalisation de la mission et les références qu'il peut avoir obtenu sur les diverses firmes de conseils impliquées dans les offres de service. Ce responsable décisionnel juge parfois nécessaire de rencontrer à nouveau les auteurs des offres qui lui paraissent les plus valables afin de négocier certains changements relatifs à la méthodologie ou aux coûts. Par la suite, il est prêt à prendre la décision finale que chaque firme soumissionnaire espère favorable. Il met dans la balance la personnalité et la compétence du/des conseillers, la valeur de l'approche, les coûts et le style de fonctionnement qui convient le mieux au style de l'organisation. La firme de conseillers gagnante est généralement informée immédiatement par téléphone alors que celles qui sont moins chanceuses le sont par la poste.

1.3 Phase 3 *Formulation du contrat*

L'élaboration, le contenu et la négociation du contrat constitue un sujet technique vaste et compliqué qui mérite à lui seul un exposé beaucoup plus détaillé que celui que nous donnerons ici. Ce sujet sera traité plus à fond dans la seconde partie du sixième chapitre de cet ouvrage.

Le contrat peut revêtir une forme très officielle ou, plus simplement, correspondre à une lettre d'acceptation référant à l'offre de service présentée. Dans ce dernier cas, les termes contenus dans la lettre accompagnatrice et l'offre de service deviennent les éléments essentiels de l'entente entre le client et le conseiller. Par contre, certains clients ou conseils préfèrent que l'entente soit scellée dans un contrat plus formel. La préparation du contenu du contrat implique souvent l'assistance des avocats de l'organisation-client et de la firme de conseils. Habituellement, une des parties présente un projet de contrat à la seconde partie qui réagit soit en acceptant les termes de celui-ci ou en demandant certaines modifications. Suite à ces négociations, le contrat est ensuite signé par les officiers mandatés des deux parties impliquées.

Dans les deux cas (lettre d'entente ou contrat formel), le contenu doit être explicite et couvrir généralement les aspects suivants:

— Les résultats précis qui doivent être atteints.
— Les responsabilités du client et du conseil en termes de ressources financières, matérielles et humaines.
— La durée durant laquelle le contrat est en vigueur.
— La fréquence et le moment des rapports d'étape.
— La procédure d'annulation du contrat.
— Les moyens d'arbitrer les différends client-conseiller.
— La méthode et l'échéancier de la facturation.
— Les délais de paiement.
— Les procédures pour renouveler ou étendre la durée du contrat.
— etc.

Généralement, une bonne relation de consultation est basée sur la confiance et le respect mutuel. Dans un tel contexte, il est possible, en cours de réalisation du mandat, d'ouvrir et de discuter certaines clauses de l'entente de façon à mieux adapter la démarche globale aux changements qui peuvent survenir en cours de route. Il y va généralement de l'intérêt du client et du conseiller de faire preuve d'une certaine maturité, de flexibilité et de réalisme dans ce genre de processus où tout n'est pas connu à l'avance de façon très détaillée.

2 *Exécution de la mission*

2.1 Phase 4 *Organisation de la mission*

Après avoir considéré toutes les phases préalables à l'attribution de la mission, nous nous pencherons maintenant sur les phases qui concernent l'exécution même de la mission en s'intéressant d'abord à l'organisation de celle-ci par le conseil.

Premièrement, le conseiller revoit son offre de service. Si celle-ci a été bien préparée, le conseil ne devrait pas avoir trop de difficultés à ce stade-ci puisqu'il lui faut revoir les objectifs globaux de la mission et les traduire dans un modèle opérationnel. Pour ce faire, il peut être nécessaire d'apporter certaines petites modifications. Le plan d'action comprend l'ensemble des tâches à exécuter placées de façon chronologique dans le temps. Les dates du début et de la fin de la mission sont spécifiées de même que la durée de chacune des activités. Considérant la durée totale de la mission et le nombre de jours/homme nécessaires à chaque activité, le conseiller est en mesure, par approximation et réajustements fréquents, d'élaborer un échéancier plus opérationnel. La durée de la mission a un impact direct sur la planification. Plus une mission est de courte durée, plus le plan d'action est détaillé et précis car toute erreur de prévision peut être la cause d'un retard imprévu possiblement mal accepté par le client. Plus la mission est de longue durée, plus le conseil peut être tenté de négliger la planification à cause de l'impression qu'il n'y a pas de problème de temps. Cependant, le danger existe toujours de s'apercevoir, au milieu de la mission, que peu a été fait comparativement à ce qui reste à faire. Le conseiller senior, et son équipe sur le terrain si tel est le cas, ne doivent pas perdre de vue les objectifs ultimes de la mission de même que les objectifs intermédiaires. Il est prudent d'inclure dans le plan d'action certaines plages de temps de récupération pour les imprévus, le moment des rencontres de l'équipe de conseils, les dates de réunion avec le client, les périodes d'arrêt pour évaluation périodique du travail accompli, etc. Quand une mission est de longue durée, le conseiller trace d'abord un plan d'action à long terme et d'autres schémas plus détaillés de planification pour chacune des étapes significatives du plan d'action général. Ces plans utilisent généralement graphiques, tableaux, diagrammes. Le profil de Gantt est une représentation simple et valable, souvent utilisé dans la planification. Afin d'illustrer concrètement cette étape de l'organisation de la mission, un plan d'action à long terme et un à court terme sont présentés respectivement aux figures 2.1 et 2.2. Dans tous les cas, les plans d'action sont contrôlés soigneusement par le conseil senior responsable de l'équipe et par chacun des membres de cette équipe de façon à être rapidement conscient de tout écart au plan et à apporter les réajustements nécessaires sans tarder.

La seconde tâche d'organisation du conseiller en charge de la mission consiste à former l'équipe d'intervention en s'assurant la collaboration des ressources humaines spécialisées nécessaires. Après avoir déterminé les besoins en termes d'habiletés et de compétence, il évalue, de façon précise, le moment et la durée d'engagement de chaque spécialiste. Dans la mesure où certains membres du personnel du client se greffent à l'équipe de conseils pour l'exécution du mandat, la sélection et la constitution de l'équipe d'intervention doivent répondre à la fois aux intérêts et désirs du client et du conseiller responsable. Dans le cas de mission simple, le conseiller senior peut déléguer l'exécution de celle-ci à un conseil plus jeune agissant sous sa responsabilité. Si la mission est plus complexe, le client exige généra-

Figure 2.1 — Exemple de planification globale d'un projet

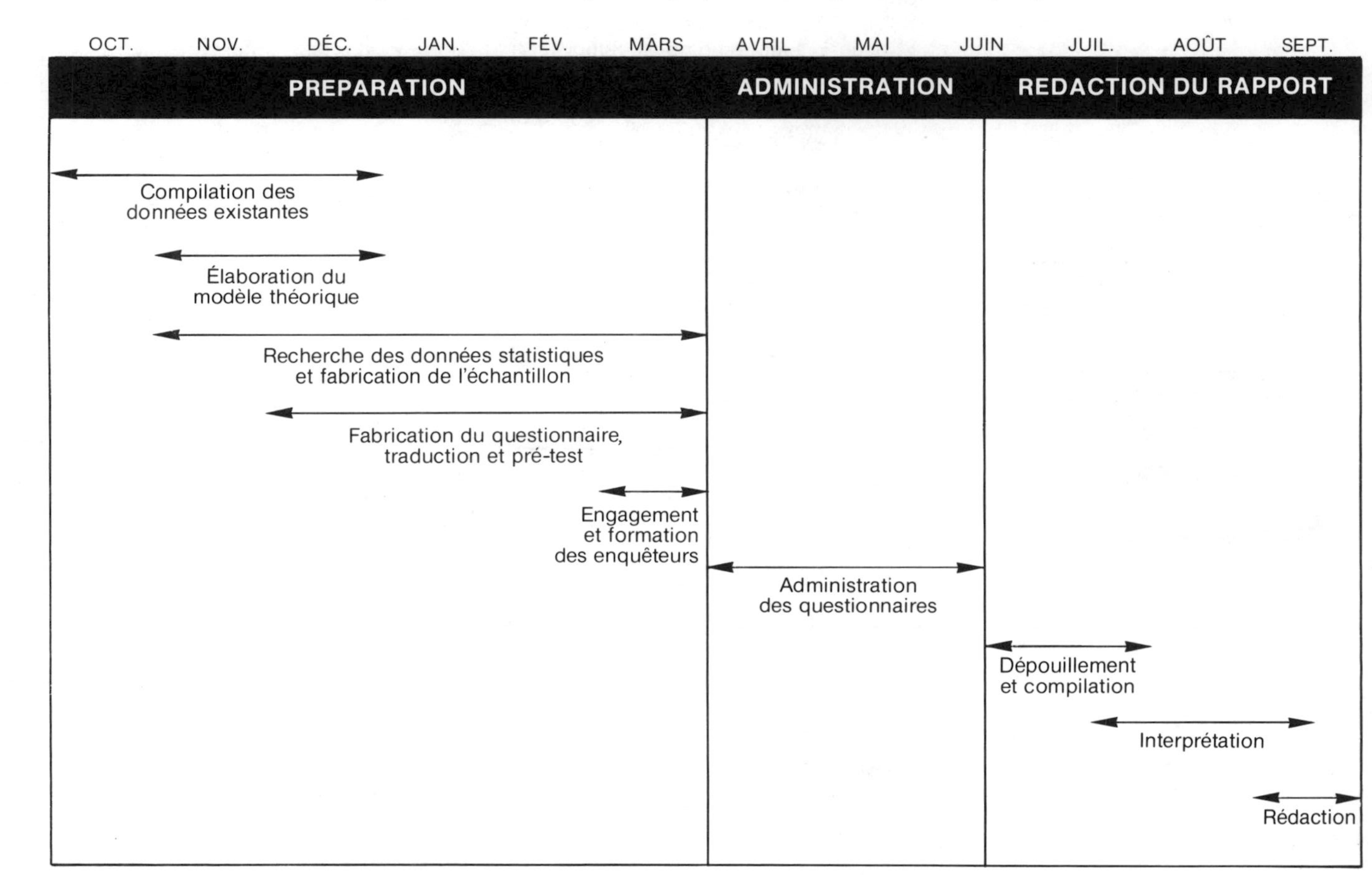

Figure 2.2 — Exemple d'un plan d'action détaillé (1½ mois)

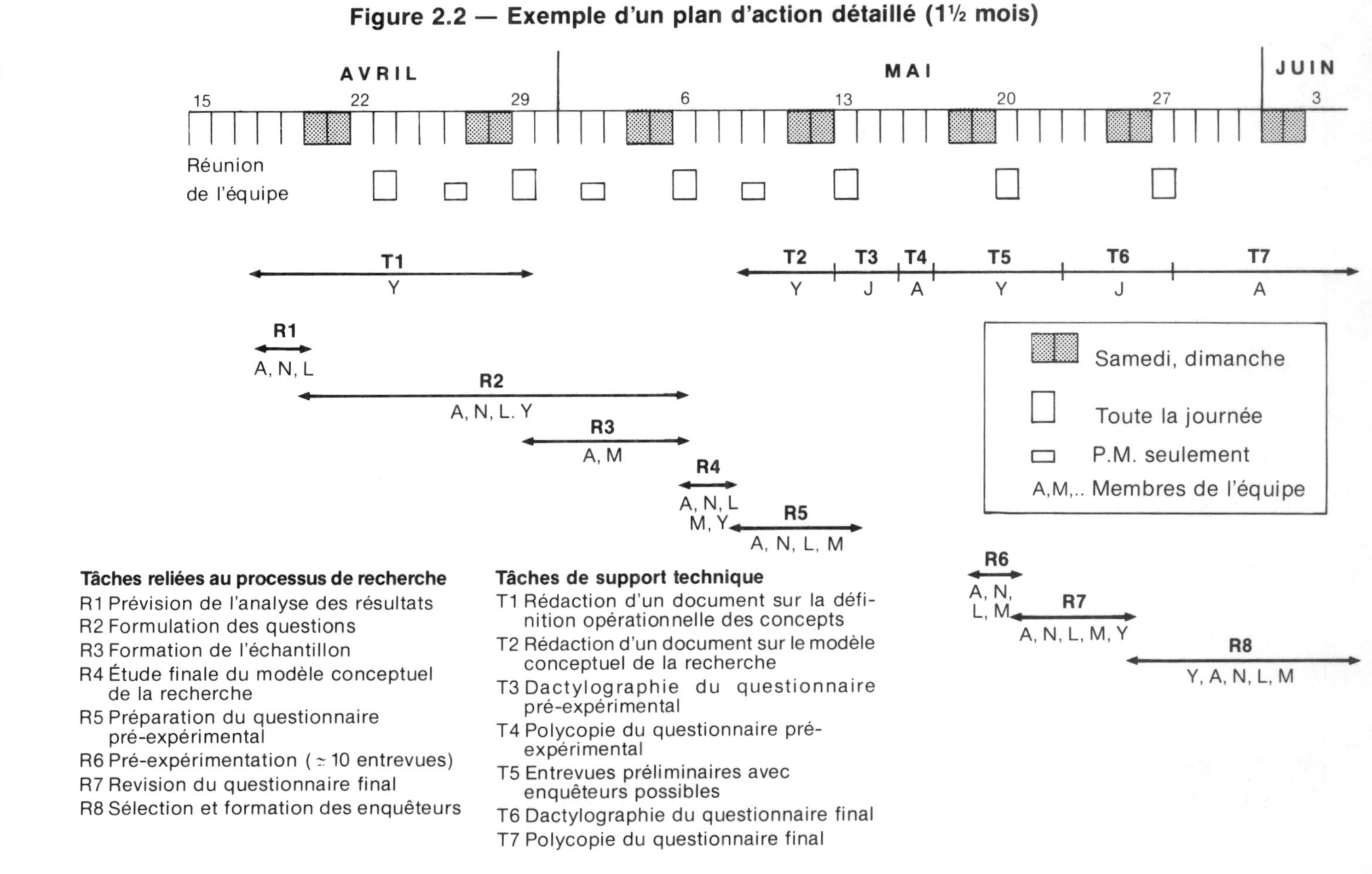

lement que le conseiller senior, responsable du diagnostic d'exploration, soit lui-même responsable sur le terrain de la réalisation du mandat et de la supervision du personnel de l'équipe d'intervention. Dans la constitution du groupe de conseils, le responsable évite de sélectionner des personnes ayant des caractères incompatibles. Il faut évidemment veiller à ce que les compétences des membres de l'équipe soient complémentaires. Pouvoir travailler rapidement et harmonieusement est une nécessité pour une équipe de conseillers car la tâche est lourde et le temps souvent très court. Il n'y a pas place pour la paralysie mutuelle. Au niveau de la constitution de l'équipe, le conseil senior s'assure enfin que le personnel recruté sera disponible, au moment opportun, pour la période nécessaire. Ceci est d'autant plus facile à réaliser que la planification est soignée. Il est parfois possible, pour régler un problème de disponibilité des ressources humaines, de retarder le début de la mission en accord avec le client.

La troisième composante de l'organisation de la mission concerne l'établissement de la stratégie d'intervention. Compte tenu des caractéristiques du projet et de la mentalité organisationnelle du client, notamment son attitude face au changement, le conseil établit la stratégie d'action. De l'avis de Kubr (1978), celle-ci comprend:
— les points de départ de la mission
— le rythme d'avancement des travaux
— l'ordre dans lequel seront abordés les différents problèmes
— le moment et la façon de présenter les recommandations ou les conclusions
— le moment et la façon d'implanter les propositions
— le moment et les modalités des rapports d'étape présentés au client.

La stratégie est souvent révisée en cours de réalisation de la mission. Le conseil doit être sensible à percevoir tout indice qui peut mettre en évidence la nécessité de modifier la stratégie pré-établie.

Vient ensuite le moment de réunir l'équipe des conseillers sélectionnés afin de procéder à une première session d'information sur l'ensemble de la mission. À ce moment, le conseil responsable informe les membres de l'équipe des objectifs de la mission, de la méthodologie de réalisation, des rôles et responsabilités de chacun et des caractéristiques du milieu d'intervention ou de l'organisation du client. Une liste spécifique de tâches à accomplir est alors remise à chaque membre de l'équipe. Dès lors, il est possible d'évaluer si certains des conseillers ont besoin de connaissances particulières qui nécessiteraient une formation spéciale donnée par le conseil senior ou dans un milieu de formation spécialisée. Au moment de cette rencontre, le conseil met en place le processus ou les modalités de circulation de l'information entre tous les membres de l'équipe et ce, tout au long de la mission. L'information accumulée par chaque conseiller risquant d'être utile aux autres membres de l'équipe, il est excessivement important que celle-ci circule bien entre toutes les personnes impliquées dans le groupe d'intervention. Dans cet esprit, il est souhaitable de prévoir à l'avance, dans le plan d'action, les dates des réunions entre les conseillers. De telles rencontres permettent au conseil responsable d'être au courant de ce qui se passe et d'informer adéquatement le client. De plus, le conseil senior peut vérifier si toutes les informations sur le déroulement de la mission sont bien compilées car celles-ci seront nécessaires lors de la rédaction des rapports d'étape et du rapport final. En même temps, il est possible de vérifier l'état d'esprit ou le moral de l'équipe et la qualité des relations sur le terrain entre elle et le client. Les conseillers ont-ils tout le support nécessaire de la part des agents responsables dans l'organisation-client?

Lors de cette première rencontre avec l'équipe, le conseiller discute également les aspects administratifs, tels le temps accordé par les conseils à chacune des tâches qui leur sont dévolues. Cette administration du temps permet de garder un suivi évitant ainsi retard et risque de défoncer les budgets prévus. Si par hasard un retard était inévitable, le responsable de la mission est alors en mesure d'en expliquer clairement les causes au client.

Afin d'éviter que des points essentiels soient oubliés lors de la réunion de l'équipe de conseillers, les principaux éléments à considérer sont décrits dans le tableau 2.3.

Suite à la réunion des conseillers, il est maintenant temps, pour le conseil responsable de la mission, de rencontrer une dernière fois avant le démarrage le client dans le but de spécifier certains points de dernière heure. Lors de cette réunion client-conseil, il est d'usage de revoir et d'approuver définitivement les objectifs de la mission ou d'y apporter certaines modifications mineures si cela s'avère nécessaire. L'information qui sera transmise aux cadres et employés de l'organisation quant à l'intervention imminente du ou des conseillers est aussi vérifiée et il faut décider, conjointement avec le client, des modalités précises de transmission si cette information n'a pas été encore acheminée. Le conseil peut même, au besoin, assister le client dans ces réunions d'information avec le personnel du milieu. Toute la logistique opérationnelle est finalisée lors de cette rencontre avec le client: déterminer qui est l'agent de liaison dans l'organisation du client, son autorité et son mandat précis en regard de la mission, prévoir le moment des rencontres périodiques visant à informer le client du déroulement de la mission, déterminer le support attendu par le conseiller, tester les réactions du client quant aux idées de changement qui semblent se dessiner lentement ce qui sera fort utile au moment de la présentation des recommandations. Les besoins et les modalités de formation du personnel du client qui participera plus directement à l'exécution de la mission sont évalués dans la mesure où le personnel n'est pas techniquement prêt à assumer les responsabilités prévues. Enfin, l'organisation matérielle nécessaire à l'équipe d'intervention est

Tableau 2.3
Points à traiter durant la réunion de l'équipe de conseillers

A. Remettre:

1. Copie de l'offre de service présentée au client
2. Documents divers sur l'organisation du client
3. Plan d'action détaillé

B. Communiquer et discuter sur:

1. Origine et les termes de la mission
2. Expérience antérieure du client avec des conseils
3. Personnalité du client
4. Diagnostic perceptuel initial du client et diagnostic exploratoire du conseil senior
5. Attitude générale du personnel du client face à l'intervention
6. Résultats attendus et mode d'évaluation du succès ou de l'échec de la mission
7. Stratégie générale de la mission
8. Attitude des syndicats face à l'intervention

C. Apporter les informations suivantes:

1. Dates du début et de la fin de la mission
2. Organisation matérielle: bureau, équipements, fournitures, etc.
3. Support technique du client
4. Identification de l'agent de liaison chez le client
5. Modalités de paiement et de remboursement des dépenses des conseillers
6. Horaire de travail

abordée: bureaux situés de façon adéquate, mobilier nécessaire, possibilités de photocopie et de dactylographie sur place, etc. Il ne serait pas efficace et rentable que l'équipe de conseillers soit obligée, en début de mission, de mettre du temps à solutionner ces petits problèmes techniques.

La dernière étape de l'organisation concerne l'introduction du groupe de conseillers dans l'organisation. La rencontre de présentation réunit évidemment tous les conseillers qui interviendront durant la mission de même que tous les employés du client qui occuperont certaines fonctions stratégiques ayant pour but de faciliter le travail des conseillers. Lors de cette rencontre, le client résume brièvement sa compréhension et ses attentes quant à la mission. Cette réunion est habituellement planifiée conjointement par le client et le conseiller senior afin d'éviter que certaines personnes clés de l'organisation soient oubliées ce qui rendrait le travail des conseillers plus difficile. Il est très important pour les membres de l'équipe de créer un bon contact initial avec les représentants présents de l'organisation car cette rencontre pourra grandement leur faciliter leur tâche par la suite.

Tout est maintenant en place pour commencer le travail sur le terrain.

2.2 Phase 5
Cueillette de l'information ou diagnostic

Le conseil devant dépasser les quelques informations recueillies lors du diagnostic exploratoire, il lui faut envisager une collecte d'information plus systématique et approfondie. Le conseiller a besoin d'un certain nombre de faits pour se faire une meilleure idée de la situation, pour raffiner sa perception et sa compréhension de la problématique. Laflamme (1977) définit le diagnostic comme suit: «l'examen de l'état des processus organisationnels du système-client à l'aide d'informations collectées à même l'organisation afin de dégager les problèmes significatifs et de sélectionner les lignes directrices de correction.» Rappelons ici que cette définition est caractéristique de l'approche systémique qui exige que le conseiller considère, au moment du diagnostic, l'organisation comme un tout: système global influencé par une interaction continuelle entre les divers sous-systèmes. La fonction du diagnostic est d'accumuler des informations qui peuvent:

- supporter la perception initiale du problème
- permettre la découverte d'informations menant à de nouvelles hypothèses
- faciliter une plus grande familiarité avec l'organisation ce qui peut aider éventuellement à l'implantation des recommandations.

Les données recueillies rendent possible, par un processus d'interaction et de synthèse, l'émergence de nouvelles informations indispensables au diagnostic qui sera ensuite présenté au client avec les recommandations.

Le but ultime du diagnostic est de préparer l'action qui sera traduite dans la réalité par les propositions ou recommandations. Ainsi, la cueillette des informations n'a pour but que de mieux préparer les actions subséquentes. Cet accent sur l'action influence l'approche utilisée pour la cueillette des données. En effet, il faut réussir à simplifier l'information de façon à ce qu'elle soit traduisible dans des actions ultérieures que le client pourra opérationnaliser. Pour ce faire, il est nécessaire que l'information accumulée ne soit pas trop technique et qu'elle fasse appel à un langage facilement compréhensible par le client ce qui facilitera le transfert des données vers le système-client.

Le problème majeur du diagnostic est de déterminer l'information à recueillir. La quantité d'information disponible dans un système-client est infinie et le conseil doit faire des choix judicieux. En effet, ce dernier ne peut questionner sur tout sinon il se retrouvera avec une masse d'informations incohérentes et peu significatives. Donc, la cueillette des données est préparée minutieusement par le conseiller et le client en spécifiant d'avance les données recherchées. Celles-ci seront définies clairement et opérationnellement étant donné la grande ambiguïté des termes utilisés. En effet, si on désire questionner les employés réguliers, il faut définir explicitement les notions d'employés (dirigeants, cadres moyens, personnel de bureau, travailleurs saisonniers, travailleurs sur la route ou hors du milieu physique de l'organisation, etc.) et réguliers (à l'emploi de l'organisme depuis combien de temps, travaillant combien d'heures/semaine, etc.). Il est indispensable que cette définition des informations à recueillir soit faite en collaboration avec les gens du milieu-client puisqu'ils sont les plus au courant des caractéristiques spécifiques de celui-ci. Le degré de précision et de détail nécessaire dans les informations souhaitées guide le choix de la méthodologie et des informateurs. De plus, il est impératif de tenir compte de la période de temps durant laquelle se déroule le diagnostic puisque certaines informations peuvent être grandement affectées par des circonstances particulières ou ne pas permettre de saisir les aspects importants du problème compte tenu de la durée de l'observation.

Le conseiller prévoit également les modalités de classification des informations à recueillir sur le terrain. Le choix des classes est évidemment fonction des utilisations ultérieures prévues. Par exemple, les données ou informations sur le personnel peuvent être classées par sexe, âge, niveau hiérarchique, emploi, statut familial, nationalité, salaire, nombre d'années de service, etc. Les possibilités sont multiples et le conseil doit effectuer les choix adéquats avant de commencer la cueillette des données. Certains recoupements de classes d'information peuvent s'avérer très significatifs pour la compréhension de la vie de l'organisation, comme, par exemple, la moyenne de salaire annuel du personnel féminin, ayant au moins douze années de scolarité, pour chacune des cinq dernières années.

Au niveau du diagnostic, le conseiller veille à éviter certains écueils importants pouvant menacer la qualité de son diagnostic:

— Bien connaître d'abord le milieu et la culture de l'organisation avant de commencer son intervention.
— Impliquer le client le plus possible au moment de la cueillette des informations et du diagnostic de façon à le préparer psychologiquement à mieux accepter les résultats à venir et ceci particulièrement à cause de son implication dans le processus.
— Tenir compte que, par sa simple présence dans l'organisation, le conseil peut influencer la qualité et la validité des informations recueillies.
— Se rappeler que le simple fait de poser des questions aux employés crée chez ces derniers des attentes qu'il ne faut pas sous-estimer ou négliger.
— Ne pas accepter aveuglément le diagnostic exploratoire comme définitif sans avoir procédé à une cueillette systématique des faits ou informations.
— Être prêt à revoir son diagnostic en cours de route à la lumière de données nouvelles qui viendraient modifier la perception et compréhension initiales.
— Faire la distinction entre l'essentiel et l'accessoire.
— Ne pas trop investir sur un problème complexe avant de l'avoir subdivisé en problèmes plus petits et plus abordables de façon opérationnelle.
— Éviter de s'impliquer dans des situations qui sont hors du cadre de sa mission.

Au moment de choisir les méthodes de cueillette d'information, le conseiller tient compte de la nature générale du problème, des caractéristiques du milieu, du temps disponible pour réaliser l'étude, de la motivation du personnel, de l'attitude des employés face au conseil. Les techniques de cueillette de données sont nombreuses et la meilleure est celle qui est la mieux adaptée aux circonstances. Il n'est pas dans notre intention de décrire ici chacune de celles-ci puisque cela dépasserait de beaucoup le cadre de ce volume. De plus, de multiples ouvrages spécialisés ont été écrits sur ces techniques: Sellitz, Wrightsman et Cook, 1977; Babbie, 1979; Emory, 1980; Ouellet, 1981; Bordeleau et al., 1982; Gauthier, 1984. Nous nous contenterons ici de décrire brièvement les principales caractéristiques des techniques les plus utilisées.

La première méthode consiste à consulter, selon les disponibilités, certains documents écrits ou informatisés relatifs au problème à l'étude: rapports internes à l'organisation, rapports annuels, documents concernant la planification et les prévisions. Comme ces documents n'ont pas été préparés spécifiquement pour l'objet de la recherche, il faut que le conseil fasse preuve de prudence. En effet, certains de ces documents peuvent être plus ou moins fiables en reflétant une image déformée de la réalité. Parfois, on affirme que des informations écrites ou informatisées sont supposées être tenues à jour mais ce n'est pas toujours le cas. Il est donc nécessaire de s'assurer de la validité de ces sources avant d'en faire un usage. Un autre point à surveiller est le fait que les critères de classification des informations sont à l'occasion modifiés de sorte que, sous une même rubrique, se retrouvent des informations différentes.

Une autre méthode consiste à demander à l'organisation un rapport spécial sur tel ou tel aspect spécifique. Le conseiller intervient alors directement pour fixer, avec ceux qui prépareront le document, les modalités et les paramètres de ce travail. Dans ce cas, le rapport est plus fiable parce que réalisé de façon à répondre spécifiquement à la demande du conseil. Ce type de document est généralement rédigé dans un délai assez court. Dans ce contexte, il est possible d'utiliser les ressources internes les plus compétentes en les invitant à faire partie du groupe de travail.

L'observation constitue un autre moyen de recueillir l'information. Le conseiller est alors présent lors d'un événement et en note le déroulement. Ainsi, la vue et l'ouïe lui servent de canaux d'enregistrement et peuvent lui suggérer certaines améliorations possibles. Les études de temps et mouvement, les descriptions de tâches sont des exemples de situations où l'observation peut constituer une approche fort valable. La limite majeure de cette méthode réside dans son incapacité à percevoir les idées, les opinions ou les attitudes non exprimées dans le comportement. De plus, la présence de l'observateur étant annoncée et expliquée aux personnes concernées, le simple fait d'être sous observation peut amener les gens à réagir différemment et ainsi ne pas fournir une information valide et fiable (Bordeleau et al., 1982). Enfin, si quelque événement exceptionnel se produit au cours de l'observation, il faut alors rejeter ces données et recommencer afin d'avoir des informations normales et représentatives de la réalité.

La quatrième méthode, fort populaire d'ailleurs, consiste à utiliser les questionnaires. Le questionnaire permet d'aller chercher des données sur un certain nombre de sujets fixés à l'avance. Celui-ci est susceptible d'être répondu par tous les employés de l'organisation ou par un groupe plus restreint sélectionné selon des techniques d'échantillonnage appropriées. Généralement, les informations recueillies ont l'avantage d'être facilement traitables, de façon quantitative, par micro-ordinateur. La période de temps accordée à la cueillette des informations comme telle est assez courte étant donné que tous les employés peuvent répondre au questionnaire simultamément. Par contre, la limite principale du questionnaire est sa difficulté à générer des informations détaillées, nuancées et plus qualitatives. Il est important d'accompagner le questionnaire d'une lettre explicative informant le répondant éventuel des objectifs de l'enquête, du ou des responsables de l'étude, de l'utilisation faite ultérieurement des informations, de la confidentialité des réponses et du groupe de répondants concernés dans l'enquête. La construction d'un questionnaire s'avère une opération très délicate si on veut lui assurer la validité nécessaire. Le conseil aurait avantage à consulter des spécialistes dans le domaine ou à se référer aux ouvrages spécialisés sur le sujet.

Le tableau 2.4 présente une liste des principaux éléments à surveiller dans l'élaboration d'un questionnaire.

Signalons enfin que le questionnaire peut être envoyé par le courrier aux répondants qui y répondent et le retournent au responsable. Une autre possibilité consiste à utiliser le questionnaire dans le contexte d'une entrevue structurée. Le répondant a alors en sa possession une copie du questionnaire et le conseiller enregistre ses réponses sur une feuille de réponses appropriée, souvent pré-codifiée.

Une des méthodes de cueillette de données les plus populaires en consultation, étant donné son apparente simplicité, est l'entrevue. Ajoutons immédiatement qu'il ne faut pas s'y tromper et que la technique de l'entrevue est probablement la plus complexe et la plus difficile à utiliser. L'entrevue est un art qui s'apprend au prix de beaucoup de travail et de pratique. Maîtriser l'entrevue est une nécessité pour un conseiller et ce dernier doit être conscient de la complexité de la dynamique qui fait le succès ou l'échec d'une entrevue. Cueillir de l'information par entrevue est facile mais cueillir de l'information valide, non biaisée et fiable est plus difficile. Le résultat d'une entrevue est toujours le produit conjoint de l'interaction interviewer-répondant.

Tout comme pour les autres techniques, l'entrevue va chercher des informations concernant le problème à l'étude en termes de ce qui va

Tableau 2.4
Guide pour l'élaboration d'un questionnaire

1. Expliquer brièvement le but de l'enquête et les bénéfices que peut en retirer le répondant.
2. Décider de l'information nécessaire compte tenu du but de l'enquête.
3. Choisir le format du questionnaire, l'échantillon de répondants et les analyses éventuelles pour le traitement des données.
4. Déterminer la meilleure séquence possible de questions.
5. Éliminer les questions ou les termes ambigus ou répétitifs.
6. Déterminer le format des réponses (dichotomiques, choix multiples, ouvertes, etc.).
7. Faire un prétest du questionnaire pour voir s'il est bien adapté et acceptable par les répondants.
8. Éliminer les questions ou les formulations qui apportent des réponses biaisées.
9. Vérifier si le répondant possède bien personnellement l'information demandée de façon à pouvoir répondre avec fiabilité aux questions.
10. Vérifier le contenu de l'instrument avec le client et obtenir son feedback de façon à l'améliorer.
11. Vérifier auprès des répondants éventuels la clarté des directives de façon à ce qu'il n'y ait pas d'erreur de compréhension dans les modalités de réponses.
12. Vérifier attentivement la version finale du questionnaire afin de s'assurer que toutes les modifications ont été apportées.

bien et mal, de suggestions qui pourraient améliorer la situation, etc. Le conseil peut, durant l'entrevue, prendre des notes sans cependant mettre en danger la dynamique de l'entrevue, enregistrer sur ruban magnétique le contenu de l'entrevue ou prendre des notes sur les points essentiels immédiatement après l'entrevue. Dans tous les cas, les données recueillies le sont conformément aux catégories de classification choisies par le conseil pour l'analyse et le traitement des informations.

Block (1981) mentionne que l'information recueillie dans une entrevue peut se situer à des niveaux différents de profondeur auxquels correspondent également des questions différentes. Dans l'entrevue, le conseiller procède, s'il ne veut pas soulever de résistance, selon ces couches d'information:

	Information	**Question**
Niveau superficiel	Le problème se présente généralement sous forme d'une préoccupation exprimée en des termes organisationnels.	Quel est le problème que vit actuellement l'organisation?
Premier niveau	Perception du répondant quant à la contribution des autres dans la situation actuelle.	Quels sont les individus ou groupes de l'organisation qui ont fait naître ou qui maintiennent la situation critique actuelle?
Second niveau	Perception du répondant quant à sa contribution personnelle dans sa situation actuelle.	Quel est votre rôle dans la situation que vit actuellement l'organisation?

Comme il est indispensable de préparer à l'avance une enquête en construisant un bon questionnaire, il en est de même pour l'entrevue. Celle-ci ne s'improvise pas; elle se planifie et se prépare minutieusement si le conseiller désire maximiser ses chances de succès. Il faut d'abord déterminer les faits **(quoi)** qui intéressent ce dernier et se demander si le répondant possède bien l'information pour lui répondre adéquatement. Deuxièmement, quels individus devront être rencontrés en entrevue? Le choix des répondants **(qui)** favorise ceux qui sont directement impliqués dans une activité ou une situation problématique parce qu'ils constituent des informateurs avertis. Troisièmement, le meilleur moment pour tenir l'entrevue **(quand)** est considéré de même que l'ordre dans lequel seront rencontrés les informateurs. Il faut ensuite se demander à quel endroit seront tenues les entrevues **(où)**: loin ou près du lieu de travail, dans un endroit non bruyant ou exempt d'interruption, etc.

Concernant plus directement le déroulement de l'entrevue elle-même, le conseil prévoit habituellement les phases suivantes:

Avant: Préparer les questions en fonction du but de l'entrevue et du problème à l'étude. Cette liste sert de guide et assure au conseiller que tout le champ prévu est couvert.

Faire les arrangements nécessaires avec les répondants et leur supérieur et préparer l'horaire des entrevues. Informer les futurs répondants de l'objectif, de l'heure et de l'endroit de l'entrevue.

Pendant: Mettre le répondant à l'aise en utilisant les premières minutes de l'entrevue pour se présenter, résumer à nouveau le but de l'entrevue, répondre à ses questions si certains points ne lui sont pas suffisamment clairs.

Valoriser l'importance de sa participation et le remercier à l'avance de sa collaboration.

Encourager le répondant en l'assurant de la confidentialité et lui demander la permission de prendre des notes.

Poser au début les questions les plus simples qui ne sont pas trop engageantes pour le répondant avant d'aborder les questions plus difficiles, personnelles ou compromettantes.

Suivre le répondant dans sa pensée sans trop dévier du sujet de l'entrevue. Poser des questions d'approfondissement pour comprendre à fond la perception ou l'opinion du répondant. Lui résumer ce que vous avez retenu pour voir si cela correspond bien au message qu'il a voulu vous transmettre.

Ne jamais poser de jugement de valeur sur les faits rapportés par le répondant afin de ne pas l'influencer ou développer de l'antagonisme.

Faire en sorte que l'atmosphère soit au dialogue et non à l'interrogatoire.

Demander à la fin de l'entrevue si, selon le répondant, certains aspects importants n'ont pas été oubliés ou s'il a autre chose à ajouter.

Après: Revoir ses notes d'entrevue et les compléter au besoin.

Noter ses opinions sur la qualité de l'entrevue ou sur les difficultés rencontrées au cours de celle-ci.

Faire circuler l'information recueillie (résumé écrit, présentation à une réunion, etc.) entre les membres de l'équipe de conseillers.

Les divers types d'entrevue disponibles sont l'entrevue face à face qui peut être non structurée (très libre), semi-structurée ou structurée (questions précises fixées à l'avance), ou l'entrevue par téléphone qui est généralement très structurée et relativement de courte durée. L'entrevue face à face possède les avantages principaux suivants:

— C'est un processus d'interaction qui permet plus facilement de motiver le sujet à répondre.

— Permet d'interpréter les questions/réponses et de vérifier sur place la justesse des interprétations.

— Permet de poser des questions complémentaires pour confirmer, corriger ou infirmer les réponses du répondant.

— Permet d'adapter l'entrevue au niveau de chaque répondant.
— Permet au conseil d'apprendre beaucoup en observant les réactions et les comportements du répondant au cours de l'entrevue.

La principale difficulté de l'entrevue face à face réside dans la coordination du temps, de l'endroit et des moments de disponibilité des répondants.

L'entrevue par téléphone étant plus brève, celle-ci permet de rejoindre assez facilement un grand nombre de personnes pour obtenir rapidement des informations. Par contre, ce type d'entrevue est impersonnelle, très limitée dans le temps, ne permet pas l'approfondissement des réponses et rend impossible l'observation des indices comportementaux non verbaux.

Signalons enfin que l'entrevue peut être individuelle ou de groupe. Dans ce dernier cas, elle fait appel probablement (selon l'objectif) à des techniques de créativité: brainstorming, méthode de prévision delphi, etc.

Les informations de diagnostic étant recueillies, la phase suivante consiste à analyser ces données et à élaborer des propositions ayant pour but de solutionner le problème ou d'améliorer la situation.

2.3 Phase 6 *Analyse de l'information ou élaboration des propositions*

Après avoir focalisé son attention sur la saisie précise de la situation et avoir recueilli des informations sur la nature du problème, le conseiller s'interroge maintenant sur le sens exact de toutes ces données. Il lui faut déboucher sur la formulation de propositions visant la solution ou l'amélioration de la situation actuelle. Le but de l'analyse est de saisir la relation entre les divers événements et d'en comprendre la dynamique. En un mot, il est alors temps d'étudier la relation qui existe entre cause (variables indépendantes) et effet (variables dépendantes). Pour ce faire, il est important que le conseiller fasse le bon choix du devis de recherche ce qui exige une bonne maîtrise des approches stratégiques en recherche (Bordeleau et al., 1982). L'établissement de ces relations est crucial pour la formulation des propositions puisque la compréhension de ces liens est essentielle pour recommander d'agir éventuellement sur tel ou tel facteur dans le but d'apporter les changements désirés. Dans les organisations, les situations étant tellement complexes, plusieurs facteurs agissent simultanément rendant ainsi difficile l'identification de la cause réelle des problèmes. Les opérations mentales sur lesquelles se base le conseil pour réaliser cette phase du processus de consultation sont l'analyse et la synthèse. La mise en relation d'informations distinctes est certes la partie du travail la plus ardue du conseiller. Il est nécessaire de donner un sens aux faits plus ou moins isolés sinon ces données risquent d'être inutilisables et de demeurer sur les tablettes dans un rapport qui ne servira à personne et surtout pas à répondre aux besoins du client. La synthèse, faisant suite à une analyse rigoureuse, est l'amorce qui permet la mise au point de propositions réalistes. Notons ici que la partie analyse comme telle exige que la grille de classification prévue antérieurement soit bien adaptée à la problématique de la situation de sorte que l'information ainsi classée ait un sens ce qui facilitera par la suite l'émergence de nouvelles informations, résultats de la synthèse des données contenues dans des catégories distinctes. Le conseil réfléchit également ici à la meilleure façon de présenter les données à ceux qui ne sont pas familiers avec celles-ci. La présentation des données doit être signifiante pour le client.

Les dangers majeurs à éviter dans l'analyse des informations sont de deux ordres:

— Le conseiller a déjà des idées bien arrêtées sur la nature du problème ou des proposition avant d'avoir analysé de façon détaillée et en profondeur toutes les informations accumulées.

— Le conseiller senior n'utilise pas toutes les ressources créatives des membres de son équipe pour scruter les données et les interpréter. Le travail d'équipe possède sur ce plan de grands avantages.

Le but ultime de l'analyse des informations est de traduire en action les renseignements obtenus par le conseiller. Le changement est-il nécessaire et possible? Quelle forme peut-il prendre et quelle solution a le plus de chance d'être efficace dans la situation actuelle? Ces questions trouvent réponse dans le travail d'élaboration des propositions.

Les problèmes organisationnels ne sont jamais simples et il y a généralement plusieurs alternatives possibles au plan des actions à entreprendre. Le conseiller élabore donc plusieurs propositions qu'il peut ensuite présenter au client en les accompagnant de sa recommandation. Le client doit cependant être bien informé par le conseiller sur les avantages et les limites de chaque recommandation de façon à pouvoir décider en toute connaissance.

Pour l'élaboration de ses propositions, le conseiller se fonde d'abord sur la qualité de son analyse de la situation mais également sur ses connaissances plus personnelles qui émanent de ses missions antérieures, des dossiers déjà accumulés par le cabinet-conseil, des expériences de ses collègues, des ouvrages écrits sur le sujet, etc. Il doit tirer avantage de toutes ses habiletés et de toutes les connaissances qu'il possède ou à sa disposition.

Une proposition est efficace dans la mesure où elle inclut un plan d'action précis accompagné de critères qui, à différentes étapes, permettent au client de constater les progrès. De plus, la proposition doit se situer à l'intérieur de la zone de contrôle du client. Si un des deux éléments est absent, il y a de forte chance que l'application de cette proposition ne puisse pas s'opérationnaliser ce qui n'est évidemment pas l'objectif de la mission.

Avant de présenter les propositions au client, le conseiller fait une évaluation préliminaire afin d'être en mesure d'y joindre sa recommandation personnelle. Cette démarche permet d'éliminer certaines de celles-ci qui s'avéreraient à l'évaluation peu applicables: coûts trop élevés, mal adaptées au contexte actuel de l'organisation, etc. Le conseil se demande si les propositions permettent d'atteindre les améliorations recherchées, quelles seront les dimensions de la réalité qui seront affectées en considérant la situation actuelle et future, si les effets de l'application des propositions seront durables, quelles sont les difficultés d'application attendues, qui seront les individus plus concernés dans le milieu par l'application des propositions et quelle est leur attitude, quel est le meilleur moment pour rendre ces propositions opérationnelles. En répondant à ces questions, le conseiller est alors en mesure de mieux saisir leur valeur respective ou de raffiner les propositions. Le conseiller a également avantage à développer des critères et une grille d'évaluation commune à l'ensemble des propositions. De cette façon, il pourra les évaluer de manière objective en les comparant sur une même base.

Dans le cas d'équipe d'intervention constituée de ressources externes et internes à l'organisation, les représentants de l'organisation sont évidemment impliqués dans l'élaboration et l'évaluation préliminaire des propositions. La décision finale quant à la proposition retenue revient au client ou au responsable organisationnel dûment mandaté.

Il est maintenant temps de présenter plus officiellement au client les diverses propositions visant à solutionner le problème ou à améliorer la situation actuelle de l'organisation.

2.4 Phase 7
Présentation des propositions au client

La présentation des propositions au système-client représente une phase capitale du processus de consultation puisqu'elle détermine souvent si certaines actions seront ou non ultérieurement entreprises par le client. Une présentation plus ou moins bien réussie peut affecter l'implication éventuelle des responsables de l'organisation. La tâche du conseiller n'en sera alors que beaucoup plus difficile. Il incombe donc au conseil de bien préparer cette phase de façon à ce que sa présentation soit d'excellente qualité.

Le but ultime de la présentation des propositions est d'obtenir l'approbation du client afin de passer à la phase de l'implantation du changement décrit dans la proposition acceptée. Il ne s'agit pas simplement de présenter les résultats du diagnostic et les recommandations du conseil mais surtout d'obtenir la réaction du client et d'encourager ce dernier à passer à l'action. C'est là l'objectif ultime de la mission du conseiller. C'est d'ailleurs pour cette raison que la présentation revêt fréquemment un caractère d'excitation et de tension pour l'équipe-conseil. Celle-ci espère que tous les efforts investis se traduiront par des décisions concrètes.

Peu importe le format technique de présentation, rencontre ou rapport écrit, cette présentation se caractérise par une approche basée sur la logique et la validité des faits présentés.

De plus, il est important que le client ne soit pas noyé dans une multitude d'informations ou de détails sans signification. Le conseiller exerce son jugement et présente les éléments essentiels de la problématique. Il est opportun de faire ici appel à toutes les aides techniques pouvant améliorer la vivacité de la présentation: graphiques, tableaux, documents audio-visuels. Si le conseil veut être persuasif dans sa présentation, il doit réfléchir aux moyens d'y arriver. Il ne faut jamais négliger le contenant d'un produit même si celui-ci est techniquement d'excellente qualité quant à son contenu. Toutes les chances doivent être mises du côté du conseiller pour améliorer les probabilités de succès de la mission.

Au moment de la présentation des propositions, le client a droit à toutes les informations utiles recueillies lors des étapes précédentes. Celles-ci ont d'ailleurs été traduites en une série d'alternatives possibles d'action. Généralement, le client préfère que le conseil lui présente les diverses propositions en plus de celles qu'il recommande particulièrement. Le conseiller fait preuve d'honnêteté en informant également le client de tous les risques encourus (réaction du personnel, coût, nouveauté de la solution proposée, etc.) et des conditions que ce dernier doit créer et maintenir pour assurer le succès de la mission (mutation de certains cadres, engagement, etc.). Le client est alors en mesure de prendre une décision éclairée conformément à ses responsabilités. Le pouvoir décisionnel du client constitue une donnée fondamentale de la relation de conseil.

Ainsi, le client a un rôle très actif à jouer au moment de la présentation des propositions. Si le problème est clairement présenté, il peut, tout comme le conseil, réagir en ajoutant d'autres propositions ou en améliorant celles qui sont présentées. Son expérience du milieu est un atout important qui peut faire naître des hypothèses d'action venant compléter l'expertise du conseil dans le choix final de la proposition. Souvent, le client a de la difficulté à élaborer des axes d'action parce qu'il saisit mal la nature et les causes du problème. Dans cette optique, Block (1981) va jusqu'à affirmer que 70% de la contribution du conseiller est associée à la réalisation du diagnostic.

Lors de la présentation des propositions, le conseil aide le client à choisir les moyens nécessaires à l'action correctrice. Ce dernier a besoin de support pour assumer ses responsabilités face à des situations généralement insatisfaisantes et fort complexes. Tout n'est pas noir ou blanc. Il y a beaucoup de nuances et de zones grises qui n'aident pas à la décision et le système-client est confronté à ces réalités. En même temps que le conseiller utilise la confrontation, il développe des attitudes de support. Même si la présentation de certaines données est parfois difficile et anxiogène pour le client, c'est généralement ce qu'il veut connaître à la condition que ce soit fait dans un contexte de support et de résolution de problème. Le support et la confrontation ne sont pas des réalités incompatibles. Le support signifie que le conseiller écoute le point de vue du client et essaie de le comprendre sans obligatoirement devoir être d'accord avec ce dernier. L'important est que l'interprétation des faits par le conseil et celle du client, possiblement différente, fassent partie du matériel de rétroaction nécessaire à la prise de décision.

Suite à ces informations générales sur la présentation des propositions, revenons aux formats possibles de cette présentation: la rencontre ou le rapport écrit. Chacun de ces moyens sera maintenant décrit tout en ne signalant que l'essentiel.

La rencontre de présentation des propositions réunit généralement l'équipe de conseils dirigée par le conseiller senior responsable et les représentants désignés par le client. Habituellement, il s'agit de l'agent de liaison entre l'organisation et le groupe de conseils, des cadres impliqués éventuellement dans l'implantation et de l'officier de l'organisation ayant le pouvoir décisionnel. Toutes ces personnes interagissent entre elles au moment de la rencontre ce qui implique une dynamique à laquelle le conseil doit être sensibilisé. Ce dernier fait ressortir les points de vue différents de sorte que le groupe soit confronté avec cette diversité d'opinions ou de perceptions et soit amené à décider lui-même du traitement réservé à ces divergences. Si celles-ci sont passées sous silence lors de la rencontre, il y a de forte chance que ces différences refassent surface plus tard et paralysent les actions subséquentes. La conduite des réunions a fait l'objet de nombreux ouvrages auxquels le conseiller aurait avantage à se référer (Antonetti, 1974; Schindler-Rainman et al., 1975; Wilcox, 1976; Reeves, 1976; Conquet, 1977; Grzybrowski, 1977; Demory, 1980). Nous expliquerons ici les caractéristiques principales de cette rencontre de rétroaction sans entrer dans tous les détails concernant l'animation de réunion ce qui dépasserait le cadre du présent volume. Le conseiller utilise la synergie du groupe qui permet fréquemment l'émergence de positions qui n'étaient pas présentes dans les positions initiales des participants. C'est là la force majeure du groupe.

Quant au style que le conseil adopte au cours de cette rencontre, il est affirmatif en décrivant directement la façon dont le conseiller voit la situation. Protéger le client en négligeant de rapporter certains faits moins agréables à ce dernier est un fort mauvais service à lui rendre. La rétroaction est franche et directe. Le conseil décrit ce qu'il a perçu en prenant garde d'insinuer que le client est un mauvais gestionnaire. Plus l'information transmise est évaluative et personnelle, plus la résistance du client peut être forte et agressive. Le conseiller ne cache pas certains faits qui, dans son esprit, sont de nature à réduire ultimement l'habileté du client à résoudre lui-même ses problèmes. Il n'y a pas de collusion acceptable à ce niveau. Si certaines informations font grincer un peu le client, il ne faut pas reculer mais bien le mettre devant les faits en lui demandant son interprétation. Si certaines opinions sont communes au client et au conseiller, il faut en profiter pour le souligner ce qui constitue un moyen de manifester du support au client. Si une résistance générale se fait sentir au cours de cette rencontre, il est nécessaire de l'aborder en le mentionnant explicitement et en y accordant le temps nécessaire pour en saisir la nature et chercher à en diminuer l'intensité. Cependant, il ne faut pas trop investir dans cette direction s'il n'y a dans le groupe que quelques individus isolés et sans pouvoir réel qui manifestent une résistance exagérée. Ici, toute la question repose sur une bonne évaluation par le conseiller de la dynamique interne au groupe et du partage du pouvoir organisationnel entre les participants Face à l'agressivité ou à la résistance manifestée lors de cette rencontre, le conseil conserve à l'esprit les règles suivantes: ne pas se sentir personnellement attaqué par les réactions des participants, demeurer centré sur le problème et forcer le client à se confronter à la réalité même si elle est difficile.

La rencontre de présentation des propositions n'est pas consacrée majoritairement à la dimension présentation mais plutôt à la discussion. Ceci est plus conforme à la description antérieure de l'esprit qui doit régner lors de cette réunion. Le processus dynamique des interactions est probablement aussi important que le contenu même du diagnostic exposé. Le conseil est très sensible aux comportements plus ou moins fonctionnels qui peuvent alors survenir. Cette information est cruciale pour bien comprendre le sort qui sera ensuite réservé aux propositions. De plus, le fait d'être conscient de ces phénomènes aide grandement au déblocage de certaines situations qui autrement auraient des conséquences négatives quant au succès de la mission. L'information présentée est réduite à l'essentiel et ne se perd pas dans l'explication de détails ou de techniques compliquées relevant de la sphère de spécialité du conseiller:

— État du problème
— Causes du problème
— Conséquences négatives si le problème n'est pas solutionné:
  à court terme
  à long terme
— Solutions recommandées
— Bénéfices attendus

Voilà les grandes lignes directrices de la présentation du conseiller.

Quant au déroulement de la réunion concernant la présentation des propositions, Block (1981) a élaboré un cheminement qui met en évidence l'importance relative de chacune des étapes. Son modèle qui peut être réajusté au besoin, est basé sur une rencontre d'une période de 60 minutes (tableau 2.5).

Au début, le conseil rappelle aux participants la demande explicite du client et ce qu'il a convenu de lui fournir comme service. Ainsi, on fait mention du problème initial présenté de même que l'enssentiel du mandat confié au conseiller. Ce dernier explique ensuite la façon dont la rencontre est structurée et son objectif. Le conseiller n'a pas à dire qu'il assume le déroulement de cette réunion mais à se comporter comme tel en prenant le leadership de cette rencontre.

Le type de présentation varie dans le but de mieux s'adapter aux désirs des participants. Certains préfèrent avoir d'abord le diagnostic complet suivi de la liste des recommandations, d'autres aiment faire alterner les diverses parties du diagnostic et la recommandation correspondante. Cette présentation peut revêtir un caractère formel ou informel puisque l'important est de rendre les participants à l'aise et ouverts à la discussion. Si la présentation est trop rigide ou trop formelle (avec diapositives élaborées, schémas dessinés à la perfection, etc.), il y a risque que les participants aient l'impression que tout est déjà «coulé dans le béton» et que leurs réactions ont peu de chance d'être bien reçues. Cependant, il peut y avoir usage de moyens audio-visuels (rétro-projecteur avec transparents que le conseiller a préparés ou réalise avec un crayon feutre au moment de la rencontre) mais l'atmosphère se rapproche plus d'une réunion de travail commune que d'une présentation magistrale.

Comme nous l'avons mentionné précédemment, les réactions du client constituent le coeur de cette rencontre. Ces attitudes du client sont souvent plus importantes pour l'implantation des recommandations que les données elles-mêmes. Si le client a certaines réserves quant aux recommandations, celles-ci doivent être exprimées ouverte-

Tableau 2.5
Déroulement suggéré pour la rencontre de présentation des propositions ou recommandations (Block, 1981)

	Pourcentage de temps	*Durée pour une rencontre de 60 minutes*
1. Rappel du contrat original 2. Expliquer le déroulement de la rencontre	5 %	Début - Minute 0 Fin - 3e minute
3. Présentation du diagnostic 4. Présentation des recommandations	15 %	Début - 4e minute Fin - 12e minute
5. Demander les réactions du client	30 %	Début - 13e minute Fin - 30e minute
6. À mi-chemin de la rencontre, vérifier si la rencontre satisfait les attentes du client	10 %	Début - 31e minute Fin - 36e minute
7. Choix de la recommandation et décision de poursuivre l'action	30 %	Début - 37e minute Fin - 54e minute
8. Vérifier l'intérêt et l'implication du client 9. Vous demander si vous avez obtenu ce que vous vouliez 10. Donner du support au client	10 %	Début - 55e minute Fin - 60e minute

ment pour que le conseil puisse y apporter une réponse. Dans ce type de réunion, la tension est tout à fait normale et même souhaitable car son absence peut signifier un certain désengagement de la part du client. Rappelons encore ici que les réactions négatives ne sont généralement pas dirigées à l'endroit du conseil mais plutôt à l'égard de la difficulté de faire face à la réalité projetée au client.

À mi-chemin de la réunion, il est utile que le conseiller vérifie s'il répond bien aux attentes et aux préoccupations du client. Les participants sont-ils satisfaits du déroulement de la rencontre? Sinon, il est encore temps pour le conseil de tenter une opération de récupération. Si on attend à la fin de la session pour faire cette évaluation, il est alors trop tard.

Comme le but ultime de cette réunion est de prendre la décision de passer à l'action, il est souhaitable que celle-ci se fasse, ou du moins s'élabore, au cours de cette session de sorte que le conseiller puisse participer à ces discussions très importantes. Le conseil facilite l'aboutissement des décisions en gardant la discussion centrée sur ce qui est sous le contrôle du client, en mettant en relief l'essentiel qui peut aider à solutionner le problème à long terme et en supportant le responsable dans son obligation de prendre une décision. La présence du conseil au moment des discussions et de la prise de décision est un élément crucial auquel ce dernier doit être sensibilisé.

Enfin, le conseiller vérifie auprès du client si la proposition acceptée a réellement du sens pour lui. L'engagement de ce dernier doit être évident. Quant au conseil, il se demande s'il obtient réellement ce qu'il désire: possibilité d'implication ultérieure, rétroaction évaluative du client quant à son intervention, etc. Il faut parfois susciter ces commentaires. La dernière étape de la rencontre consiste à offrir au client son support dans la prise de décision finale ou dans l'implantation de la recommandation. Ainsi, si le client désire organiser des rencontres de sensibilisation auprès de l'ensemble du personnel, le conseiller peut se rendre disponible et fournir son appui.

Le second format technique que peut prendre cette présentation est celui d'un rapport écrit. L'esprit de ce rapport est sensiblement le même qui sous-tend la rencontre de présentation. Les objectifs visés dans une présentation verbale sont les mêmes que ceux qui président à la rédaction du rapport présentant les propositions. Seules quelques généralités seront mentionnées ici quant aux modalités qui s'appliquent à la rédaction de tels rapports.

Globalement, ce genre de rapport est rédigé dans un style simple ne visant pas à impressionner le client et est présenté selon un schéma logique clair appuyé par certains graphiques, tableaux ou diagrammes.

Ce rapport va directement à l'objet principal: présentation de la situation problématique, présentation des propositions et de la recommendation du conseil, présentation des avantages à retirer de l'implantation du changement proposé.

Le rapport varie selon l'orientation générale, l'étendue, le format et le style de façon à bien s'adapter aux caractéristiques du client ou de la situation. Un rapport détaillé et formel peut être nécessaire alors que, dans d'autres cas, un rapport présentant seulement les grandes lignes suffit amplement au client. S'il faut rédiger un rapport complet, le conseiller élabore premièrement un plan assez détaillé de contenu du rapport. Cette étape est nécessaire pour présenter les résultats d'une façon logique et bien organisée. Une telle procédure facilite beaucoup la rédaction des rapports. De plus, ce plan détaillé permet de vérifier si le rapport prévu répond bien aux engagements décrits dans l'offre de service.

Au niveau de la présentation physique du rapport, celui-ci tient compte du peu de temps que les gestionnaires ont à consacrer à la lecture de rapports écrits. Dans ce contexte, le rapport doit être attrayant, écrit simplement avec des paragraphes et des phrases courtes, agrémenté d'espaces blancs qui en font un document aéré. Si nécessaire, le matériel détaillé est annexé au document. Enfin, il est opportun de joindre au rapport un sommaire faisant ressortir, en quelques pages, l'essentiel du rapport de présentation des propositions.

Après avoir présenté les propositions au client, lors d'une rencontre ou dans un rapport écrit et avoir retenu une recommandation, il est maintenant temps de passer à l'action.

2.5 Phase 8 *Implantation*

Au moment de plonger dans le feu de l'action, le conseiller est en mesure de jouer un rôle très important qui justifie sa présence dans la phase de mise en oeuvre. Sa compétence facilite l'implantation en interprétant, auprès du client, les résistances, attitudes et comportements qui caractérisent généralement cette étape.

Les principaux rôles joués par le conseiller lors de l'implantation sont les suivants: planificateur, surveillant et formateur. Le conseil remplit ces trois rôles tout en respectant la responsabilité et l'autorité du client qui est le maître d'oeuvre de cette opération. Essentiellement, le conseil assume un ou plusieurs de ces rôles avec la perspective d'aider le client.

Le conseiller peut d'abord jouer un rôle actif dans la planification de l'implantation. Il aide le système-client à élaborer un plan d'implantation décrivant les grandes étapes et sous-étapes nécessaires à l'atteinte des objectifs fixés. Ce plan contient également les objectifs intermédiaires, le temps consacré à chacune des étapes, les moments de contrôle, les ressources responsables, etc. La mise en forme d'un plan détaillé amène également le conseil à rédiger parfois certains manuels d'instructions qui explicitent la procédure à suivre pour implanter un nouveau système ou de nouvelles méthodes de travail.

Le second rôle possible est celui de surveillant. Le conseil aide alors le client ou son personnel d'exécution surtout lors des premières étapes qui sont critiques quant à l'implantation des recommandations. Cette surveillance est essentielle si on veut être en mesure d'y apporter rapidement les correctifs nécessaires pour assurer le succès de la mission. Le conseiller vérifie si toutes les conditions sont en place, si les mesures de contrôle sont appropriées et disponibles, si le personnel responsable de l'implantation est adéquatement formé. Advenant que le conseil perçoive certaines lacunes, il en informe le client et l'aide à y apporter les actions correctrices adéquates.

Enfin le troisième rôle que peut assumer le conseiller est celui de formateur du personnel responsable de l'implantation de la recommandation retenue. Les objectifs de formation, le contenu et les méthodes pédagogiques sont déterminés par le conseil. Ce dernier forme alors directement le personnel ou entraîne des formateurs qui seront ensuite responsables d'initier les employés du client aux nouvelles méthodes. Le conseil peut mettre lui-même en place un programme de formation ou orienter le personnel vers des sessions de formation dispensées à l'extérieur de l'organisation.

Le conseiller est conscient que l'implantation fait généralement surgir deux phénomènes psychologiques qu'il lui faut maîtriser: la résistance au changement et la résolution des conflits. La résistance au changement correspond à divers comportements du client qui cherche, consciemment ou inconsciemment, à maintenir le statu quo au moment où le conseiller exerce, par son intervention, une certaine pression vers le changement. Les principales causes expliquant la présence de la résistance au changement sont les suivantes: peur de voir menacer le poste actuel, manque d'implication dans le processus de changement, crainte de voir son prestige affaibli, crainte de voir ses actions évaluées, pression pour se conformer aux normes du groupe, peur de faire une erreur dans un environnement nouveau, incapacité à tolérer l'ambiguïté, sentiment d'un manque de moyens ou de support pour faire face au changement. Le conseiller doit bien comprendre et maîtriser ce phénomène fort complexe de la résistance au changement si omniprésent dans toute intervention au sein d'une organisation

(Zaltman et al., 1977; Collerette et Délisle, 1982). Quand deux personnes, en l'occurrence le client et le conseil, expriment des points de vue différents ou certains désaccords, ils sont alors en conflit. Ce phénomène très fréquent est normal mais il faut que ce conflit soit assumé et dirigé vers une solution efficace. Ces conflits se situent généralement au niveau interpersonnel ou au niveau des processus. Le client et le conseiller ont souvent des opinions ou valeurs différentes ce qui situe le conflit à un niveau interpersonnel. Par contre, il peut également y avoir désaccord sur les moyens à adopter pour atteindre un objectif ce qui en fait un conflit qui touche le processus. L'outil principal de la résolution des conflits est la rétroaction qui, si elle est bien utilisée, apporte une baisse de la tension et de l'insécurité associées aux situations de conflit. Cette rétroaction se fonde sur le respect, l'empathie, un bon jugement des situations et du moment favorable. Encore ici, le conseiller attache une importance capitale à la compréhension et aux méthodes de résolution de conflits.

La planification de l'implantation élaborée conjointement avec le client est certainement une condition fondamentale pour atténuer la résistance au changement et l'émergence de conflits non contrôlés. Pour planifier les mécanismes d'implantation de l'alternative choisie, le conseiller tient compte des résistances et des conflits possibles et intègre ces réalités dans l'élaboration du cheminement optimal. Il est recommandé de faire circuler ce plan dans le système-client afin de prendre connaissance immédiatement des réactions et y apporter les réajustements nécessaires pour maximiser les probabilités de succès. Le conseil va ainsi chercher l'accord du client avant de passer à l'implantation même.

Il peut être avantageux de présenter dans le plan d'implantation d'abord les tâches susceptibles de soulever le moins de résistance pour ensuite passer à des étapes de plus en plus difficiles. L'accord accordé par le client relativement aux tâches initiales est un moyen d'assurer un climat de confiance dans la relation entre le client et le conseil. Le plan d'implantation contient généralement les aspects suivants:

— Résumé de la situation: le problème tel qu'il est, justification de la recommandation acceptée, objectif final à atteindre.

— Activités: tâches et sous-tâches avec les résultats à atteindre pour chacune.

— Utilisation des ressources: spécification des responsables et du temps alloué à chacune des étapes.

— Administration: coordination des tâches simultanées ou successives en spécifiant l'ordre séquentiel des étapes d'implantation et en y incluant les travaux secondaires à exécuter.

— Impact du changement: conséquences du changement et façon de préparer les gens au changement, effets attendus du changement à long terme.

Voilà donc les principaux aspects de la tâche du conseil au moment de la planification et de l'implantation du changement associé à la recommandation retenue par le système-client.

La phase d'implantation comprend également les contrôles d'évaluation nécessaires pour juger de l'efficacité de l'implantation du changement. Pour ce faire, ces contrôles sont élaborés lors de la mise en forme du plan et appliqués tout au long de l'implantation. Il y a toute une série de moments critiques qui doivent être l'objet d'évaluations formelles. Les responsables de l'implantation ont besoin d'une rétroaction continue permettant de réexaminer les objectifs, réviser les stratégies, prendre les moyens nécessaires en y ajoutant des ressources et modifier les rôles assignés.

Ces contrôles débutent au moment où le conseil est dans l'organisation mais continuent généralement après son départ et ce, sous la responsabilité du personnel du système-client. Aussi longtemps que les gens se souviennent des anciennes procédures de travail, il y a risque qu'il y ait un retour pur et simple à la situation antérieure. Les contrôles permettent alors de suivre de près la stabilité et la permanence des changements. Ces contrôles ne sont pas omniprésents mais réalisés seulement aux moments critiques. Ils diminueront ensuite au fur et à mesure qu'il sera impossible de revenir en arrière.

2.6 Phase 9
Évaluation de la mission

Bien que l'évaluation se fasse régulièrement tout au long de la mission, il y a lieu de faire une évaluation complète une fois le mandat terminé. Cette phase d'évaluation fait partie intégrante du processus de consultation. C'est une des dernières tâches du conseil mais elle est excessivement importante et utile à long terme. Les principales raisons qui militent en faveur des efforts consacrés à l'évaluation sont les suivantes:

— Prendre conscience des faiblesses de la mission.
— Apprécier la valeur des résultats de la mission.
— Trouver comment améliorer les missions futures.

Il ne se fait malheureusement pas assez de recherche évaluative sur le processus de consultation. Bidwell et Lippitt (1971), dans une étude auprès de clients et conseillers, concluent que les principaux obstacles invoqués par les répondants pour expliquer le peu d'effort consacré à l'évaluation des missions sont, dans l'ordre, les suivants: manque de temps, absence d'un cadre de référence, difficulté pour le client et le conseiller de traduire les résultats attendus en des termes mesurables, manque d'argent pour la recherche.

L'évaluation de la mission comprend trois composantes: l'évaluation personnelle du conseil, l'évaluation personnelle du client et l'évaluation conjointe. Premièrement, le conseiller réfléchit lui-même sur la qualité de ses actions et sur ses rapports avec le client. Il identifie les faiblesses de ses activités et celles de l'équipe-conseil dont il assumait la responsabilité. Les buts de cette évaluation sont d'examiner avec un certain recul le mandat accompli, d'identifier les lacunes au niveau des interventions et enfin de dégager des modes d'action plus efficaces pour l'avenir. Les quelques éléments inclus dans le tableau 2.6 peuvent

Tableau 2.6
Guide d'évaluation utilisé par le conseiller

A. *Face à son propre rôle de conseil*

- Qualité de l'offre de service et sa réception
- Exécution complète des tâches proposées
- Atteinte des objectifs de la mission
- Accroissement de la compétence du conseil suite à cette mission
- Accomplissement du mandat dans les délais prévus
- Accomplissement du mandat avec les budgets prévus
- Réalisation complète et professionnelle de toutes les étapes du processus de consultation
- Rédaction du rapport de façon à bien refléter les bénéfices de la mission

B. *Face à la relation établie avec le client*

- Qualité de la relation établie avec le client
- Capacité du client à bien comprendre la nature du problème avant et après l'arrivée du conseil
- Capacité du client à assumer le changement
- Application adéquate des recommandations du conseiller
- Habileté du client à pouvoir agir seul après le départ du conseil
- Communication avec le client durant la mission
- Évaluation des possibilités de collaboration pour le futur

servir de guide au moment où le conseil réfléchit sur son intervention et évalue la qualité de celle-ci.

De son côté, le client fait un exercice semblable en évaluant le support fourni au conseiller et ses relations avec ce dernier. Encore ici, le guide présenté dans le tableau 2.7 fournit au client une grille utile pour sa réflexion.

Après que chacune des deux parties ait complété individuellement cette évaluation, le moment est maintenant venu d'échanger, dans un climat de franchise et de respect, les impressions personnelles quant aux aspects qui ont bien fonctionné dans la mission et aux aspects qui bénéficieraient d'amélioration lors de missions ultérieures. Le client fait part de ses sentiments quant à la dynamique de la mission, à ses relations avec le conseil et aux résultats obtenus. Quant à lui, le conseiller accueille, avec ouverture d'esprit, l'évaluation du client et fait part à ce dernier des conditions qui amélioreraient à l'avenir toute nouvelle relation de consultation. Cette session comporte certes des

Tableau 2.7
Guide d'évaluation utilisé par le client

A. ***Face à son propre rôle de client***

- Fermeté de l'engagement du client à assumer le changement
- Capacité de faire tous les efforts nécessaires pour bien comprendre le problème avant de faire appel au conseiller
- Conditions justifiant l'appel au conseil
- Accroissement de la compétence du client suite à l'intervention du conseiller
- Qualité du support fourni au conseil
- Capacité d'assumer ses responsabilités lors de l'implantation

B. ***Face à la relation établie avec le conseiller***

- Qualité de la relation établie avec le conseiller
- Qualité de l'utilisation des compétences du conseil
- Satisfaction en regard des premiers résultats obtenus suite à l'implantation du changement
- Caractère raisonnable des coûts et du temps consacré à la mission
- Rapport final suffisamment clair et complet
- Évaluation des possibilités de collaboration pour le futur

risques pour le conseil qui voit son travail évalué et ses recommandations plus ou moins remises en cause, et pour le client dont la motivation au changement est évaluée par le biais du support accordé au conseil et à ses recommandations. Cette session de rétroaction mutuelle est une condition nécessaire à la poursuite de toute collaboration future entre le conseil et le client puisqu'on y trouve exprimées les bases sur lesquelles se construiront des missions encore plus efficaces et plus satisfaisantes pour les partenaires.

Un des principaux obstacles à l'évaluation de la mission mentionné par Bidwell et Lippitt (1971) est celui de l'absence de schème ou de modèle conceptuel pouvant aider les conseils et les clients à évaluer une mission. Dans le but de répondre à cette lacune, Swartz et Lippitt (1975) ont élaboré un modèle d'évaluation des processus de consultation (figure 2.3) qui se caractérise par quatre composantes principales: les domaines d'évaluation, les critères d'évaluation, les sources d'information et les méthodes de cueillette de données.

Les domaines d'évaluation concernent les relations entre le conseiller et le client ce qui a une très grande influence sur les résultats ultimes de la mission, les événements spéciaux (réunions de rétroaction, conflits, résistance au changement, etc.) associés aux diverses phases du processus de consultation, les progrès du système-client vers l'atteinte des objectifs de l'organisation.

Les critères utilisés pour évaluer les effets sont le rapport coût/profit (augmentation des ventes, baisse des coûts associés aux accidents, réduction des coûts de l'absentéisme, etc.), les comportements observables (meilleure communication, baisse du nombre de griefs, absence de grève, etc.) et les réactions du personnel exprimées au niveau des attitudes ou des sentiments (satisfaction accrue, identification plus grande à l'organisation, etc.).

Les sources d'information jouant un rôle important dans l'évaluation de la consultation sont le conseil, le client (celui qui a le pouvoir de décision), le système-client (le groupe des personnes de l'organisation impliquées dans le projet) et le commanditaire (le client lui-même ou possiblement le superviseur du client).

Quant aux méthodes de cueillette de données, celles-ci sont utilisées pour recueillir les informations permettant l'évaluation de la mission: l'observation directe, le questionnaire, l'entrevue individuelle ou de groupe, les documents disponibles (archives, rapports spéciaux, statistiques) et les instruments divers responsables de l'enregistrement de données. Encore ici, les techniques de cueillette d'information peuvent jouer un rôle indirect sur la qualité de l'évaluation par leur capacité respective d'enregistrer des données valides.

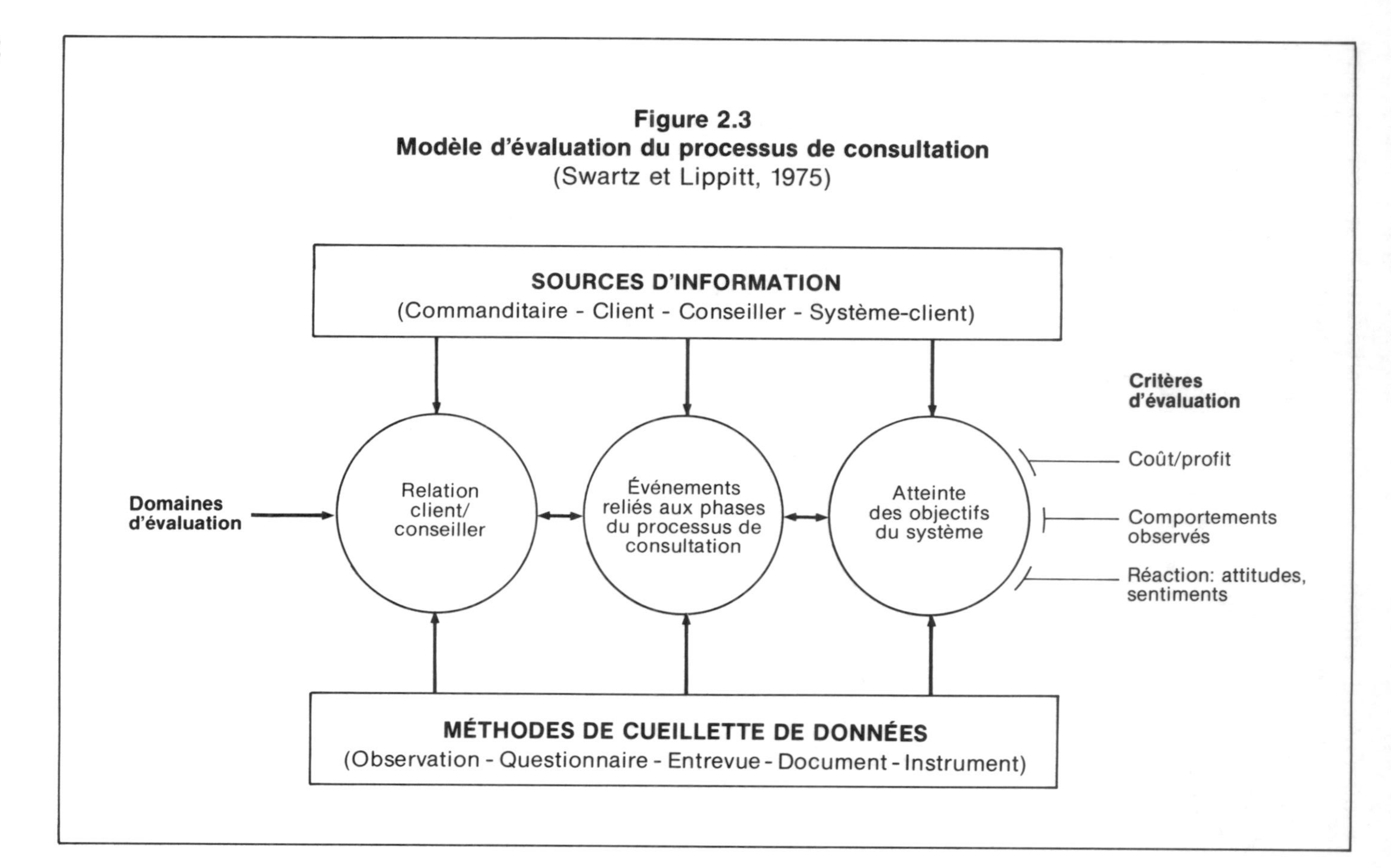

Figure 2.3
Modèle d'évaluation du processus de consultation
(Swartz et Lippitt, 1975)

Voilà donc l'évaluation de la mission terminée. Le conseil doit maintenant se retirer progressivement sans que le système-client n'en ressente des contrecoups.

2.7 Phase 10
Clôture de la mission

L'heure de la séparation est maintenant arrivée. Si le client a été associé étroitement à la réalisation de la mission et que le conseil a pris soin de ne pas développer chez le client un état de dépendance, il ne devrait pas y avoir trop de problèmes. Le conseiller doit devenir progressivement de moins en moins nécessaire à l'organisation. La façon dont la mission se termine a un impact non négligeable sur la décision que pourra prendre éventuellement le système-client de faire encore appel aux services du conseil. La clôture de la mission exige donc une bonne planification.

Deux situations très différentes peuvent justifier la fin d'une mission: la mission a atteint les objectifs fixés ou la mission s'avère, de l'avis du client, un échec auquel il désire mettre fin.

Abordons d'abord le cas d'une mission qui semble vouloir s'acheminer vers une fin insatisfaisante. Cette situation se retrouve plus fréquemment lorsque le client s'aperçoit que les aspects techniques du problème sont associés à une remise en question de son style ou de sa philosophie de gestion. Le client peut se sentir personnellement menacé par cette démarche et son insécurité le porte à vouloir éloigner cette atteinte à sa personne en mettant fin à la mission du conseil. Le rôle de ce dernier consiste alors à tenter de faire prendre conscience au client de la raison réelle de son désir. Dans ce contexte, il aide le client à supporter cette situation d'inconfort en dépit de la volonté du client de retraiter. Il peut également s'agir d'un désir propre au conseil qui voit que la mission ne s'avère pas aussi réussie qu'il l'aurait souhaitée. Le conseil peut avoir le goût de trouver diverses raisons, pas toujours fondées, pour abandonner le mandat. Tout comme pour le client, le conseil ne doit pas se laisser leurrer par cette solution de facilité qui a des conséquences néfastes à la fois pour le système-client et pour le conseiller. Un examen rigoureux et réfléchi précède toute décision d'abandon d'une mission en cours.

Quant à la mission qui arrive avec succès à son terme, la clôture de cette relation de consultation nécessite une planification des étapes du retrait progressif du conseil. La planification de la sortie du conseiller prend différentes formes. Le premier moyen choisi consiste à former une ressource interne à l'organisation pour remplacer le conseil externe. Cette personne assumera spécifiquement les fonctions remplies par le conseiller. Un autre moyen fort populaire est celui de la continuation du support mais d'une façon moins continue. Un plan est alors élaboré dans un calendrier qui permet de revoir périodiquement l'évolution de la situation dans l'organisation. Ce genre de support possède des avantages certains. Ainsi, le client ne se sent pas complètement abandonné à lui-même. Il peut toujours compter sur l'aide du conseil si certains problèmes surgissent après son départ. De plus, cette présence périodique du conseiller rend plus efficace l'application de la recommandation en y apportant les correctifs nécessaires. Les chances de succès sont plus grandes comparativement à la situation où le système-client est laissé à lui-même. Enfin, cette présence du conseil en arrière-scène facilite l'obtention de nouveaux mandats. Lors des discussions, le client perçoit de nouveaux besoins que le conseiller pourrait aider à satisfaire. Ce support périodique prend alors diverses formes: conférences téléphoniques avec le responsable de l'organisation, rencontres mensuelles ou annuelles, etc.

Un autre élément à prévoir au moment du retrait du conseil est celui de la diffusion des résultats de la mission. Le mandat a pu avoir été réalisé à la satisfaction du client et du conseiller. Cependant, beaucoup de personnes, ayant vu le conseil circuler dans l'organisation durant plusieurs mois, n'entendront peut-être jamais parler des résultats obtenus ou ne seront pas informés du fait que le conseil a maintenant terminé son mandat. Il est souhaitable que ce dernier planifie avec le client les moyens de diffusion, dans l'organisation, des résultats atteints et du retrait éventuel du conseil. C'est une façon respectueuse de remercier le personnel de sa collaboration et de semer les germes de futures interventions dans le système-client. De plus, il s'agit également d'une procédure un peu formelle et officielle pour clore la mission.

Une autre caractéristique associée fréquemment à la clôture d'une mission est celle de la remise d'un rapport final au client. Ce rapport final est communiqué au client au moment où le conseiller quitte l'organisation. Ce document tient compte du fait que certains rapports d'étapes ont pu être présentés. Le rapport final réfère alors, si nécessaire, aux rapports précédents pour certains détails qu'il serait superflu de rappeler dans le rapport final. L'essentiel du ou des rapports d'étapes (pour des missions de longue durée) est généralement intégré dans le rapport final. Quand une mission est de courte durée, seul un rapport final est habituellement rédigé et remis au client. Il contient alors toutes les informations pertinentes et est rédigé, de façon vivante, dans un style clair et facile à comprendre.

Il est souhaitable que le type de rapport soit planifié avant d'en commencer la rédaction. Le conseiller identifie d'abord quels seront les lecteurs du rapport. Ainsi, il décide si un ou plusieurs rapports adaptés seront rédigés selon les divers intérêts des groupes de lecteurs. Il lui faut également penser au style approprié. Le rapport est concis et plus axé vers les recommandations ou les bénéfices attendus pour les gestionnaires. Il est plus technique et plus détaillé s'il est remis à des spécialistes dans le domaine concerné. Le choix des mots utilisés est également fonction des lecteurs.

La première démarche du conseiller consiste à tracer un plan détaillé de la structure du rapport comprenant les grandes sections et sous-sections. Ce plan est discuté au sein de l'équipe-conseil de façon à s'assurer que le rapport comprendra, suite à ce plan de rédaction, tous les éléments essentiels de la mission. L'ensemble des données recueillies sont ensuite classées selon le plan du futur rapport.

La structure habituelle d'un rapport final correspond généralement au schéma suivant:

— Page titre — Titre du rapport, auteur(s), le nom du client, la date de remise du rapport.

— Table des matières.

— Liste des tableaux, graphiques ou figures.

— Remerciements — À l'égard des personnes (directement ou indirectement impliquées) pour leur contribution à la mission.

— Sommaire — But, méthodologie et résultats ou bénéfices attendus. Ce sommaire est généralement lu par les personnes les plus influentes, soit celles qui ont le pouvoir décisionnel dans l'organisation. Leur temps étant très restreint, ils prendront connaissance de la mission par la lecture de ce sommaire et non par celle du rapport final complet.

— Rapport — But de la mission, méthodologie, avantages réels de l'intervention du conseil, suggestions adressées au client relativement à des améliorations possibles pour l'avenir.

— Annexes — Données détaillées, documents de support, explications techniques.

Après la première rédaction du rapport final vient le moment de la révision de cette première ébauche. Celle-ci peut être réalisée par un seul individu ou les diverses parties peuvent être partagées entre les membres de l'équipe de conseillers. Dans ce dernier cas, le rôle du responsable de l'édition du rapport final devient plus important car le travail de coordination et d'homogénéisation du style prend de l'ampleur. Le responsable essaie d'en faire un tout cohérent en rédigeant les paragraphes d'introduction et de conclusion de chaque partie de façon à assurer une transition plus douce. Il revoit également les liens logiques dans la présentation des idées. Dans une seconde révision, le responsable de l'édition s'attarde à la qualité des mots, des phrases, des paragraphes, des sous-sections et enfin des grandes sections du rapport final. Il est encore temps d'enlever les redondances et d'assurer une présentation claire et succincte. Ce rapport revu fait alors l'objet d'une diffusion restreinte au sein de l'équipe d'intervention afin de recevoir une évaluation qui permet d'apporter les dernières améliorations avant de procéder à l'édition finale du rapport.

La composition du rapport final comprend une révision détaillée des erreurs typographiques, des fautes, de la présentation des subdivisions, etc. Le conseiller décide également à ce moment du type de reliure le plus appropriée compte tenu de l'utilisation du rapport et détermine les éléments de la page frontispice et/ou de la couverture. Il peut également décider que certains graphiques seraient utiles pour faciliter la compréhension du texte (Weil, 1978; Broekhuisen, 1979). Ces graphiques ne doivent pas être surchargés et sont construits en respectant les règles de l'art graphique. Il est possible que le conseil s'adjoigne, pour ces tâches, les services d'un graphiste professionnel. Cependant, avec l'avènement de la micro-informatique, ces tâches sont facilitées puisqu'il existe de nombreux logiciels graphiques. Il ne faut jamais oublier que les graphiques, tableaux ou figures viennent appuyer le texte et non se substituer à celui-ci.

Il est ensuite nécessaire de prévoir le moment de diffusion du rapport final: déterminer le nombre de copies compte tenu des personnes de l'organisation qui doivent le recevoir, déterminer le moment de la remise du rapport main à main au responsable du système-client qui se charge ensuite de la distribution interne tel que planifié entre lui et le conseil.

La dernière étape de cette phase relative à la clôture de la mission consiste, pour le conseiller, à rédiger une fiche de mission qui sera conservée dans les dossiers du conseil pour consultation ultérieure possible. Le but de cette tâche est de garder, sous une forme très synthétique, les renseignements essentiels reliés à une mission. Selon Kubr (1978), les informations à conserver sont les suivantes:

— Nom et adresse du client

— Nom et titre de celui qui a demandé la mission

— Nature et importance de l'organisation

— Domaine technique de l'intervention

— Noms des membres de l'équipe d'intervention

— Dates du début et de la fin de la mission

— Résumé succinct des objectifs et des résultats
— Références à tous les rapports et documents qui donnent les détails de la mission
— Commentaires sur la qualité de l'intervention, la relation avec le client, etc.

Voilà décrites les principales phases du processus de consultation que le conseiller franchit généralement lors de la réalisation d'une mission auprès d'une organisation. Il s'agit donc du processus dynamique qui anime la relation que le conseiller établit avec le client.

Chapitre 3

CARRIÈRE DE CONSEILLER: PRÉ-REQUIS, FORMATION ET PERFECTIONNEMENT

La profession de conseil s'est développée, d'une façon importante, depuis la fin de la Seconde Guerre mondiale. Au fur et à mesure, l'évolution des divers milieux organisationnels a rendu ceux-ci de plus en plus complexes et les dirigeants ont senti le besoin de faire appel à des personnes externes à l'organisation, reconnues pour leur expertise dans certains domaines. Ainsi, les organisations bénéficient de ressources spécialisées sans avoir à assumer le support financier continu de ces dernières. En effet, la demande de ces spécialistes est généralement ponctuelle.

Avec l'accroissement du besoin pour ce type de services, les diverses professions (ingénieurs, administrateurs, psychologues, informaticiens, etc.) ont vu un certain nombre de leurs membres offrir leurs services non plus à une seule entreprise mais intervenir, selon les mandats plus ou moins longs, dans de multiples systèmes-clients. Le regroupement de ces individus a permis la naissance d'une multitude de bureaux de conseillers offrant à peu près tous les services imaginables aux divers milieux organisationnels. Le conseiller devient donc en soi un autre professionnel et, à ce titre, les spécialistes intéressés à y faire carrière ou à engager des conseillers pour s'intégrer à des bureaux d'experts-conseils se sont beaucoup interrogés pour connaître quelles sont les caractéristiques à rechercher chez un individu afin de maximiser ses chances de succès comme conseil.

La fonction de conseiller est très diversifiée selon les spécialisations de base, les milieux d'intervention, les époques, ce qui rend difficile l'établissement d'une grille des qualités et des habiletés nécessaires pour réussir dans la carrière de conseil. Il y a un peu plus de dix ans, Vaill (1971), concluait qu'il était difficile de décrire les habiletés et les aptitudes souhaitables et de dire comment il fallait entraîner les personnes pour développer celles-ci. Actuellement, il n'y a pas encore de réponse unique et simple à cette interrogation.

Cependant, il nous semble qu'un effort de synthèse, à partir des réflexions d'un certain nombre d'auteurs qui se sont intéressés à ce sujet, serait de nature à aider les gens intéressés par la fonction de conseil à se faire une idée des exigences de base nécessaires ou souhaitables pour pouvoir réussir en tant que conseil. C'est cet objectif que nous tenterons de relever dans ce chapitre.

1 Vue d'ensemble de la carrière de conseil

Comment concevoir la carrière de conseiller selon une vision longitudinale et globale? Très peu d'auteurs, à notre connaissance, n'ont développé une telle perspective d'ensemble permettant de mieux saisir les exigences que le candidat-conseil doit satisfaire pour entrer dans la profession. De plus, il faudra également mettre l'accent sur les conditions optimales nécessaires au développement de la carrière en termes de formation et de planification de la carrière.

Évidemment, il n'est pas donné à tout individu de réussir comme conseiller. Tout groupe professionnel demande certains traits de personnalité, attitudes ou intérêts, habiletés ou aptitudes. De plus, certaines caractéristiques socio-démographiques peuvent également constituer des pré-requis à l'admission d'une personne dans un tel groupe. Il s'agit généralement là des critères qui serviront au recrutement et à la sélection des futurs conseillers.

À son entrée dans la profession, le nouveau conseil passe par une phase de socialisation permettant d'acquérir les règles de l'art minimales pour agir à titre de conseiller junior. Cette étape est généralement franchie par le moyen d'une période de formation initiale. Lors de cette phase, le nouveau conseil développe sa compétence à la fois selon sa spécialisation technique et son nouveau rôle qui exige une bonne connaissance et maîtrise du processus même de consultation.

Suite à cette phase de formation initiale, le nouveau conseiller entre dans la profession et planifie le développement de sa carrière selon ses intérêts et aptitudes. Toute sa carrière doit être caractérisée par le souci du développement personnel, de la mise à jour de ses connaissances et de la préparation à assumer de nouvelles responsabilités. Ce souci de perfectionnement, toujours présent chez le conseil qui veut demeurer compétent et actif dans la carrière, se traduit par des démarches multiples et variées de formation continue.

Cette conception globale de la carrière du conseiller est présentée à la figure 3.1. Une telle perspective globale nous aidera à mieux intégrer ce que les divers auteurs ont pu écrire sur le sujet de l'accession et du développement de la carrière de conseil auprès des organisations. Ce modèle conceptuel a également l'avantage de permettre une

Figure 3.1 Vue d'ensemble de la carrière de conseil

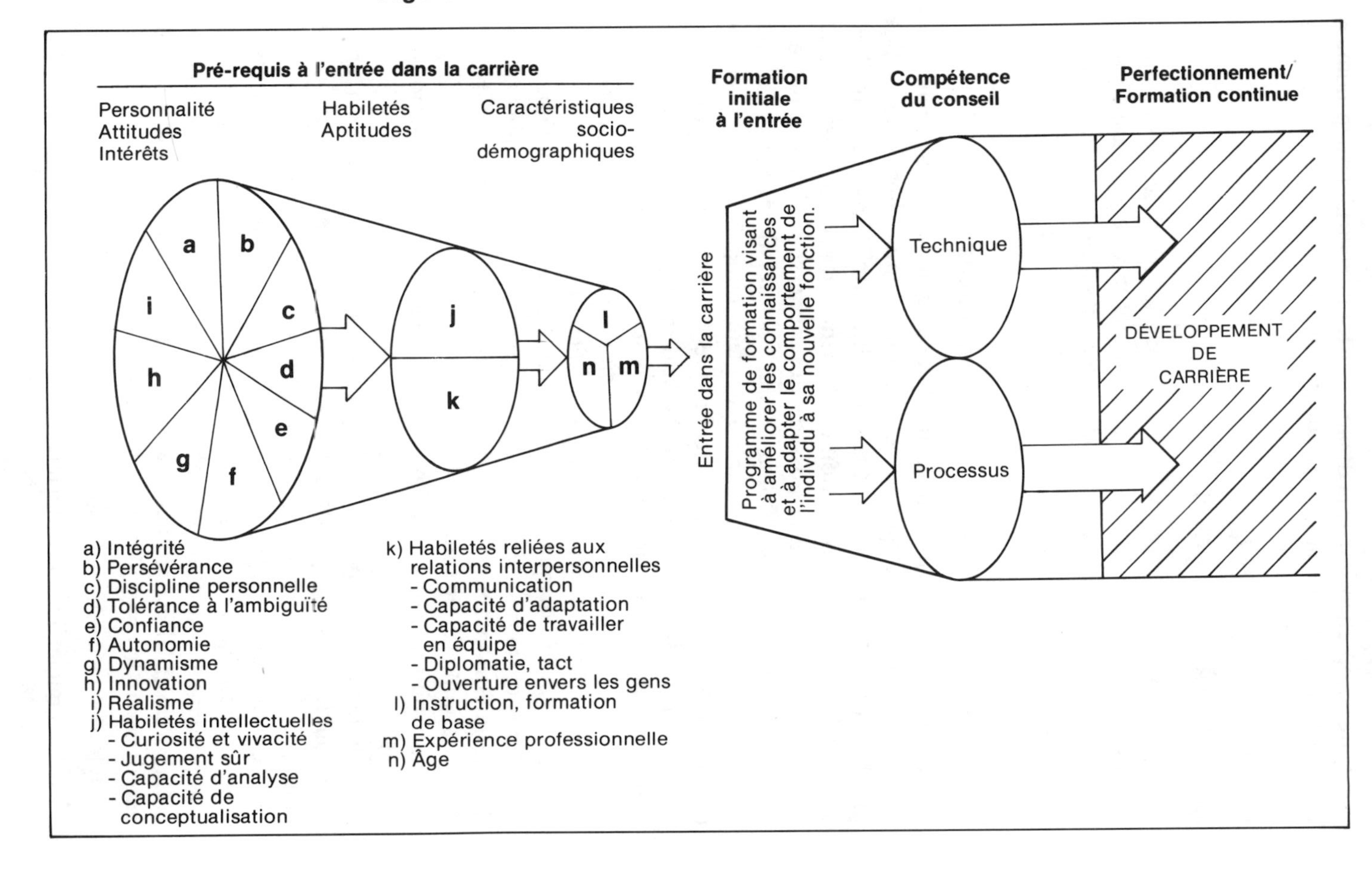

meilleure compréhension de la dynamique totale et de l'interdépendance des diverses étapes de la carrière de conseil.

2 *Pré-requis à la carrière de conseiller*

Avant d'aborder, de façon plus spécifique, les habiletés, les connaissances, les attitudes ou les traits de personnalité, quelques dimensions socio-démographiques seront considérées: l'instruction, l'expérience et l'âge.

2.1 *Caractéristiques socio-démographiques*

En termes d'instruction, le conseiller a généralement reçu une formation académique spécialisée dans un domaine spécifique: génie, psychologie, administration, finance, éducation, médecine, etc. Les auteurs suggèrent une formation équivalente au niveau de la maîtrise ou du doctorat. Le conseil possède donc une spécialisation professionnelle, c'est-à-dire un domaine dans lequel il intervient à titre de conseil et non comme employé plein temps de l'organisation (Kubr, 1978). Cette formation technique est également appuyée par une formation spécifique aux processus de consultation (Hunt, 1977). Depuis quelques années, nombreux sont ceux qui ont souligné l'importance de la formation multidisciplinaire du conseil. Dans une étude faite auprès de trente-deux conseillers, Lippitt et Lippitt (1978) font ressortir le fait que le conseil est confronté à des problèmes très complexes et travaille en collaboration avec des gens spécialisés dans de multiples domaines. Une meilleure vue d'ensemble d'un problème organisationnel et de toutes ses ramifications est souvent favorisée par une sensibilisation aux disciplines connexes à la spécialisation du conseil.

De façon plus spécifique, le professionnel qui désire exercer la fonction de conseil auprès des organisations, possède, en plus de son champ de spécialisation, une bonne connaissance de diverses facettes de l'administration en général. De plus, la consultation étant essentiellement une relation interpersonnelle conseiller-client, les sciences du comportement jouent un rôle absolument primordial dans ce type de collaboration. Il est souhaitable que certaines connaissances soient acquises par le conseiller dans les domaines suivants:

— Processus de changement;

— Dynamique de la personnalité;

— Processus de fonctionnement et de croissance des individus, des groupes, des organisations et des systèmes.
— Techniques d'évaluation des individus (en termes de motivation, capacité, biais, etc.).
— Techniques de formation et de transfert des connaissances.
— Techniques d'intervention en milieu organisationnel.
— Techniques de résolution de problèmes et de conflits.

Est-il préférable que le conseiller ait une certaine expérience professionnelle avant d'aborder le domaine de la consultation? Fréquemment, avant d'engager un conseil, un cabinet exige que l'individu ait eu une telle expérience dans son champ de spécialisation. La durée de cette expérience pratique peut certes varier selon les domaines de spécialisation mais il semble qu'une expérience de trois à cinq années soit généralement requise (Kubr, 1978; Hunt, 1977). Il arrive cependant qu'une firme de conseils importante engage un jeune diplômé et elle prend alors en charge la formation de la personne en lui fournissant une expérience pratique progressive ce dont nous parlerons dans la prochaine section de ce chapitre. La pratique professionnelle que l'on souhaite retrouver chez le futur conseiller est de nature à développer chez ce dernier un meilleur sens des réalités, une certaine profondeur que seul le vécu fournit, une sensibilisation au fonctionnement d'un groupe ou d'une organisation sans compter une crédibilité essentielle aux yeux des futurs clients.

Enfin, quel âge devrait idéalement avoir un conseiller? L'âge est grandement relié à l'instruction et l'expérience. Le futur conseiller qui possède une maîtrise ou un doctorat et a environ trois à cinq années d'expérience est habituellement âgé d'au moins 30 ans. Kubr (1978) considère que les limites d'âge minimum se situe entre 26 et 30 ans. De plus, celui-ci place la limite supérieure entre 36 et 40 ans. En effet, il semble bien qu'un individu âgé d'environ 40 ans qui occuperait déjà des fonctions de cadre dans une organisation, pourrait avoir une certaine difficulté à s'adapter et se plaire dans la fonction de conseiller. Ce genre de candidat exigerait probablement d'accéder rapidement à des postes supérieurs tels chef de mission, associé, dirigeant de la firme et ce, sans avoir eu le temps de développer ses compétences en tant que conseil. Sans être rigide, cette limite met en relief le fait que l'âge d'entrée dans la carrière de conseiller se situe fréquemment entre 30 et 36 ans. Avant la limite de 30 ans, nous pourrions faire face à un candidat qui manque d'expérience pratique et, après 36 ans, à un candidat dont les attentes en termes de plan de carrière et besoins personnels ne correspondent peut-être pas aux défis auxquels doit se confronter le conseiller qui apprend son métier.

Plusieurs auteurs (Stryker, 1982; Bermont, 1981; Block, 1981; Kubr, 1978; Bermont, 1978; Lippitt et Lippitt, 1978; Hunt, 1977; Shay, 1974) ont tenté de cerner les exigences de base nécessaires au succès du conseil et ce, en termes d'habiletés, d'aptitudes, d'attitudes, de traits de personnalité, de qualités, etc. Il ne semble pas qu'il y ait un profil unique idéal pour devenir conseiller mais, malgré une certaine diversité, des caractéristiques communes apparaissent reliées au succès et à la satisfaction du conseil.

2.2 *Habiletés ou aptitudes*

Les habiletés ou les aptitudes influencent, jusqu'à un certain point, le choix de la formation académique (domaine, durée) et du type d'expérience que va rechercher l'individu éventuellement considéré comme candidat à un poste de conseiller. Ces choix, en termes de secteurs de formation et d'expérience professionnelle, ne sont pas issus d'un vacuum psychologique mais sous-tendus directement par les habiletés et plus fondamentalement par la personnalité.

Sans entrer dans le détail des diverses typologies d'habiletés ou d'aptitudes utilisées par les auteurs et chercheurs qui ont abordé ce sujet, nous présenterons, de façon synthétique, les principales habiletés mentionnées sous deux grands thèmes: les habiletés intellectuelles et les habiletés interpersonnelles.

□ Habiletés intellectuelles

Le conseiller fait d'abord preuve d'une grande **curiosité et vivacité intellectuelles.** Son travail consiste fondamentalement à rechercher, à travers des cheminements parfois marqués de nombreuses embûches ou poches de résistance, les faits réels entourant ou caractérisant le problème auquel il est confronté suite au mandat confié par le client. Il vérifie leur exactitude et dépasse le niveau des apparences superficielles. Le bon conseiller possède la capacité de voir tous les aspects d'un problème et toutes les possibilités de l'aborder.

Deuxièmement, le conseiller possède un **jugement sûr**. Celui-ci est perspicace et capable de reconnaître ce qui est pertinent au problème en éloignant les artefacts, les opinions et les émotions qui peuvent obscurcir sa perception de la réalité objective du problème. Le conseil débrouissaille l'écheveau pour en arriver à saisir les éléments essentiels. De plus, il anticipe les conséquences à moyen et long terme des solutions proposées. Son jugement lui permet alors de prévoir plusieurs coups à l'avance comme tout bon joueur d'échec.

La troisième caractéristique de ses habiletés intellectuelles est la **capacité d'analyse**. La première étape de son travail consiste à bien diagnostiquer le problème ce qui est essentiellement fonction de ses habiletés à analyser la situation telle qu'elle se présente à lui. Sa capacité d'analyse et de résolution de problèmes l'amène à être confronté à des situations dont les principaux éléments peuvent être plus ou moins complexes. Le conseiller décortique alors la situation en ses éléments constituants. Tout le travail ultérieur du conseil risque d'être totalement anéanti si la phase d'analyse ou de diagnostic n'a pas été faite de façon suffisamment éclairée et juste. Le succès de cette première phase est absolument indispensable et c'est là qu'entre en jeu la capacité d'analyse du conseiller.

Enfin, la **capacité de conceptualisation** est une autre habileté très importante pour devenir conseil auprès des organisations. Après avoir établi le diagnostic, le conseiller élabore des éléments de solution en formulant des recommandations qui pourraient éventuellement être implantées. Le conseil est généralement capable d'élaborer de multiples plans d'action en y incluant les modalités ou stratégies d'implantation. Toutes les avenues de solutions possibles doivent être considérées au niveau de la conceptualisation des plans d'action.

En résumé, le conseiller à succès se caractérise par les habiletés intellectuelles suivantes: curiosité et vivacité intellectuelles, jugement sûr, capacité d'analyse et de conceptualisation.

□ Habiletés reliées aux relations interpersonnelles

Le conseiller possède une grande facilité de **communication** à la fois orale et écrite. Lors d'un mandat de consultation, la relation interpersonnelle conseil-client donne à la communication un sens de moyen ou d'outil de travail prioritaire. Le conseil est capable d'écouter ses interlocuteurs, d'observer les modalités de communication (comportement, langage, nuance, émotion, etc.), d'être réceptif aux points de vue exprimés par le client et de faire part de sa pensée avec clarté et précision. Dans ce contexte de transmission de connaissances au client, la facilité de communication demeure un aspect crucial de la fonction de conseil. De plus, le conseiller est habituellement apte à persuader ou à convaincre le client d'implanter une recommandation. Encore ici, son outil principal pour atteindre cet objectif demeure sa facilité de communiquer par le biais d'un rapport ou d'un exposé destiné au client. L'habileté de communication sous toutes ses formes demeure certainement une des plus importantes et fondamentales au succès du futur conseil.

Celui qui veut agir à titre de conseiller possède une excellente **capacité d'adaptation** à des milieux et à des gens très différents. De par les caractéristiques mêmes de son travail, le conseil a l'obligation d'être rapidement opérationnel suite à la réception d'un mandat. Il est capable de saisir promptement la dynamique de la personnalité de son client, ses valeurs, ses besoins et ses attentes. Tout au long de la réalisation du mandat, le conseiller entre en contact avec une foule d'acteurs différents et sa capacité d'adaptation à ces derniers conditionne beaucoup son succès éventuel quant à l'obtention des informations nécessaires à l'exécution du mandat. Nous avons souligné l'importance de l'adaptation aux gens mais il ne faut pas non plus oublier l'aspect adaptation à des milieux d'intervention très différents en termes de fonctionnement, d'objectifs et de culture organisationnelle: la grande entreprise multinationale, la petite et moyenne entreprise (PME), le système scolaire, le système hospitalier, les syndicats, les gouvernements, les entreprises parapubliques, etc.

Une autre habileté importante dans le travail de conseiller est la **capacité de travailler en équipe**. Ce dernier est fréquemment en contact avec des spécialistes de disciplines connexes à la sienne et avec des acteurs du système-client. La maîtrise et la capacité personnelle d'agir à l'intérieur d'un travail d'équipe demeure une dimension essentielle à son efficacité. Les phases de planification et d'implantation d'une démarche de changement sont certainement celles qui exigent le plus de travail en équipe à l'intérieur de groupes ou sous-groupes qui assument la responsabilité opérationnelle de la mise en application des recommandations du conseil. De son efficacité à travailler en équipe dépend le succès ou l'échec de la phase critique de l'implantation des changements souhaités qui sont parfois indispensables à la survie de l'organisation. Dans ce contexte, il ne faut pas oublier le fait que le conseil entraîne également, par le biais du travail en équipe, le client à participer à la saisie et à la solution des problèmes de son organisation. Le conseiller cherche à transmettre au client, de façon expériencielle et cognitive, certaines connaissances qui rendront ce dernier de plus en plus autonome et actif dans l'analyse et l'amélioration de son milieu de travail.

L'importance des bonnes relations interpersonnelles dans le processus de consultation souligne la nécessité d'un bon jugement social de la part du conseil. Ce dernier agit continuellement avec **diplomatie** afin de ne pas brusquer indûment les gens impliqués, de respecter leurs valeurs, leurs habitudes, leurs résistances ou craintes et ce, malgré l'objectif même de la mission du conseil qui vise souvent à changer la personnalité du client ou du système-client. Tout est dans la façon de le faire. Certains clients peuvent accepter et même souhaiter une intervention plus radicale alors que d'autres, plus insécures, ne doivent pas se sentir menacés par l'action du conseil. Chaque client possède ses particularités et le conseiller qui agit avec tact, ne perd pas de vue que les moyens sont adaptés aux milieux d'intervention. Ce n'est qu'à ce prix qu'il peut atteindre l'objectif ultime, soit le changement d'une situation insatisfaisante ou une amélioration nécessaire. Un mauvais jugement social, un manque de perspicacité ou une erreur de tactique peuvent avoir des conséquences très négatives lors de la mission du conseil. La nécessité de bien juger les éléments en jeu dans une situation sociale est évidente dans la relation de consultation.

Enfin, la dernière dimension importante des habiletés reliées aux relations interpersonnelles correspond à une **ouverture envers les gens**. Le conseil efficace est capable d'empathie envers les personnes qu'il rencontre dans l'exécution de son travail. Il fait preuve d'intuition et de sensibilité par rapport aux émotions ressenties par ces derniers. Le conseil est alors en mesure de créer un climat sain de collaboration qui introduit un sentiment de sécurité personnelle chez les individus. Dans ce contexte où évidemment tout ne va pas parfaitement bien, le conseiller valorise les éléments positifs de la situation et des individus. Les relations établies par le conseil sont marquées du sceau de la confiance et du respect mutuel. De plus, étant donné la nature même de son travail, ce dernier possède la capacité et le désir d'aider les autres ou d'établir une relation d'aide. Il cherche à favoriser l'émergence de conditions de travail permettant au client de s'orienter et de prendre lui-même des décisions significatives quant à son propre avenir ou au développement de son organisation.

La capacité d'établir une relation de counseling est très importante puisqu'elle intègre les autres aspects décrits précédemment soit les capacités de communication, d'adaptation, d'action avec diplomatie et d'ouverture envers les gens. Tous ces éléments permettent l'établissement de relations interpersonnelles saines et respectueuses.

2.3 *Traits de personnalité*

Les traits de personnalité, les attitudes ou les intérêts, de par leur caractère plus fondamental, orientent le développement des habiletés et des aptitudes. Il s'agit ici du niveau psychologique le plus profond de la dynamique du futur conseil tel que décrit dans la figure 3.1. Le mouvement en entonnoir représenté démontré bien que le niveau personnalité/attitudes/intérêts agit sur le développement des habiletés/aptitudes qui ont ensuite un effet déterminant sur l'orientation professionnelle.

La première qualité de tout intervenant dans le domaine de la consultation est l'**intégrité**. Le conseil possède des attitudes de professionnel en rejettant les pratiques et les méthodes de travail douteuses. La personne sérieuse qui veut réellement faire carrière dans cette profession, respecte les règles d'éthique dictée par sa spécialisation spécifique ou par certaines associations axées sur le rôle même de conseiller. Le milieu de la consultation est relativement petit et l'information circule très vite. C'est donc dire que le conseil qui agit de façon répréhensible ne fait généralement pas une longue carrière dans ce secteur. Les situations, dans lesquelles est quotidiennement plongé le conseil, ne sont pas toujours simples et faciles. Il possède, de façon naturelle, les valeurs morales et éthiques fondamentales à sa profession. Le conseiller intègre fait également preuve d'honnêteté et de franchise. Il ne prend pas d'engagement qu'il ne peut respecter en promettant, par exemple, certaines actions ou résultats qui dépassent les limites de ses capacités professionnelles et personnelles. Enfin, celui-ci possède généralement un sens aigu des responsabilités. Il se sent responsable du fait que son client soit, suite à sa mission, en mesure de régler le problème qui a fait l'objet du mandat.

Deuxièmement, le conseil démontre de la **persévérance**. Il lui faut utiliser beaucoup de patience parfois pour en arriver à faire tomber les multiples barrières ou résistances qui retardent chez le client l'adoption de ses recommandations. Le danger qui guette souvent le conseil, c'est de vouloir faire accepter ses propositions par le client en utilisant, consciemment ou inconsciemment, trop de pression. Si le conseiller n'a pas la patience de prendre le temps nécessaire pour solutionner le problème avec le client, de lui permettre de s'adapter à l'idée du changement et de cheminer vers son implantation au rythme du client, il y a risque de blocage sérieux et souvent irrécupérable. Le conseil est persévérant face à l'objectif qu'il s'est donné et fait preuve de patience dans la mise en place des moyens pour y arriver.

Troisièmement, le conseiller démontre de la **discipline personnelle**. Le client recherche un conseiller qui saura lui inspirer confiance par son calme face à la situation, par sa maîtrise de la dimension émotionnelle des relations entre les personnes impliquées. Le conseil n'est pas un individu qui agit de façon imprévisible. En plus d'agir avec calme et discipline personnelle face aux situations et aux réactions émotives des acteurs impliqués, il est capable d'auto-discipline dans ses habitudes et méthodes de travail. C'est un travail de précision qui demande rigueur et laisse peu de place à l'improvisation.

Une autre caractéristique psychologique nécessaire au conseil est la **tolérance à l'ambiguïté**. Quand une organisation-client fait appel à ses services, c'est habituellement parce qu'elle fait face à des difficultés majeures. Dans ce contexte, les attentes du client sont lourdes et exigeantes vis-à-vis le conseil. Il travaille sous une certaine pression ce qui exige une bonne capacité de supporter le stress sans affecter sa santé psychologique et physique. De plus, son rôle et ses techniques d'intervention ne sont pas déterminés à l'avance une fois pour toutes. Chaque intervention est unique et le conseil cherche constamment, dans ce contexte plus ou moins ambigu, à s'adapter à une réalité mouvante. Le conseiller à l'aise dans son rôle est très tolérant face à l'ambiguïté puisqu'il s'agit là d'un ingrédient quotidien de son travail.

Pour agir dans son rôle de conseiller, l'intervenant a nécessairement **confiance** en ses propres capacités et dans celles des autres qui seront impliqués, à divers titres, dans la recherche d'un mieux-être organisationnel. Le conseil fait preuve d'une bonne capacité d'introspection permettant ainsi une meilleure connaissance de lui-même en termes de capacités et limites personnelles. «Savoir d'abord qui on est» constitue la base de la confiance en soi. Le conseil confiant en ses possibilités présente et défend avec conviction ses points de vue, fait face à l'hostilité et parfois même au rejet sans pour autant se sentir attaquer dans son intégrité personnelle. Malgré certaines réactions normales plus ou moins négatives des personnes affectées par l'intervention, le conseiller croit fondamentalement en la valeur et la bonne volonté de ces dernières sinon il ne pourra agir que de façon très solitaire avec des chances de succès fort limitées. Cette confiance en soi et dans les autres est une condition nécessaire pour être capable d'admettre certaines erreurs et accepter les points de vue de l'entourage sans se sentir fondamentalement menacé dans sa propre compétence. Il est difficile de concevoir qu'une personne insécure sur le plan personnel et défensive face aux personnes de l'organisation puisse agir à titre de conseil dans un milieu organisationnel. L'optimisme à l'égard de soi et des autres est de rigueur dans le travail de conseiller.

Passons maintenant à l'aspect **autonomie**. À cause du mandat qu'on lui confie et des résultats attendus, le conseil initie une démarche d'intervention de façon autonome et implique les autres compétences disponibles au sein de l'organisation. Il démontre un désir de réaliser le mandat confié et trouve en lui-même l'impulsion nécessaire à la réalisation de l'intervention. Le conseil constitue sa propre bougie d'allumage ce qui permet ensuite d'entraîner dans son sillon les membres de l'organisation-client. Le conseiller compte d'abord sur ses propres moyens pour forger ses jugements, planifier ses approches d'intervention et vaincre les résistances qu'il rencontre durant son mandat.

Il est évident que le conseiller que nous avons décrit est également caractérisé par son **dynamisme**. Sa capacité de s'affirmer est fonction de son énergie et de son enthousiasme. La consultation est une démarche qui allie à la fois la réflexion, analyse, action et intervention.

Une des facettes également importantes du travail du conseiller est l'**innovation**. Étant donné le caractère unique et inconnu de chaque mandat, le conseil s'adapte sans cesse à des situations nouvelles. Pour aider une organisation à solutionner un problème, la qualité de son analyse et de son intervention est fonction de sa curiosité, de son désir d'aller voir en-dessous, de son besoin d'interroger sans cesse la réalité et du doute manifesté à l'égard de la supposée évidence. S'il ne jette qu'un regard superficiel sur ce qui l'entoure, il risque de ne jamais poser le bon diagnostic. Le conseil est également un individu capable d'imaginer, de créer et d'innover au plan des modalités d'intervention et des recommandations. Pour ce faire, il lui faut être souple, flexible et ne pas continuellement appliquer les mêmes remèdes à des problèmes différents étant donné la spécificité de chaque milieu organisationnel. L'ouverture d'esprit aux comportements et aux idées nouvelles est la source de son action.

Enfin, le conseil démontre un **réalisme** qui lui permet de bien sentir les problématiques et d'apporter des recommandations pratiques. Il regarde les situations avec la plus grande objectivité possible et cherche à les apprécier avec justesse. De plus, il ne perd pas de vue les potentialités de son intervention mais également les limites associées à cette dernière. Il est important qu'il puisse continuellement bien saisir l'attitude du client, sentir ses réticences, lui expliquer les modalités d'action proposées, lui reconnaître son droit de décision et l'appuyer, avec bon sens et réalisme, dans son cheminement vers la prise de décision.

Voilà donc les principales caractéristiques personnelles que l'on s'attend de retrouver chez l'individu qui s'oriente vers une carrière dans le secteur de la consultation.

La présentation d'une taxonomie des caractéristiques socio-démographiques, des habiletés/aptitudes ou des traits de personnalité/attitudes pourrait laisser croire à l'existence déterministe et statique d'une grille de pré-requis à la carrière de conseil. Or, il n'en est rien puisqu'il est possible d'envisager la possibilité de développer, du moins jusqu'à un certain point, la présence de ces éléments. En effet, il faut se demander lesquelles de ces dimensions doivent constituer des pré-requis formels à l'entrée dans la carrière et lesquelles peuvent être acquises ou développées par la formation et l'expérience en cours d'emploi. Cette interrogation constitue l'objet de la prochaine section de ce chapitre.

Les dimensions soulignées dans les pages précédentes ne sont pas le fruit de l'imagination pure des auteurs qui s'y sont intéressés mais plutôt le résultat de leurs observations de la réalité quotidienne du travail de conseil. Il faut ici ajouter une remarque importante. En effet, plusieurs auteurs (Block, 1981; Chalofsky, 1979; Lippitt et Lippitt, 1978; Menzel, 1975) soulignent que les divers aspects de la personnalité/attitudes, des habiletés/aptitudes et des caractéristiques socio-démographiques n'ont pas toutes la même importance en fonction des diverses phases du processus de consultation. Chaque tâche de la fonction conseil fait appel à des capacités différentes chez la personne qui oeuvre dans ce domaine.

Une analyse des pré-requis mentionnés et du contenu des diverses tâches associées au processus de consultation décrit dans le second chapitre nous permet de constater que, malgré certaines étapes légèrement moins exigeantes pour le conseiller, il semble bien que la majorité des pré-requis soulignés soient nécessaires aux diverses tâches du conseil. Le tableau 3.1 est éloquent à ce sujet. Le symbole + utilisé dans ce tableau, met en évidence les pré-requis les plus importants en fonction des diverses phases du processus de consultation. Ce symbole signifie que cette dimension est nécessaire bien qu'il ne faille pas interpréter l'absence du signe + comme équivalent à aucune importance. Tout est ici une question de degré et de nuance.

Les phases du processus qui exigent plus l'utilisation complète de ces pré-requis sont les suivantes: la cueillette de l'information, la présentation des propositions et l'implantation. Les caractéristiques socio-démographiques, les habiletés/aptitudes intellectuelles et interpersonnelles de même que les traits de personnalité/attitudes sont, lors de ces étapes, largement utilisés. Par contre, certaines phases font appel à des capacités plus spécifiques notamment les phases concernant la préparation de l'offre de service, la formulation du contrat et l'analyse de l'information recueillie qui constituent des moments plus techniques dans l'ensemble du processus de consultation.

Ces particularités peuvent permettre parfois d'associer un conseil à une phase plus précise selon son profil de capacités personnelles. Il ne faut cependant pas perdre de vue que les phases du processus de consultation sont fortement interreliées et interdepéndantes. Il serait dangereux en termes d'efficacité de le découper artificiellement en tranches et perdre ainsi le caractère dynamique et systémique qui représente bien l'essence même de la consultation. D'ailleurs, le tableau 3.1 permet de constater ce fait en mettant en évidence des différences relativement restreintes au niveau de l'importance de ces nombreux pré-requis. Il n'y a que l'âge comme tel qui est plus un élément attaché à l'image du conseil qu'une exigence réelle du travail de ce dernier. Par contre, l'âge est souvent relié à l'expérience professionnelle qui est beaucoup plus importante que la première.

Certains traits de personnalité/attitudes apparaissent moins souvent en termes de fréquence mais il ne faudrait pas les considérer comme moins importants. Bien que la persévérance et la capacité d'innovation soient mentionnées (+) moins souvent, elles sont reliées à

Tableau 3.1 — Pré-requis les plus importants en fonction des phases du processus de consultation

Pré-requis chez le conseil / Phases du processus de consultation	Caractéristiques socio-démographiques			Habiletés / Aptitudes									Personnalité / Attitudes									Importance relative des pré-requis selon les phases du processus
				Intellectuelles				Relations interpersonnelles														
	Instruction	Expérience professionnelle	Âge	Curiosité et vivacité intellectuelles	Jugement sûr	Capacité d'analyse	Capacité de conceptualisation	Communication	Capacité d'adaptation	Capacité de travailler en équipe	Diplomatie	Ouverture envers les gens	Intégrité	Persévérance	Discipline personnelle	Tolérance à l'ambiguïté	Confiance	Autonomie	Dynamisme	Innovation	Réalisme	
Préparation de la mission																						
Phase 1 - Contact avec le client potentiel	+	+	+	+	+	+	+	+	+	+	+	+	+		+	+	+		+		+	18*
Phase 2 - Offre de service	+	+		+	+	+	+	+		+	+							+		+	+	12
Phase 3 - Formulation du contrat	+	+		+	+	+	+	+	+		+		+	+	+		+		+		+	15
Exécution de la mission																						
Phase 4 - Organisation de la mission	+	+		+	+	+	+	+	+	+	+	+			+		+	+	+		+	16
Phase 5 - Cueillette de l'information ou diagnostic	+	+	+	+	+	+	+	+	+	+	+	+	+	+	+	+	+	+	+	+	+	21
Phase 6 - Analyse de l'information ou élaboration propositions	+	+		+	+	+	+		+	+		+				+	+	+		+	+	14
Phase 7 - Présentation des propositions au client	+	+	+	+	+	+	+	+	+	+	+	+	+	+	+	+	+	+	+	+	+	21
Phase 8 - Implantation	+	+	+	+	+	+	+	+	+	+	+	+	+	+	+	+	+	+	+	+	+	21
Phase 9 - Evaluation de la mission	+	+		+	+	+	+	+	+	+	+	+	+		+	+	+		+		+	17
Phase 10 - Clôture de la mission	+	+		+	+	+	+	+	+	+	+	+	+	+	+	+	+				+	17

*Le total des pré-requis mentionnés est de 21. Plus le nombre se rapproche de ce maximum, plus la phase du processus de consultation est exigeante en termes de capacité de la part du conseiller.

une phase spécifique du processus de consultation et elles y jouent un rôle majeur, voire même déterminant pour la réussite de cette phase. C'est le cas, par exemple, de la capacité d'innover au moment de l'analyse de l'information et de l'élaboration des propositions pour l'organisation-client.

En conclusion de cette partie, nous croyons qu'il faudrait être prudent en déterminant ce que doit posséder le conseil (en termes de caractéristiques socio-démographiques, d'habiletés/aptitudes, de traits de personnalité/attitudes) pour maximiser ses chances de succès dans la carrière. Il serait préférable que celui-ci soit capable d'assumer la responsabilité complète du processus de consultation pour éviter les dangers associés à un découpage artificiel des diverses étapes dont on confierait la réalisation à des personnes différentes. Les problèmes organisationnels sont complexes et doivent être considérés de façon systémique. Le processus qui permet l'étude et la solution de ces situations problématiques, est également complexe par son aspect dynamique et l'interdépendance de ces étapes constituantes. Il serait irréaliste de considérer que l'individu qui se lance dans le domaine de la consultation, ne s'occupera que de certaines étapes du processus. L'évolution de sa carrière et les besoins des clients risquent fort de l'obliger à recourir, un jour ou l'autre, à toutes les capacités décrites précédemment.

Nous avons déjà souligné que cette taxonomie de pré-requis ne doit pas être associée à une vision statique de la carrière de conseil. En effet, le conseil n'est pas obligatoirement né avec ces capacités totalement actualisées. Il est évident qu'un individu est plus ou moins limité quant à la possibilité de développer certaines attitudes, aptitudes ou certains traits de personnalité. Il est impossible de devenir totalement une autre personne. Les interrogations quant à l'apport de l'inné et de l'acquis demeurent encore totales. Comme dans les divers domaines de la vie, on accepte l'idée que l'importance du potentiel permet à la fois le développement personnel et le limite. Dans le développement dynamique de la carrière du conseiller, on fait un pari semblable sur l'avenir. C'est ce qui explique qu'il faut bien évaluer le potentiel du futur conseil et l'encadrer dans des démarches de formation, d'entraînement qui visent essentiellement à actualiser au maximum ses capacités. Il s'agit essentiellement d'une vision optimiste du cheminement de carrière.

Après s'être penché sur les pré-requis pour devenir conseiller, la prochaine section de ce chapitre sera consacrée à l'analyse de l'accès à la carrière en termes des processus de sélection et de formation de l'individu à la fonction de conseil. Nous réfléchirons alors aux moyens à mettre en place pour développer, de façon optimale, les ressources du futur conseiller.

3 *Accès à la profession de conseil*

L'individu qui désire entreprendre une carrière dans le domaine de la consultation auprès des organisations, fait face à quelques moments cruciaux qui décideront de son avenir possible en tant que conseil. Le premier de ces moments est relié au recrutement et à la sélection. Une fois cette première porte entrouverte, le futur conseiller est orienté vers une phase initiale de formation à la profession. Si le nouveau candidat traverse avec succès ces deux premières étapes, il peut envisager alors une carrière dans le monde fascinant de la consultation. Le conseiller développe ensuite une perspective à long terme en considérant les années futures en fonction du développement de sa carrière en tant que conseil auprès des organisations.

3.1 *Recrutement et sélection des conseillers*

Si on réfère à la figure 3.1 qui décrit l'ensemble de la carrière de conseil, il est possible de constater qu'une évaluation systématique des qualités personnelles, de l'instruction et de l'expérience devient la première étape à franchir pour accéder au travail de conseiller. Chaque individu effectue, en regard de ses propres capacités, ce type d'analyse avant de prendre la décision de se lancer ou non dans le domaine de la consultation. Quant aux dirigeants d'un cabinet-conseil, il est de leurs responsabilités premières d'essayer d'attirer les meilleurs candidats possibles et d'évaluer avec attention les capacités et le potentiel de chacun.

De façon générale, les conseillers viennent des organisations industrielles, gouvernementales ou académiques. Il s'agit souvent d'un cadre qui, ayant oeuvré un certain nombre d'années à un niveau donné, a développé une compétence particulière. Ce dernier peut tout aussi bien venir des milieux privé, public ou parapublic. Parfois, ce sera un professeur d'université qui a le goût de confronter ses connaissances à la réalité et mettre son expertise au service des gestionnaires. Enfin, un jeune diplômé peut également souhaiter s'intégrer à un cabinet-conseil pour se familiariser avec ce milieu, parfaire sa formation pratique et éventuellement y faire carrière comme conseiller auprès des organisations.

La plupart des cabinets-conseils recrutent ses futurs conseillers par le biais d'annonces dans des revues spécialisées en économie, gestion, consultation ou toute autre revue technique destinée à un groupe professionnel spécifique. En plus de cette méthode, il faut mentionner l'exploration des contacts personnels auprès de spécialistes connus dans le domaine. Ceux-ci sont fréquemment au courant des nouveaux venus dont le potentiel est impressionnant ou de ceux qui recherchent des défis nouveaux. Enfin, il arrive de recruter un candidat intéressant dans une organisation où un conseiller de la firme-conseil a pu déjà agir à titre de personne-ressource. Il y a évidemment ici une question d'éthique importante car rien ne justifie, à court ou à long terme, une démarche de «piratage». Avant d'entamer des négociations auprès de la personne concernée, il faut obtenir la permission des dirigeants de l'organisation-client qui peuvent très bien accepter de se départir de cet individu si celui-ci ne paraît pas heureux dans son travail, si certaines contraintes économiques rendent sa sécurité d'emploi fragile, si le client entrevoit une réorganisation pouvant faire disparaître son poste, etc.

Comment procède-t-on pour sélectionner les futurs conseillers? Le processus de sélection est sensiblement le même que celui adopté pour les autres fonctions:

— Étude préliminaire des dossiers sur la base du formulaire d'emploi et du curriculum vitae présenté par le candidat.

— Vérification, pour les candidats intéressants, de la formation académique reçue, de l'expérience acquise, de la qualité des réalisations passées (rapports de recherche, thèse, articles, livres, etc.).

— Vérification des références auprès des personnes qui l'ont bien connu par lettre, téléphone ou entrevue personnelle.

— Passation de certains tests, questionnaires ou examens de connaissance qui pourront être choisis en fonction des pré-requis à évaluer dont nous avons parlé antérieurement dans ce chapitre. Ces tests ou questionnaires visent à mieux connaître la personnalité/attitude, les habiletés/aptitudes et les connaissances acquises par la formation académique ou l'expérience passée.

— Rencontres avec les directeurs du cabinet-conseil qui sont impliqués dans la décision finale d'embauche et ce, sous forme d'entrevue individuelle ou d'entrevue par jury.

— Enfin, dans certains cas, un examen médical s'impose car le travail de conseiller est très exigeant. Ce dernier travaille de longues heures selon un horaire plus ou moins régulier, est appelé à voyager fréquemment et doit supporter la tension.

La décision finale est importante pour le cabinet-conseil car celui-ci aura à investir temps et argent dans la formation de cette nouvelle recrue. Il lui faut donc prendre tous les moyens à sa disposition pour bien évaluer les capacités, les intérêts et la stabilité future de celui qu'on se propose d'intégrer à l'équipe.

3.2 *Formation initiale*

Tel que décrit dans la figure 3.1, le nouveau conseil est sensibilisé, à son arrivée dans la profession, aux divers aspects de cette fonction. C'est la raison pour laquelle il est soumis à une période de formation dite initiale. Voyons maintenant les principales caractéristiques de ce programme de formation.

□ Évolution des modèles de formation initiale

La première génération des conseillers fut formée généralement à l'intérieur des cadres à leur propre spécialisation professionnelle (exemples: comptable, ingénieur, psychologue, etc.). La méthode la plus courante est celle de la formation sur les lieux mêmes du travail. Dans ce contexte, les conseillers seniors s'occupent de former la relève en transmettant aux nouveaux venus leurs connaissances et expériences en tant que conseiller auprès des organisations. Avec les années, cette responsabilité s'est déplacée des lieux de travail vers des écoles ou associations professionnelles qui contrôlent l'entrée et la qualité du travail de ses membres. Encore ici, il s'agit généralement de regroupements à l'intérieur même d'une profession. On retrouvera à l'appendice II une liste d'associations ou de regroupements professionnels susceptibles d'intéresser les conseils en leur fournissant d'excellentes possibilités d'échange et de formation. Ce premier modèle de formation est celui que nous pourrions qualifié d'intra-professionnel. La profession s'occupe elle-même, par le biais de ses membres, de socialiser les nouveaux venus à ses valeurs et à sa conception des services professionnels. C'est essentiellement une approche fermée sur le milieu. La consultation est alors regardée, de façon plus ou moins explicite, comme une activité marginale par rapport à la dimension compétence technique du professionnel.

Le second modèle de formation se caractérise par le fait que les gens voulant développer encore plus leurs habiletés en tant que conseillers se sont dirigés vers des milieux non traditionnels, par exemple certains groupes privés de formation et de perfectionnement. Ceux-ci sont fort nombreux et populaires aux États-Unis.[1] On voit

1. Nous référons ici à des organismes américains tels University Associates (La Jolla, Californie), Howard L. Shenson Inc. (Woodland Hills, Californie), Kennedy & Kennedy Inc. (Fitzwilliam, New Hampshire), Hartman Consulting Services (Beltsville, Maryland), The Frank Tennant Consultancy (McLean, Virginie), Organizational Consultants Inc. (West Lafayette, Indiana), etc. (voir appendice II).

naître des groupes interdisciplinaires qui mettent ensemble des compétences variées pour aborder avec innovation la problématique de la consultation. Ces groupes offrent des séminaires, des publications spécialisées, des ateliers ou de la supervision par des conseillers d'expérience.

Ce second modèle peut être qualifié de non traditionnel en ce sens que la formation n'est pas fournie par des organismes reliés à une profession et destinée exclusivement aux membres de celle-ci. Les organisations privées sont plus axées sur le processus et sont ouvertes à des individus possédant des formations techniques très diversifiées. On remarque donc poindre à l'horizon le début de ce qui pourrait devenir une nouvelle profession ouverte à des gens possédant déjà une spécialisation technique.

Enfin, un troisième modèle de formation tend actuellement à émerger, soit celui d'une formation axée directement sur le processus de consultation et indépendant des divers secteurs professionnels. Il est bien évident que le conseiller possède habituellement une formation de base dans une spécialité quelconque mais la formation, l'introduisant à la fonction de conseil, met l'accent sur ce nouveau rôle de conseiller auprès des organisations. Il s'agit là du cheminement normal de toute profession qui, en devenant plus mature, se détache de ses racines initiales pour devenir autonome et spécifique. Ce dernier modèle de formation est plutôt confié aux milieux académiques ou universitaires qui possèdent les ressources humaines et matérielles permettant de développer une nouvelle entité de formation qui s'appuie sur une vision systémique et intégratrice, caractéristique de l'approche consultative. Avec la maturité, la fonction de conseiller commence à se démarquer des sources professionnelles d'origine pour devenir adulte, posséder sa propre personnalité et ses valeurs. Comme ce fut le cas pour de nombreuses professions antérieurement, on voit alors les universités assumer la responsabilité de former et de fournir à la société ces nouveaux professionnels. De tels programmes nous orientent lentement vers une reconnaissance de la consultation en tant que profession indépendante. C'est d'ailleurs ce troisième modèle, soit le modèle de spécialisation, que Gallessich (1982) a développé dans son récent volume consacré à la consultation. Elle y ébauche, de façon détaillée, ce qui pourrait être le curriculum d'un programme universitaire préparant à la consultation auprès des organisations. Cette orientation, qu'il faut bien actuellement qualifiée de légèrement futuriste, pourrait être concrétisée par un doctorat en consultation qui légitimerait la profession de conseil (qui est parfois encore un terrain de prédilection pour certains vendeurs de solution-miracle), renforçant ainsi ses fondements scientifiques par l'intégration d'un grand nombre de connaissances présentement dispersées. Il faut penser que l'avenir de la profession passera probablement un jour par ce chemin. Dans ce contexte, la période de formation initiale deviendrait moins nécessaire qu'actuellement compte tenu qu'une telle formation, dans un cadre académique, rendrait les futurs conseillers aptes à être opérationnels au moment de leur entrée sur le marché du travail.

Toute cette évolution, passée et future, de la formation à la fonction de conseil est fort intéressante mais qu'en est-il de la situation présente? Il faut évidemment constater que, de façon générale, le modèle de spécialisation est plutôt à l'état du souhait. Cependant, aujourd'hui, les nouveaux venus dans la profession de conseil auprès des organisations ont accès à des sources multiples de formation:

— Modèle intra-professionnel
  - sur les lieux-mêmes du travail
  - associations professionnelles
  - écoles professionnelles

— Modèle non traditionnel
  - organismes privés de formation
  - conseillers experts
  - publications spécialisées sur la consultation

□ Principes de base de la formation

Malgré la diversité dans les méthodes, les contenus et la durée des nombreux programmes de formation initiale utilisés pour préparer les futurs conseillers, il y a certains principes de base qui semblent se dégager de tous ces programmes.

Les programmes sont le plus possible individualisés. Comme les futurs conseillers sont généralement très différents les uns des autres, en termes de personnalité/attitudes, habiletés/aptitudes, instruction, expérience et âge, il faut un programme qui, malgré une certaine uniformité au plan des contenus, permet de tailler sur mesure le cheminement de chaque individu en fonction de ses besoins. De plus, le programme est axé sur la praxis. Tous les aspects de l'intervention du conseil sont décrits de façon théorique mais également pratiqués, sous supervision, pour savoir réellement comment intervenir dans la réalité.

Le programme présente la fonction de conseil telle qu'elle est, c'est-à-dire exigeante en termes du nombre d'heures de travail, des efforts, de la tolérance à l'ambiguïté. Il est important que le futur conseil se fasse, lors de ce programme de formation, une idée exacte de ce que représente réellement ce nouveau champ professionnel. À ces conditions, les attentes du conseiller ne seront pas irréalistes et ses chances de stabilité dans ce domaine n'en seront qu'accrues.[2]

Enfin, le programme de formation initiale a une durée optimale raisonnable permettant au conseil d'acquérir le bagage minimum nécessaire tout en ne décourageant pas, en même temps, celui qui a hâte de se lancer dans l'action. La durée qui semble nécessaire pour bien préparer le conseiller à agir avec une certaine autonomie, semble être d'environ six à douze mois (Kubr, 1978). De toute façon, quand la formation initiale se termine, la période de formation continue la remplace immédiatement dans la planification du développement de carrière.

□ Objectifs de la formation initiale

L'objectif général d'un programme de formation initiale est de permettre au conseiller d'acquérir les habiletés personnelles, la confiance et la compétence technique nécessaire pour entreprendre et réussir des interventions dans son domaine de spécialisation.

Le premier de ces sous-objectifs vise à s'assurer que le conseil puisse présenter éventuellement ses propositions, les défendre et obtenir l'accord du client quant à leur implantation. Pour atteindre ce sous-objectif, le conseiller se familiarise avec les divers modèles de consultation, dont nous avons parlé dans le premier chapitre, pour être ensuite capable d'adopter efficacement les rôles appropriés. Une bonne compréhension des rôles du conseil et du processus même de consultation est évidemment une base absolument indispensable s'il désire avoir un certain succès.

Le second sous-objectif concerne la maîtrise des caractéristiques de la consultation en fonction de son intervention éventuelle en milieu organisationnel. En plus d'avoir une compétence technique dans son univers professionnel, le nouveau conseiller comprend et maîtrise l'application des diverses théories qui permettent de saisir adéquatement la dynamique des comportements individuels au travail. Dans cette optique, sa compétence technique est bien intégrée dans une vision réaliste et complète de la dynamique organisationnelle.

Le troisième sous-objectif a pour but de développer la capacité d'analyser les situations et de conceptualiser les modalités d'intervention. Cette dimension est essentiellement associée, dans le processus

2. Voir à ce sujet l'article de Haccoun, Rigny et Bordeleau concernant la description réaliste de l'emploi. Cet article a été publié dans la Revue Commerce (Québec) en septembre 1979 sous le titre de «Une nouvelle approche en recrutement et gestion: la description réaliste de l'emploi».

de consultation, aux phases cueillette de l'information ou diagnostic, analyse de l'information et élaboration des propositions.

L'avant-dernier sous-objectif a pour but de faciliter le développement de la capacité de travailler de façon autonome et de pouvoir fonctionner sous pression. Avant d'assumer la responsabilité d'une mission sur le terrain, le conseiller doit avoir démontré qu'il possède l'autonomie d'action appropriée au niveau de responsabilité que ses supérieurs pensent lui confier.

Enfin, le dernier sous-objectif focalise sur la nécessité pour le conseil d'être conscient de ce qu'il est. Il est important qu'il fasse preuve du plus d'objectivité possible quant à ses capacités et ses limites. Certains traits de personnalité, valeurs, styles de fonctionnement peuvent avoir un effet facilitateur ou inhibiteur lors de ses interventions. Le nouveau conseiller tient compte de ce facteur et travaille à améliorer ces aspects s'il désire accroître son efficacité.

Ces divers sous-objectifs deviennent maintenant la toile de fond sur laquelle s'effectue le choix des contenus spécifiques qui sont abordés lors de cette période de formation initiale.

□ Contenus abordés lors de la formation initiale

De façon générale, un tel programme de formation permet au nouveau conseiller de développer ses connaissances et de raffiner sa conception des caractéristiques des milieux organisationnels, des sciences du comportement et des techniques/méthodes d'intervention ou de recherche. Le second élément majeur du programme est consacré à l'étude théorique et à la pratique du processus de consultation, plus particulièrement de chacune des dix phases décrites dans le chapitre précédent. Enfin, la dernière composante du programme de formation initiale a pour objet l'approfondissement expérienciel de la dynamique personnelle du conseil dans le but de mieux connaître son efficacité comme professionnel de la consultation.

Une description plus détaillée du contenu de ce genre de programme de formation à l'entrée est proposée dans le tableau 3.2. Nous suggérons, en nous inspirant des divers auteurs, de répartir la durée totale de cette période, en fonction des diverses composantes, selon le pourcentage du temps total indiqué entre parenthèses. La durée d'un tel programme peut varier selon le degré de concentration et les méthodes pédagogiques utilisées. Il apparaît cependant difficile qu'un programme de formation aussi large puisse prendre moins de six mois.

Tableau 3.2
Sujets à couvrir dans le programme de formation initiale

I. Cadre conceptuel général

A) Compréhension des milieux organisationnels **(20 %)**
- Systèmes socio-techniques
- Fonctions du management (finance, marketing, production, personnel, recherche/développement)
- La gestion administrative
- Rôle de l'informatique et de la bureautique
- Environnement économique et social

B) Compréhension des sciences du comportement **(20 %)**
- Culture et climat organisationnels
- Stratégies d'introduction du changement
- Comportements en milieu organisationnel (motivation, leadership, conflit, résistance, satisfaction)
- Communication orale et écrite
- Processus dynamique du fonctionnement des groupes

C) Compréhension des techniques/méthodes d'intervention ou de recherche **(15 %)**
- Résolution des problèmes
- Techniques de planification
- Méthodes de cueillette d'information (questionnaire, entrevue, observation)
- Traitement informatique des informations

II. Processus de consultation **(25 %)**
- Origines, nature et objectif
- Rôles du conseiller et modèles d'intervention
- Caractéristiques du conseiller
- Relations conseil-client
- Phases du processus de consultation
- Fixation des honoraires et contrat
- Mise en marché des services
- Organisation d'une firme de consultation
- Éthique professionnelle

III. Compréhension de soi **(20 %)**
- Habiletés intellectuelles (vivacité et curiosité, sûreté du jugement, analyse, conceptualisation)
- Habiletés interpersonnelles (communication, adaptation, tact et diplomatie, ouverture aux autres, travail en équipe)
- Personnalité/attitudes (intégrité, persévérance, discipline personnelle, tolérance à l'ambiguïté, confiance en soi et dans les autres, autonomie, dynamisme, innovation et réalisme)

□ Méthodes de formation utilisées

Les méthodes pédagogiques utilisées lors de cette période de formation sont variées, adaptées à chaque contenu et orientées vers un apprentissage optimal. À ce dernier niveau, il faut alterner judicieusement les méthodes actives et les méthodes plus traditionnelles.

La première méthode disponible est celle des cours magistraux ou formels. L'acquisition des connaissances se fait par le biais d'exposés, colloques, films ou autres documents audio-visuels. Ces modalités sont particulièrement bien adaptées à la transmission de connaissances ou à la formation d'un cadre conceptuel. Une seconde méthode qui vise à peu près le même objectif est celle des lectures personnelles. L'avantage majeur de cette méthode de formation correspond à sa capacité d'individualiser la formation ce qui permet de fournir au nouveau conseil des possibilités de combler certaines lacunes conceptuelles personnelles.

La troisième technique de formation est celle de la simulation. Il peut s'agir, à partir des missions précédentes, de recréer les caractéristiques de celles-ci et permettre au conseil en formation de se familiariser, sans risque, avec des situations réelles. De plus, cette approche encourage la confrontation de sa perception à celles des autres conseillers responsables de ces missions. Ce genre de familiarisation touche à toutes les diverses phases du processus de consultation telles qu'elles ont alors été vécues dans la réalité.

Viennent ensuite les jeux de rôle. Il est en effet possible d'organiser des jeux de rôle entre les conseils en formation qui agissent, à titre de client et de conseiller, à l'intérieur d'un cadre précis imaginé pour favoriser l'apprentissage de certaines habiletés comme par exemple: premier contact avec le client, entrevue de diagnostic auprès d'employés de l'organisation-client, présentation des propositions au client, conférence auprès du conseil d'administration, etc.

La mise en place d'exercices expérienciels permet au futur conseiller d'être sensibilisé aux effets produits par ses attitudes, traits de personnalité ou comportements au niveau de ses relations avec les autres, notamment les futurs clients. Ces exercices prennent alors la forme de groupes de sensibilisation, d'activités centrées sur la dynamique du travail en équipe, de mise en situation visant la confrontation des valeurs fondamentales des participants, etc. Il est possible d'imaginer à ce niveau toutes sortes d'exercices en fonction de l'objectif visé.

Enfin, la sixième méthode est celle de la pratique supervisée sur le terrain. Cette approche fait appel au contexte vrai de la réalité organisationnelle avec les risques possibles associés à certaines erreurs. Il faut que le nouveau conseiller soit bien encadré et supervisé par un conseil d'expérience. Dans un tel contexte de formation, il lui est permis de se confronter, tout en sentant un support, à la complexité qui entoure l'émergence et la solution d'un problème dans une organisation. C'est certainement la méthode qui prépare le mieux à l'entrée réelle dans la profession. Un bon programme devrait faire appel progressivement à cette méthode de formation. Au début, les mises en situation réelle sont simples et peu fréquentes pour devenir, à la fin de la période de formation initiale, plus fréquentes et plus complexes.

Il est intéressant ici de faire ressortir les principales caractéristiques associées aux diverses méthodes pédagogiques décrites. Cette description peut guider le responsable de la formation dans la mise en place de ce type de programme. La figure 3.2 fait ressortir les liens entre ces six méthodes de formation et les aspects suivants: le degré d'implication personnelle du futur conseil, le niveau de ressemblance avec la réalité, la complexité des mises en situation en fonction de l'interaction et du nombre de variables impliquées et enfin, les aires de formation ou contenus susceptibles d'être abordés par ces méthodes.

Cette réflexion sur les méthodes de formation disponibles nous amène maintenant à suggérer certains liens entre ces méthodes et les aires de contenu de formation insérées dans le programme. Ainsi, il nous apparaît que le développement du cadre conceptuel devrait plus faire appel à des cours didactiques, à des lectures personnelles, à des simulations et à la pratique supervisée sur le terrain (tableau 3.3). Quant à la maîtrise du processus de consultation, certains cours, lectures, simulations, jeux de rôle et pratique supervisée semblent être des approches pouvant être avantageusement utilisées. Enfin, la compréhension de soi nous apparaît plus facile par le biais de simulations, de jeux de rôle, d'exercices expérienciels et de feedback suite à la pratique supervisée dans la réalité.

□ Évaluation de la formation initiale

L'évaluation du programme de formation initiale vise deux cibles: le conseiller en formation et le programme lui-même. Les progrès du candidat sont notés continuellement afin de s'assurer que les apprentissages nécessaires sont effectués et prendre les moyens adaptés pour combler certaines lacunes persistantes. Des modalités d'évaluation adéquates font toujours partie intégrante de la conception même d'un programme de formation dispensé à l'entrée dans la carrière. On ne souligne jamais assez l'importance de la présence de cette information progressive qui est le seul moyen de savoir exactement où en est le candidat-conseil et de faire les réajustements nécessaires.

Figure 3.2
Caractéristiques des diverses méthodes pédagogiques

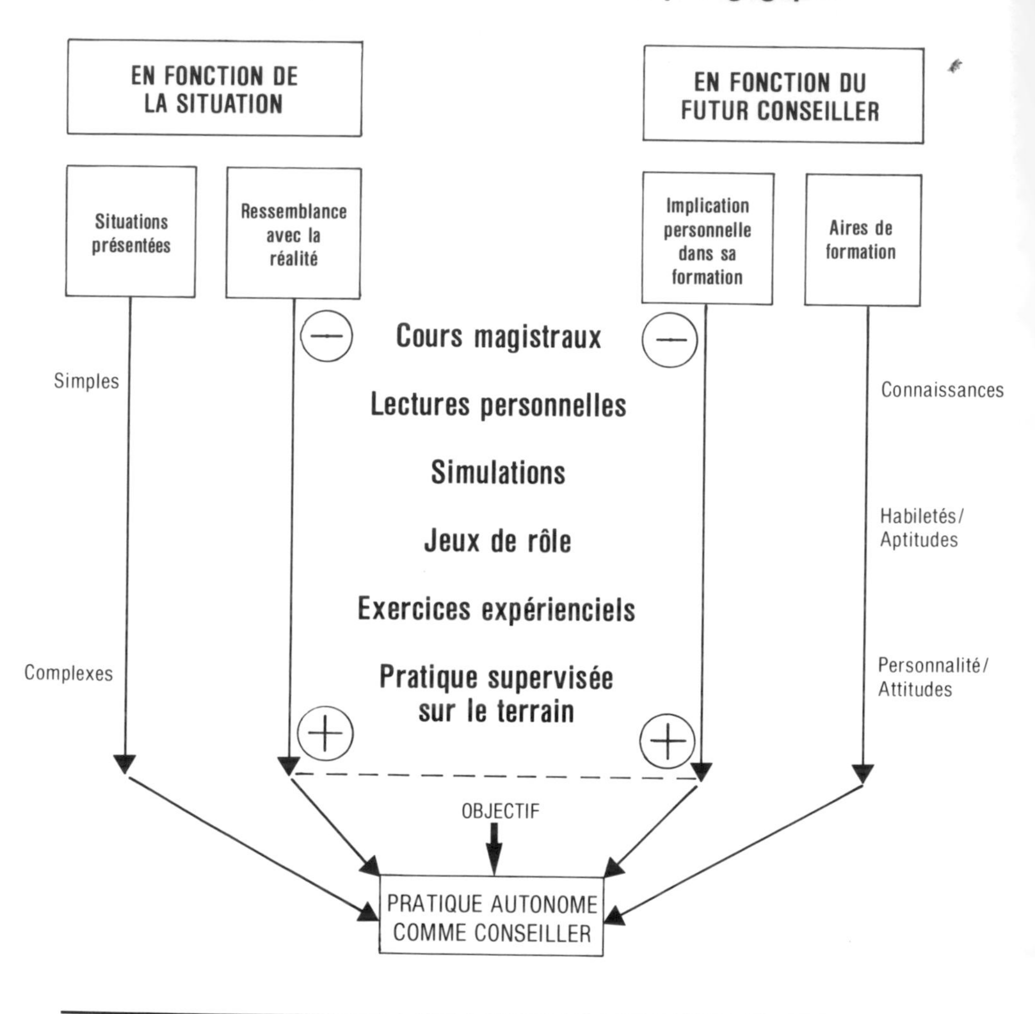

Des formulaires standardisés bien conçus sont d'une grande utilité pour le responsable de la formation. Ce genre de formulaire permet, par son utilisation répétée, l'évaluation des progrès du conseil en formation. Il est suggéré de s'inspirer, pour la conception de ce questionnaire, de la grille des caractéristiques nécessaires au conseiller telles que décrites dans la première partie de ce chapitre et des contenus spécifiques du programme de formation.

L'appendice III fournit un exemple de formulaire d'évaluation du candidat-conseiller en formation. Il ne s'agit là que d'un modèle basé

Tableau 3.3
Liens entre les contenus et les méthodes de formation

CONTENUS		MÉTHODES
I. Cadre conceptuel général		
- Compréhension des milieux organisationnels	→	Cours, lectures, simulations et pratique supervisée sur le terrain
- Compréhension des sciences du comportement	→	Cours, lectures, simulations et pratiques supervisée sur le terrain
- Compréhension des techniques/méthodes d'intervention ou de recherche	→	Cours, lectures, simulations et pratique supervisée sur le terrain
II. Processus de consultation	→	Cours, lecture, simulations, jeux de rôle et pratique supervisée sur le terrain
III. Compréhension de soi	→	Simulation, jeux de rôle, exercices expérienciels et pratique supervisée sur le terrain

sur les caractéristiques mises en évidence et sur la structure du programme de formation initiale élaboré dans la partie précédente de ce chapitre. Cette évaluation a pour objectif premier la formation du conseil. Ainsi, cette évaluation périodique sert essentiellement de cadre à des sessions de rétroaction qui permettent au conseiller en formation de s'améliorer et de développer sa compétence. Si, à la fin de la période de formation, le conseil n'a pas atteint un niveau satisfaisant de compétence technique, de maîtrise du processus de consultation ou qu'il ne semble pas avoir une personnalité ou des attitudes conformes avec les exigences de la profession, les responsables sont alors en mesure de prendre une décision finale quant à la poursuite de sa carrière dans le domaine de la consultation. Dans le cas d'une décision négative qui, nous l'espérons, ne devrait être qu'exceptionnelle, il faudrait analyser quelles erreurs ont été commises au moment du recrutement et de la sélection afin d'éviter à l'avenir des situations analogues.

Sans décrire, de façon détaillée, la procédure à suivre pour faire l'évaluation du programme de formation, il est cependant utile d'en souligner les éléments majeurs. Un tel programme n'est jamais structuré définitivement. Il y a sans cesse lieu de l'améliorer, de le remettre à jour de façon à maximiser son efficacité. Dans cette optique, un climat de confiance permet aux candidats en formation de faire part réellement de leur appréciation sans crainte que leurs commentaires puissent être éventuellement utilisés contre eux. Ces derniers évaluent le programme en termes des contenus (étendue et actualité des composantes, rapport temps consacré/utilité, etc.), des méthodes pédagogiques (pairage approprié méthode/contenu, variété des approches, etc.) et des responsables de la formation (compétence technique et pédagogique, dynamisme, relations avec les candidats, etc.). Cette évaluation du programme se fait selon une ou plusieurs des méthodes suivantes: entrevues individuelles ou de groupe, questionnaires, observation de la part d'experts en formation.

4 *Planification et perfectionnement dans la carrière*

Après avoir traversé avec succès une période de formation initiale, plus ou moins longue selon ses capacités, son expérience antérieure et sa formation académique, c'est maintenant le temps d'envisager ce travail dans une perspective de carrière d'où la nécessité de percevoir l'aspect développement de carrière.

À ce niveau, deux éclairages sont possibles pour décrire la notion de développement de la carrière. Premièrement, il y a un certain plan de carrière plus ou moins caractéristique du cheminement professionnel des conseillers au cours des années. En second lieu, la dimension formation continue ou perfectionnement constitue une autre caractéristique essentielle du développement de la carrière d'un conseil auprès des organisations.

4.1 *Modèle du plan de carrière*

Les modèles de planification de carrière sont multiples et conçus en fonction des intérêts et capacités des individus d'une part, et du contexte organisationnel ou situationnel d'autre part. Malgré la reconnaissance de cette diversité dans les profils de carrière, il est tout de même possible, par observation de la réalité, de tracer les grandes lignes du profil-type concernant le développement de carrière dans la fonction de conseil.

Dans la figure 3.3, une illustration graphique de ce cheminement de carrière, imaginé en nous inspirant de Kubr (1978), décrit chacune

Figure 3.3 — Cheminement-type de la carrière de conseiller

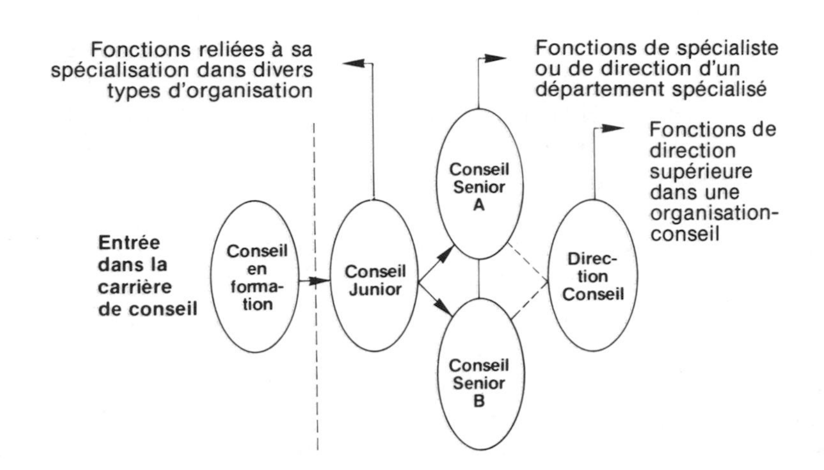

Âge	**25-30 ans**	**25-30 ans**	**30-45 ans**		**45 ans et +**
Formation	Bonne formation dans sa spécialisation	Formation à la consultation terminée	Formation continue selon les besoins		Formation continue selon les besoins
Expérience	4-5 ans d'expérience dans des organisations	Expérience positive lors de sa formation ou pratique supérvisée	4-7 ans d'expérience sur le terrain **A** +	**B**	Expérience importante de la consultation en général et de la direction d'une équipe de conseillers. Habiletés sociales Facilité de négociation
			Aptitude à diriger une équipe professionnelle	Habileté de diagnostic et d'intervention très manifeste	
Fonctions	Apprendre les techniques et le processus de consultation. Assister les conseils dans des missions	Exécuter des mandats sur le terrain sous supervision moyenne	Diriger équipe de conseils sur le terrain Planifier et coordonner les actions Négocier de nouvelles missions	Faire des diagnostics Intervenir dans les systèmes-clients Négocier de nouvelles missions	Diriger les activités de l'ensemble d'un cabinet ou d'un secteur particulier. Négocier de nouvelles missions. Faire connaître la firme.

des étapes selon les dimensions âge, formation académique ou instruction, expérience antérieure et fonctions principales.

Après une période de formation initiale d'une durée habituelle de six à douze mois, le nouveau conseiller occupe un poste équivalent de conseil junior. Durant cette première phase de la carrière, il peut arriver que le conseiller junior se voit offrir dans une organisation (souvent chez un client) un poste relié à sa spécialisation d'origine (personnel, génie, mise en marché, etc.) attirant par ses perspectives d'avenir et un plan de carrière stimulant. S'il persiste dans la profession de conseil, il accède généralement après 4 à 7 ans d'expérience à un poste de conseil senior. Deux voies s'offrent alors à ce dernier. Premièrement, il peut continuer à intervenir sur le terrain en tant que responsable d'une équipe de conseils (A) dont il planifie et coordonne les actions. Par contre, certains préfèrent ne pas diriger comme tel une équipe, soit par manque d'intérêt ou d'aptitude à la direction et souhaitent continuer en tant qu'expert-conseil sur des mandats plus complexes. Encore ici, il arrive que le conseiller senior quitte la carrière pour travailler dans des organisations diverses à un niveau de responsabilité assez élevé, comme par exemple en tant que directeur-adjoint ou directeur d'un service spécialisé en personnel, en production, en recherche et développement, etc. Fréquemment, un conseiller, après avoir acquis une excellente expérience en consultation, fonde sa propre firme de conseil auprès des organisations. S'il poursuit sa carrière comme employé pour un cabinet-conseil, on lui offrira souvent, après une dizaine d'années de pratique, la possibilité de devenir associé senior. En fonction de ses intérêts et capacités, il peut à ce moment assumer certaines des responsabilités suivantes: diriger un département de la firme ou l'ensemble de celle-ci, faire des relations publiques ayant pour objectif de faire connaître le cabinet-conseil ou encore négocier de nouvelles missions qui seront confiées ensuite aux conseils de l'organisation. Quand un individu laisse la carrière de conseil durant cette phase, c'est généralement pour accéder à des postes supérieurs (vice-président ou président) dans des organisations privées, publiques ou parapubliques. Plus un individu avance dans la carrière, plus les transferts sont limités. En effet, si l'individu possède une longue expérience comme conseil, il y pense sérieusement avant de faire un changement d'orientation car il risque beaucoup en tentant certaines aventures. De plus, les postes élevés qui pourraient l'intéresser, sont nécessairement moins nombreux.

De toute évidence, il est nécessaire que le nouveau conseiller ait l'opportunité de discuter et réviser périodiquement, au maximum à tous les deux ans, son plan de carrière. C'est l'occasion de faire connaître à ses supérieurs ses attentes face à de nouvelles assignations, à des réorientations de carrière de même que ses besoins de formation à court et à long terme. Les responsables de l'organisation profitent également de cette rencontre pour informer le conseil des perspectives ou projets qu'ils entretiennent à son égard, et discutent des possibilités et des limites pouvant affecter son développement de carrière. Une planification de carrière est le fruit d'un dialogue constant entre le conseiller et les responsables de la firme.

4.2 *Formation continue ou perfectionnement*

L'arrivée du nouveau conseil sur le marché du travail ne constitue pas une fin mais un départ. En effet, celui-ci doit, après avoir acquis une formation de base, se tenir continuellement à date en regard du progrès des connaissances ou des innovations dans son secteur. L'efficacité de son action future est largement tributaire des démarches qu'il entreprend pour se perfectionner. Tout change autour de lui et s'il n'évolue pas lui-même, il deviendra très vite dépassé par rapport à la réalité évolutive de son entourage.

Une autre raison qui justifie la formation continue est reliée au devenir du plan de carrière du conseiller. Comme nous l'avons signalé antérieurement, la carrière se transforme également au rythme des opportunités et des intérêts du conseil. Ceci exige parfois une formation nouvelle que ce soit dans l'optique de la réalisation d'un nouveau mandat à court terme ou dans celle d'une réorientation à plus long terme de l'action du conseiller vers des missions différentes de celles effectuées par le passé. Il se peut également que, dans cette perspective à long terme, le conseil désire accéder à certaines promotions qui demandent de nouvelles habiletés ou connaissances: la direction du personnel, l'administration générale, etc.

Quant aux méthodes de formation utilisées au niveau du perfectionnement, elles sont également nombreuses et variées en fonction des besoins et des caractéristiques individuelles. Encore ici, ces méthodes sont axées sur des approches plus théoriques ou font partie intégrante de la pratique quotidienne du conseiller. Ce dernier a la possibilité d'utiliser une démarche d'auto-perfectionnement par la lecture de revues professionnelles ou scientifiques, d'ouvrages spécialisés dans son domaine d'expertise ou sur la consultation. Il y cherche de nouvelles idées, solutions ou innovations qui pourraient le rendre encore plus efficace dans ses interventions auprès des clients. Une seconde façon de se perfectionner consiste à avoir recours à l'expérience de conseillers-experts qui peuvent l'aider en identifiant avec lui les conditions, causes et conséquences de certaines missions réussies ou non.

L'expérience des autres est une modalité d'apprentissage fort utile qui est à la portée de tous. Troisièmement, certaines connaissances ou habiletés sont transmises par le biais de diverses modalités de diffusion tel que les séminaires, les ateliers, les colloques, les congrès, etc. Enfin, il arrive également que le conseiller s'inscrire à un cours plus formel dans un milieu académique ou autre dans le but d'acquérir certaines connaissances nouvelles.

De toute évidence, un cabinet-conseil bien organisé possède un centre de documentation adapté à ses moyens et ce, dans le but de regrouper sur place diverses informations utiles au perfectionnement continu de ses conseillers: revues, livres, rapports de mission, manuels d'instruction, documents audio-visuels, description des cours offerts par divers organismes (appendice II). Ces sources d'information auront le grand avantage de permettre aux conseillers, dont le temps est habituellement très limité, d'avoir accès à des informations utiles de façon rapide et économique.

Il est important que, lors des rencontres entre les responsables du cabinet-conseil et les conseillers relativement à la planification de carrière, les démarches de formation continue soient discutées en fonction de l'évaluation des besoins identifiés et des perspectives de carrière envisagées. Une allocation prioritaire et réaliste des moyens de la firme-conseil est souhaitable pour permettre le perfectionnement de ses membres. Il arrive trop souvent que ce sujet soit abordé sans qu'on y fixe les conditions optimales de réalisation. Dans un tel contexte, le conseil est débordé par les mandats qu'on lui confie et n'a pas le temps et les ressources financières pour entreprendre efficacement ces démarches de perfectionnement. Après quelques années, on se retrouve devant un conseiller brûlé parce qu'il a tout donné ce qu'il possédait en termes d'habiletés et de connaissances sans avoir eu la possibilité de se ressourcer. Ce genre de situation est triste à la fois pour le conseil qui commence à douter de sa propre valeur, et pour la firme de conseillers qui se retrouve avec du personnel déphasé en termes de compétence. La compétition dans le milieu de la consultation est dure et elle ne permet pas la médiocrité. Pour éviter un tel piège, il est nécessaire d'allouer à chaque conseiller, suite à une évaluation réaliste de ses besoins, des ressources financières pour ses besoins de perfectionnement et un nombre de jours payés consacrés à sa formation continue.

Voilà donc tracé, dans ses grandes lignes, le développement de la carrière du conseiller à partir des pré-requis souhaitables pour entrer dans la profession, de la période de formation initiale, de l'évolution du plan de carrière et du perfectionnement continu du conseil.

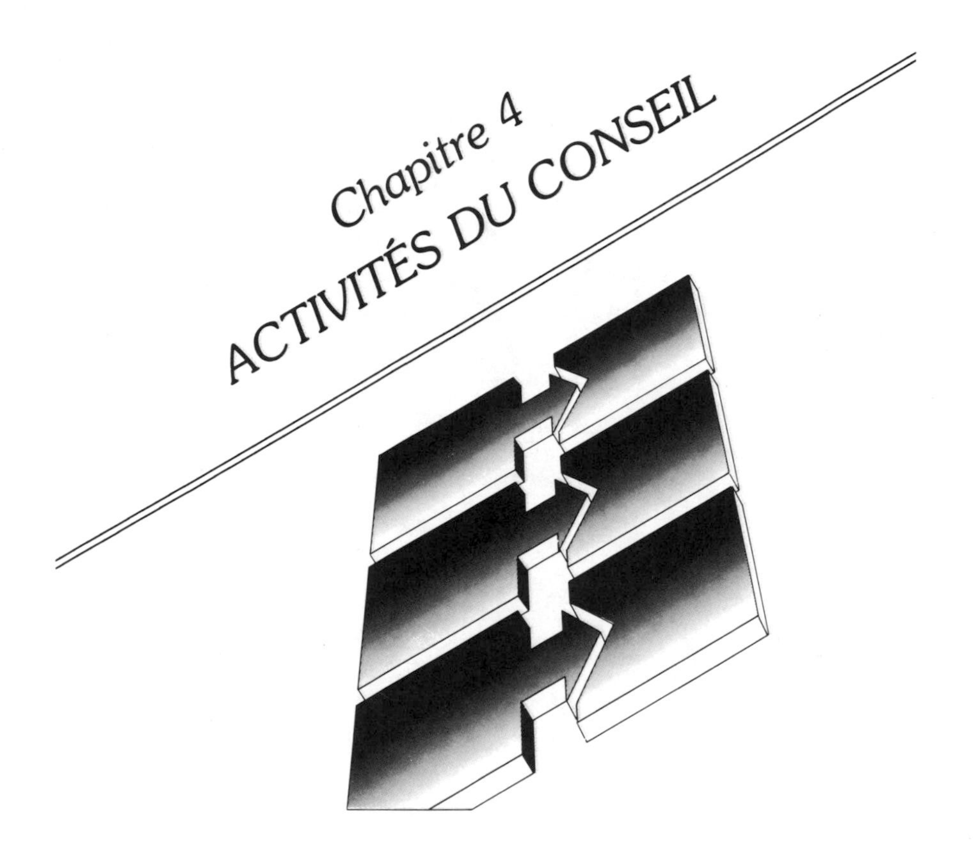

Chapitre 4
ACTIVITÉS DU CONSEIL

Les activités des conseillers répondent essentiellement à une des lois économiques les plus fondamentales, soit celle de l'offre et de la demande. En effet, les conseils offrent une gamme de services ou de produits qui trouvent preneurs, selon les besoins, dans les organisations. Le conseiller qui, par sa compétence et sa spécialisation, répond aux besoins des gestionnaires, peut développer une pratique professionnelle satisfaisante et lucrative. Il lui faut être continuellement à l'affût des besoins et faire preuve d'imagination face à une demande en continuelle évolution.

1 Activité-conseil et facteurs de l'environnement

Le volume et le type de services demandés au conseiller sont affectés par quatre facteurs principaux: changements dans le cycle économique, cycle de croissance de l'organisation, disponibilité des ressources et changements dans les lois ou règlements régissant les organisations (Hunt, 1977).

Les changements dans le cycle économique ont un effet évident sur le volume et la nature des activités-conseils. La crise économique du début des années 1980 a eu un impact important sur les cabinets de conseillers. En période de récession, toutes les énergies des gestionnaires sont mobilisées par la rentabilité et la survie de l'organisation: réduction des coûts, amélioration des méthodes de contrôle, et meilleure utilisation des ressources humaines. Pour illustrer ce fait, on n'a qu'à constater le rôle important joué par les conseils dans certains mandats de redressement d'entreprise, de relocalisation de gestionnaires, etc. Par contre, en période de prospérité, les clients s'intéressent à l'amélioration ou au perfectionnement des ressources humaines, aux études sur le climat organisationnel, à la recherche et au développement, etc. En ce qui concerne le volume de l'activité-conseil, celle-ci diminue en période de récession et croît en période de prospérité économique. Au cours de la récente récession, un certain nombre de sociétés-conseils ont eu des difficultés à traverser la crise. À titre d'exemple, dix-huit des plus importants cabinets-conseils au Québec ont eu un chiffre d'affaires total annuel de 81 millions $ (CAN.) en 1981-82 (septembre 1981 à septembre 1982), période située au coeur de la crise économique. Par contre, l'estimé du chiffre d'affaires annuel de ces mêmes firmes des conseils pour l'année 1983 se situe approximativement à 100 millions $ (CAN.),[1] ce qui correspond au début de la période dite de relance économique (Gélinas-Beauchamp, 1982; Gélinas-Beauchamp, 1983). Ces indications laissent entrevoir l'impact important qu'ont les cycles économiques sur le volume de l'activité des conseillers auprès des organisations.

Quant au second facteur ayant une influence sur la nature du travail du conseil, il s'agit du cycle de croissance de l'organisation. Les entreprises évoluent, comme les êtres humains, selon un cycle dont les principales phases sont le lancement, la croissance et le déclin. Au moment du lancement, les problèmes nécessitent une approche créative. À ses débuts, l'organisation est plus préoccupée par la gestion de sa production et la planification de la mise en marché. Étant donné le niveau de développement de cette organisation, il est probable que l'intervention se fait généralement au niveau des dirigeants principaux. Durant la phase de croissance, l'organisation vise à consolider sa position et à augmenter ensuite sa force sur le marché. Il s'agit alors d'améliorer les structures, de perfectionner les ressources humaines, d'élaborer des politiques. Il arrive également que le conseiller travaille sur la personnalité même de l'organisation par le biais d'intervention de type développement organisationnel. Enfin, une organisation peut ensuite entrer dans une phase de déclin à cause de l'accroissement exagéré de l'âge de ses employés qui, face aux besoins, causerait des difficultés d'adaptation et d'évolution du milieu. Il peut s'agir également d'une crise financière qui met la vie de l'organisation en danger. Dans ce contexte, les interventions des conseils concernent la préparation d'une relève compétente, la mise en place d'un processus de succession, la restructuration des méthodes et politiques, le redressement de l'entreprise, etc.

1. Pour 18 des 58 plus importants cabinets-conseils situés au Québec, le chiffre d'affaires total de septembre 1981 à septembre 1982 était de 81 millions $ alors que, pour l'année 1983, l'estimé a été calculé (pour les mêmes firmes) à partir des chiffres d'affaires disponibles pour une durée de 9 mois. Ces données furent ensuite ramenées à une base annuelle:

$$\frac{74{,}7 \text{ millions } \$ \times 12 \text{ mois}}{9 \text{ mois}} = 99{,}6 \text{ millions } \$$$

Le troisième facteur d'influence correspond à la disponibilité ou à l'accessibilité des ressources financières, humaines et matérielles. Toute difficulté d'approvisionnement au niveau de ces ressources cause parfois un tort irréparable à une organisation si celle-ci ne réagit pas rapidement. Certaines difficultés de financement, d'approvisionnement en matières premières, d'accès à des technologies sophistiquées de production, d'attraction d'employés compétents constituent des facteurs susceptibles de mettre en péril la survie de l'organisme. Il y a encore là place pour des interventions urgentes de la part de conseillers.

Enfin, le quatrième et dernier facteur mentionné par Hunt (1977) est celui de la législation et des règlements. Certaines politiques gouvernementales obligent les organisations à des changements majeurs en termes de fonctionnement et de politiques: législations sur la langue de travail, sur la discrimination sexuelle ou raciale, sur l'accès au travail pour les handicapés, sur la formation des employés, sur la santé et sécurité au travail, sur les impôts des corporations, sur les subventions, etc. Ces législations sont innombrables et elles ont un impact direct évident. Ces changements provoqués par des lois nouvelles créent fréquemment une demande pour des services de conseillers spécialisés dans différents secteurs.

À ces quatre facteurs, nous désirons en ajouter un cinquième beaucoup plus large, complexe et important, soit celui de l'environnement social. Il s'agit ici de considérer les caractéristiques de base de la société: le système économique, le degré d'industrialisation, les ressources de base disponibles dans le milieu social. Toute évolution sur cet aspect apporte des changements dans le fonctionnement des organisations. À titre d'exemples, les conseillers sont concernés par des problématiques très différentes selon qu'ils travaillent dans un pays en voie de développement ou un milieu très industrialisé, un pays capitaliste ou une nation socialiste, un pays riche en matières premières ou un pays caractérisé par une main-d'oeuvre très spécialisée, etc. La nature du travail du conseiller est certes affectée par le contexte de l'environnement. Il doit tenir compte de réalités très différentes s'il travaille aux États-Unis, en Russie, au Japon, à Haïti ou en Arabie.

De façon générale, les activités du conseil sont affectées par tous ces facteurs, tant au niveau du volume que de la nature de celles-ci. Le conseiller responsable considère avec attention les réalités à l'intérieur desquelles s'inscrit son intervention sinon il y a risque grave d'échec. La figure 4.1 permet une vision-synthèse plus articulée de l'interaction entre l'activité du conseiller et les cinq grands facteurs de l'environnement dont il fut question précédemment. Une action n'est efficace que si elle respecte et répond bien aux conditions de l'environnement.

Figure 4.1
Le conseil et les facteurs de l'environnement

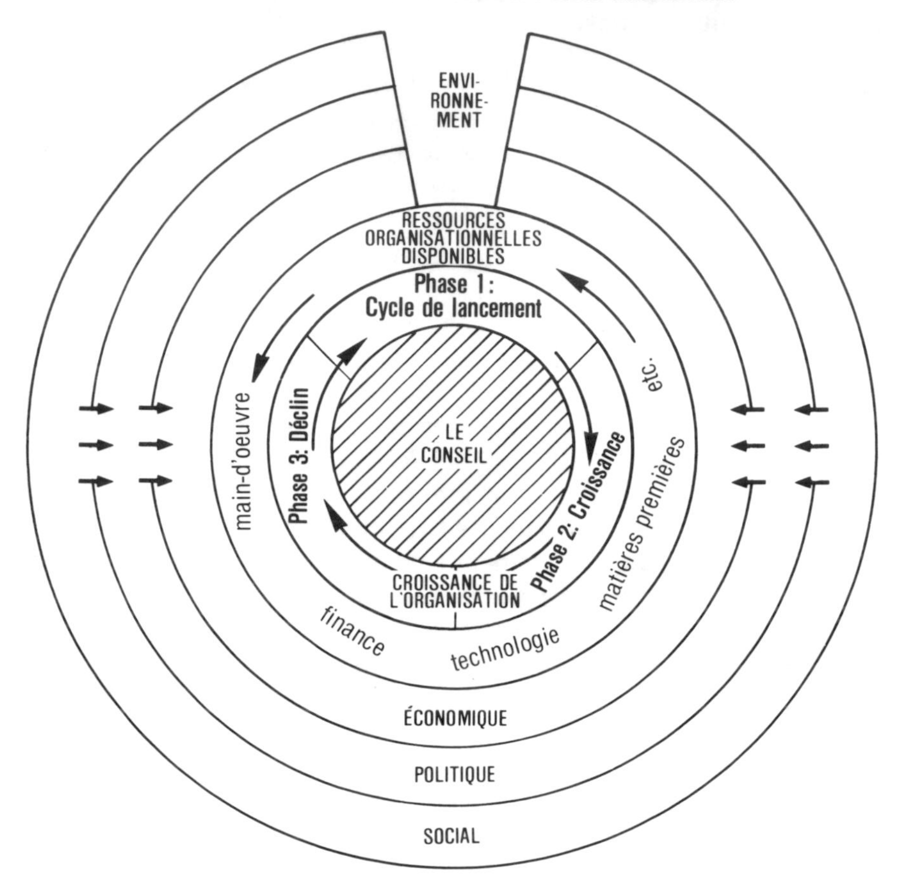

2 *Choix d'un conseiller par le client*

La consultation en tant que service professionnel visant à promouvoir le changement, soit par la résolution d'un problème, par l'amélioration d'une situation ou par la capacité d'affronter une réalité totalement nouvelle, n'est pas limitée à un type particulier d'organisation. Bien que les conseillers aient commencé à agir auprès des organisations industrielles, au fur et à mesure que cette activité s'est développée, elle s'est introduite dans à peu près tous les secteurs de l'activité humaine: éducation, syndicalisme, transport, hôtellerie et restauration, système hospitalier, banque, assurance, municipalité, etc.

Avec l'accroissement de la spécialisation dans tous les domaines, il est de plus en plus courant de faire appel à des spécialistes extérieurs qui viennent aider les responsables de l'organisation à prendre, de façon éclairée, les décisions qui s'imposent. À l'intérieur même d'un organisme, certains gestionnaires font parfois appel à un service-conseil interne qui est en mesure d'aider les divers départements. Plusieurs personnes croient que le conseiller n'agit qu'auprès des grandes organisations, ce qui est généralement faux. Les cabinets-conseils sont très actifs auprès des petites et moyennes organisations. En effet, à cause de ressources limitées ne permettant pas l'embauche à temps plein de spécialistes, le dirigeant de la petite et moyenne entreprise a accès, selon ses besoins, à de nombreux spécialistes sur la base d'une relation client-conseil. Une multitude de modalités contractuelles permettent aux gestionnaires de s'assurer le support nécessaire selon des conditions qui conviennent. En fait, la petite et moyenne organisation se situe souvent dans la phase de lancement (voir figure 4.1) et n'attend peut-être que le moment opportun pour s'orienter vers une croissance. Dans ce contexte, le conseiller constitue une aide précieuse pour le dirigeant de la petite ou moyenne entreprise.

2.1 *Quand faire appel au conseil*

À quel moment une organisation pense-t-elle faire appel à un conseiller? Pour répondre à cette question, il faut procéder par étapes. Disons d'abord que la condition fondamentale pour entamer une telle réflexion est la perception de l'existence d'un problème affectant le bien-être organisationnel. Pour définir ce qu'est un problème dans l'optique de la consultation, nous retiendrons la conception énoncée par Landry et Malouin (1983) :

> «Il y a problème lorsqu'un diagnostic d'insatisfaction est posé par un individu à la suite de la mise en relation de ses connaissances avec une réalité perçue ou anticipable; ce diagnostic doit être accompagné d'une capacité et intention d'intervenir soit pour instaurer l'état antérieur, soit pour atténuer les effets négatifs d'une situation qui échappe partiellement à son contrôle, soit encore pour redéfinir un nouvel état de normalité dans la mesure où la marche à suivre pour y arriver n'est pas évidente au départ.»

Cette définition met en relief la spécificité du problème tel que perçu par les acteurs: client et conseil. Le problème est spécifique selon plusieurs dimensions. Il appartient à telle ou telle organisation; il est perçu et décrit différemment par chaque acteur; il existe à un moment précis dans le temps. De plus, cette définition fait ressortir une réalité sous-jacente fort importante en ce sens que le problème est un construit faisant appel aux connaissances, à l'expérience et aux sentiments du gestionnaire. Sa vision du problème n'est pas que cognitive. Enfin, le gestionnaire doit vouloir, être capable ou avoir les moyens d'agir pour faire disparaître ou modifier la situation problématique. Si le problème n'est pas inscrit dans une telle perspective, il n'y a pas de place réelle pour l'intervention du conseil.

Après avoir constaté l'existence d'un problème, le dirigeant se demande s'il a besoin d'un conseiller externe pour l'aider ou s'il peut le résoudre à partir de ses ressources personnelles et de celles de l'organisation. Sur ce plan, la meilleure façon de se faire une idée exacte et d'analyser rigoureusement la situation consiste à se poser certaines questions-clés:

— Quel est le problème exact? Le cerne-t-on adéquatement?
— Qu'est-ce qui peut être fait et qui ne peut pas être fait?
— Quelles opérations actuelles pourraient être affectées dans une tentative de solutionner le problème?
— Combien de temps est disponible pour en arriver à une solution?
— Quelles ressources internes sont disponibles en termes d'argent, de personnel, etc.?
— Est-on prêt à collaborer avec un conseiller en lui fournissant toutes les informations disponibles?

Une telle analyse préliminaire de la part du gestionnaire le guide dans sa décision finale de faire appel ou non à un conseiller en faisant ressortir les diverses raisons pouvant justifier une démarche auprès des cabinets-conseils. Premièrement, le gestionnaire peut constater que l'organisation ne possède pas les ressources spécialisées ou l'expertise nécessaire pour résoudre le problème, pour implanter une nouvelle technologie, etc. Deuxièmement, l'organisation pourrait être limitée quant aux ressources internes actuellement disponibles pour être affectées à ce mandat par suite de restrictions budgétaires, d'une pénurie de personnel, d'une surcharge de travail. Ainsi, le conseil vient appuyer l'organisation d'une façon temporaire. Troisièmement, certains délais très courts justifient parfois l'embauche d'un conseil qui est habitué à travailler rapidement en consacrant toutes ses énergies à un problème spécifique urgent. Quatrièmement, le gestionnaire pourrait souhaiter avoir un point de vue objectif sur une situation complexe difficile à aborder avec les ressources humaines internes à cause de leur implication personnelle dans le contexte problématique. Parfois, des conflits individuels internes rendent nécessaire une telle démarche auprès d'un conseil externe. Dans de telles circonstances, ce dernier apporte un point de vue impartial alors que les membres de l'organisation peuvent difficilement le faire. Cinquièmement, le gestionnaire désire à l'occasion appuyer une décision, qu'il a prise ou qu'il doit prendre, sur le rapport d'un expert, ce qui lui accorde une plus grande crédibilité au sein même de l'organisation. Sixièmement, une étude confidentielle, étant donné son caractère stratégique, peut être confiée à un conseiller externe à l'organisation car il est astreint à un code d'éthique très strict au niveau de la confidentialité des mandats. Enfin, il se peut que le gestionnaire souhaite la venue d'un spécialiste externe dans l'unique but de stimuler les ressources internes et faciliter leur perfectionnement.

Voilà donc les principaux motifs qui justifient généralement le gestionnaire d'une organisation à faire appel à des conseillers externes à l'organisation ou parfois à certains conseils internes avec le mandat d'aider les ressources des divers départements de l'organisation.

Les raisons décrites précédemment sont reliées au contexte organisationnel comme tel. Cependant, le fait de confier un mandat à un conseil souligne également des attentes précises par rapport au produit attendu de l'intervention. Trois aspects particuliers caractérisent la mission du conseil. En effet, qu'est-ce que le gestionnaire s'attend de recevoir du conseiller en termes de:

— *L'objectif*
  S'agit-il de corriger, d'améliorer ou de créer une nouvelle situation?

— *L'activité du conseil*
  S'agit-il de faire un diagnostic, de concevoir des solutions ou d'implanter des changements?

— *L'implication du conseil*
  S'agit-il de conseiller les ressources internes qui assument la responsabilité du projet ou le conseil est-il seul responsable du mandat?

□ Objectif tel que perçu par le gestionnaire

Le gestionnaire fait appel au conseiller quand il perçoit l'existence d'un problème qui affecte l'équilibre ou la survie de l'organisation. L'objectif de la mission du conseil peut être de trois ordres: corriger une situation dégradante qui exige un redressement urgent, améliorer une situation existante insatisfaisante ou créer une situation nouvelle actuellement inexistante.

Certaines organisations font face à des problèmes qui se caractérisent par une détérioration subite et importante de la situation: par exemple, un roulement de personnel exagéré depuis quelques mois, une baisse subite des ventes, une crise de liquidité, un conflit avec les employés, etc. Les raisons ne sont parfois pas évidentes mais une solution rapide est nécessaire puisque la vie de l'organisation en dépend. Il faut donc que le conseiller cerne bien le problème et vérifie les déviations survenues par rapport à l'état antérieur. Une intervention urgente est alors nécessaire pour rétablir un équilibre acceptable. Il s'agit essentiellement de **corriger** la situation.

Le second type d'objectif vise à **améliorer** une situation existante qui peut cependant être optimalisée. Par exemple, le conseil aide à l'amélioration des procédures administratives, du processus de sélection du personnel, de certaines techniques de production, etc. Il met à la disposition des gestionnaires certaines connaissances nouvelles, les adapte à une nouvelle réalité et forme le personnel.

Enfin, l'objectif peut consister à **créer** une situation totalement nouvelle: l'implantation d'une nouvelle technologie, d'un nouveau produit, etc. Le conseil ne possède à ce moment que très peu d'information car il s'agit de créer quelque chose de tout à fait nouveau par rapport à la réalité existante. Dans un tel contexte, l'imagination ou les ressources créatives du conseil sont mises à contribution pour trouver des façons non conventionnelles de résoudre le problème.

Certaines interventions impliquent plus d'un seul objectif à la fois. Un problème pourrait très bien, à court terme, exiger des mesures correctrices, à moyen terme des mesures visant l'amélioration alors qu'à long terme, il faille envisager des solutions totalement nouvelles et des réorientations majeures.

□ Activités spécifiques

La finalité du mandat confié au conseiller peut correspondre à trois possibilités, soit le diagnostic de la situation, la conception de solutions possibles et l'implantation de celles-ci dans le but d'atteindre un des objectifs décrits dans la section précédente. De plus, l'activité peut être simple ou multiple par rapport à ces trois volets.

L'activité **diagnostic** vise à appréhender, de façon objective, la réalité en évaluant concrètement et avec précision la situation problématique. Les conditions existantes retiennent l'attention du conseiller: les structures, les politiques, les valeurs des gestionnaires, etc. Essentiellement, il s'agit de la première étape d'une mission de consultation. Les attentes du client se limitent parfois à cette description de la réalité, à une photographie de la situation. Cependant, il lui arrive également de souhaiter aller plus loin face au problème envisagé.

La seconde activité est celle de la **conception** des mesures visant à faire disparaître ce qui cause la situation-problème. De par sa compétence technique, le conseil aide le gestionnaire à concevoir des moyens d'action appropriés permettant de corriger, d'améliorer ou de créer une situation satisfaisante.

Enfin, le dirigeant souhaite parfois que le conseil l'aide au moment de la mise en application des solutions préconisées, c'est-à-dire au moment de l'**implantation**. Cette implication du conseiller permet de faire rapidement les ajustements nécessaires au fur et à mesure que les actions préconisées sont appliquées.

□ Implication du conseiller

Le degré d'implication du conseil attendu par le gestionnaire varie beaucoup d'une mission à l'autre. Il arrive au conseiller de tout simplement donner périodiquement son avis au gestionnaire qui demeure totalement responsable des aspects opérationnels de la mission, en termes d'activités précises et d'objectifs. À l'autre extrémité du continuum, le conseiller et son équipe sont responsables de l'opérationnalisation entière de la mission. Il soumet alors au dirigeant des rapports périodiques pour que celui-ci prenne les décisions nécessaires et donne les autorisations pour la poursuite de la mission. Entre ces deux extrêmes, une foule de possibilités existent évidemment. Le conseil peut agir en collaboration continue avec des ressources internes à l'organisation, avoir des contacts plus ou moins fréquents avec les gestionnaires, etc. De plus, l'implication du conseiller est affectée par le contexte de l'organisation, notamment par les caractéristiques des ressources internes, par l'urgence de la situation problématique ou toutes autres raisons mentionnées précédemment pour justifier l'appel au conseiller.

La figure 4.2 présente visuellement les conditions entourant la décision du gestionnaire de faire appel à un conseiller. Comme cette décision est capitale pour l'organisation, il faut qu'elle soit bien fondée et que le dirigeant utilise des critères adéquats pour le choix du conseiller en fonction des besoins précis de son organisation.

2.2 *Comment choisir un conseiller*

La décision du gestionnaire de retenir les services d'un conseil est habituellement importante à cause de ses impacts éventuels sur le développement de l'organisation. Le choix et les critères utilisés deviennent des éléments déterminants dans le succès ou l'échec de l'éventuelle mission.

D'abord, de nombreuses sources d'information permettent au gestionnaire de dresser une liste préliminaire des conseillers potentiels:

— Revoir la liste des conseillers ayant déjà travaillé pour l'organisation.

— Prendre contact avec des collègues de travail pour avoir des suggestions.

— Chercher des suggestions auprès de collègues d'organisations similaires qui ont déjà fait appel à des conseillers.

— Consulter la liste des membres de diverses associations professionnelles (voir l'appendice II pour la liste des principaux groupes ou associations professionnelles d'intérêt pour les conseillers).

Figure 4.2
Contexte affectant la décision de faire appel à un conseil

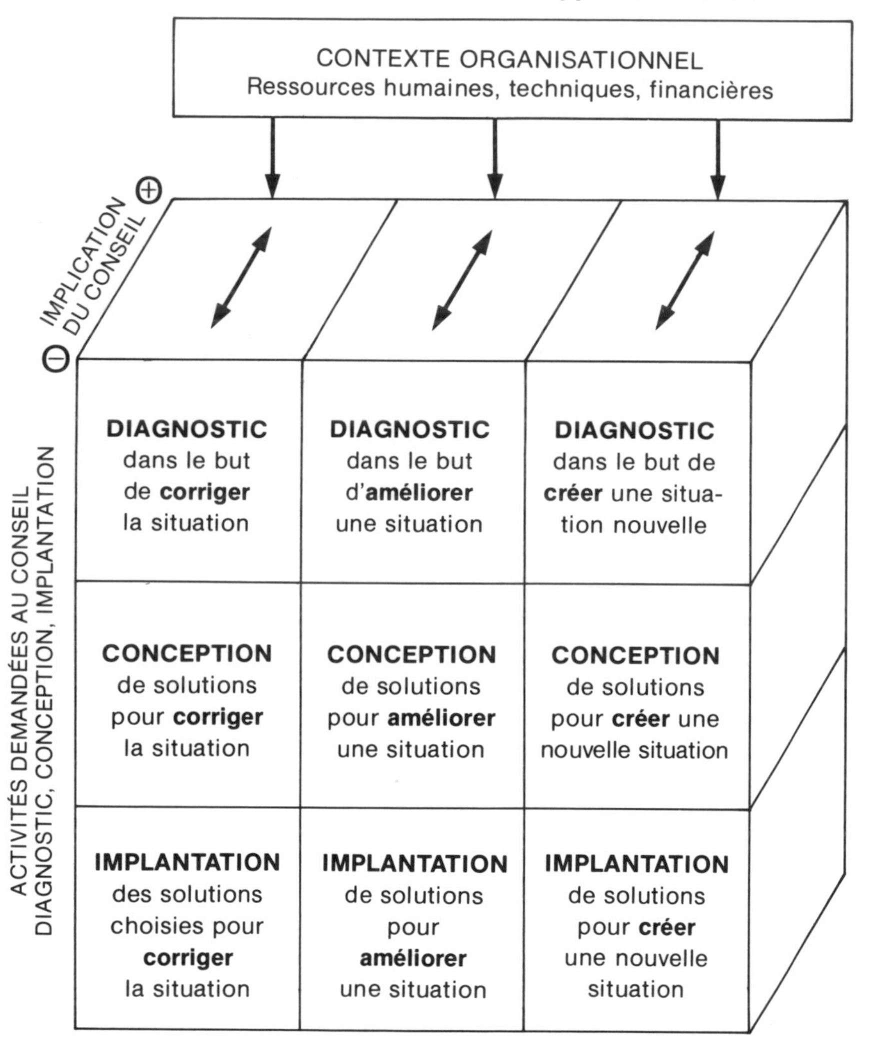

— Participer à des colloques, congrès ou séminaires spécialisés afin de connaître les ressources disponibles.
— Considérer les auteurs d'articles spécialisés parus dans les journaux ou revues reconnus.
— Consulter certains groupes bien informés des ressources disponibles: chambre de commerce, université, etc.
— Examiner les annonces faites par les conseillers dans les journaux et revues spécialisés.
— Considérer les conseillers qui ont fait de la sollicitation directe auprès de l'organisation.

Dans une étude effectuée en 1972 par Gustafson et DiMarco (1973) auprès de 200 organisations, il ressort que l'importance relative de ces diverses sources d'information est très variée. Aux yeux des gestionnaires, les sources les plus intéressantes sont les suivantes: les collègues de travail, les associations et les rencontres professionnelles, les conseillers ayant déjà travaillé pour l'organisation.

Après avoir consulté ces diverses sources d'information, le dirigeant d'organisation est alors en mesure de dresser une liste préliminaire de conseillers potentiels. Vient ensuite le moment d'évaluer, selon un certain nombre de critères, les candidats possibles pour n'en retenir qu'un ou pour préparer une liste restreinte de deux ou trois conseillers à qui on demandera de présenter une offre de service ou un proposé de recherche. Avant d'aborder cette étape, il est cependant utile de prendre contact avec chaque firme de conseillers retenue sur la liste préliminaire et leur demander de faire parvenir une description des compétences de leurs conseillers, de leur expérience en tant que conseil, etc.

Les critères fréquemment utilisés sont nombreux mais ils se regroupent sous deux rubriques: les caractéristiques du problème ou de la situation problématique et les caractéristiques des conseillers eux-mêmes. Landry et Malouin (1983) mentionnent que plus un problème est de type structuré, plus il est opportun de faire appel à un conseiller spécialisé dans le domaine concerné. Par contre, l'opposé est également vrai: plus le problème est général, large ou non structuré, plus il est utile de faire appel à un conseiller plus généraliste capable de cerner le problème ou la situation avec une vision plus globale. Dans le cas d'un problème de type non structuré, le conseiller très spécialisé a parfois tendance à ramener les paramètres du problème à ce qui lui est familier, à ce qui est plus près de sa compétence technique particulière.

Au niveau des caractéristiques plus reliées au conseiller lui-même, les principaux critères à retenir sont les suivants: compétence technique, capacité d'établir de bonnes relations interpersonnelles, sens des responsabilités, qualité des références et coût ou honoraires professionnels.

La compétence technique est évidemment un critère fondamental. Le conseiller qualifié a une excellente capacité intellectuelle lui permettant d'analyser avec perspicacité les problèmes auxquels il est confronté. De plus, il fait preuve d'imagination et de créativité dans la recherche de solutions. Sa formation de base lui a permis d'acquérir les qualifications nécessaires à son travail de conseiller. De plus, une expérience pratique pertinente est également un atout de premier ordre quand vient le moment de choisir un conseiller pour l'organisation.

La qualité des références sur le conseil, suite au travail effectué antérieurement au sein de l'organisation ou dans d'autres milieux, est souvent une confirmation utile au gestionnaire pour prendre sa décision finale. Au moment de la vérification des références, le client peut axer son enquête sur le caractère pragmatique des recommandations du conseiller et sur sa capacité à assurer un support adéquat au moment de l'implantation des changements dans le milieu organisationnel. Un autre élément d'évaluation de la qualité ou la renommée du conseiller est son affiliation avec des groupes professionnels reconnus pour leurs exigences dans le recrutement et l'admission de ses membres.

Le troisième critère est celui de la capacité à établir de bonnes relations interpersonnelles avec les clients. Cette dimension plus reliée à la personnalité du candidat ne constitue pas une caractéristique directement reliée à la compétence technique mais elle peut cependant, dans certains cas, s'avérer une entrave sérieuse à la bonne marche et au succès d'une mission.

Le sens des responsabilités constitue aussi un critère de première importance. Le gestionnaire cherche à être assuré, au moment de son choix, que le conseiller est capable de mener à terme la mission à l'intérieur des limites ou des contraintes de temps exprimées par le client et acceptées par le conseil. Dans les milieux organisationnels, un manque au niveau du respect des échéances peut avoir des effets désastreux.

Enfin, le gestionnaire tient compte des coûts ou honoraires professionnels. À compétence technique et qualités personnelles égales, cet aspect devient un critère opérationnel mais ce n'est et ne doit pas être celui qui prime dans le processus de sélection d'un conseiller. Il est évident que le coût total d'un mandat est directement relié à la durée du temps consacré par le conseil et au niveau de ses honoraires.

Le gestionnaire analyse donc simultanément le réalisme de ces deux éléments quand vient le moment de prendre sa décision. De plus, il faut enfin se demander si les bénéfices attendus justifient l'investissement nécessaire à la réalisation du mandat. En un mot, le gestionnaire retiendra le conseil qui offre le travail de meilleure qualité au meilleur coût.

En ce qui concerne l'importance relative de ces divers critères, Gustafson et DiMarco (1973) mentionnent, dans leur étude auprès de gestionnaires de 200 organisations américaines, que les critères les plus importants, selon les dirigeants, sont: la nature du problème à résoudre, l'expérience du conseiller et ses qualifications professionnelles. Quant aux critères de sélection de moyenne importance, il semble que ce soient la personnalité, les références et les honoraires.

Même si le conseiller est bien choisi en fonction de la procédure décrite précédemment, le succès de la mission n'est pas pour autant garanti. Trop souvent, le gestionnaire oublie que le contexte doit être positif, c'est-à-dire propice à l'intervention du conseil. Dans cette optique, le client a un rôle actif et une responsabilité importante à assumer pour maximiser les chances de succès de la mission.

Il est nécessaire que le gestionnaire se sente maître à bord, réalise que sa démarche est positive, consente à investir le temps nécessaire et est sensible à ses propres indices de satisfaction (Chénier, 1983). Il est d'abord très important que le dirigeant sente qu'il a le contrôle de la situation et qu'il assume le leadership vis-à-vis le conseil car c'est lui qui devra éventuellement vivre avec les recommandations de ce dernier. Deuxièmement, il doit considérer que sa démarche de recourir aux services d'un conseiller est essentiellement positive et qu'elle ne représente pas, à ses yeux, un échec personnel. Le but ultime est essentiellement positif et souhaitable. Troisièmement, le client est prêt à supporter par son temps et son argent l'intervention du conseiller. Pour réussir, ce dernier a besoin d'avoir accès à diverses sources d'information, pouvoir rencontrer et discuter avec certains gestionnaires-informateurs. À partir du moment où le mandat lui est confié, tout n'est pas terminé pour le client mais tout ne fait, plutôt, que commencer. Enfin, quatrièmement, le gestionnaire possède la conviction de retirer de cette expérience une satisfaction personnelle qui représentera l'expression la plus valable du succès de la mission. Pour ce faire, il est sensible à tout indice de satisfaction personnelle: sentiment de se sentir écouté par le conseiller, sentiment de confiance envers ce dernier, le sentiment de sécurité, etc.

Voilà donc décrite, de façon rapide, la démarche suggérée pour choisir un conseiller et les conditions permettant d'optimaliser la relation de consultation.

3 *Éventail des activités du conseil*

L'activité professionnelle d'une firme de conseillers peut, dans les faits, prendre trois formes relativement distinctes: services professionnels de consultation, divers produits spécifiques et semi-produits.

3.1 *Services professionnels de consultation*

Les services professionnels se définissent comme des actions par lesquelles un conseil met à la disposition de l'organisation-client sa compétence technique, ses connaissances spécialisées, ses habiletés, le tout à l'intérieur d'un cadre contractuel fixant coûts et temps alloué. Le coût total de ces services professionnels varie évidemment selon la durée de l'intervention et l'expertise du conseiller.

Le client fait généralement appel à un conseiller pour l'aider à résoudre un problème, à améliorer une situation ou à faire face à une situation totalement nouvelle. Comme les problèmes sont nombreux et variés, il en est ainsi des divers types de services qu'offrent les conseils auprès des organisations. Dans les articles ou volumes portant sur la consultation, les auteurs classifient les services professionnels selon des caractéristiques très diversifiées: l'objectif à atteindre, les activités reliées à une phase particulière du processus de consultation ou le degré d'implication personnelle du conseiller dans la réalisation du mandat. Ces diverses possibilités de classification ont été présentées dans la figure 4.2.

Les services professionnels peuvent avoir pour objectif de corriger, améliorer ou créer une situation. On parle alors de services professionnels correctifs, progressifs ou créatifs (Kubr, 1978). Il est également possible de classifier les services professionnels selon les phases principales du processus de consultation. Ces services sont alors associés au diagnostic d'une situation, à la conception des recommandations ou enfin à l'implantation des changements souhaitables. Les services professionnels reliés à l'évaluation de programme constitue de fait une rétroaction suite à un diagnostic et aux tentatives effectuées d'implantation du changement. Selon cette approche, le processus de consultation constitue souvent un cycle dynamique continu. Enfin, les services professionnels pourraient être classifiés selon le degré d'implication du conseiller par rapport à celui du client. Le conseil agit habituellement comme un support au gestionnaire ou à l'organisation-client qui demeure le premier responsable de la réalisation du mandat. Par contre, il arrive parfois que le conseil et son équipe puissent être totalement responsables de la mission avec un minimum d'implication de la part du client.

Certains conseillers offrent des services professionnels généraux couvrant les diverses possibilités décrites dans les classifications mentionnées. Par contre, il existe des spécialistes qui ne touchent qu'à un nombre limité de catégories de services professionnels. Par exemple, un conseiller pourrait dans sa pratique, ne faire que des enquêtes de diagnostic, agir en tant que support auprès des dirigeants, s'attaquer seulement à des problèmes totalement nouveaux qui exigent des capacités de prospective et de créativité manifestes, etc.

La grille de classification présentée à la figure 4.3 constitue une grille d'analyse caractérisant l'action du conseiller en fonction des milieux d'intervention et/ou des domaines de spécialisation. Par milieux d'intervention, nous référons à des conseillers qui sont spécialisés relativement à la consultation dans des secteurs d'activités économiques précis: hôpital, gouvernement, éducation, petite et moyenne entreprise, grande industrie, syndicat, banque, hôtel-restaurant, assurance, etc. Chacun de ces milieux spécifiques possèdent ses spécialistes ou experts-conseils. Par domaines, nous pensons aux spécialisations techniques associées fréquemment aux diverses fonctions de l'organisation: finance, personnel, mise en marché, information et informatique, production, relations publiques, sécurité, organisation et méthodes.

En consultation, les spécialisations des conseils sont théoriquement innombrables. Chacune des caractéristiques décrites précédemment peut servir de point de départ pour définir une spécialisation. Celle-ci peut être de plus en plus précise, pointue si le conseiller limite son action en définissant son expertise par l'addition simultanée de plusieurs caractéristiques. Évidemment, il est impossible de représenter toutes les spécialisations imaginables mais la figure 4.3 donne une idée des activités nombreuses pouvant faire l'objet de divers types de consultation. Afin d'illustrer quelque peu cette réalité, nous décrirons cinq types de conseillers différents:

— Conseiller A
  Se spécialise dans les questions financières auprès de tous les milieux d'intervention possible. Il fait le diagnostic de la situation, conçoit de nouveaux systèmes financiers, les implante. Son action peut avoir pour objectif de corriger des lacunes, améliorer la situation actuelle ou créer une situation nouvelle totalement différente de la réalité actuelle.

— Conseiller B
  N'intervient que dans les grandes industries en s'intéressant à tous les domaines qui posent problème au gestionnaire: finance, personnel,

Figure 4.3 — Illustration de la multiplicité des activités possibles des conseillers auprès des organisations

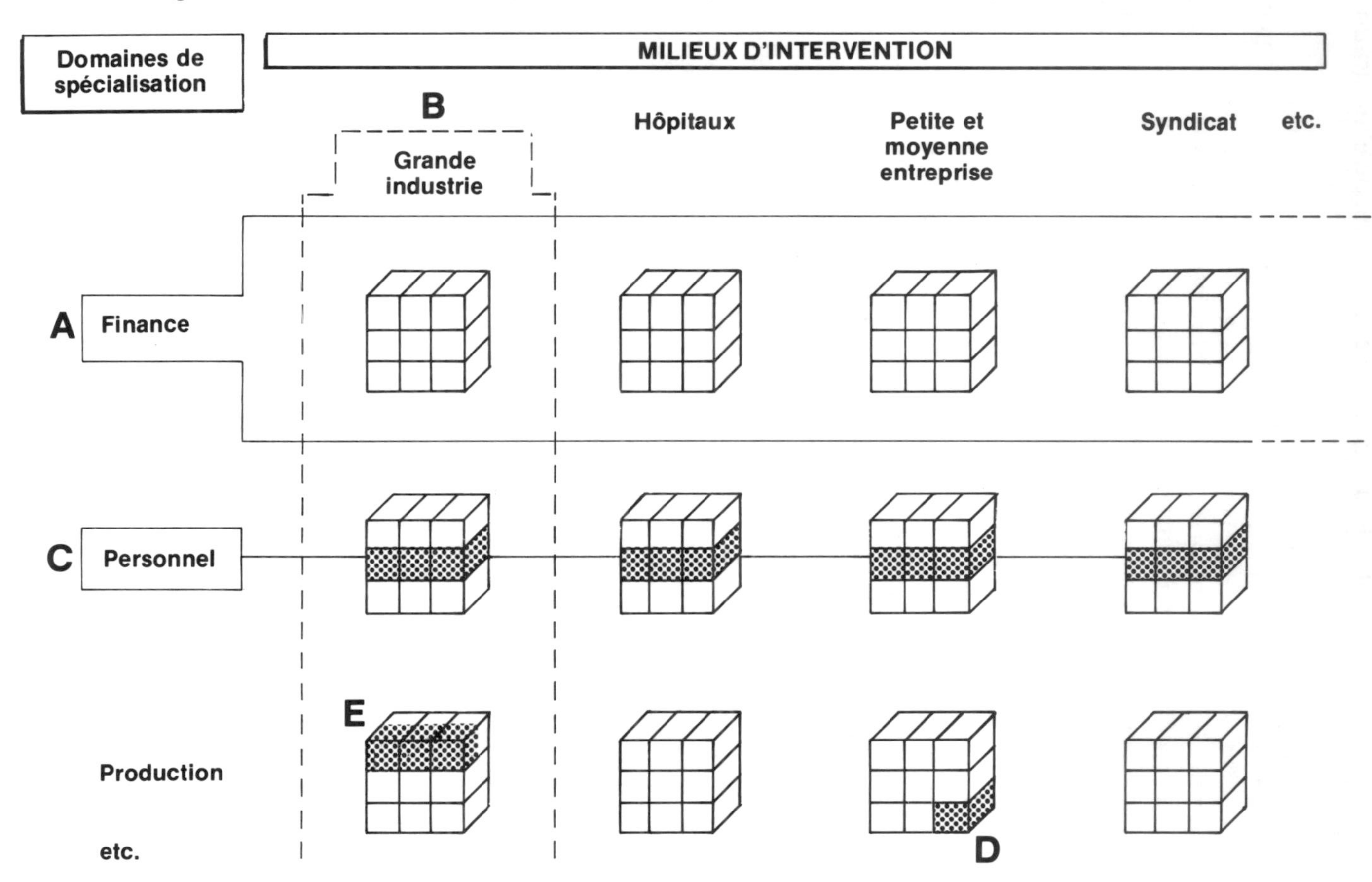

production, etc. Dans ces divers domaines, il fait des diagnostics, conçoit les actions souhaitables ou intervient dans l'implantation des changements et ce, en ayant les objectifs suivants: corriger, améliorer ou créer.

— Conseiller C
Se spécialise dans les problématiques reliées au personnel et plus particulièrement à la conception de divers systèmes relatifs au personnel afin de corriger des lacunes intolérables, d'améliorer une situation ou de concevoir des systèmes totalement nouveaux. Il est prêt à intervenir dans tous les milieux qui recherchent un concepteur spécialisé dans la fonction personnel.

— Conseiller D
Très spécialisé, il n'intervient que dans la création et l'implantation de nouveaux systèmes de production dans la petite et moyenne entreprise.

— Conseiller E
S'implique peu personnellement dans la réalisation concrète des diverses missions, mais agit essentiellement comme conseil auprès des dirigeants ou des autres conseillers (interne ou externe) chargés de la mission. S'intéresse au diagnostic des problèmes de production dans la grande industrie dans le but de corriger, améliorer ou créer de nouvelles conditions de production.

Dans le domaine de la consultation, l'étendue des services possibles (figures 4.2 et 4.3) est très large. Il y a donc une diversité extrême au niveau des services offerts par les firmes de conseillers. Dans le contexte économique actuel, il paraît assez irréaliste qu'un conseiller puisse toucher à tous les problèmes organisationnels possibles, à tous les milieux, à tous les types d'intervention, etc. Ceux qui désirent faire carrière comme conseil, identifient des niches convenant à leur compétence technique, habiletés et personnalité. Certains se spécialisent à l'extrême en se faisant connaître comme expert dans un type de services très précis alors que d'autres optent pour une plus large diversité au niveau des services professionnels qu'ils offrent. Essentiellement, tout est ici question d'offre et de demande. Il faut donc tenir compte des caractéristiques et des besoins du marché potentiel envisagé par le conseil.

La définition des services professionnels par domaine de spécialisation est présentement une des classifications les plus couramment utilisées par les conseillers pour décrire leurs activités professionnelles. Ceci est probablement dû au fait que la formation académique de base des conseillers se donne généralement selon des spécialisations universitaires: finance, comptabilité, psychologie industrielle et organisationnelle, communication, production, marketing, informatique, etc.

Il serait ici fastidieux de décrire en détails tous les services précis qu'offrent les conseillers dans chacun de ces domaines de spécialisation. Kubr (1978) a consacré, dans son ouvrage, plusieurs chapitres à ces divers domaines. Les exemples décrits à l'appendice I permettent d'avoir une idée relativement complète des divers types de services offerts par les conseillers oeuvrant dans les domaines de spécialisation les plus fréquemment associés à la consultation auprès des milieux organisationnels. Il est évident qu'il ne s'agit là que d'illustrations et la liste des domaines, tout comme les exemples, est loin d'être exhaustive.

3.2 *Divers produits spécifiques*

Les apports du conseiller sont parfois offerts aux clients sous forme de certains produits tangibles. Contrairement aux services professionnels, l'offre de divers produits ne nécessitent pas l'action physique directe et personnelle du conseil. En effet, le produit se définit comme un service standardisé, présenté sous une forme tangible le rendant disponible pour utilisation autonome dans les organisations au moment où celles-ci le désirent. Le produit, une fois préparé, n'exige plus au moment de son application l'action directe et la présence du conseiller. Parmi les exemples les plus évidents de ce que peut être un produit conçu par un conseil, mentionnons un livre, un test, une cassette vidéo ou audio, du matériel de formation, etc.

La mentalité des conseillers à développer et offrir des produits multiples est relativement récente. La plupart de ces derniers se sont limités à offrir des services professionnels traditionnels et ce, possiblement parce qu'ils craignent que la disponibilité de certains produits spécifiques puisse avoir un effet négatif sur la demande de leurs services professionnels ou de leur expertise. Quels sont donc exactement les avantages et les désavantages pour un conseiller de concevoir et d'offrir des produits particuliers?

Parmi les avantages, un des plus importants pour le client est certes la possibilité de diminuer le coût d'une intervention. Quand certaines connaissances ou expertises sont rassemblées et présentées sous une forme tangible et accessible à tous, la possibilité de diffusion du service professionnel est grandement accrue et les coûts de développement de ce produit sont alors répartis sur un plus grand nombre de clients. Dans le cas des services professionnels, la relation client-conseiller est une relation individuelle et les honoraires sont conséquemment absorbés par un seul individu. Ainsi, le développement d'un produit quelconque permet d'élargir l'audience, d'utiliser de façon optimale les ressources du conseiller en facilitant une plus large utilisation de son expertise. Dans ce contexte, la diffusion de celle-ci n'exige que très peu de temps de la part du conseil. De plus, la vente de produits rapporte souvent au conseiller ou à la firme des profits appréciables. La vente de plusieurs exemplaires du produit à un prix relativement bas permet un revenu plus élevé qu'une consultation sur le même sujet avec une organisation en particulier. Un tel genre de production minimise les risques en ce sens que si le service professionnel ou la consultation individuelle vient à être affectée par la situation économique, le fait d'avoir diversifié ses activités (services professionnels et produits) facilite l'adaptation de la firme et augmente sa capacité d'absorber certaines crises de marché. Enfin, le marché en général est relativement avide face aux divers produits offerts par les spécialistes. Comme ce produit est standardisé, il est accessible à des coûts très abordables et, malgré ses limites, s'avère fort utile.

Le désavantage majeur du produit est certainement son caractère impersonnel. Chaque client considère que sa situation est particulière et s'attend à ce que le conseiller l'appréhende dans toute son unicité. De façon générale, le gestionnaire est mal à l'aise avec les approches dépersonnalisées. Il y a alors une certaine ambivalence ou réticence à utiliser certains produits standardisés. Par contre, l'économie prévisible s'avère souvent un argument relativement convainquant.

Il convient maintenant de réfléchir aux conditions de base qui président à la conception et à la mise en marché de divers produits. La première considération consiste à se demander si les services offerts sous forme de produit possède un indice de communauté suffisant. En effet, un produit n'est rentable que si le contenu correspond à un genre d'information que le conseiller est appelé à transmettre régulièrement de la même façon. Dans ce contexte, les probabilités d'avoir un produit en demande sont meilleures. Deuxièmement, le marché potentiel de ce produit est-il facilement identifiable de sorte qu'il soit possible de le rejoindre avec des efforts raisonnables? Si le marché est très diffus, il est quasi-impossible de l'atteindre à moins de dépenser des sommes importantes rendant ainsi l'opération non rentable. Troisièmement, il est important que le conseiller se sente à l'aise face à ce genre de diffusion de son expertise. Certains conseillers apprécient essentiellement les relations interpersonnelles et n'imaginent pas communiquer avec des clients sous une autre forme. De plus, le conseil doit être capable d'investir financièrement dans un inventaire qui demeurera sur les tablettes un certain temps. De plus, il doit manifester un intérêt marqué pour la mise en marché du produit. Enfin quatrièmement, il est essentiel d'analyser l'impact possible que ce produit peut avoir sur la mise en marché de ses services professionnels ou de sa consultation. À ce niveau, cette crainte est, de façon générale, exagérée. Il ne faut pas oublier que la mise en marché d'un produit fait reconnaître l'auteur comme un expert auprès d'une clientèle sensibilisée et intéressée. De plus, tout produit est souvent limité à la transmission de connaissances, essentiellement standardisées et dépersonnalisées. Or, ce produit sert habituellement de levier pour développer une demande accrue au plan de la consultation. Comme beaucoup de gestionnaires sentent le besoin d'aller plus en profondeur, d'aborder leur propre situation de façon plus spécifique, ils font alors appel à un nom familier faisant figure d'expert par la diffusion de ses produits. Cette question mérite certes analyse mais on a souvent exagéré les risques «de tuer la poule aux oeufs d'or». Au contraire, la conception de produits s'avère être une activité complémentaire aux services professionnels et une source d'enrichissement réciproque.

Quand un conseiller opte pour le développement de certains produits, il va au bout des possibilités qui se présentent à lui et ainsi rentabilise ses efforts. Il est possible qu'un contenu spécifique soit présenté sous différentes formes: livre, cassette vidéo, cassette audio, cours par correspondance, etc. Certaines personnes sont plus attirées par un médium alors que d'autres préfèrent une autre forme de présentation. Ainsi, le conseiller qui souhaite maximiser ses efforts, présente le même contenu selon divers médias. De plus, il arrive que certains clients achètent le même contenu sous différentes formes. Il est également important de ne pas présenter, dans un seul produit, un contenu qui peut normalement se diviser et se présenter sous la forme de deux produits distincts. Règle générale, il est plus rentable de présenter deux produits à un prix de vente plus bas que celui d'un seul produit réunissant les deux contenus. Le conseiller s'intéressant au développement de produits est également sensible au fait qu'un produit devrait créer la demande pour un autre. C'est un peu l'effet de spirale. Un produit particulier suscite l'intérêt du client et son désir d'aller encore plus loin en se procurant un second produit qui lui permet de satisfaire ce désir. Enfin, plutôt que de prendre rapidement la décision de développer tel ou tel produit et de le mettre sur le marché, il est préférable de regarder ce dont le marché a besoin et de développer ensuite le produit en demande. À ce niveau, le conseil fait certains sondages ou études de marché pour s'assurer de l'ampleur de la demande.

Quels sont donc les produits que développent habituellement les conseillers dans leur champ respectif de spécialisation? Nous énumérerons les principaux produits actuellement offerts par les conseils auprès des organisations mais il est évident que cette liste est loin de présenter toutes les alternatives. Les possibilités et le succès éventuel du conseil est de fait fonction de sa créativité, de son sens d'évaluation des besoins et de ses capacités de mettre sur le marché un produit attrayant et intéressant.

□ Volume

À titre d'exemple, un conseiller peut décider de publier un volume sur le stress au travail: ses causes, ses conséquences et les mesures de correction appropriées. Fréquemment, ce genre de volume est édité et distribué par le conseil lui-même qui en assume tous les frais de publication et de distribution. Toutes choses étant égales, il s'avère que les profits sont, de cette façon, souvent plus élevés que dans le cas où l'auteur confie la publication et la diffusion de son ouvrage à une maison d'édition reconnue. Dans ce second cas, la publication rapporte vraisemblablement au conseiller des droits d'auteurs équivalents à environ 10 à 15 % du prix de vente. Il est bien évident que si le conseiller opte pour la formule de publication à compte d'auteur, il lui faut être prêt et capable d'en assumer la mise en marché et la diffusion. Sinon, il semble préférable qu'il accepte des profits moindres et confie son ouvrage à une maison d'édition reconnue.

□ Chroniques dans journaux et revues

Ce produit est consacré à la communication de conseils ou à l'analyse de problèmes d'intérêt général pour les lecteurs d'une revue ou d'un journal. Certaines chroniques sont publiées parfois dans plusieurs médias différents. La rédaction d'une telle chronique régulière constitue une source de revenu en soi mais est également un moyen publicitaire excellent pour que le conseiller se fasse connaître. En plus d'accroître sa visibilité personnelle, le conseil sensibilise alors les gestionnaires relativement aux multiples facettes de sa spécialisation et aux bénéfices qu'ils pourraient personnellement en retirer.

□ Publication d'un bulletin périodique

Cette forme de produit («*newsletter*») a pris depuis une dizaine d'années une ampleur considérable aux États-Unis et ce, dans tous les domaines imaginables. En 1978, on estimait aux États-Unis qu'il y avait environ 25 000 bulletins publiés sur divers sujets dont 8 000 exigeaient des frais d'abonnement (Shenson, 1978). Généralement, ce genre de bulletin prend la forme d'une publication d'une dizaine de pages tout au plus publiée tous les mois (12 numéros), tous les deux mois (6 numéros) ou tous les trois mois (4 numéros).

Le bulletin est un excellent moyen de diffuser, à un grand nombre d'organisations, certaines informations à un coût relativement faible tout en étant un outil de promotion valable pour une pratique professionnelle en consultation. Le conseil peut également très bien vendre des abonnements à ce bulletin et en diffuser gratuitement un certain nombre à ses clients actuels pour des fins de promotion. Tout dépendant du type d'information fournie, du marché potentiel et des sources d'information concurrentes sur le sujet, le prix d'un abonnement annuel varie de 25,00 $ à 200,00 $ et même plus. Le bulletin périodique vise à fournir une information pratique, spécialisée et très à jour par rapport aux développements récents.

La première étape à franchir pour évaluer l'opportunité de publier un tel bulletin consiste à faire une analyse sérieuse du marché et à revoir les publications ou bulletins publiés dans un secteur d'intérêt. Pour ce faire, le conseiller peut aller dans les bibliothèques des universités pour se familiariser avec ces publications. Il existe même certains annuaires des bulletins périodiques publiés. Si le conseiller observe une absence totale de bulletin dans ce secteur, il peut s'agir là d'un marché nul ou du fait qu'une telle publication n'a pas réussi antérieurement à percer parce que l'éditeur s'y est mal pris. Si par contre, ce secteur est très bien servi par plusieurs bulletins, il y a là une clientèle prête à payer pour ce genre de produit. Le conseiller doit identifier une niche mal desservie par les bulletins actuellement disponibles. Après avoir localisé une telle lacune, il possède possiblement un marché intéressant s'il réussit à bien se positionner.

La seconde étape est celle du choix du sujet ou du contenu du bulletin. Il est bien évident que l'identification du marché potentiel détermine déjà en grande partie le choix du sujet. Le conseiller retient un domaine ou un contenu pour lequel l'information de base nécessaire est disponible et accessible à des coûts relativement bas. Les dirigeants d'organisation sont prêts à payer pour avoir une information synthétisée et présentée de façon à être rapidement utilisable. C'est là un besoin de plus en plus fréquent dans la société moderne. Le conseil fait attention à bien focaliser sur un contenu spécifique de manière à ne pas couvrir un sujet trop vaste. Plus le sujet est flou ou diffus, moins le lecteur risque d'y trouver un intérêt. Le bulletin périodique est par définition une publication spécialisée, pratique et représentative des développements récents dans un domaine précis d'activités.

La troisième phase du développement d'un bulletin consiste à élaborer un plan de mise en marché. Afin de rejoindre le segment du marché intéressé par le contenu, le conseiller prend généralement contact avec les nombreuses maisons spécialisées dans la constitution de liste de clients potentiels («*mailing lists*»). Celles-ci tiennent compte de certaines caractéristiques possiblement utiles telles la dispersion géographique, le niveau socio-économique, etc. Le conseiller procède également par voie d'annonces dans certains journaux ou revues spécialisées qui atteignent le marché désiré. Il est fréquent que le premier numéro soit envoyé gratuitement aux clients potentiels avec un bon d'abonnement qu'ils remplissent pour continuer à recevoir le bulletin. Il est important de bien tester le marché et votre produit avant de le lancer sur une grande échelle. Les spécialistes en marketing sont ici une ressource importante pouvant aider le conseiller à planifier et évaluer la rentabilité de son projet.

Un quatrième aspect à considérer est celui de la nécessité d'assurer régulièrement l'alimentation en nouvelles et en articles permettant la publication constante du bulletin. À ce chapitre, en plus de fouiller les diverses publications sur le sujet pour en conserver les éléments-clés, l'entrevue avec des spécialistes du domaine est un autre moyen d'accéder à une information de grande valeur et généralement à jour.

La cinquième étape réfère à la rédaction et la mise en forme du bulletin. Fréquemment, on y présente certaines chroniques régulières: nouveaux produits, colloques / conférences, nouvelles sur les personnes du milieu, etc. Une page ou une demi-page peut être consacrée à chaque chronique. Au plan de la rédaction, le style est concis, rapide et attirant. Le bulletin est présenté dans un format simple avec une présentation uniforme d'un numéro à l'autre. Le contraste «papier utilisé/couleur de l'impression» a avantage à être marqué et le caractère retenu à rendre la lecture facile et reposante. De plus, il faut éviter d'utiliser une seconde couleur dans l'impression ce qui augmente les coûts de production et permet également une moins bonne qualité au niveau de la photocopie éventuelle de certains articles d'intérêt pour les lecteurs qui désireraient les faire circuler auprès de collègues. Le conseil garde continuellement à l'esprit que ce bulletin périodique agit auprès des nombreux lecteurs, comme sa carte d'affaires personnelle. L'imge publique du conseiller est fortement liée, dans l'esprit des gens, à l'image de son produit.

□ Manuel d'instruction

Souvent, les gestionnaires sont à la recherche de publication ou de manuel décrivant comment procéder pour réaliser tel ou tel objectif. Il s'agit d'un outil expliquant, de façon concrète, les diverses étapes à suivre pour réussir une intervention ou mettre en place un nouveau système. Par exemple, un manuel décrit toutes les étapes à suivre et à respecter pour bâtir un programme de formation sur un contenu particulier, pour prendre une décision, pour solutionner des conflits interpersonnels, pour évaluer le rendement des employés, pour planifier sa carrière, etc.

□ Cours par correspondance

Les avantages des cours par correspondance sont déjà bien connus dans divers milieux. Ceux-ci permettent à la personne intéressée d'acquérir des connaissances particulières selon ses disponibilités personnelles et sa capacité ou rythme d'apprentissage. Les cours sont souvent accessibles selon diverses modalités: écrits, enregistrements sur rubans magnétiques ou magnétoscopiques. Ces cours aident les gestionnaires ayant des disponibilités réduites ou rendent accessibles à ces derniers des contenus qu'ils n'auraient pas le moyen de se payer s'ils devaient engager un conseiller pour venir sur place leur transmettre ces connaissances.

□ Bibliographie spécialisée

Il peut également être rentable de construire des bibliographies spécialisées sur certains domaines d'intérêt ou problématiques spécifiques. Beaucoup de clients consacrent de nombreuses heures à trouver ce qui a été écrit sur un sujet qui les préoccupe. Ce type de produit leur est très utile et leur permet d'économiser un temps précieux. Le conseiller peut même offrir un produit consistant à publier des bibliographies mises à jour périodiquement et accessibles sous forme d'abonnement annuel. Si on pense aux nombreux problèmes organisationnels, les possibilités d'un tel produit sont multiples. Par le jeu du nombre de clients, cette source d'information devient accessible à des coûts très raisonnables pour les consommateurs ou clients.

□ Logiciels et programmes informatiques

Avec l'accessibilité de l'ordinateur et des micro-ordinateurs pour le traitement de l'information, les besoins des organisations deviennent sans cesse plus nombreux. Faire construire un programme spécifique pour une organisation peut être fort onéreux et non nécessaire car certains besoins sont semblables d'un milieu à l'autre. Dans ce contexte, un programme standardisé répond aux besoins et est moins coûteux du fait que les frais de sa conception seront répartis sur l'ensemble des clients. La rapidité du traitement de l'information par l'ordinateur en fait un outil qui rend son utilisation très facilement rentable. Par exemple, certains programmes informatiques sont conçus pour la gestion des dossiers, pour l'évaluation et les prévisions du coût des bénéfices marginaux, pour fournir diverses statistiques sur la production, pour l'évaluation et la sélection du personnel, pour la formation du personnel, pour l'administration des salaires, etc.

□ **Tests et questionnaires standardisés**

Certains conseillers développent des tests ou questionnaires servant à évaluer les dimensions organisationnelles ou individuelles importantes à considérer dans la prise de décision du gestionnaire. Il s'agit évidemment d'outils standardisés de cueillette d'informations qui ont le désavantage de ne pouvoir parfois saisir certains détails très particuliers tout en fournissant une information généralement utile à divers milieux organisationnels. Ces questionnaires prennent la forme d'instruments pour faire un diagnostic organisationnel, pour mesurer la satisfaction des employés, pour évaluer la philosophie de gestion du personnel, pour déterminer les habiletés administratives de certains candidats, pour prendre connaissance du climat organisationnel, etc. De plus, certains sondages se classent également dans cette catégorie de besoins. Un sondage sur un sujet précis est parfois d'un intérêt certain pour plusieurs clients. Par exemple, un sondage périodique sur l'évolution des habitudes et des motivations du consommateur revêt une utilité certaine pour les entreprises qui se préoccupent de recherche et de développement de nouveaux produits. Il arrive également que plusieurs clients se réunissent ensemble pour effectuer un sondage-omnibus. Ainsi, chaque client a droit d'y inclure quelques questions et il recevra, à la suite de ce sondage, la partie des résultats qui le concerne. Cette possibilité de travailler en effectuant des regroupements de clients permet de réduire les coûts et de viser ainsi une partie du marché qui, autrement, aurait échappé au conseiller.

□ **Films et documents audio-visuels**

La production de ce genre de documents est une source importante de revenu pour le conseil. Il s'agit essentiellement d'un moyen mieux adapté pour diffuser de l'information à une audience plus large que la diffusion écrite. Encore ici, il peut s'agir d'un film ou d'un vidéo sur un sujet d'intérêt comme les causes et les conséquences de l'absentéisme au travail ou d'une cassette sonore présentant une conférence du conseiller, la rendant ainsi accessible à ceux qui n'ont pu y assister. Ces documents en plus d'intéresser directement les gestionnaires peuvent également intéresser les stations de télévision ou de radio.

Les produits présentés ci-dessus répondent parfaitement à la définition donnée d'un produit: standardisé et tangible, utilisé au moment où le client le désire, ne nécessite pas (au moment de son utilisation), l'action ou la présence du conseiller. Cette liste n'est évidemment pas exhaustive mais plutôt représentative des multiples possibilités. Les principales limites relatives au développement des produits sont l'imagination et le flair du conseil.

3.3 *Activités intermédiaires: les semi-produits*

Il existe également des activités du conseiller qui se situent entre les services professionnels et le produit typique. Il est approprié, croyons-nous de les identifier comme des semi-produits. En effet, certains services présentés sous forme standardisée exigent l'action et la présence directe du conseil au moment de son application. Le semi-produit n'est généralement pas tangible et utilisable avec autonomie au moment où le client le désire. Ce sont des services exigeant une coordination, une standardisation et des contraintes dans le temps. Le semi-produit le plus typique pourrait être le séminaire: le contenu est le même pour l'ensemble de l'audience, n'est pas tangible et le client y assiste au moment où celui-ci est offert. Le contenu est susceptible d'intéresser une catégorie de clients mais il ne permet pas d'aborder les problèmes spécifiques ou de tenir compte de la situation particulière de chaque client. Voici maintenant certains semi-produits offerts par les spécialistes de la consultation.

□ Séminaires spécialisés

Il arrive qu'un service professionnel particulier soit fortement en demande de la part des organisations. Dans ce contexte, le conseil a la possibilité de répondre à cette demande en organisant l'information pour qu'elle puisse être diffusée en même temps à un grand groupe de personnes intéressées. Il y a alors économie de temps pour le conseiller et d'argent pour les participants comparativement à une consultation de type individuel. Il est bien évident que tous les genres de consultation ne peuvent se transformer sous une telle forme. Plus la consultation exige une analyse approfondie et particulière, moins il est possible de la présenter simultanément à un large auditoire sous forme de séminaire. Les firmes de conseils qui offrent actuellement des séminaires spécialisés sont fort nombreuses et très diversifiées. Cette forme de semi-produit a acquis une très grande popularité dans les pays industrialisés.

□ Consultation et recherche en groupe

Cette forme de consultation a pour objectif de regrouper un certain nombre de clients dans le but de discuter, d'analyser et de solutionner un problème commun qui les préoccupe. Ce genre de consultation se réalise en utilisant la formule des ateliers en sous-groupes et des sessions plénières ce qui permet d'approfondir certains aspects spécifiques en petits groupes pour ensuite les discuter en grand groupe. Cette façon de procéder rend généralement la formule moins lourde, plus dynamique et permet d'aller plus loin dans la réflexion comparativement au cas où le groupe total travaille toujours ensemble pour toutes les discussions. Quant à la recherche, elle prend la même forme, soit celle de regrouper ensemble des clients qui ont un problème commun et qui sont prêts à défrayer les coûts de l'étude. À titre d'exemple, plusieurs entreprises affectées par un taux d'absentéisme élevé pourraient être prêtes à ce qu'une étude sur les causes et conséquences soit réalisée chez elles et que des recommandations générales et particulières soient ensuite remises aux gestionnaires dans le but d'améliorer leur situation actuelle.

□ Consultation par téléphone

Souvent, les gestionnaires font face à des problèmes urgents et ils aimeraient avoir rapidement l'avis d'un spécialiste sur les décisions à prendre. Fréquemment, ceux-ci téléphonent à un conseiller pour recevoir de tels avis. Plutôt que d'être dans la position de fournir ces avis gratuitement ou de se sentir mal à l'aise de refuser, il est plus valable d'y aller directement et de prévoir des moyens pour répondre à ce type de besoin. Ainsi, récemment, certains conseils américains ont commencé à offrir ce genre de semi-produit. À l'intérieur de certaines heures où le conseiller est accessible, les organisations peuvent demander son avis sur les questions d'intérêt. Il est bien clair qu'il ne peut s'agir que d'avis plutôt préliminaires car ce moyen ne permet pas une analyse en profondeur de la situation du client. Après avoir informé les clients de cette nouvelle possibilité de service, le conseiller facture, à la fin de chaque mois, les clients sur la base du temps total consacré à répondre à leurs questions ou à leur donner son point de vue. Cette façon d'agir évite les consultations gratuites dont se plaignent souvent les conseillers.

Après avoir décrit l'impact de l'environnement économique, politique et social sur la consultation organisationnelle, le processus adopté par les organisations pour choisir un conseiller et la grande variété des activités offertes par les conseils auprès des organisations (services professionnels de consultation, produits et semi-produits), il convient maintenant de se pencher sur une dimension très importante au succès éventuel d'un conseiller ou d'une firme-conseil, soit celle de la mise en marché des diverses facettes de l'activité professionnelle reliée à la consultation organisationnelle.

Chapitre 5
MARKETING DES ACTIVITÉS PROFESSIONNELLES DU CONSEILLER

De très nombreux conseillers manifestent un certain inconfort à l'idée de faire le marketing de leurs activités, soit les services professionnels de consultation ou les produits. Cette démarche leur apparaît horriblement commerciale et non professionnelle. D'ailleurs, nous remarquons encore aujourd'hui une très grande ambivalence de la part de nombreux groupes ou associations professionnelles. Cette attitude suscite des discussions très vives et souvent émotives. Mais d'où vient donc cette prise de position?

Les conseils interagissent et s'intéressent d'abord aux personnes à cause de leur rôle de personnes-ressources disponibles pour aider le gestionnaire à prendre les meilleures décisions possibles. Les spécialistes de la consultation préfèrent, par goût et par choix, dépenser temps et énergie au diagnostic et à la solution de situations organisationnelles problématiques. Ce type d'activités est beaucoup plus stimulant pour eux que ne l'est le marketing ou la mise en marché de leurs services. Deuxièmement, les conseillers voient fréquemment cette démarche comme incompatible avec l'image qu'ils se font d'eux en tant que professionnels. En effet, ils ont l'impression que les clients potentiels reconnaîtront leur valeur professionnelle et qu'ils n'ont qu'à attendre qu'on vienne les chercher comme experts. Troisièmement, la grande majorité des conseils auprès des organisations n'ont jamais été formés, ni même sensibilisés, aux techniques et stratégies de marketing. Ce sont là les raisons principales pour lesquelles ils ne sont pas confortables avec l'idée de faire la mise en marché de leurs propres services professionnels.

Certains conseils cherchent le moyen de se débarrasser de cette tâche soi-disant déplaisante en confiant toute cette responsabilité à un agent ou à un tiers. Cette façon d'agir est plutôt dangereuse. En effet, la décision d'un gestionnaire de retenir les services d'un conseiller particulier n'est pas seulement une question de compétence technique mais également une décision sous-tendue par des affinités au plan de la personnalité, de la confiance réciproque, etc. Or, si le conseiller s'exclut lui-même de la phase marketing, sa visibilité en sera évidemment amoindrie. Il est important que, dans toute stratégie de mise en marché, le conseiller se vende d'abord lui-même en tant qu'individu et professionnel. Le bien-fondé de cette position est compris dans les grandes firmes de conseillers où les associés seniors consacrent généralement leurs énergies au marketing et au développement du marché alors que les associés juniors sont plutôt responsables de la réalisation des missions. Dans un tel contexte, il arrive parfois que le conseil senior (celui qui a vendu les services) rencontre certaines réticences à faire accepter au client le fait que le mandat soit réalisé par quelqu'un d'autre que lui. Il faut de plus réaliser que les conseillers qui veulent éviter d'avoir à faire de la mise en marché en s'associant à de grosses firmes, ne font que repousser l'échéance. En effet, s'ils désirent avoir de l'avancement, ils devront consacrer, en tant qu'associés seniors, une part importante de leur temps au marketing de la firme et au développement de son marché potentiel. S'ils refusent cette réalité, ils sont condamnés à avoir peu de promotions. Il est toujours plus avantageux que le conseil fasse lui-même son propre marketing car il est souvent en bien meilleure position que n'importe quel autre tiers pour faire valoir ses compétences.

La question fondamentale n'est pas tellement le fait de faire ou de ne pas faire de promotion. Il ne s'agit pas ici d'opposer, de façon superficielle, le professionnalisme et la commercialisation. Tout est dans la façon de faire du marketing. Il est bien évident qu'il ne faut pas vendre un service professionnel comme n'importe quel produit que l'on retrouve sur les tablettes des supermarchés. La mise en marché des services professionnels se fait de façon discrète mais soutenue et vise d'abord à satisfaire le besoin d'information du client potentiel. Il est plus réaliste de choisir entre le bon et le mauvais marketing. À partir du moment où on accepte que le marketing fait partie intégrante du travail du conseiller, il faut que ce dernier accepte toutes les facettes du processus de mise en marché de ses services ou de ses produits professionnels.

Bien informer les clients potentiels des services professionnels disponibles et de la compétence d'un conseiller n'a rien de diabolique. Aujourd'hui, les gens veulent avoir le choix quand ils achètent un service ou un produit et c'est là leur droit le plus fondamental et le plus respectable. À moins de faire la promotion de ce que le conseil désire offrir, jamais personne ne le saura. En conséquence, leur choix en sera restreint. De toute nécessité, les conseils doivent se débarrasser de cette ambivalence déconcertante et s'intéresser au processus même de la mise en marché de leurs activités.

En consultation, le simple fait de bien faire son travail ne suffit pas toujours à assurer le succès d'une pratique professionnelle. Encore faut-il que les gens soient informés de ses compétences et de sa disponibilité. Dans ce contexte, il est vital que le conseiller fasse une certaine mise en marché de façon à décrocher des mandats. C'est une question de rentabilité et même de viabilité. Dans le passé, le marché exigeait peut-être moins que le conseiller consacre beaucoup de temps au marketing. La compétition étant moindre et l'éventail des choix pour les clients plus restreint, cet aspect du travail du conseil avait possiblement moins d'importance. Cependant, la réalité a bien changé au cours des vingt-cinq dernières années. Le marché est beaucoup plus complexe, plus segmenté et les techniques de marketing se sont raffinées afin de s'adapter à la nouvelle réalité des marchés. Dans ce contexte, le jeune ou le nouveau conseiller cherche à se faire connaître le plus rapidement possible s'il veut survivre et se positionner dans le marché de la consultation. Pas question d'attendre des années car les coûts d'opération d'un cabinet de consultation sont, de nos jours, énormes. Même les très importantes firmes américaines ou européennes de conseillers ont réalisé, au cours des dernières décennies, que la compétition était beaucoup plus grande et qu'elles devaient se préoccuper encore plus de leur marketing. Les techniques modernes de mise en marché des services professionnels et des produits sont la disponibilité du conseil et vouloir les éviter, en se mettant la tête dans le sable comme une autruche, risque grandement de jouer contre le conseiller lui-même. Faire inscrire le nom de la firme de consultation dans les pages jaunes d'un annuaire téléphonique et attendre les appels est un des moyens les plus certains de «faire couler à pic» une pratique professionnelle. Le conseiller doit être plus déterminé et plus actif sur le plan marketing. S'il n'est pas prêt à assumer ce rôle, il serait peut-être préférable qu'il pense regarder ailleurs que dans le secteur de la consultation.

1 Marketing de la consultation

Le marketing est une activité qui vise à créer, dans l'esprit des clients potentiels, la perception que le conseiller est la personne-ressource à contacter s'ils ont besoin du service professionnel offert. Il s'agit ici de mettre en évidence l'importance du positionnement dans le marché, c'est-à-dire situer les services ou produits dans une niche plus ou moins occupée et d'y associer le nom du conseiller. L'idéal consiste de créer un lien tel que, si un client ou une organisation désire ce type de service, il pense automatiquement à un conseil spécifique. Dans ce domaine comme dans plusieurs autres, il faut occuper, dans son secteur, la première position sinon un compétiteur sera contacté par le client.

1.1 *Mise en marché des activités du conseil*

Pour réussir une opération de marketing de services professionnels ou produits de consultation, un plan d'action précis permet une activité plus organisée, rationnelle et conséquemment efficace. Essentiellement, l'ampleur des efforts à consacrer au marketing dépend de la grandeur du marché que le conseiller désire atteindre, du nombre de compétiteurs et des moyens de promotion utilisés par ces derniers. De plus, le conseiller a l'obligation de tenir compte des règles et modalités de promotion acceptées suite à certains règlements gouvernementaux ou règles d'éthique des organismes professionnels.

□ Plan général d'action

Dans l'ensemble, l'opération de marketing consiste à respecter un certain nombre d'étapes assez traditionnelles.

Identifier le marché ou les clients potentiels

Après avoir localisé les clients potentiels susceptibles de bénéficier de ses services, le conseil oriente ses messages ou promotions de façon consistante et constante vers cette cible de sorte que, dans leur esprit, le nom du conseiller soit associé à la position de chef de file dans son domaine d'expertise. Par contre, si le conseil a un compétiteur très connu, le conseiller peut alors se présenter comme une alternative ou un choix. Idéalement, il faut autant que possible être dans un positionnement unique: le seul à offrir tel service ou produit, la seule alternative véritable à tel ou tel expert-conseil, etc.

Définir le but et les objectifs

Le but est défini de façon générale et à long terme alors que les objectifs spécifiques fixés permettent l'atteinte de celui-ci. Quant à ces objectifs, ils sont plus précis, particuliers et à court terme. Si le but d'une firme de conseillers est d'accroître le chiffre d'affaires de 25 % au cours de la prochaine année, les objectifs pourraient être un accroissement mensuel de 2,1 % réparti selon telle ou telle modalité entre les divers conseillers, etc.

Définir la stratégie

Il est important que les moyens concrets nécessaires pour atteindre les objectifs et ultimement le but soient bien spécifiés. La stratégie constitue le cheminement ou le coeur de la réalisation du plan de marketing.

Définir les budgets

Le budget d'opération est établi en tenant compte à la fois des moyens de la firme, du but et de la stratégie. Ainsi, le conseil peut prévoir les ressources financières nécessaires pour réaliser complètement l'opération marketing. Ces coûts ne devraient cependant pas être conçus seulement comme des dépenses mais également comme des investissements puisqu'ils affectent directement le volume de la pratique professionnelle du conseil. L'établissement du budget implique également la mise en place de modalités de contrôle périodique pour s'assurer, comme un marin, ne pas avoir tout dépensé avant d'entrer au port. Certains relevés mensuels ou bimensuels des coûts de la mise en marché sont des outils qui fournissent une information cruciale au conseiller.

□ Principes stratégiques

Hameroff et Nichols (1982) se sont penchés sur les principes stratégiques que le conseiller doit conserver à l'esprit quand il envisage la mise en marché de ses activités professionnelles. Voici maintenant les principes énoncés.

Intérêt des clients potentiels

La promotion est centrée sur l'élément humain et cherche à répondre à la question fondamentale que se pose tout individu rejoint par l'effort de marketing: «De quelle façon, ce conseiller peut-il m'aider personnellement ou en tant que gestionnaire?».

Réfléchir avant de communiquer

Il est très important que le conseiller réfléchisse sur le contenu et l'impact de son message avant de le mettre en circulation. En effet, il est difficile et coûteux de bénéficier d'une seconde chance pour corriger une première impression qui pourrait être plus ou moins positive.

Capitaliser sur l'unicité

Le positionnement sur le marché est certes plus efficace si le conseil cherche à combler une niche encore inoccupée ou qu'il se présente comme une alternative sérieuse aux grands experts dans le domaine.

Silence, n'est pas toujours d'or

Sitôt sa compétence établie, le conseiller doit rapidement se positionner dans le marché en informant les clients potentiels. Sinon, il risque qu'un compétiteur, plus rapide que lui, ne se fasse reconnaître le premier comme l'expert dans le domaine. Il ne faut pas ici tomber dans le panneau de la fausse modestie dont il fut question précédemment.

Multiples facettes du marketing

La mise en marché d'une firme de conseillers n'est pas l'affaire d'un ou deux individus. Tous, de la réceptionniste au conseiller senior, participent à l'établissement et à la conservation de l'image que souhaite transmettre le cabinet-conseil auprès du public. C'est une préoccupation quotidienne de tous les membres de l'équipe.

L'image n'est pas créée mais réfléchie

La croyance populaire que tout peut être vendu peu importe la qualité est, de façon générale, fortement discutable et ce, encore plus dans le secteur de la consultation. La compétence, la qualité des services et le sens des responsabilités sont de toute première importance. Le conseiller doit livrer ce qu'il a promis sinon sa renommée et sa survivance peuvent en être fortement affectées. Il est difficile et long de se bâtir une clientèle mais facile et rapide de la perdre. Les clients ne sont pas dupes et la mise en marché des divers services professionnels permet de choisir un autre conseil s'ils ne sont pas satisfaits.

Atteinte du marché-cible

Pour qu'une stratégie de marketing soit efficace, il est nécessaire que le segment de marché visé soit au départ bien identifié. Une opération de marketing s'adressant à une trop vaste population est généralement inefficace. Aujourd'hui, il faut, à cause de la multitude des messages reçus par les individus, être spécifique et capter l'attention des divers segments du marché avec un message d'intérêt spécifique. Il est alors souhaitable d'avoir une stratégie de marketing très bien adaptée à chaque segment.

Synergie et répétition

Après avoir bien structuré le message ou l'information à transmettre, il est recommandé de le répéter sans cesse et ne pas le modifier afin que celui-ci s'imprègne auprès de la population visée. Ainsi, chaque émission du message renforce la précédente. Dans cette optique, le conseiller utilise les divers médias (journaux, revues, radio, télévision, etc.) de façon à établir une synergie. En effet, chaque média ayant ses avantages et ses limites, il faut les combiner ensemble dans un plan de marketing intégré de sorte qu'en utilisant deux moyens, l'impact simultané des deux soit plus que la somme de l'impact successif des deux additionnés. Ainsi, sans accroître le budget prévu, il est possible d'utiliser deux médias plutôt qu'un seul et avoir à ce moment un impact plus grand à l'intérieur des mêmes limites budgétaires en variant, par exemple, la fréquence.

Clarté et simplicité du message

Le message à transmettre par le conseil a avantage à être le plus simple et le plus précis possible afin de maximiser les probabilités de réception de la part de la clientèle potentielle.

1.2 *Mise en marché du conseiller lui-même*

Avant d'aborder de façon spécifique les diverses techniques de marketing, il convient de souligner un autre aspect d'importance pour le conseiller. Avant de penser à offrir ses services professionnels par le biais des diverses techniques disponibles, il faut réaliser que le conseil a l'obligation de se vendre également comme individu et professionnel. En tant que personne, le conseiller agit de façon à ce que les clients potentiels aient une perception positive de sa présentation physique, de ses capacités intellectuelles, de ses habiletés à établir des relations interpersonnelles agréables, et enfin de sa personnalité (attitudes, émotions, intérêts). Nous avons abordé, de façon détaillée dans un chapitre précédent, les pré-requis et caractéristiques personnelles souhaitables pour faire carrière comme conseiller. Soulignons plutôt ici l'aspect important de la perception des clients. Très souvent, le premier contact est crucial à l'établissement d'une relation client-conseiller. Le tout se joue parfois en quelques secondes. Le futur client est attiré, ou au contraire repoussé, suite à un processus perceptuel très subjectif. Il aime ou non l'apparence physique; il est attiré ou non par l'empathie du conseiller; il est déçu ou attiré par la vivacité d'esprit et la capacité d'analyse du conseil. Ce dernier doit être très sensibilisé à l'image personnelle qu'il projette puisqu'il s'agit là de la première étape de la démarche de marketing de ses services professionnels.

En tant que conseil professionnel, celui-ci dégage une image positive qui inspire confiance au gestionnaire. Pour ce faire, il est d'abord à l'écoute du client, cherche à bien comprendre la situation problématique et les besoins du client. Son approche vise à considérer le problème du client comme unique ou particulier. Personne n'aime sentir que l'on perçoit sa situation comme du «déjà vu» ou qu'on l'aborde de façon standardisée. Il est nécessaire que le conseil soit attentif, ait l'esprit ouvert et établisse une relation personnalisée. La consultation est généralement une activité professionnelle faite sur mesure pour chaque client et elle ne laisse pas transparaître une vision stéréotypée des réalités organisationnelles. Le conseiller est attentif au raisonnement et aux émotions du client lors de son analyse de la situation. Écouter et comprendre le client sont des activités prioritaires par rapport à celle de lui répondre.

Deuxièmement, le conseiller peut fournir au client des références personnelles en mentionnant, au besoin, les noms de clients passés, en expliquant les missions déjà réalisées, en spécifiant ses honoraires, etc. Il est essentiel que le conseiller définisse bien dans son esprit ce que le client a le droit et n'a pas le droit de savoir. Évidemment, si la confidentialité a été promise aux clients, il n'associe pas le contenu de telle mission à un client particulier à moins que ce ne soit du domaine public. La discrétion du conseil par rapport à ses clients passés constitue une garantie de la façon dont il traitera son futur client. Le fait de ne pas être préparé à répondre aux questions du client dénote un certain manque d'expérience et affecte ainsi sa crédibilité.

Troisièmement, le conseiller manifeste une certaine indépendance face aux futurs clients et ne fait pas l'erreur de donner l'impression d'avoir absolument besoin du mandat d'un client. Le conseil ne cherche pas à plaire dans le seul but de satisfaire les besoins du client et recevoir ainsi le mandat désiré. Il conserve une certaine distance faisant preuve de professionnalisme. Il est important que ce dernier puisse être assez indépendant pour pouvoir rompre la relation avec le client si les circonstances l'y obligent. Le climat de la relation de consultation en est un de relations professionnelles, d'autonomie et de respect réciproque.

Enfin, le conseil n'oublie pas que tous les moyens ou produits publicitaires utilisés sont de fait perçus comme une extension de lui-même. À ce niveau, les détails concourent à imprimer dans l'esprit des clients potentiels l'image de professionnalisme que le conseil désire transmettre: brochure, papier à lettre, carte d'affaires, etc. La qualité et le style de correspondance, la clarté et la précision de ses offres de service sont des éléments non négligeables quand il désire se positionner dans un marché aussi complexe et étendu que le marché actuel de la consultation.

1.3 *Importance du marketing*

Après avoir tenté de sensibiliser le conseiller à la nécessité d'accorder son attention à la mise en marché de ses services et produits professionnels, il peut être intéressant de souligner, de façon plus précise, le temps à y consacrer. Pour ce faire, nous utiliserons certaines données fort intéressantes et révélatrices tirées des sondages semi-annuels qu'effectue, depuis plusieurs années, Howard L. Shenson. En effet, à tous les six mois, celui-ci réalise un sondage exhaustif auprès d'un très grand échantillon des conseillers américains. Ces sondages abordent les multiples facettes du travail des conseils auprès des organisations. Les détails relatifs à chacun de ces sondages sont présentés à l'appendice IV: population estimée, échantillon, pourcentage de retour.[1]

Les résultats présentés au tableau 5.1 démontrent l'importance accordée par les conseillers à la dimension marketing de leurs services. Ces données proviennent de douze sondages semi-annuels s'échelonnant de 1980 à 1986. Il est possible de constater que ce tableau que les conseillers accordent, chaque mois, une moyenne de 5,3 jours (variation selon les sondages de 4,1 à 6,7 jours/mois) à faire du marketing. Le volume de temps consacré à cette activité est relativement important dans le travail des conseillers puisqu'il représente en moyenne 24% du temps mensuel ouvrable (variation selon les sondages de 18% à 30%). De plus, il semble que la quantité de temps attribuée à cette fonction varie selon le contexte économique. En effet, quand la situation économique est meilleure, on a tendance à assister à une plus grande importance accordée à la mise en marché. Ainsi, en 1980, le temps consacré au marketing est plus marqué que dans les années 1981 et 1982 où la crise économique semble avoir ralenti l'activité de mise en marché des services de consultation. Une certaine reprise se manifeste en 1983 ce qui coïncide également avec un léger regain au plan économique. Il apparaît donc que plus la situation économique est bonne, plus les clients potentiels sont nombreux et plus l'activité de mise en marché du conseiller prend de l'importance dans ce contexte.

L'activité marketing des services et des produits professionnels est essentielle dans l'ensemble du travail des conseils. Il semble que ces derniers doivent, s'ils veulent réussir dans ce milieu, mieux comprendre le but et la valeur du marketing. Ce n'est qu'à ce prix que peut se corriger l'attitude ambivalente, voire même négative, de certains conseils quant à leur perception de la nécessité de la mise en marché des activités et l'utilité de ce type d'information dans le processus de choix d'un conseil tant par les organisations que par les clients individuels. Encore une fois, ce n'est pas l'existence de la promotion comme telle qui doit être l'objet d'une critique sévère mais plutôt la façon dont celle-ci est exercée.

---

1. Toutes les données tirées des sondages sont «reproduites avec la permission, Copyright Howard L. Shenson, 20750 Ventura Boulevard, Suite 206, Woodland Hills, California 91364».

Tableau 5.1
Importance des différentes dimensions du travail des conseillers exprimée par la moyenne mensuelle du nombre de jours consacrés à chacune d'elles
(Sondages H.L. Shenson)

	Fév. '80	Juil. '80	Janv. '81	Juil. '81	Janv. '82	Sept. '82	Avril '83	Oct. '83	Mars '84	Sept. '84	Avril '85	Fév. '86	Moyenne totale
Nombre de conseillers qui ont répondu au sondage	*3 016*	*3 125*	*3 645*	*4 021*	*5 128*	*6 223*	*6 044*	*6 315*	*6 549*	*6 812*	*7 005*	*7 129*	*5 418*
Réalisation des mandats des clients	10,4	9,9	10,4	11,3	12,5	11,2	12,3	12,8	13,2	11,9	12,2	13,1	11,8
Marketing des services professionnels	6,1	6,7	5,3	4,5	4,2	4,1	5,2	6,1	5,4	5,9	5,5	5,1	5,3
Gestion de la pratique professionnelle	2,5	2,1	1,7	2,2	3,1	2,1	1,8	1,4	2,7	3,4	2,8	3,2	2,4
Développement professionnel du conseiller	3,0	3,3	3,6	1,9	1,6	2,2	1,9	1,6	1,3	1,7	2,3	2,5	2,2
Autre	---	---	---	1,1	1,2	2,2	1,3	0,7	0,3	0,2	0,4	0,4	0,9
Total de jours ouvrables par mois	22,0	22,0	21,0	21,0	22,6	21,8	22,5	22,6	22,9	23,1	23,2	24,3	22,4

--- *Catégorie non spécifiée dans ces sondages.*

2 Marketing indirect et direct

Avant d'analyser les caractéristiques des diverses techniques de marketing, le conseil clarifie d'abord, à ses yeux, s'il a le goût et le temps d'assumer lui-même l'opération marketing ou s'il va avoir recours aux services spécialisés d'une agence de marketing. Évidemment, cette décision est fonction principalement de la compétence du conseil dans ce domaine et de sa disponibilité. Qu'il décide de retenir les services de professionnels en marketing ou non, le conseiller a intérêt à être impliqué dans l'élaboration du plan de marketing car il s'agit d'une démarche visant à accroître sa propre visibilité auprès du marché potentiel.

S'il décide d'assurer lui-même l'opération, il élabore un plan global de marketing caractérisé par une certaine unité au niveau du message et par un effet synergique au plan des médias utilisés. Pour réaliser son but, il arrive que le conseiller ait parfois besoin d'aide spécialisée à l'occasion de certaines étapes spécifiques de l'opération: écrivains à la pige, courtier pour l'achat d'espace dans les médias imprimés et de temps dans les médias télévision ou radio, studios de graphisme, concepteurs, imprimeurs, etc. Tous ces spécialistes travaillent à l'intérieur du plan pré-établi qu'il a lui-même esquissé.

Par contre, si le conseiller décide de confier cette tâche assez spécialisée à des professionnels en marketing, il a avantage à n'impliquer qu'une seule agence de façon à ce que le plan d'action soit bien articulé et ne constitue pas en fait un amas de moyens de promotion non intégrés. Il est très important, à cause des coûts et des répercussions sur la viabilité de la firme de conseils, que le choix du spécialiste en marketing soit judicieux. Le conseiller peut d'abord s'informer auprès de collègues pour avoir le nom de certains spécialistes qui ont, dans le passé, fait un travail valable pour eux. Il est souhaitable de rechercher et d'identifier les agences spécialisées dans le marketing des services professionnels qui ont eu du succès dans ce domaine. Les associations professionnelles et les divers médias qui annoncent des services professionnels (journaux, revues, télévision, radio, etc.) sont également des sources d'information très intéressantes. Deuxièmement, après avoir fait un choix préliminaire, le conseiller rencontre les agences retenues et leur demande de voir certaines de leurs réalisations passées relativement au marketing de services professionnels. Le conseil a ainsi une bonne idée de leur compétence et de leur originalité. Troisièmement, si le conseiller est encore hésitant, il peut, selon certains frais, demander une présentation de ce que l'agence pourrait faire pour lui en réservant alors sa décision finale jusqu'à ce que cette présentation ait eu lieu. Quatrièmement, le conseil exige toujours un contrat décrivant clairement les responsabilités, les coûts, les activités, le matériel fourni, les conditions à respecter par les deux parties pour mettre fin à l'entente, etc.

Quelle est donc essentiellement la distinction entre le marketing indirect et direct? Le marketing direct correspond à l'approche traditionnelle de la mise en marché en ce sens qu'il vise directement la vente des services et produits professionnels en achetant des espaces pour annoncer dans les médias imprimés (journaux, revues), du temps dans les médias audio-visuels (télévision, radio), en faisant de la sollicitation par téléphone ou par courrier, en distribuant une brochure, en faisant inscrire le nom de la firme de conseils dans certains annuaires spécialisés. Ces moyens de promotion impliquent généralement des coûts assez élevés. Le message transmis vise à promouvoir la vente auprès du segment de marché visé. Le marketing indirect constitue une approche dite non traditionnelle au niveau de la mise en marché. Ce type de marketing est souvent identifié par l'expression relations publiques. Il s'agit de promouvoir les services professionnels en utilisant des moyens indirects qui permettent au conseiller d'accroître sa visibilité auprès d'un certain marché par l'utilisation de multiples moyens: écrire des articles, chroniques ou volumes dans son domaine de spécialisation, donner des conférences, faire de l'enseignement, être membre de clubs sociaux, faire du bénévolat, s'inscrire dans certaines associations professionnelles, participer à des congrès nationaux et internationaux, publier un bulletin périodique, faire des déclarations suscitant l'intérêt des divers médias d'information de façon à ce qu'ils en fassent état, etc. Les moyens sont évidemment très nombreux et certains conseillers font preuve de beaucoup d'imagination à ce niveau. Ces moyens sont généralement accessibles au conseil sans frais ou à très peu de frais. L'utilisation de certains de ces moyens peuvent même devenir une source de revenus. De plus, les conseillers développent parfois certains produits ou semi-produits (bulletin périodique, volume, chroniques régulières pour revues, séminaires, consultation/recherche en groupe, etc.) qui ont, par leur vente, comme objectif final de promouvoir éventuellement la consultation individuelle auprès des organisations. La distinction entre la vente de produits et le marketing indirect est parfois assez mince. Les conseillers devraient, en plus d'utiliser le marketing direct, bénéficier des nombreuses opportunités qu'offre, à des coûts très bas, le marketing indirect. Nous analyserons, plus loin dans ce chapitre, le niveau d'efficacité du marketing indirect et direct.

Afin de bien choisir le type de marketing le plus approprié ou d'agencer de façon optimale le marketing indirect et direct, il convient que le conseil soit bien sensibilisé aux caractéristiques respectives de chacun. Hameroof et Nichols (1982) ont, dans leur volume, présenté les différences entre ces deux approches de marketing (tableau 5.2).

2.1 *Marketing indirect*

La section suivante sera consacrée aux diverses techniques ou moyens accessibles aux conseillers. Sans entrer dans tous les détails et sans avoir la prétention de présenter un relevé exhaustif, nous accorderons une certaine attention à la présentation des diverses facettes du marketing indirect.

□ Conseiller en tant qu'auteur

Le conseil peut accroître, de façon appréciable, sa visibilité en se faisant connaître par ses écrits présentés sous plusieurs formes: lettre à l'éditeur, article, chronique régulière, bulletin périodique, volume. Le choix des moyens implique que le conseiller fasse une évaluation la plus objective possible de ses talents d'écrivain et de ses disponibilités. Il lui faut éviter de se lancer dans une aventure qui dépasse ses capacités et risque de s'avérer une expérience malheureuse. Si le conseil possède une très bonne connaissance dans un domaine de spécialisation, s'il démontre de la facilité à écrire et le temps disponible nécessaire, s'il n'effrite pas son marché potentiel en publiant, il est alors dans des conditions favorables pour actualiser son désir d'être auteur. Les conseillers craignent souvent qu'en publiant sous diverses formes, ils affectent la demande ultérieure de leurs services professionnels. Cette crainte est très exagérée et souvent sans fondement car il existe nombre de clients qui, après avoir lu les écrits du conseiller, vont vouloir aller plus loin. La tendance générale des gens est de penser que l'auteur en connaît beaucoup plus qu'il n'en a mis dans ses écrits ce qui correspond fréquemment à la réalité.

Lettre à l'éditeur

Cette activité d'écriture est certes la moins exigeante car elle ne requiert que peu de temps. Celui qui a des disponibilités réduites, peut tout de même faire parvenir à l'éditeur d'un journal ou d'une revue une lettre qui est généralement publiée intégralement. Pour avoir un impact, le contenu de cette lettre doit cependant être accrocheur en énonçant une position ou une opinion susceptible d'alimenter la discussion sur un problème particulier. Provoquer intelligemment la controverse est une façon d'être publié avec une relative facilité. Si le conseil choisit bien la

Tableau 5.2
Comparaison du marketing direct et indirect selon certaines caractéristiques importantes

	MARKETING DIRECT	MARKETING INDIRECT
1. Coûts	Les coûts ont augmenté beaucoup au cours des dernières années	Les coûts sont généralement faibles et souvent accessibles sans frais
2. Contrôle sur le message	Le conseil contrôle le contenu et les modalités de diffusion	Impossible d'avoir un contrôle complet sur la façon dont le message sera traité
3. Crédibilité	Étant payé par le conseil le contenu du message peut laisser des doutes dans l'esprit des clients futurs	Transmet une image d'expertise reconnue par les médias ou responsables d'associations
4. Caractère de la relation conseil/client	Relation directe entre le message du conseil et le client potentiel	Insertion d'un tiers entre le conseil et le client éventuel (journaliste, interviewer)
5. Image projetée	Image d'agressivité de la part du conseil	Image du conseiller plus discrète
6. Répétition	Message peut être diffusé autant de fois que le conseil le désire	Diffusion généralement unique
7. Présentation du message	Présente votre pratique en utilisant tous les qualificatifs souhaités	Présentation plus axée sur les faits, ce qui limite l'utilisation de certains qualificatifs
8. Contenu du message	Plus axé sur le contenu du message	Plus axé sur la diffusion d'une image ou d'une impression
9. Utilisation de graphiques	Grande variété disponible au conseiller	Laisser à la discrétion d'un tiers (éditeur, etc.)
10. Média disponible	Limité aux moyens de diffusion imprimée ou audio-visuelle	Quasi-illimité
11. Complexité du message	Message doit être simple	Message peut être plus complexe car il est possible d'expliquer

revue ou le journal en fonction de son marché-cible, les clients potentiels retiendront généralement le nom de l'auteur si l'opinion ou la position leur apparaît pleine de bon sens.

Article de revue

Écrire un article pour un journal ou une revue populaire auprès du marché-cible du conseil est un excellent moyen de se faire connaître en tant qu'expert dans un domaine. Avant de commencer à rédiger l'article, le conseiller s'informe auprès de l'éditeur si la revue ou le journal accepte des articles rédigés par des personnes qui ne sont pas des employés de l'éditeur. Il est alors possible de vérifier également auprès de l'éditeur et les lecteurs éventuels, l'intérêt que représente le sujet que le conseil désire traiter. Une fois cette étape franchie, le conseil a avantage à lire plusieurs articles publiés dans le média choisi de façon à avoir une idée assez précise de la structure des textes, du style et des normes de présentation. Il prépare ensuite la rédaction de son article en notant ses différentes idées sur des fiches séparées et en y laissant l'espace nécessaire à l'élaboration de chacune d'elles. Après avoir développé le contenu de ses idées, le conseiller organise l'ordre de présentation de celles-ci selon une séquence logique. Après avoir terminé la rédaction de son texte, le conseil écrit l'introduction qui démontre l'importance du sujet et la conclusion qui constitue de fait une synthèse des idées majeures présentées. La préparation d'un article demande évidemment plus de temps qu'une lettre à l'éditeur mais la visibilité et la reconnaissance de l'expertise sont grandement plus significatives.

Le choix de la revue ou du journal est excessivement important. En effet, si le conseiller désire atteindre un marché spécifique, il a tout avantage à ce que son article soit publié dans une revue qui a une bonne diffusion et réputation auprès des futurs clients identifiés à ce marché. Le support de diffusion est aussi important que le contenu du message ou de l'article. Habituellement, le conseil s'identifie dans son article et mentionne où il peut être rejoint à l'intention de ceux qui désireraient des informations additionnelles. L'impression qu'il cherche à laisser aux lecteurs peut se résumer à crédibilité, compétence et accessibilité.

Chronique régulière

La chronique consiste à écrire un court article publié périodiquement (jour, semaine, mois) dans une revue ou un journal spécialisé qui s'adresse, de façon plus particulière, au marché que le conseil souhaite atteindre. Le fait d'être publié régulièrement permet d'abord d'accroître la visibilité du conseiller en le mettant en contact avec des milliers de lecteurs intéressés généralement aux sujets traités. En plus de devenir une possibilité d'accroître sa clientèle, la publication d'une chronique régulière devient même parfois une source directe de revenu.

Avant de se lancer dans une telle aventure, le conseil doit cependant bien évaluer son action car il sera nécessaire d'y consacrer un temps relativement important. S'il a la capacité et la possibilité d'écrire sur une grande variété de sujets à l'intérieur de son domaine de spécialisation, s'il peut consacrer une quantité appréciable de temps à l'écriture et s'il a une certaine facilité pour le faire, il est alors en mesure d'envisager cette hypothèse et de choisir le média et le rythme de publication qui lui convient.

S'il prend la décision de tenter cette expérience, il est recommandé de préparer une liste des thèmes qu'il souhaiterait aborder au cours des 3 ou 6 prochains mois, de préparer un certain nombre de chroniques, de soumettre celles-ci de même que la liste des sujets des futures chroniques aux médias qui apparaissent les plus appropriés et les plus susceptibles d'être intéressés par une telle proposition. Suite aux réponses reçues, le conseiller est en mesure de négocier avec les médias intéressés de façon à atteindre les objectifs visés par cette opération en termes de visibilité et/ou rémunération.

Bulletin périodique («newsletter»)

La publication d'un bulletin périodique est considérée comme un des produits possibles de la consultation et c'est ainsi qu'il en fut question dans le chapitre précédent. Cependant, il en sera fait mention ici exclusivement à titre de technique de marketing indirect. En effet, la publication de ce bulletin pourrait avoir comme but unique d'accroître la visibilité du conseil par une opération de distribution auprès de la clientèle-cible. Il est important que ce bulletin ne soit envoyé gratuitement qu'à des personnes sélectionnées à cause de leur intérêt évident pour le contenu traité. Chaque bulletin aborde un problème particulier d'intérêt pour les lecteurs et offre l'occasion d'émettre des opinions ou réflexions visant à alimenter la discussion. Le contenu se présente de façon précise, est lu rapidement et est perçu comme très adapté à l'actualité immédiate. Enfin, la présentation graphique et le format doivent rendre le bulletin attrayant et agréable à lire. Le bulletin périodique reflète le professionnalisme à la fois par son contenu et sa forme.

Cette technique de marketing constitue un excellent moyen de rappeler aux clients potentiels, à tous les mois ou à tous les trois mois, que le conseiller est toujours présent et disponible, en train de réfléchir et de suggérer de bonnes idées, ce qui en fait, pour le client, une ressource d'excellente valeur.

Volume

La décision d'écrire un livre toute attrayante qu'elle soit pour le conseiller constitue une démarche exigeant beaucoup d'efforts. Écrire un volume sur un domaine de spécialisation représente une expérience enrichissante permettant de laisser une marque personnelle dans le champ d'activités professionnelles du conseil. Ce dernier écrit un volume généralement parce qu'il est plus ou moins satisfait des ouvrages disponibles et qu'il pense pouvoir réaliser un travail plus complet, plus original ou plus pertinent. Ce n'est pas habituellement la dimension argent ou droits d'auteur qui attire le conseiller. En effet, s'il évalue le temps consacré en fonction de la rémunération, il verra que l'opération est souvent, sur le plan strictement financier, déficitaire. Certains auteurs ont pu faire beaucoup d'argent avec un «*best-seller*» mais, tout en le souhaitant, il faut également être réaliste. Ce que le conseiller attend concrètement de la publication d'un volume, ce sont plutôt les aspects suivants: possibilité d'accroître ses honoraires parce que reconnu comme expert, recevoir des invitations à prononcer des conférences, multiplier sa présence par le biais du volume ce qui favorise une extension du conseiller, susciter des demandes de consultation, être créatif en offrant des séminaires sur le même sujet où le client aura alors un contact direct avec l'auteur qui fait alors figure d'expert, etc. Dans ce contexte, le volume, qui est en soi un produit, devient également un moyen de promotion. C'est à ce titre que nous en faisons mention ici dans les techniques de marketing indirect.

Voilà donc divers moyens d'être auteur si un conseil opte pour cette orientation. Encore ici, il est important de signaler que celui qui désire se lancer dans cette aventure doit bien évaluer ses disponibilités, ses capacités ou aptitudes et ses objectifs s'il souhaite éviter des déceptions ou des échecs personnels. Tout conseiller n'est pas ou ne sera pas nécessairement un auteur heureux et efficace malgré les avantages que procure cette technique de promotion.

□ Exposé oral

Une autre des méthodes de marketing indirect consiste à présenter des exposés oraux, sous la forme de conférence ou d'enseignement à temps partiel. Voilà encore deux approches auxquelles certains recourent pour accroître leur visibilité. Avant d'opter pour l'utilisation de cet outil de mise en marché, le conseiller doit tenir compte de trois points particuliers:

— Est-il possible de rejoindre ainsi l'auditoire-cible?

— Est-il bon orateur ou est-il prêt à prendre les moyens concrets pour le devenir?

— A-t-il réellement quelque chose de nouveau à dire ou peut-il toucher son auditoire?

Si la réponse aux trois questions précédentes est positive, il peut alors être avantageux pour ce dernier d'utiliser ce type de promotion.

Dans un premier temps, il fait la liste des associations ou groupes sociaux et professionnels servant de point de ralliement à l'auditoire qu'il désire rejoindre. Nombre d'associations sont constamment à la recherche d'orateurs capables d'entretenir leurs membres et les responsables de celles-ci seront très heureux d'envisager l'invitation possible du conseiller si ce dernier est susceptible de présenter un message d'intérêt pour l'auditoire. La sélection de ces groupes et associations issus des milieux local, régional ou national dépend de l'objectif du conseiller en termes du développement de son marché. Le conseiller écrit au président ou au responsable du programme de chacun des regroupements sélectionnés en indiquant son degré de familiarité avec les objectifs du groupe, les raisons pour lesquelles il croit que son message pourrait être d'intérêt pour le groupe, sa formation académique et son expérience, les thèmes sur lesquels il est prêt à entretenir le groupe, les dates de disponibilités, les honoraires et/ou le remboursement des frais, etc. Après quelques jours, il est utile de faire par téléphone un suivi pour s'informer si la personne a bien reçu votre lettre et si le groupe est réellement intéressé par votre proposition. De plus, une telle démarche démontre bien le sérieux de l'offre et le désir de rencontrer les membres de ce groupe.

Dans l'éventualité d'une invitation à prononcer une conférence, le conseiller cherche à connaître le plus possible l'audience à laquelle il s'adressera: combien seront-ils, quels sont les caractéristiques des membres (âge, sexe, éducation, niveau de revenu, expertise technique, etc.), leur degré de familiarité avec le sujet traité. Pourquoi assistent-ils à ces rencontres? Quel genre d'information recherchent-ils? Quels sont les principaux défis qu'ils doivent relever? À quel type de contenu sont-ils les plus réceptifs? En fonction des réponses apportées à ces interrogations, le conseil élabore le contenu de sa conférence (et le support audio-visuel approprié) qui généralement dure environ de 20 à 30 minutes. Il se pratique ensuite jusqu'à ce qu'il maîtrise sa conférence de façon très professionnelle. Il arrive souvent qu'il ait une impression de saturation mais il ne doit pas oublier que, pour l'auditoire, ce sera la première fois que son message sera entendu.

Habituellement, le conférencier prévoit une période pour répondre aux questions de l'auditoire et ainsi se faire encore mieux connaître. De plus, le conseiller laisse à la disponibilité des membres de l'auditoire sa carte d'affaires. Quelques semaines ou moins après la conférence, il est possible que certaines personnes réfèrent à la carte d'affaires et possiblement prennent contact pour un besoin particulier.

Une autre forme d'exposé oral correspond à l'enseignement à temps partiel. Un certain nombre de conseillers se font également connaître de cette façon auprès d'un auditoire de gestionnaires qui suivent des cours de perfectionnement ou d'étudiants qui occuperont dans quelques années des postes de commande dans les organisations. En plus d'être rémunéré pour donner de tels cours, il est encore plus intéressant de considérer la possibilité qui s'offre au conseil de se faire mieux connaître.

Si les possibilités au niveau de l'enseignement universitaire et de l'enseignement continu aux adultes sont restreintes, le conseiller a la possibilité d'envisager l'enseignement sous forme de séminaires offerts à des clientèles-cibles. Le séminaire, qui est également un produit, devient maintenant un moyen de promotion ayant pour objectif ultime de développer la pratique professionnelle de la consultation auprès des organisations.

□ Participation active à des groupes sociaux ou professionnels

Certains conseillers se joignent à des groupes sociaux et y exercent du bénévolat. Tout en rendant des services appréciés, ces derniers prennent contact avec des clients potentiels et se font connaître par leur dévouement, leur disponibilité, leur sens des responsabilités. Le bénévolat est certes en soi une action très positive mais les contacts établis peuvent, de par la nature des groupes sociaux, être également fructueux au niveau professionnel, ce qui n'enlève rien à la valeur humanitaire du geste bénévole.

Dans le contexte du marketing indirect, le conseiller peut offrir ses services bénévolement si son expertise répond aux besoins du groupe, s'il se sent réellement intéressé et impliqué dans la cause sociale défendue, s'il a suffisamment de disponibilités pour respecter les responsabilités qu'on lui confie, si le poste détenu au sein de l'association permet une bonne visibilité, s'il y a des occasions de rencontrer des personnes que le conseil ne pourrait rencontrer autrement, etc. Il est généralement reconnu que la totalité du temps consacré aux organismes sociaux est plus importante chez les jeunes conseillers que chez ceux dont la pratique est bien établie parce qu'ils ont alors moins de disponibilité et parce que ce moyen indirect de promotion est moins nécessaire (Hameroff et Nichols, 1982).

Une autre modalité de participation active à des groupes est celle qui implique le conseil dans des associations de type plus professionnel que social. Ces groupes se rencontrent périodiquement et les possibilités de s'exposer professionnellement sont fort intéressantes: discussions sur des sujets d'intérêt pour tous, travail en petits comités pour l'étude de certains problèmes communs. Le conseiller qui adopte une attitude active et intelligente, a l'occasion de se faire connaître positivement et ainsi susciter des opportunités de consultation.

□ Références personnelles

Une des techniques de marketing indirect les plus efficaces et les moins coûteuses est celle de la référence ou du bouche à oreille. Un client satisfait est certainement le meilleur individu pour faire la promotion du conseiller. Quand un client a été bien servi, il est généralement heureux de le faire savoir à ses collègues ou amis et de partager avec eux cette expérience heureuse. Comme les gens s'associent généralement à d'autres personnes partageant les mêmes intérêts ou les mêmes valeurs, elles sont alors prêtes à faire confiance et à croire ce que les autres du groupe recommandent. Les références constituent certes un excellent moyen de promotion pour le conseiller en utilisant ce facteur multiplicateur sans qu'il lui en coûte un sous.

Il est bien évident que cette technique ne répond pas à un besoin de promotion rapide. Néanmoins, c'est un excellent outil pour bâtir une pratique de consultation sur des assises solides. Avec le temps, ce genre de marketing adoptera un rythme de plus en plus rapide et efficace malgré une certaine lenteur initiale. La valeur de ce type de marketing indirect est basée sur le fait que la réputation du conseil se bâtit à partir des réalisations passées plus que sur des promesses futures.

Les clients satisfaits des services du conseiller sont généralement bien disposés, si nécessaire, à aider le conseil si ce dernier leur demande de lui fournir une lettre de référence. Ces lettres peuvent être accumulées et montrées au client futur qui en ferait la demande. Il est souvent utile que le conseiller fasse un usage beaucoup plus structuré et efficace de ce moyen de promotion. Le conseiller peut demander à son client s'il accepterait d'envoyer à ses collègues une lettre les informant des services fournis par le cabinet-conseil. Afin de réduire son travail, le conseil peut, après l'acceptation du client, lui proposer un projet de lettre qu'il a tout le loisir de modifier à sa guise s'il le désire. Une fois cette étape franchie, le conseil offre de faire dactylographier la lettre qu'il lui apportera éventuellement pour signature. Enfin, certains conseillers suggèrent que le client ou sa secrétaire lui remettre le nom des collègues à qui il pense faire parvenir la lettre de référence de sorte que la firme du conseiller se charge elle-même d'expédier celle-ci par courrier. Cette approche très active quant à l'utilisation des références donne d'excellents résultats. En agissant ainsi, cette technique de promotion exige très peu d'efforts de la part des gestionnaires qui, souvent très occupés, ont peu de temps pour répondre rapidement à la demande du conseiller.

□ Couverture par les médias d'information

Avant d'aborder les caractéristiques de chaque média d'information et les outils spécifiques de communication avec ceux-ci, il convient d'abord de se pencher sur deux aspects fondamentaux qui sont de nature à faciliter le succès du conseil quant à l'utilisation de cette approche: qu'est-ce que le conseiller doit faire personnellement pour attirer l'attention des médias d'information et que doit-il connaître du fonctionnement de ceux-ci?

Le conseil désirant utiliser les médias d'information (presse, radio, télévision) comme technique de marketing indirect, cherche essentiellement à ce qu'on parle de lui, qu'on le cite, qu'on le fasse connaître auprès des lecteurs ou auditeurs. Pour ce faire, il lui faut d'abord être visible, c'est-à-dire être à la bonne place au bon moment, également, le conseiller doit multiplier les opportunités de rencontrer des gens et de se faire connaître personnellement et professionnellement. Dans le but d'accroître cette visibilité, le conseil peut prononcer des conférences devant des groupes sociaux ou professionnels qui reçoivent habituellement une bonne couverture par les médias. Tel que mentionné précédemment, il a aussi la possibilité de se faire connaître comme auteur en choisissant la modalité la plus appropriée à ses disponibilités et aptitudes. Troisièmement, l'enseignement ou l'animation de séminaires constitue un autre excellent moyen de rendre le conseil plus visible dans son milieu. Enfin, le fait de participer activement à des colloques, à des commissions parlementaires ou audiences publiques sur des sujets controversés améliore également l'exposition du spécialiste en consultation puisque ces événements sont généralement bien couverts par les médias d'information.

Le besoin de devenir plus visible n'est pas une fin en soi mais plutôt un moyen d'être perçu et reconnu comme une autorité ou un expert dans un domaine de compétence. Pour qu'il soit crédible et puisse être bien couvert par les médias d'information, il faut que le conseil soit très prudent et ne s'aventure pas dans des secteurs qui dépassent les limites de sa compétence. Il est bien évident que toute tentative de «jeter de la poudre aux yeux» fait perdre de la crédibilité et conséquemment le conseiller n'est plus pris au sérieux par les médias d'information. Quand il intervient publiquement, ce dernier doit être très bien articulé dans sa présentation, éviter l'utilisation d'un jargon technique rébarbatif et enfin se centrer sur les bénéfices possibles. Comme nous l'avons signalé précédemment, l'efficacité du message transmis par le conseil dépend de son niveau d'adaptation à l'audience-cible et aux caractéristiques des médias d'information.

Si au plan personnel, le conseiller désire attirer l'attention des journalistes, être visible et reconnu comme un expert dans son secteur de spécialisation, il est utile qu'il connaisse bien les modalités de fonctionnement des médias d'information. Premièrement, il cherche à bien connaître les caractéristiques des divers médias. La façon la plus appropriée de faire cet apprentissage est certes de se familiariser avec chaque média qui intéresse le conseiller, en lisant régulièrement (ou du moins les derniers numéros) la revue ou le journal, en écoutant l'émission de radio ou de télévision. Cette connaissance concrète permet ensuite de bien présenter le message dans un format convenant au média choisi. Enfin, il faut que le message (article, idée d'émission de radio ou de télévision, communiqué de presse, etc.) soit acheminé à la bonne personne en respectant les délais de tombée («*deadlines*»). Si votre message arrive trop tard ou s'il est acheminé à la mauvaise personne, il y a des risques sérieux que celui-ci ne contribue pas à accroître la visibilité attendue. Il ne faut surtout pas présumer que le message envoyé à la mauvaise personne sera automatiquement réorienter vers la personne intéressée. L'activité fébrile des salles de presse écrite, radiodiffusée ou télédiffusée, ne permet pas toujours d'effectuer ce type de correction. Donc, pour éviter d'être en retard ou de mal adresser le message, le conseil a tout intérêt à prendre contact par téléphone avec le média retenu afin d'obtenir précisément ce type d'information. Ce comportement fait preuve également du respect que le conseiller manifeste face aux contraintes de fonctionnement de ces professionnels de l'information.

Outils spécifiques de communication avec les médias d'information

Dans cette section, nous décrirons les trois principaux outils qui permettent le contact avec les divers médias d'information écrite ou audio-visuelle: le communiqué de presse, la convocation à une conférence de presse et le curriculum vitae.

Ces outils de communication sont toujours écrits dans un style direct et concis. Les adjectifs flamboyants et les superlatifs sont à éviter puisqu'il ne s'agit pas d'une annonce. De plus, ce type de présentation ne convient pas très bien au professionnalisme du conseiller. L'information importante ou celle qui «accroche» est placée au début du texte afin de maximiser les chances que le message du conseil capte rapidement l'attention du journaliste. Enfin, tout texte transmis aux médias est dactylographié proprement et clairement. Rappelons encore qu'il s'agit, par extension, de l'image du conseil comme professionnel.

Le **communiqué de presse** informe sur ce qui est arrivé ou sur ce qui arrive et est généralement utilisable directement pour impression ou diffusion. Par exemple, on informe les médias que telle firme de conseillers vient de se voir attribuer un mandat particulier relativement à un sujet d'intérêt pour la population-cible ou transmet l'information que tel expert participe à un congrès international, etc. Le communiqué de presse est rédigé par celui qui l'envoie et est prêt à être utilisé tel quel si le journaliste le désire. Cet outil de communication concerne des faits plutôt que des opinions personnelles du conseil. Si par contre certaines opinions sont émises, elles sont attribuées clairement à son auteur et la crédibilité de celles-ci est fonction de son auteur en tant qu'autorité reconnue.

Le premier paragraphe du communiqué de presse contient l'essentiel du message («*lead*») et les autres paragraphes servent à expliquer les faits de base en répondant aux questions suivantes: qui - quoi - où - quand - comment - pourquoi? L'auteur du communiqué de presse est clairement identifié afin de faciliter le contact si les journalistes souhaitent avoir certaines clarifications supplémentaires. Sous la rubrique «Préparé et envoyé par», on insère le nom de l'auteur, l'adresse et le numéro de téléphone. Il faut de plus indiquer si oui ou non il y a des restrictions sur le moment d'utilisation du communiqué de presse en inscrivant «Pour diffusion immédiate» ou «Pour diffusion après 16:00 heures, le 8 octobre». Chaque communiqué de presse contient la date de l'émission et est le plus court possible. Il ne faut jamais utiliser deux pages si une suffit. Advenant que le communiqué de presse comprenne deux pages, il est nécessaire d'inscrire au bas de la première page: «suite page suivante». Au plan de la forme, il est recommandé d'utiliser sur les côtés une marge de 3 cm, de ne pas diviser un paragraphe en bas de page, d'utiliser du papier 21 x 28 cm et de dactylographier le texte à double interligne. Le style idéal est sobre, précis et concis. En haut de chaque page, l'auteur identifie la seconde page et les pages suivantes de cette façon: «Contrat attribué à la Firme XYZ — 2». À la fin du communiqué de presse, il est généralement convenu d'utiliser un des deux symboles suivants: «— 30 —» ou «#». Le communiqué de presse est généralement envoyé aux médias par courrier première classe ou livré par messager. Il importe que celui-ci soit transmis de la même façon à tous les médias afin d'éviter que certains journalistes se sentent moins bien traités que d'autres. De plus, le conseil qui prépare un communiqué de presse, ne devrait jamais en envoyer deux copies à des journalistes différents d'un même journal ou d'un même poste de radio/télévision. Il faut éviter que le contenu puisse, par accident, être utilisé deux fois ce qui pourrait faire perdre éventuellement beaucoup de crédibilité à l'auteur du communiqué de presse et rendre les journalistes plus suspects et moins collaborateurs à l'avenir.

Dans le but de mieux illustrer ce qu'est un communiqué de presse, un exemple est inclus à l'appendice V, section A.

La convocation à une conférence de presse constitue un message d'invitation pour un événement qui aura éventuellement lieu et au cours duquel il sera possible d'avoir plus d'informations sur le sujet traité. Il est alors possible aux journalistes de poser des questions aux gens responsables de l'événement et ensuite informer les lecteurs ou auditeurs selon une perspective typique à leur média. Par exemple, une invitation est adressée aux journalistes pour assister à une conférence de presse, à un déjeuner de presse, à une exposition où le conseiller a un kiosque pour présenter ses services professionnels ou produits, etc. Le contenu de ce type de message répond également aux questions qui - quoi - où - quand - comment - pourquoi?

La convocation ou l'invitation est utilisée par le conseiller si l'événement prend place dans le futur, s'il y a suffisamment de temps pour informer à l'avance les médias, si le contenu est très varié et long et enfin si le conseil désire que l'événement soit couvert par les médias. Un exemple est annexé à l'appendice V, section B.

Dans la rédaction de ce genre de message, il est important que le conseiller fasse ressortir clairement en quoi la présence du journaliste peut lui fournir des opportunités intéressantes: exposition, entrevue avec des experts, etc. Il est utile que le contenu donne une place de choix au positionnement de la firme de consultation ou du conseiller afin que les médias aient une idée plus précise relativement à ce qui les attend. Le texte est encore ici relativement court et n'excède pas si possible deux pages. L'auteur est bien identifié (nom, organisation, adresse, téléphone) à la fin du texte afin de faciliter les contacts que souhaiteraient avoir les journalistes dans le but de recevoir de plus amples informations.

Au plan de la forme, le message est dactylographié sur du papier

21 x 28 cm, à interligne simple puisqu'il ne s'agit pas d'un texte qui doit être retravaillé par le journaliste pour publication. L'espace de gauche est d'environ 4 cm ce qui permet de faire ressortir les sous-titres qui rendent la lecture du texte plus facile. Celui-ci doit être rédigé avec un style concis qui met en relief les principaux aspects de la nouvelle.

L'objectif général est d'informer les médias en espérant que ceux-ci assureront une couverture adéquate améliorant la visibilité du conseiller qui utilise cette technique de marketing indirect.

Comme cet outil de communication exige beaucoup de disponibilité de la part des journalistes des divers médias, il convient de n'utiliser ce moyen qu'à bon escient sinon la présence des journalistes risque d'être de plus en plus rare aux éventuelles conférences de presse que le conseiller souhaiterait tenir. Une conférence de presse n'est convoquée que si le conseiller a une nouvelle extrêmement importante à communiquer, nouvelle d'un grand intérêt pour la population en général, ou un segment bien identifié, si le conférencier est reconnu comme un expert et qu'il possède une excellente crédibilité, si la nouvelle suscite la controverse et encourage la discussion ce qui provoquera questions et échanges entre le conférencier et les journalistes, si le contenu n'avait pu être communiqué par écrit étant donné sa complexité, si l'invitation à cette conférence est lancée à tous les médias susceptibles d'être intéressés.

Quand le conseil décide d'organiser une conférence de presse, il garde à l'esprit un certain nombre de points qui pourront aider au succès de cette opération. D'abord, l'objectif de la conférence est très bien identifié: informer, persuader ou vendre, corriger des perceptions ou informations erronées, commenter des développements récents ou diminuer le niveau d'hostilité. Une conférence de presse peut évidemment avoir plus d'un objectif mais il est alors nécessaire de les traiter un à la fois afin d'éviter toute confusion.

L'objectif étant bien identifié, le conseil prépare la conférence de presse en ne perdant pas de vue celui-ci. Il a également en tête un certain nombre de repères. La conférence de presse doit se dérouler de la façon la plus spontanée et la plus naturelle possible même si le conférencier procède à partir d'un schéma préparé à l'avance. Si le conférencier se borne à lire le texte, il faut se demander s'il n'aurait pas pu le faire parvenir simplement aux médias plutôt que de convoquer une conférence de presse. Le fait de ne pas être attaché à un texte permet de garder un meilleur contact avec l'auditoire et augmente la crédibilité du conférencier qui paraît suffisamment maître de son sujet pour ne pas être obligé de référer sans cesse à un texte détaillé.

Au plan de la séquence, il est recommandé de traiter d'abord du sujet dans son ensemble pour ensuite, dans un second temps, aborder les détails plus précis. Au début de chaque segment important de la conférence, il est souhaitable de capter l'attention des gens avant de passer l'essentiel du message. Afin de faciliter la compréhension des journalistes, il est parfois utile de faire référence à des exemples concrets et d'utiliser certains documents audio-visuels. À la fin de chaque segment de la conférence, un bref résumé des points principaux s'impose de même qu'à la fin de la conférence de presse.

En ce qui concerne la logistique ou l'organisation technique d'une conférence de presse, il est recommandé de tenir compte des éléments suivants:

— Choisir un endroit central et facilement accessible (exemple: un hôtel du centre-ville près des bureaux des médias d'information).

— Choisir un moment de la journée qui est compatible avec les heures de tombée sinon le conseil ne recevra aucune couverture dans les médias.

— Inviter les médias par le biais d'une lettre ou d'une invitation en spécifiant où a lieu la conférence, qui est le conférencier et le sujet de cette conférence.

— Être personnellement bien préparé pour présenter une conférence intéressante.

— Retenir les services d'un maître de cérémonie qui présentera alors le conseil. Celui-ci dirigera également la période de questions en allouant la parole dans l'ordre où elle a été demandée par les journalistes.

— Pour faire passer un message complexe, utiliser des graphiques, diagrammes, démonstrations, etc.

— Ne pas oublier les équipements nécessaires: rétroprojecteur, extensions électriques, prises de courant, tables et chaises, papier/crayons, etc.

— Manifester de la considération pour les journalistes en préparant café, liqueurs, eau, glace, beignes, pâtisseries, etc.

— Faire la liste des personnes qui assistent à la conférence et fournir à chacune une étiquette avec leur nom et organisation. Cette opération permettra un suivi et sera utile lors des prochaines conférences de presse.

— Préparer un dossier de presse qui résume les principales parties de la conférence et contient d'autres documents d'appoint susceptibles d'aider le journaliste à préparer un article ou une entrevue. Ceci a l'avantage d'éviter certaines interprétations erronées. Un assistant le remet au moment où chaque personne arrive.

— Réserver la salle suffisamment tôt par rapport à l'heure de la conférence pour permettre aux journalistes de la radio et de la télévision d'installer leur équipement.

— Par respect pour ceux qui sont présents et qui sont tous fort occupés, commencer la conférence de presse à temps.

Le **curriculum vitae** est un outil bien connu, utilisé par le conseiller quand les médias demandent des informations plus complètes sur la formation et l'expérience professionnelle de ce dernier. L'objectif est généralement de présenter son expertise dans un domaine. Le contenu du message est centré sur le conseiller en tant qu'individu. Comme ce curriculum vitae est fait explicitement pour répondre à la demande des médias, il peut, dans ce contexte, être présenté différemment du curriculum vitae traditionnel (voir exemple à l'appendice V, section C).

Généralement présenté sous le titre de «Curriculum Vitae: XYZ», le contenu du texte est disposé en paragraphe et rédigé dans un style continu (non schématique) ce qui facilite la tâche de journaliste qui désire l'utiliser pour publication ou diffusion. Il est encore ici important que ce curriculum vitae soit daté (coin droit en haut) puisqu'il sera classé dans les archives du journaliste qui pourra éventuellement y avoir recours à nouveau s'il n'est pas trop ancien.

Le premier paragraphe contient l'information essentielle («*lead*») comme l'occupation, l'expertise ou le niveau de responsabilité. C'est dans ce paragraphe que le conseiller se positionne professionnellement. Par la suite, on retrouve des informations plus détaillées sur la formation académique et les expériences antérieures. Généralement, l'ordre de présentation des divers points suit une chronologie inversée: les événements plus récents sont les premiers et les plus anciens, les derniers. Si le conseiller le juge à-propos, il fait à la fin mention de sa participation à certains groupes sociaux ou professionnels, à ses intérêts ou loisirs et indique son lieu de résidence et / ou place d'affaires.

Voilà donc les principales caractéristiques de ces outils de communication couramment utilisés pour prendre contact avec les médias d'information susceptibles d'améliorer la visibilité du conseiller.

Caractéristiques des médias d'information écrite

Les journaux et revues constituent d'excellents moyens pour le conseil de se faire connaître car ils sont imprimés, prêtent moins à l'interprétation qu'un message diffusé par radio ou télévision, sont facilement accessibles pour référence future. Contrairement au message diffusé de façon audio-visuelle, le message écrit est plus permanent.

Si le conseiller désire prendre contact avec les journalistes, il est d'abord nécessaire de bien connaître les caractéristiques de leur journal respectif: local, régional ou national; contenu spécialisé ou général; rythme de publication quotidien, hebdomadaire ou mensuel; etc. Quand il prépare le contenu de son message, il tient compte continuellement de la personnalité du journal ou de la revue, des caractéristiques des lecteurs et de l'étendue de son marché.

Pour maximiser ses chances d'être couvert par la presse écrite, le conseiller a avantage à être le plus familier possible avec les sujets traités par la revue ou le journal et avec les diverses rubriques régulières. Certains médias ont des sections consacrées à l'économie, aux affaires sociales, aux carrières et professions, etc. Il est nécessaire de bien cadrer le message en fonction de la structure du média et de l'acheminer à la bonne personne ou au bon chef de rubrique. Si le contenu du sujet porte plutôt à controverse par son actualité, il est orienté vers la section éditoriale qui est généralement ouverte à ce type de message. Enfin, celui qui pense utiliser ce média d'information ne présume jamais que le journaliste est déjà parfaitement au courant des faits qu'il désire portés à son attention. Si le conseiller adopte une telle attitude, il lui sera difficile d'accroître sa visibilité par le biais des médias d'information écrite aux niveaux local, régional et national.

Signalons en terminant cette section sur les journaux et revues qu'il est également possible de faire parvenir un message à ces médias par le biais des agences de presse qui diffusent sur télex. Pour des coûts assez modiques, un grand nombre de médias sont rejoints en même temps. Évidemment, cette approche est moins personnalisée ce qui constitue une certaine limite à son efficacité mais encore là tout dépend de l'objectif visé par le conseil.

Caractéristiques des médias audio-visuels d'information

Si le conseiller désire solliciter une entrevue à la télévision ou à la radio, il se demande d'abord si le sujet impliqué est d'intérêt pour un auditoire assez large et habituellement moins bien cerné que les lecteurs de telle revue ou tel journal. Le message ne doit pas être banal mais posséder un attrait par son caractère unique ou extraordinaire. Il est alors possible de faire parvenir au responsable de la programmation un bref exposé du sujet suggéré de même qu'un curriculum vitae qui lui permettra de mieux connaître l'expertise du conseiller. Après quelques jours, ce dernier prend contact avec ce responsable afin de voir si le sujet est retenu et quelles sont les possibilités en termes d'échéancier.

Quant à la préparation, le conseiller cherche d'abord à se familiariser avec le ton de l'émission, le type de questions posées par l'interviewer, la durée normale des entrevues, etc. Après avoir recueilli ces informations, il prépare un schéma des principales idées qu'il souhaite présenter en fonction de la durée de l'entrevue. Le conseil planifie dans le but d'être capable de transmettre l'essentiel de son message sans être bousculé dans le temps. Si certains documents audio-visuels sont utilisés pour appuyer l'entrevue, il est nécessaire de vérifier la compatibilité de ceux-ci avec les équipements disponibles. Tout document audio-visuel utilisé doit être conçu et produit de façon professionnelle car ce n'est pas alors le temps d'improviser.

Durant une entrevue télévisée, le conseiller demeure calme, parle clairement et lentement, regarde l'interviewer dans les yeux, module la voix de façon à avoir un ton dynamique et convaincant, ne se laisse pas ébranler par des questions difficiles, n'élabore pas sur des sujets hors du sujet principal. Pour réussir une bonne entrevue télévisée, le conseiller devrait observer les autres et se pratiquer. Le plus important demeure toujours le fait que la compétence et la maîtrise d'un domaine doivent d'abord être fondées sur une expertise réelle. Si un conseiller ne maîtrise pas suffisamment encore son domaine, il est préférable qu'il s'abstienne ou remette un tel projet à plus tard.

La plupart des éléments mentionnés précédemment s'appliquent également à une entrevue radiodiffusée. L'aspect visuel est évidemment absent, ce qui rend parfois le conseiller moins nerveux. Cependant, la maîtrise du contenu, le ton de la voix sont des aspects tout aussi importants à la radio qu'à la télévision.

Pour terminer cette section sur le marketing indirect, il est utile de mentionner que les techniques et médias disponibles sont fort nombreux. Bien que les coûts de ce genre de mise en marché soient relativement peu élevés, le conseil doit être prudent dans ses choix ou ses approches. Une renommée se bâtit lentement mais sûrement par une utilisation judicieuse du marketing indirect. À ce niveau, la règle d'or consiste, pour le conseiller, à choisir quelques-unes de ces techniques (peut-être deux ou trois) en fonction de ses aptitudes et de ses intérêts, d'apprendre à bien les maîtriser et appliquer.

Certaines des techniques de marketing indirect sont plus efficaces que d'autres. Le conseil a également à tenir compte de cette dimension dans la planification de la mise en marché de ses services professionnels. La dernière partie de ce chapitre sera précisément consacrée à une analyse comparative de l'efficacité des nombreuses techniques de marketing direct et indirect.

2.2 *Marketing direct*

La prochaine partie de ce chapitre sera consacrée aux diverses techniques de marketing direct ou marketing traditionnel. Rappelons que le marketing direct comprend les moyens de promotion ayant pour but la sollicitation directe ou explicite auprès des clients éventuels par le biais de médias ou autres supports dont les coûts sont généralement plus élevés que dans le cas du marketing indirect.

Nous aborderons successivement les techniques suivantes: la brochure promotionnelle, les annonces dans les médias écrits et audiovisuels, la sollicitation par courrier ou par téléphone, l'inscription dans des annuaires spécialisés et l'inscription auprès d'un courtier pour conseils.

□ **Brochure promotionnelle**

Plusieurs conseillers désirent avoir une brochure de promotion qu'ils peuvent laisser ou faire parvenir par courrier à un client éventuel. Le but de cette brochure est essentiellement de présenter les services du conseiller ou de la firme en mettant en relief le degré d'expertise (formation, expérience) des divers membres spécialistes de la consultation. Il est important de réaliser que la brochure promotionnelle doit être d'excellente qualité puisqu'elle continue à représenter le conseil en son absence (Shenson, 1986).

Le conseil souhaitant utiliser une brochure pour fins de promotion, planifie bien les diverses étapes de sa réalisation. Le tableau 5.3 permet d'avoir une vue d'ensemble des principales étapes à franchir pour la préparation de cet outil de marketing direct.

La première étape, soit celle de l'analyse initiale (étape A), exige que le conseiller réfléchisse d'abord sur ses forces et ses habiletés particulières qui constituent ses apports majeurs dans la pratique de la consultation. Suite à cette analyse personnelle, il est alors en mesure de déterminer parallèlement son marché potentiel. Advenant que ses clients futurs se retrouvent dans des segments de marché assez différents, il lui faut possiblement penser à créer plusieurs brochures promotionnelles adaptées à chacun des marchés éventuels.

La seconde étape, évaluation de la clientèle (étape B), représente le second versant de l'analyse préliminaire. En effet, le conseiller cherche à connaître avec le plus de précisions possibles quels sont les besoins des clients éventuels. Pour ce faire, le questionnaire ou l'entrevue sont des méthodes utiles à l'identification de ces besoins. Après avoir terminé cette démarche, le conseil analyse les bénéfices que peuvent retirer ses futurs clients suite à son intervention. Il faut

Tableau 5.3
Principales étapes de l'élaboration d'une brochure promotionnelle

A. Analyse initiale
- Forces et habiletés du conseiller
- Identification des marchés primaires et secondaires

B. Évaluation de la clientèle
- Besoins des clients
- Bénéfices pour les clients

C. Plan de marketing
- Stratégie de positionnement
- Création de l'image désirée

D. Plan de distribution de la brochure

E. Élaboration de la première ébauche
- Sélection des informations à communiquer
  - Services offerts
  - Bénéfices pour les clients
  - Données spécifiques sur la pratique du conseiller
- Rédaction initiale de la brochure

F. Test du contenu de la brochure auprès du marché potentiel

G. Rédaction finale
- Modification du texte
- Spécification au niveau graphisme

H. Conception graphique
- Développement d'un modèle définitif
- Choix du caractère
- Choix du papier
- Choix des graphiques
- Choix du format

I. Impression
- Présentation de l'épreuve
- Correction de l'épreuve
- Impression de la brochure définitive

J. Opérationnalisation du plan de distribution

être le plus spécifique possible en cherchant à faire correspondre un bénéfice pour chaque besoin identifié. Le lecteur éventuel de la brochure sera en mesure d'y retrouver ses propres besoins de même que des offres pouvant éventuellement les satisfaire.

L'étape C consiste à préparer un plan de marketing. Après avoir bien identifié ses forces et les besoins du marché, le conseiller décide de quelle façon il désire se positionner sur le marché. Cette démarche implique simultanément une réflexion sur la nature et la sorte d'image qu'il souhaite projetter pour attirer la clientèle. Encore ici, il est nécessaire de retenir que si le marché est très diversifié, le conseil peut avoir intérêt à développer des plans distincts de marketing. Une image trop générale ou trop large risque de devenir floue et de ne pas atteindre son objectif. La spécificité des marchés nécessite une spécificité au niveau du marketing, de l'image, de la conception du message, etc. C'est là une règle essentielle de succès.

La quatrième étape, soit celle du plan de distribution (étape D), aborde, de façon plus précise, les modalités d'utilisation de la brochure promotionnelle. Trop souvent, il y a un manque de planification à ce niveau. Le conseil fait imprimer une brochure, en distribue un certain nombre au hasard et laisse la balance sur les tablettes. Ce n'est certes pas la bonne méthode de rentabiliser cette opération. Il faut à l'avance développer un plan de distribution qui permet éventuellement d'atteindre les marchés visés. Ce plan a évidemment une grande influence sur la conception même du message et sur le format. Bien analyser l'auditoire-cible permet de concevoir une brochure bien adaptée. Cependant, il faut ensuite que celle-ci atteigne effectivement le marché potentiel. De façon générale, Shenson (1981) considère très peu efficace l'envoi de la brochure à une grande quantité de personnes sélectionnées plus ou moins au hasard sans avoir bien identifié le segment du marché visé. Il se peut aussi que le conseil décide que cette brochure ne sera utilisée que pour être remise à un client potentiel au moment de la première rencontre, après un contact téléphonique ou avec une offre de service. Toutes ces modalités d'utilisation sont possibles et le conseiller doit les analyser au moment où il planifie la distribution de la brochure promotionnelle.

Passons maintenant à la cinquième étape, soit celle de l'élaboration de la première ébauche (étape E). Au cours de cette phase de préparation de la brochure, il s'agit d'identifier l'information essentielle qui doit être transmise au client éventuel. On se souvient que les étapes A et B ont été consacrées à dégager les forces et habiletés du conseiller, les besoins et les bénéfices attendus par le client. Parmi les informations alors recueillies, quelles sont celles qui auront le plus d'impact auprès des clients? L'étape de ce choix et de la rédaction du texte est cruciale pour le succès éventuel de la brochure car elle est écrite en fonction d'un marché bien identifié en utilisant un niveau de langage adéquat pour faciliter la compréhension des futurs clients. Le jargon technique est généralement à éviter et il est utile de se mettre dans la peau du client pour déterminer le genre d'information qu'il désire recevoir.

Le but du message est de faire en sorte que le gestionnaire soit convaincu, suite à la lecture de la brochure, que le conseiller est la meilleure source possible de compétence pour l'aider à solutionner ou améliorer une situation. Dans ce contexte, le client est habituellement plus intéressé par ce qu'il a accompli dans le passé que par ses diplômes ou formation académique. Les réalisations passées ne se limitent pas nécessairement à ce que le conseil a accompli à titre de conseiller car les nouveaux seraient alors en mauvaise position pour concevoir une brochure. Il peut s'agir d'une expérience acquise comme employé dans une organisation. Par exemple, un individu qui a travaillé durant plusieurs années dans un département du personnel, peut très bien utiliser cette expérience pour se lancer en consultation dans cette sphère d'activités.

Au moment de rédiger le texte, il importe que le conseil garde à l'esprit les quatre points suivants: créer un intérêt chez le client potentiel et personne d'autre, demander au futur client de poser un geste concret si petit soit-il (téléphoner ou écrire pour information), laisser savoir aux clients potentiels que le conseil est disponible et facilement accessible afin de les encourager à prendre contact, être crédible au niveau de ce que le conseiller peut offrir lors de ce premier contact. Il ne faut pas créer de fausses attentes et laisser croire que le conseil consacrera un temps énorme et solutionnera les problèmes du client lors de cette rencontre qui permettra, tout au plus, d'avoir des clarifications au niveau des services offerts ou de recevoir certains documents publiés sur des sujets spécifiques.

Dans le but de faciliter la rédaction d'une brochure contenant l'information essentielle, le conseiller peut utiliser la grille suivante de questions:

- — Quels sont les clients auxquels les services de consultation s'adressent?
- — Quels services offre le conseiller?
- — Où sont situés les bureaux du conseiller?
- — Pourquoi les services offerts sont-ils valables ou nécessaires pour le client?
- — Quand les services du conseil sont-ils accessibles (heures de bureau)?

— Comment le client doit procéder pour bénéficier des services du conseil?

La sixième étape a pour objectif de tester le contenu de la brochure auprès de la clientèle-cible afin de s'assurer du degré de compréhension, de la pertinence et de la suffisance des informations (étape F). Dans ce contexte, il peut être fort intéressant, à des coûts très modiques, de demander la collaboration d'étudiants en marketing dans le but d'avoir leur appréciation. Les professeurs qui enseignent ces matières sont souvent très intéressés à ce que leurs étudiants soient confrontés avec des vraies situations. Le conseiller apprend beaucoup, suite à une telle démarche, en ayant un son de cloche critique, extérieur et impartial.

Il arrive même que le conseiller élabore un petit questionnaire pouvant servir à évaluer la première ébauche ou éventuellement la brochure finale. Il est souvent utile de confronter sa propre perception en tant que concepteur de la brochure avec celle des futurs clients visés. L'impact que pense avoir le conseil n'est pas toujours celui qu'il a effectivement. À titre d'exemple seulement, nous incluons au tableau 5.4 un modèle de questionnaire pouvant orienter celui qui désire se doter d'une telle grille d'évaluation.

Quant à elle, l'étape G consiste à apporter les modifications nécessaires suite au test effectué auprès des futurs clients et/ou suite à un autre modalité d'évaluation. Il faut également se pencher sur la dimension graphique de la brochure afin d'en choisir les éléments stratégiques de base. L'objectif est de préparer la brochure dans sa forme finale en termes de contenu et de graphisme.

Au niveau de la conception graphique, le conseiller serait bien avisé de consulter des graphistes reconnus car il s'agit d'une étape fort technique (étape H). Les coûts impliqués pour des services professionnels de graphisme sont loin d'être un mauvais investissement. L'image du conseil transmise par le biais de la brochure promotionnelle ne doit pas laisser des doutes, dans l'esprit des clients potentiels, sur le professionnalisme de ce dernier. Comme la brochure est un peu l'image du conseil et son porte-parole, elle est graphiquement très bien conçue: format, papier, caractère, couleur de l'encre, graphisme original et clair, etc. La présentation générale capte l'attention du client-cible et lui donne le goût de lire cette brochure. Il est parfois utile de développer à ce niveau un symbole graphique qui contribue à transmettre l'image désirée auprès de la clientèle. Ce symbole graphique facilite, par association, l'identification rapide du conseiller ou de la firme de consultation. Il constitue le reflet de la personnalité de

Tableau 5.4
Questionnaire d'évaluation d'une brochure promotionnelle

Sur l'échelle en six points, indiquez jusqu'à quel point vous êtes d'accord que le contenu de l'énoncé correspond à votre évaluation personnelle de la brochure.

1	2	3	4	5	6
Pas du tout d'accord	Très peu d'accord	Peu d'accord	Plutôt d'accord	Fortement d'accord	Totalement d'accord

La brochure:

• est d'un grand intérêt pour le lecteur	1	2	3	4	5	6
• est centrée sur les avantages ou bénéfices que peut retirer le client	1	2	3	4	5	6
• explique clairement et explicitement les bénéfices majeurs pour le client	1	2	3	4	5	6
• décrit bien les réalisations passées du conseiller	1	2	3	4	5	6
• est exempte de toute promesse qui peut être mise en doute	1	2	3	4	5	6
• renferme un contenu qui inspire confiance	1	2	3	4	5	6
• encourage le client à prendre contact avec le conseiller	1	2	3	4	5	6
• indique clairement la façon de rejoindre le conseiller	1	2	3	4	5	6
• est écrite dans un style simple et facile à comprendre	1	2	3	4	5	6
• ne contient pas de paragraphes ou de phrases trop longues	1	2	3	4	5	6
• est visuellement attrayante	1	2	3	4	5	6
• est originale par son format et son style graphique	1	2	3	4	5	6
• est imprimée sur un papier de qualité	1	2	3	4	5	6
• utilise un caractère qui la rend facilement lisible	1	2	3	4	5	6
• est imprimée avec une encre de couleur agréable et de bon goût	1	2	3	4	5	6

l'organisation. Il est généralement reconnu, suite aux résultats de certaines études, que l'utilisation d'un papier de couleur ou d'un papier ayant une texture spéciale augmente le taux de réponse. Ce détail très technique justifie encore plus le besoin de s'associer à des experts dans le domaine quand vient le moment de faire le choix définitif des principales caractéristiques graphiques de la brochure. Après avoir examiné des brochures particulièrement bien conçues, le conseiller peut s'informer du nom des graphistes responsables de celles-ci et prendre contact avec eux. C'est un bon moyen de procéder puisque le conseil a alors une idée assez précise de la qualité de leur travail.

Enfin, l'avant-dernière étape implique la production ou l'impression de la brochure (étape I), incluant toutes les vérifications nécessaires pour éviter les «coquilles» toujours très désagréables. La brochure étant maintenant disponible, le conseiller opérationnalise ensuite son plan de distribution (étape J) tel qu'il l'avait conçu dans une étape antérieure.

Ces quelques règles générales servent de guide au conseiller ou à la firme qui veut se doter d'une brochure promotionnelle. Dans le but d'illustrer plus concrètement les résultats attendus d'une telle opération, nous joignons un exemple fort bien réussi (appendice VI). Cette brochure peut servir de modèle bien que les différentes options possibles sont fort nombreuses et tout aussi valables les unes que les autres à la condition que le travail de conception soit exécuté avec rigueur et méticulosité.

□ Annonces

Dans l'esprit de la plupart des gens, faire de la promotion correspond à publier des annonces. Les coûts de cette activité de marketing direct sont fort importants, ce qui constitue une raison sérieuse d'en évaluer, de façon critique, le rapport coût/bénéfice. Le conseiller qui choisit d'inclure ce moyen promotionnel dans sa stratégie de mise en marché, devrait avoir une connaissance minimale des éléments de base nécessaires à la conception et à la réalisation d'une annonce efficace (Hameroff et Nichols, 1982; Shenson, 1986).

L'annonce présente au client potentiel un bénéfice répondant à ses besoins et ses attentes en lui permettant de solutionner certains de ses problèmes. Il est avantageux de faire en sorte que le message soit toujours conçu et formulé dans un sens positif et non négatif. Il est plus efficace de vouloir vendre un bénéfice que de vendre une promesse d'élimination d'une situation désagréable. Par exemple, un conseiller faisant la promotion d'un programme de formation à la gestion, cherche à capter l'attention de son marché en mettant en relief les avantages et l'avenir stimulant que vit le gestionnaire efficace et non les dangers ou conséquences désagréables qui guettent le gestionnaire plus ou moins efficace. Ce que le client désire, de façon générale, c'est le succès et ses conséquences plutôt que l'évitement de l'échec. De plus, il faut retenir qu'il est souvent plus facile et efficace pour le conseiller de vendre le bénéfice (promotion éventuelle, augmentation salariale) et non le produit ou le service (connaissance du processus de gestion).

Le second élément à considérer dans la rédaction d'une annonce, c'est la dimension solidité du bénéfice. Le client futur recherche l'impression, sinon la certitude, que le conseiller est capable de livrer la marchandise promise. Pour ce faire, il se fie à la formation du conseil, à son expérience, à ses réalisations diverses, etc. Dans cette optique, le client est d'autant plus confiant qu'il peut avoir accès à des témoignages concrets de clients satisfaits. C'est la raison pour laquelle plusieurs conseillers mentionnent, par exemple, le nom des organisations pour lesquelles ils ont agi ou agissent comme conseils. En un mot, ce dernier met en place tout les moyens susceptibles d'augmenter ou de supporter la promesse de bénéfices.

Enfin, un autre aspect fort important, sinon le plus important, correspond au fait qu'une annonce doit se traduire par une action ou une réponse de la part du client. Il est souhaitable d'encourager la personne visée dans l'annonce à poser immédiatement un geste qui, probablement peu engageant à court terme, est tout de même un geste précis le plaçant, d'une façon concrète, sur la voie du bénéfice présenté. Cette réponse souhaitée peut être le simple fait de remplir le coupon-réponse, de téléphoner ou de se rendre à une exposition pour obtenir de plus amples informations. Ce que l'on demande au client est habituellement relativement simple mais cette action constitue tout de même un engagement personnel qui démontre son désir d'accéder au bénéfice éventuel. Une annonce permettant ce type de réaction a atteint son but si l'objectif ultime est d'attirer la clientèle potentielle.

Annonce imprimée

Chaque média d'information possède des avantages et des limites et il importe que le conseil y soit sensibilisé s'il veut en faire un usage efficace. Au niveau de l'annonce imprimée, celle-ci peut être véhiculée par un journal ou une revue périodique. Quelles sont donc les caractéristiques essentielles de chacun de ces supports informationnels?

Le **journal** est certes le média le plus utilisé pour publier des annonces. Il s'adresse essentiellement à un public très général à moins qu'il s'agisse d'un journal hebdomadaire spécialisé, par exemple

«Finance», «Les Affaires», etc. Quant au quotidien, il vise pratiquement toujours un marché très large.

Le journal ou la presse quotidienne possède plusieurs avantages importants mais également des limites que nous soulignerons maintenant.

Le client potentiel manifeste un certain intérêt en déboursant un montant déterminé pour se procurer le journal. Il le lit donc ou du moins le feuillette attentivement de façon à y rechercher les nouvelles qui l'intéressent. C'est donc dire qu'il possède au départ une attitude positive. Son attention est captée par un message précis dont le contenu l'intéresse. Selon la section du journal dans laquelle l'annonce est publiée, il est possible d'atteindre parfois des marchés spécifiques: sections finance/économie, sports, actualité féminine, etc. Dans les grandes régions métropolitaines, certaines éditions s'adressent parfois à des segments géographiques précis ce qui permet au conseiller d'orienter sa stratégie promotionnelle. Le journal permet également une grande flexibilité au niveau annonce, en termes de grandeur, du jour de parution, de la section du journal, des délais de publication. Enfin, le journal est le support qui permet de faire parvenir très rapidement un message à un marché potentiel puisque sa fonction et sa structure sont essentiellement fondées sur la transmission de l'actualité immédiate.

Au niveau des limites, il faut cependant en signaler quelques-unes. À cause de sa grande circulation, le message a plus de chance d'atteindre des couches de la population plus ou moins intéressées ou intéressantes pour le conseiller. Malgré cette limite, le conseil paye en fonction de la circulation totale du journal. La durée de vie de l'annonce est très courte puisque le journal est généralement détruit immédiatement après sa lecture. Enfin, il semble que la population plus jeune a moins développé le goût de lire les journaux puisqu'elle a, très tôt, été habituée à recevoir l'information par la télévision.

La **revue**, quant à elle, constitue un média beaucoup plus sélectif que le journal publié quotidiennement. Ses avantages majeurs sont également intéressants. Étant centrée généralement sur une thématique plus précise (gestion, commerce, hôpitaux, etc.), l'atteinte d'un marché spécifique est directement possible par le choix de la revue. De nos jours, il existe de plus en plus de revues s'adressant à des clientèles-cibles très diversifiées et facilement accessibles par le biais du sujet d'intérêt traité par la revue. La qualité d'impression générale est supérieure dans les revues comparativement à celle des journaux. De plus, la vie de la revue étant plus longue que celle du journal, les probabilités que l'annonce soit accessible à plusieurs reprises, devient un avantage non négligeable. Enfin, certaines revues prestigieuses s'adressent à des clientèles à haut revenu et le conseiller qui y place une annonce, est alors associé à cette catégorie de clients et au prestige du support informationnel.

Quant aux limites de ce média, elles se regroupent autour de deux aspects particuliers. La revue est un support technique qui répond moins rapidement que le journal. Les délais de parution d'une annonce sont en général plus longs et il peut être nécessaire d'attendre deux mois avant que l'annonce du conseiller puisse être publiée. Étant moins centrée sur l'information d'actualité, les lecteurs lisent moins rapidement le contenu d'une revue. Souvent même, ces derniers en parcourent la totalité du contenu durant le mois. Cette perspective temporelle très différente fait en sorte que l'annonce a un effet moins immédiat. Le conseil choisissant de développer une clientèle en favorisant cette stratégie, doit être conscient de cette caractéristique et être prêt à compter plus sur le long terme que sur le court terme.

Connaissant mieux les principaux supports de l'annonce imprimée, soit le journal ou la revue, nous mettrons maintenant en relief certains détails techniques importants pour maximiser les chances de concevoir une annonce qui aura un impact appréciable. L'essentiel du message est dans le titre car il s'agit là de l'élément qui accroche le plus l'attention du lecteur. Il n'est pas généralement recommandé de publier des annonces en négatif (fond en noir et message en blanc). Dans les journaux, ce type d'annonce est habituellement de moins bonne qualité. De plus, ces annonces négatives conviennent mal à la promotion de services professionnels. Elles sont plutôt utilisées à des fins strictement commerciales. Dans un autre ordre d'idée, il est souhaitable que chaque annonce soit une entité en soi. Une série d'annonces, venant les unes après les autres compléter le message, laisse le lecteur avec le sentiment qu'il lui manque une partie possiblement très importante du message s'il n'a pas vu toutes les annonces de la série. Si le conseil désire illustrer son message, une photo d'excellente qualité est généralement plus convaincante qu'un dessin. Enfin, l'ensemble des annonces publiées par le conseiller doivent se renforcer les unes les autres étant toutes axées sur un thème ou un message bien identifié.

Annonce radiodiffusée

Tout comme pour l'annonce imprimée, nous aborderons successivement les avantages, les limites et les caractéristiques de l'annonce diffusée par le moyen de la radio. Bien que ce support technique soit assez peu utilisé actuellement en consultation, il peut s'agir tout de même d'un outil efficace pour certaines catégories de conseillers.

Voici maintenant les principaux avantages de la radio. Chaque station radiophonique possède par le choix de sa programmation une clientèle-cible, ce qui en fait un média intéressant pour le conseiller qui, par le biais du choix des émissions, peut rejoindre son marché potentiel. La réalité de la segmentation des marchés est tout aussi réelle dans le monde de la radio que dans celui de la presse. Il s'agit là d'un support promotionnel relativement économique comparativement au coût de la télévision. Sa flexibilité est grande au niveau des modalités de diffusion du message: durée et fréquence du message, segmentation des marchés selon les divers moments de la journée, absence de long délai entre la conception et la diffusion du message. La radio exige peu d'efforts de la part des auditeurs. Elle constitue de fait un compagnon qui accompagne la personne au bureau, à la maison ou en automobile.

Deux limites sont cependant à signaler concernant ce média de diffusion. Les auditeurs d'une station de radio constituent généralement un marché accessible assez restreint comparativement à celui des journaux quotidiens ou de la télévision qui représentent des médias beaucoup plus populaires. De plus, l'attention des auditeurs est habituellement assez diffuse car ceux-ci écoutent la radio en effectuant d'autres tâches ce qui affecte évidemment l'efficacité du message diffusé.

À l'intérieur du contexte décrit ci-dessus, quels sont les aspects à surveiller dans la conception même du message radiodiffusé? Le message doit être simple et ne contenir qu'une idée puisque de trop nombreuses sources de distraction rendent difficile l'objectif de capter l'attention des sujets. Dans ce contexte, il faut être sensible au fait que l'attention de l'auditeur soit captée dans les cinq premières secondes. Il est parfois utile de signaler au tout début à qui s'adresse le message en demandant, par exemple, l'attention des hommes d'affaires. Tout comme dans la publicité écrite ou visuelle où un symbole graphique vient appuyer la reconnaissance du message, la radio peut utiliser une approche analogue en associant un thème musical précis au contenu que le conseil désire transmettre à la clientèle. Pour l'organisation-conseil qui utilise le message télévisé, le fait d'annoncer également à la radio, en reprenant le même thème musical, permet un transfert qui rappelle à l'auditeur le message télédiffusé. Ainsi, cette approche constitue un renforcement intéressant. Ajoutons qu'il est important d'écouter le message avant de le faire diffuser afin de voir si tout «sonne» bien. Une annonce est généralement beaucoup mieux rendue si on en confie le travail à des annonceurs professionnels de radio.

Garder de bonnes relations avec ces derniers est important puisqu'ils seront possiblement plus attentifs à la qualité de leur travail. Le style et le langage sont précis et simples. Il faut faire attention à ce que le message soit facile à comprendre car, contrairement à la publicité écrite, l'auditeur ne peut revenir sur le contenu. Le contenu de l'annonce doit respecter les contraintes de temps. Il ne faut pas, dans une annonce de 60 secondes, tenter de mettre trop d'informations ce qui oblige à accélérer le rythme. Afin de favoriser des pauses, de mettre plus d'accent sur certaines parties du message, d'éviter un exposé monotone, les concepteurs respectent généralement un rythme de 120 mots pour un message de 60 secondes.

Annonce télédiffusée

La télévision constitue un média d'information caractérisé par l'action. Sa croissance, comme support promotionnel, a été foudroyante au cours des vingt dernières années. Cependant, comme pour la radio, il s'agit là d'un média relativement peu utilisé au Canada ou en France pour promouvoir les services professionnels, contrairement à ce qui existe aux États-Unis pour certaines catégories professionnelles.

Pour ce qui est des avantages, la télévision se distingue par divers aspects spécifiques. C'est un média d'information qui possède un impact énorme dans la culture actuelle de par son orientation vers l'action. En effet, plusieurs heures y sont consacrées chaque semaine. Tout individu qui désire voir ce qui se passe dans l'actualité ou qui désire être témoin visuellement de certains événements, privilégie cette forme de communication. La télévision est certainement le support technique le plus efficace dans les cas où l'élément démonstration constitue une dimension essentielle du message du conseiller. Par le biais de sa grande capacité de pénétration (pratiquement toutes les maisons possèdent une télévision) et la variété des émissions s'adressant à des publics diversifiés, il devient possible d'orienter la transmission du message vers le marché-cible à atteindre. La flexibilité de ce média est évidente quand on considère la possibilité de placer une annonce à divers moments de la journée et ce, avec une grande variation dans les coûts. Enfin, la télévision constitue un support pouvant permettre une grande créativité. C'est un média aux possibilités quasi-illimitées qui semble actuellement un des plus complets.

Parallèlement à ces avantages, voyons maintenant certaines limites. Les coûts de production et de diffusion d'une annonce sont incroyablement élevés ce qui en rend l'utilisation très critique. Mais sur cet aspect, toute évaluation de l'opportunité d'utiliser ce support publicitaire doit se faire dans le contexte du rapport coût/bénéfice.

Étant donné que la télévision, comme les quotidiens, est un média de masse, le message transmis peut vraisemblablement atteindre des marchés qui ne sont pas d'intérêt pour le conseiller. Cette perte possible d'efficacité ne diminue pas pour autant les coûts exigés pour diffuser une annonce.

Dans la conception du message destiné à la télévision, il faut tenir compte que son avantage majeur correspond à la capacité de présenter des démonstrations. Si possible, il est donc souhaitable de concevoir un message qui démontre le bénéfice potentiel de l'utilisation des services du conseiller plutôt que de simplement informer le téléspectateur. Afin d'augmenter la crédibilité du message, il est recommandé d'utiliser les services de présentation d'une personnalité crédible aux yeux des clients potentiels. Dans le même ordre d'idée, la référence à des témoignages de clients satisfaits est également un apport très important dans l'efficacité du message. Comme pour la radio, le message télédiffusé est concentré autour d'une idée maîtresse afin d'éviter la confusion associée à un message dont le contenu est trop complexe. Dans le message transmis par la télévision, il ne faut jamais oublier que c'est l'image qui transmet d'abord le contenu et non les mots qui sont alors moins essentiels. L'attention du téléspectateur doit être captée dans les toutes premières secondes sinon il dirige son attention sur d'autres éléments de son environnement immédiat. Les téléspectateurs sont généralement des personnes qui aiment être informées par le biais d'un individu (annonceur de nouvelles vs lecture d'un quotidien), ou qui aime voir agir les gens (table-ronde, téléroman, etc.). Dans la conception du message, il est avantageux de capitaliser sur ce fait et d'appuyer le message sur des gens plutôt que sur des choses. Le ton utilisé pour le message doit être professionnel étant donné qu'il s'agit d'offrir des services de consultation. Il ne s'agit pas de vendre n'importe quel produit commercial. Le professionnalisme du conseiller est transmis dans le contenu et dans le ton du message promotionnel.

Test de l'annonce: secret de l'efficacité

De façon générale, les auteurs spécialisés dans le marketing des services professionnels des conseillers sont unanimes à souligner le fait que si la stratégie inclut la technique des annonces, celles-ci doivent être testées et ajustées à plusieurs reprises avant d'être diffusées. C'est là le secret primordial de l'efficacité de ce genre de promotion. Écarter cette démarche constitue un risque fort important.

La rentabilité d'une annonce se mesure essentiellement par sa capacité d'attirer la clientèle-cible. On sait très bien que toute annonce est conçue et diffusée dans ce but. Or, malgré la clarté de l'objectif, les résultats ne sont pas toujours concluants. L'idéal serait d'avoir des indices précis sur la réussite éventuelle de l'annonce avant même d'y avoir consacrer des sommes importantes. C'est essentiellement à cette préoccupation fort justifiée que cherche à répondre le test de l'annonce. Une étude auprès du marché-cible, la publication de l'annonce dans un journal plus régional ou la publication sur une plus courte durée que celle prévue permettent de recueillir des informations fort utiles sur les réactions futures des clients à l'annonce.

La constitution d'une annonce et sa diffusion comprennent de fort nombreuses variables qui, considérées isolément ou en interaction, affectent grandement son efficacité. Pour ne mentionner que les principales variables, citons les suivantes: le choix du média, la fréquence d'apparition de l'annonce, le choix des jours de parution (et l'heure dans le cas de la radio et de la télévision), la grandeur de l'annonce, la position (section) de l'annonce dans le média, le contenu même de l'annonce (services, produits, prix, honoraires).

Le test de l'annonce permet, en faisant varier les diverses variables, de chercher à atteindre l'efficacité optimale, c'est-à-dire attirer le plus de clients possibles au moindre coût. Tant que le résultat escompté ne paraît pas satisfaisant au conseiller, il faut revoir le travail et l'améliorer. Aucun expert en marketing n'est capable de promettre à l'avance un niveau d'efficacité précis, ce qui simplifierait beaucoup les choses en rassurant toutes les parties. Seuls les tests de l'annonce peuvent tenter de répondre le mieux possible aux interrogations. Comme Howard L. Shenson (1978) le mentionne, un élément important à retenir est le suivant: «tester, tester, tester et quand vous avez fini de tester, tester encore plus».

Dans la section qui précède, nous avons donc tenter de faire ressortir les avantages et limites des principaux supports promotionnels qui permettent d'acheminer un message ou une annonce vers un marché-cible identifié comme une source de clients potentiels. De plus, en parallèle avec ces informations, les principales caractéristiques de conception du message ont également fait l'objet de notre attention. Le conseiller qui inclut dans sa stratégie ce type de marketing direct, serait bien avisé de se familiariser avec les règles de fonctionnement régissant ces divers milieux de promotion. De plus, il serait alors en meilleure position pour discuter efficacement avec les professionnels de l'annonce: concepteurs, producteurs et diffuseurs.

□ **Sollicitation directe**

Deux formes de sollicitation directe sont disponibles au conseil qui favorise cette approche: la sollicitation par courrier et par téléphone. Nous aborderons d'abord la sollicitation par courrier mais beaucoup de ses avantages et de ses limites s'appliquent également à celle effectuée par téléphone.

La sollicitation par courrier (*«direct mail»*) représente un moyen de marketing direct très sélectif car le conseil fait parvenir l'information à un groupe choisi. Généralement, il procède, par le biais de catégories spécifiques, au choix de listes d'adresse chez des courtiers spécialisés dans ce domaine. Ces listes sont généralement précises dans des proportions variant autour de 90 %. Elles sont sans cesse remises à jour car les gens changent souvent d'adresse de nos jours. Il est bien évident que la liste la plus adéquate serait celle construite par le conseiller lui-même car elle serait très spécifique et mieux adaptée au segment visé du marché. Pour ce qui est des courtiers oeuvrant dans ce secteur, ceux-ci possèdent de nombreuses listes qui correspondent parfois au marché-cible recherché. La sollicitation par courrier facilite donc un meilleur contrôle au niveau de l'atteinte des clients-cibles.

De nos jours, cette sollicitation peut revêtir une apparence très personnalisée avec l'utilisation des micro-ordinateurs et des logiciels de traitement de texte, ce qui en augmente l'efficacité. Il ne faut pas également oublier un autre avantage appréciable, soit le fait que le message n'est pas en aussi forte compétition avec les messages issus de d'autres sources comme c'est le cas dans les journaux et revues. Au niveau de la flexibilité, la sollicitation par courrier est particulièrement avantagée. En effet, les formats utilisés sont multiples: lettre, brochure, dépliant, catalogue, échantillon, etc. Un autre élément intéressant réside dans sa rapidité d'opérationnalisation. Il est assez facile de produire rapidement un document promotionnel et de l'expédier à l'intérieur de délais très courts. Enfin, le succès d'une campagne de sollicitation par courrier se mesure assez aisément puisqu'il est possible de calculer un ratio nombre de réponses reçues / nombre d'envois et ce, en fonction de chacune des listes utilisées visant des cibles différentes.

En ce qui concerne les désavantages de la sollicitation directe par courrier, il faut signaler les coûts d'impression actuellement assez élevés. De plus, le message doit être en mesure de se défendre par lui-même puisqu'il n'est pas appuyé en même temps par d'autres supports. Une attention particulière à la constitution du message évite la confusion en ne présentant qu'une idée principale. Plus le message est général ou large, plus les risques de confusion chez le client potentiel sont présents. Ainsi, il est recommandé de ne pas annoncer en même temps plusieurs types de services professionnels ou de produits. La stratégie axée sur la présentation d'un produit ou d'un service, ou du moins avec un accent important sur un de ceux-ci et énumération rapide des autres, apparaît plus profitable. Le client qui souhaite avoir plus d'informations sur un des services ou produits énumérés, peut prendre contact avec le conseil au moyen d'une carte-réponse ou d'un appel téléphonique. Signalons en terminant que la qualité des listes de noms affectent directement l'efficacité de cette stratégie de marketing direct.

La seconde forme de sollicitation directe est celle qui s'effectue par téléphone («*cold call*»). La valeur de cette approche est également dépendante du degré d'exactitude des listes de noms utilisées. La flexibilité du contenu est évidente mais la durée maximum de l'entretien impose certaines limites sinon la personne rejointe pourrait tout simplement mettre fin à l'échange. La rapidité avec laquelle il est possible d'opérationnaliser une telle stratégie est assez exceptionnelle mais par contre fort coûteuse si le marché-cible est très dispersé. Enfin, un dernier élément constituant autant un avantage qu'un désavantage est celui de la présence de la personne responsable de la sollicitation. Si le nombre d'appels téléphoniques à effectuer est élevé, le conseiller recrute plusieurs téléphonistes ou fait appel à des maisons spécialisées. La présence active de cette personne dans la conversation permet un échange où le message est transmis avec plus de persuasion en y ajoutant des compléments d'information ou en répondant aux questions. Cependant, cet avantage existe seulement dans la mesure où chaque téléphoniste est bien préparé et bien formé à l'utilisation de ce média promotionnel. Un individu qui maîtrise mal cette technique, risque d'avoir un effet négatif très fort puisqu'il représente le conseiller dans l'esprit du client potentiel rejoint par téléphone.

Ces deux formes de marketing direct sont actuellement très souvent utilisées par certains conseils, notamment par les cabinets-conseils assez nouveaux qui y voient là une façon rapide de se créer une clientèle. L'efficacité même de cette stratégie sera abordée dans une section ultérieure de ce chapitre.

□ Autres techniques de marketing direct

Il existe aujourd'hui de très nombreux annuaires professionnels, allant de la section profession des annuaires téléphoniques jusqu'à des annuaires professionnels très spécialisés et complets. Il est donc possible à tout organisme de conseils de s'y faire inscrire moyennant des frais variables d'inscription. De plus, un conseiller peut acheter un espace publicitaire plus important que l'espace standard dans le but d'attirer plus l'attention des clients potentiels qui consulteront ces annuaires ou/et pour y inclure plus d'informations sur les services professionnels ou produits offerts. Dans certains pays, il existe des organismes qui regroupent tous les éditeurs de tels annuaires, ce qui aide grandement le conseil à localiser ou identifier les annuaires susceptibles de répondre à ses besoins en termes d'identification professionnelle et de segment du marché recherché.

Au cours des dernières années, un autre modalité de marketing direct a commencé à se développer aux États-Unis, soit celle des courtiers pour conseillers. D'un fonctionnement semblable à celui des courtiers d'assurances, le courtier pour conseils a pour mandat d'aller chercher des contrats de consultation qui seront ensuite répartis, selon les compétences et les services offerts, entre les firmes-conseils associées à ce courtier. Le conseiller qui choisit de confier à un courtier le soin de bâtir sa clientèle, prend cependant certains risques que nous avons signalés antérieurement: il n'assume pas, par manque d'intérêt ou par incapacité, la responsabilité de se vendre lui-même; il remet entre les mains d'un tiers une dimension très importante de sa pratique professionnelle; il ne sera peut-être jamais aussi bien servi que s'il s'était occupé lui-même de sa mise en marché. Confier toute la responsabilité de la mise en marché de ses services professionnels à un courtier constitue une décision fort sérieuse à laquelle un conseil doit réfléchir avant d'opter pour cette situation. Il devient douteux, pour un conseiller, de prendre la décision de vouloir être son propre patron tout en confiant en même temps la responsabilité de son succès à un courtier.

Dans un sondage effectué en 1977 (Shenson, 1981), 45,3 % des 3 081 conseils américains interrogés trouvent que le fait de recourir à un courtier qui, contre rémunération, réfère des clients, constitue une pratique inacceptable et même non éthique. Le sondage de 1980 effectué auprès de 3 437 conseillers confirme la même attitude chez 47,3 % des répondants. Il est intéressant de noter que les conseillers plus expérimentés sont généralement beaucoup plus négatifs que les plus jeunes face à cette nouvelle façon de recruter une clientèle puisque les pourcentages de cette catégorie d'âge désapprouvant cette pratique sont, respectivement pour 1977 et 1980, de 62,3 % et 65,8 %.

Les résultats de ces deux sondages démontrent donc manifestement que les conseillers sont très ambivalents face au recours à un courtier pour conseillers. Ce mode de marketing direct est encore présentement assez marginal et seul l'avenir permettra de juger de l'efficacité et de l'acceptation de cette pratique.

Voilà donc les principales modalités s'offrant actuellement au cabinet-conseil qui opte pour faire la mise en marché de ses services professionnels, en utilisant des techniques de sollicitation directe et explicite des clients éventuels.

3 *Efficacité des diverses techniques de promotion*

Dans les sections précédentes de ce chapitre, nous avons décrit les diverses techniques de marketing indirect et direct. Connaissant mieux les caractéristiques de chacune de ces techniques, le conseil est à même d'élaborer plus facilement une stratégie promotionnelle globale mieux adaptée à ses objectifs personnels. L'autre élément d'information qui lui est nécessaire pour agir de la façon la plus éclairée possible, est un indice du degré d'utilisation et d'efficacité de chacun de ces types de marketing. Dans ce contexte, il est très heureux que les spécialistes de la consultation aient à leur disposition les résultats des sondages semi-annuels effectués depuis 1978 par Howard L. Shenson sur la pratique des conseils auprès des organisations.

L'examen des données présentées dans le tableau 5.5 permet de prendre connaissance du degré d'utilisation régulière des diverses techniques de marketing. Ces résultats extraits de divers sondages effectués auprès des conseillers américains entre 1982 et 1986 démontrent clairement, et avec consistance, que les techniques les plus utilisées sont surtout du type marketing direct: sollicitation par courrier, sollicitation par téléphone. Viennent par la suite deux pratiques relevant de la mise en marché indirecte, soit références par des clients antérieurs et diagnostic réalisé sans frais.

Quant aux autres techniques incluses dans ce tableau, elles semblent retenir beaucoup moins la faveur des conseillers puisque moins d'un cinquième seulement des conseils mentionnent les utiliser sur une base régulière. Il s'agit des conférences à des associations professionnelles et sociales et de la publication (livres, articles, bulletin périodique). Le degré d'utilisation est certes une information intéressante mais il ne faut oublier que celle-ci ne préjuge en rien de l'efficacité de chacune de ces techniques. Certaines données complémentaires tenteront de répondre, dans les pages suivantes, à cette interrogation.

Si, dans le tableau 5.6, on retient les techniques utilisées par au moins 50 % des conseillers (indiquées par des carrés) se classant dans chacune des deux ou trois catégories de revenu annuel brut (avant impôts), il est possible de constater que la stratégie de marketing utilisée a tendance à varier en fonction du niveau de revenu annuel brut

Tableau 5.5
Pourcentage d'utilisation régulière des diverses techniques de marketing
Sondages H.L. Shenson

		Sept. '82	Avril '83	Oct. '83	Mars '84	Sept. '84	Avril '85	Fév. '86	Moyenne	Rang
M.D.*	Sollicitation par téléphone	53,3 %	56,2 %	55,4 %	57,2 %	55,8 %	54,5 %	53,7 %	55,2 %	2
M.D.	Sollicitation par courrier	55,8 %	54,9 %	52,1 %	56,3 %	60,9 %	58,9 %	56,6 %	56,5 %	1
M.I.**	Référence par clients antérieurs	53,9 %	55,8 %	36,8 %	37,7 %	38,9 %	42,1 %	45,6 %	44,4 %	3
M.I.	Diagnostic sans frais	39,1 %	37,8 %	49,7 %	47,2 %	43,8 %	45,2 %	40,7 %	43,4 %	4
M.I.	Conférences à des associations sociales et professionnelles	13,3 %	14,8 %	15,6 %	16,1 %	17,3 %	18,8 %	17,7 %	16,2 %	5
M.I.	Auteur (article, livre, bulletin périodique)	17,2 %	16,9 %	15,9 %	15,4 %	14,2 %	16,3 %	15,3 %	15,9 %	6

* M.D.: Marketing direct
** M.I.: Marketing indirect

du conseiller. Ainsi, ces résultats suggèrent que les conseillers les plus actifs, ou ceux qui réussissent le mieux sur le plan financier, ont tendance à favoriser généralement plusieurs techniques de mise en marché sans adopter d'une façon marquée une technique particulière. Cependant, il semble utiliser un peu plus les stratégies de marketing indirect (références par les clients antérieurs, conférences à des associations professionnelles et sociales ainsi que publication de livres, articles ou bulletin périodique. Ces choix sont de plus en plus évidents au cours des deux dernières années.

Quant aux conseillers qui ont les plus faibles revenus annuels, ils optent beaucoup plus pour des techniques de marketing direct, tels la sollicitation par téléphone et la sollicitation par courrier. Enfin, une technique de marketing indirect semble également attirer cette même catégorie de conseils, soit celle de réaliser pour le client futur un diagnostic sans frais. Il faut cependant être bien conscient des coûts en temps/homme que cette stratégie implique.

Il est nécessaire de s'interroger sur la possibilité que la stratégie de marketing puisse être la cause du niveau de revenu du conseil ou l'effet de celui-ci. Incidemment, les résultats des divers sondages décrits dans le tableau 5.6 ne permettent pas de savoir si c'est parce que les conseils utilisent des stratégies de marketing différentes que les revenus sont différents ou si c'est parce qu'ils ont des revenus variés, compte tenu du développement de leur clientèle et du nombre d'années en pratique, que les conseillers optent pour des stratégies différentes de mise en marché. Il est cependant évident que, selon leur niveau de revenu annuel, les conseils ont tendance à travailler au niveau marketing avec des moyens différents. C'est cette seule conclusion que nous pouvons maintenant retenir suite à ces enquêtes.

Enfin, le tableau 5.7 peut éclairer quelque peu les deux hypothèses laissées en suspens antérieurement. Ce tableau rapporte, selon divers degrés, l'appréciation générale des conseillers (peu importe leur revenu annuel) quant à leur perception de l'efficacité de chacune des principales techniques de marketing en termes de capacité à attirer des clients. Dans l'ensemble, les données supportent, de façon nette, la plus grande efficacité des moyens indirects de mise en marché des services professionnels du conseiller. Considérant les catégories de réponse «pas du tout efficace» et «insatisfaisant» versus les catégories «un peu efficace», «très efficace» et «satisfaisant», il est possible de dégager que les méthodes de marketing direct sont les moins efficaces: sollicitation par téléphone ou par courrier, annonces payées, inscription dans des annuaires. Trois techniques de marketing indirect laissent également certains doutes quant à leur efficacité soit le diagnostic sans frais, les

Tableau 5.6
Pourcentage d'utilisation des diverses techniques de marketing selon le revenu annuel brut du conseil***
Sondages H.L. Shenson

	Sept. '82			Avril '83		Oct. '83		Mars '84		Sept. '84		Avril '85		Fév. '86	
Revenu annuel brut	50 et +	30-49	30 et -	60 et +	36 et -	75 et +	40 et -	75 et +	40 et -	75 et +	40 et -	75 et +	40 et -	90 et +	45 et -
M.D.* Sollicitation par téléphone	26,1	37,7	69,4	24,3	71,4	19,9	70,5	18,7	73,2	16,9	72,1	15,8	75,3	14,9	74,1
M.D. Sollicitation par courrier	20,2	33,2	62,7	18,7	63,4	20,2	64,4	19,4	65,4	18,2	67,2	17,9	68,3	18,7	66,7
M.I.** Référence par clients antérieurs	45,6	39,9	26,7	49,2	25,1	50,1	23,6	54,6	22,4	59,2	23,1	57,4	25,6	59,2	27,5
M.I. Diagnostic sans frais	31,6	41,2	60,5	29,4	63,3	25,8	64,2	23,7	67,1	22,8	65,9	23,7	66,6	21,6	61,4
M.I. Conférence à des associations sociales et professionnelles	30,2	21,9	7,7	32,4	7,5	35,8	6,3	34,4	5,1	36,5	5,8	37,8	6,2	36,3	8,1
M.I. Auteur (article, livre, bulletin périodique)	23,5	16,9	10,3	24,2	9,7	25,7	8,4	23,6	9,2	26,2	8,9	28,1	8,8	30,4	7,9

* M.D.: Marketing direct ** M.I.: Marketing indirect *** Exprimé en milliers de dollars américains (U.S.)

Tableau 5.7
Pourcentage de conseillers exprimant divers degrés d'appréciation quant à l'efficacité des principales techniques de marketing

Sondages H.L. Shenson

		Septembre '79 (N: 187)		**Juillet '80** N: 3125			**Août '82** (N: 6223)		
		Satis-faisant	Insatis-faisant	Très	Un peu	Pas du tout	Très	Un peu	Pas du tout
M.D.*	Sollicitation personnelle par téléphone	---	---	10,1	14,2	75,7	12,3	15,6	72,1
M.D.	Sollicitation par courrier	40,7	59,3	12,7	16,3	71,0	11,6	17,3	71,1
M.D.	Sollicitation aveugle par téléphone	61,2	38,8	13,2	12,6	74,2	14,6	28,1	57,3
M.D.	Annonces	31,5	68,5	---	---	---	---	---	---
M.D.	Inscription des annuaires	24,8	75,2	---	---	---	---	---	---
M.I.**	Diagnostic sans frais	---	---	18,8	22,6	58,6	16,7	23,4	59,9
M.I.	Diagnostic avec honoraires	---	---	25,4	30,2	44,4	27,6	29,5	42,9
M.I.	Contact personnel	---	---	25,2	31,2	43,6	26,1	30,2	43,7
M.I.	Écrire des articles, livres	70,3	29,7	20,1	35,6	44,3	19,5	33,7	46,8
M.I.	Conférences	61,6	38,4	26,2	36,1	37,7	28,2	34,9	36,9
M.I.	Publication d'un bulletin périodique	---	---	29,4	40,0	30,6	27,0	35,7	37,3
M.I.	Références par clients antérieurs	---	---	32,1	29,9	38,0	33,5	28,6	37,9
M.I.	Séminaire sans frais	---	---	28,2	16,9	54,9	27,2	26,8	46,0
M.I.	Séminaire avec honoraires	72,2	27,8	35,7	28,0	36,3	37,1	24,6	38,3
M.I.	Participation active dans des associations	62,8	38,2	---	---	---	---	---	---
M.I.	Cours commandités par universités ou associations	49,0	51,0	---	---	---	---	---	---

* M.D.: Marketing direct ** M.I.: Marketing indirect --- Pas de catégorie équivalente dans le sondage.

séminaires dispensés gratuitement et les cours donnés à la demande d'universités ou d'associations.

Généralement, les techniques indirectes de mise en marché semblent être perçues par les conseillers comme beaucoup plus efficaces: diagnostic préliminaire avec honoraires, contacts personnels, publication de livres / articles / bulletin périodique, conférences, références de la part de clients antérieurs, séminaires spécialisés avec honoraires et participation active dans des associations sociales ou professionnelles.

Si nous recoupons les résultats présentés aux tableaux 5.6 et 5.7, il devient plus clair que les conseillers à haut revenu ont tendance à utiliser des stratégies de marketing du genre indirect, stratégies jugées plus efficaces par tous les conseillers, peu importe leur niveau de revenu. Il se peut donc que ce choix de stratégie soit en quelque sorte la cause, ou du moins une des causes, de leur succès financier. Par contre, les conseils à faible revenu utilisent, semble-t-il, des stratégies de mise en marché moins efficaces, identifiées habituellement au marketing direct.

En conclusion, mentionnons que le succès financier ou l'établissement d'une clientèle n'est pas associé à un marketing direct. Il ne suffit pas de courir après les clients en plaçant des annonces, en mettant le nom de la firme-conseil dans des annuaires, en sollicitant directement par téléphone ou par courrier. Il apparaît plutôt qu'une clientèle se bâtit, dans le domaine de la consultation, par des contacts personnels que le conseiller développe en participant activement à des associations diverses, en se créant une visibilité par des conférences, séminaires, cours, publications diverses et en misant sur les références que peuvent fournir des clients satisfaits. C'est malheureusement plus long, plus difficile mais plus réaliste que les attentes souvent fantaisistes du conseiller inexpérimenté qui croit qu'il suffit de placer une annonce ou de faire de la sollicitation pour voir apparaître, le lendemain matin, une foule de clients. Ce n'est pas la bonne façon d'agir pour se bâtir une carrière attrayante et réussie dans le secteur de la consultation auprès des organisations.

Pour terminer ce chapitre sur la mise en marché des activités des conseillers, il est nécessaire de souligner l'importance de mettre en place un processus d'évaluation de la stratégie de marketing. À l'origine de cette démarche, le conseil se fixe un but et des objectifs spécifiques. Cette démarche ne se fait pas évidemment une seule fois. Elle s'inscrit plutôt dans un processus continu d'évaluation qui facilite l'adaptation de la stratégie de mise en marché à l'évolution de la clientèle et de ses besoins. La stratégie de marketing doit faire l'objet des préoccupations constantes du conseil auprès des organisations.

Après avoir déterminé un plan opérationnel de mise en marché, il importe de suivre l'évolution de l'implantation de façon à être en mesure de juger de l'atteinte plus ou moins complète des objectifs, d'y apporter le plus rapidement possible les correctifs nécessaires. De plus, un examen annuel complet de la stratégie de marketing s'impose. Les résultats obtenus permettent alors de déterminer les budgets nécessaires à la réalisation d'une mise en marché efficace, de prendre des décisions sur ce qui devrait être ajouté ou modifié dans la stratégie. Le succès du marketing et subséquemment le succès d'une pratique professionnelle s'inscrivent dans des activités de mise en marché qui respecte une perspective globale d'évolution de la clientèle, d'adaptation des moyens au profit de l'efficacité et d'évaluation continue des stratégies choisies.

Chapitre 6
HONORAIRES PROFESSIONNELS ET CONTRAT

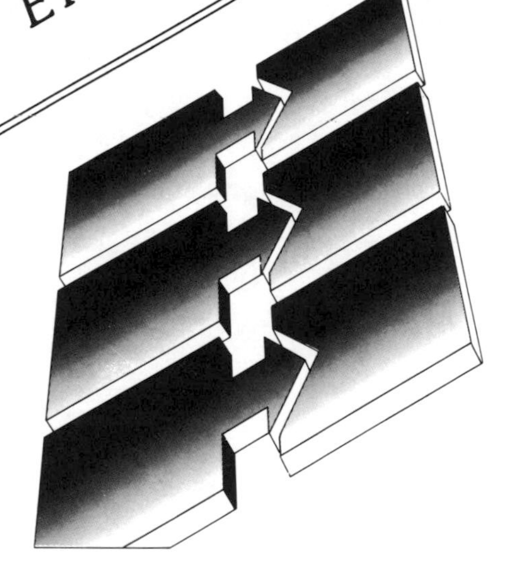

La façon de déterminer les honoraires qui sont chargés au client constitue la pierre angulaire de la pratique professionnelle du conseiller. Fondamentalement, ce dernier désire recevoir une juste rétribution pour ses services et son expertise compte tenu des dépenses d'opération et des risques encourus et ce, tout en demeurant compétitif sur le marché de l'activité-conseil. Certains excès dans l'évaluation des honoraires professionnels peuvent avoir une conséquence importante, soit la faillite du conseil. En effet, ceci est susceptible d'arriver si le conseiller charge des honoraires trop élevés par rapport au marché ou s'il ne réclame pas assez. Le conseil évalue ses honoraires professionnels avec justesse et s'adapte continuellement à l'évolution du marché selon l'offre et la demande. Cette opération de fixation des honoraires est critique et elle ne doit pas être abordée à la légère.

Dans ce chapitre, nous exposerons les règles de base qui servent à déterminer des honoraires professionnels équitables. Mentionnons immédiatement que les honoraires facturés au client incluent essentiellement trois éléments:

— Valeur du travail du/des conseillers ou salaire quotidien

— Dépenses d'opération

— Profit relié à la prise de risque.

Le salaire quotidien reflète la valeur du travail du conseiller compte tenu de ses caractéristiques personnelles (formation, expérience, expertise, âge, etc.) et du milieu (offre et demande). Essentiellement, cette valeur est déterminée par le salaire annuel que le conseiller croit équitable dans son cas. Ce salaire annuel est ensuite divisé par le nombre de jours ouvrables dans une année. On obtient ainsi le salaire quotidien. Si une firme de conseillers a plusieurs conseils à son service, ce salaire quotidien devient alors la somme des salaires quotidiens de tous les conseillers en tenant compte que les salaires varient selon les diverses catégories de conseillers (stagiaire, junior, senior, associé). Tous les jours ouvrables ne seront pas nécessairement des jours facturés directement aux clients mais il n'en demeure pas moins que chaque conseiller est rémunéré pour l'ensemble des jours ouvrables.

Les dépenses d'opération correspondent aux frais de base reliés au fait d'être en affaires tels la location d'un bureau, le téléphone, le personnel de bureau, les frais de marketing, etc. Nous reviendrons ultérieurement, de façon plus détaillée, sur ces frais d'opération. Certaines études effectuées par Shenson (1980) démontrent que les frais d'opération se situent entre 80 % et 150 % de la masse salariale globale. Il semble de plus que l'ampleur des frais d'opération est en corrélation directe (R = .87) avec l'accroissement des salaires globaux ou la grandeur de la firme.

Il est important de distinguer ici entre les frais d'opération tels que décrits ci-dessus et les dépenses directes, c'est-à-dire les dépenses associées directement à la réalisation du mandat spécifique d'un client (dépenses de voyage, appels téléphoniques interurbains, etc.). Ces dépenses directes n'entrent pas dans le calcul des frais d'opération et elles sont chargées intégralement au client concerné.

Enfin, le troisième élément, soit le profit, représente un retour sur l'investissement lié aux risques inhérents à être en affaires. Dans notre société, celui qui prend ce type de risque (personnel et financier) retire une compensation spécifique en plus d'un salaire équitable pour le travail effectué. Cet avantage escompté est appelé profit. Il ne serait pas juste que celui qui travaille à son propre compte et prend beaucoup de risques reçoive exactement la même rémunération totale (à compétence égale évidemment) que celui qui travaille pour un employeur sans prendre personnellement aucun risque. Cette règle de fonctionnement existe dans tous les secteurs de l'activité économique: industrie, commerce, immobilier, services. La notion de profit soulève occasionnellement des attitudes négatives parce que les gens en comprennent parfois mal la raison d'être. Shenson (1980) évalue que le profit se situe généralement entre 16 % et 24 % du total des salaires des conseillers et des frais d'opération de la firme.

1 Budget global

Nous reprendrons dans cette section les différents éléments du budget opérationnel de façon à en illustrer les modalités d'évaluation. Le budget global fictif d'une petite firme de conseillers servira ici d'exemple.

1.1 *Salaire quotidien*

Nombre de jours ouvrables pour un individu dans une année:

365 jours/année

moins samedi et dimanche: 2 jours × 52 semaines = 104 jours

donc 261 jours seront rémunérés pour le conseil.

Supposons, en tenant compte du marché et de l'expérience, les salaires annuels suivants:

Propriétaires/associés	2 × 65,000 $	=	130,000 $
Conseillers seniors	2 × 50,000 $	=	100,000 $
Conseillers juniors	2 × 35,000 $	=	70,000 $
	Salaire annuel total	=	300,000 $

Salaire quotidien total $\frac{300{,}000\ \$}{261\ \text{jours}}$ = 1,149 $

1.2 *Dépenses d'opération*

Voici maintenant les divers éléments que l'on retrouverait généralement dans le budget d'opération de cette petite firme de conseils fictive.

	Annuel	Quotidien
Personnel de bureau	39 000 $	149 $
Marketing		
direct	30 252 $	116 $
personnel	59 748 $	229 $
Téléphone/poste	15 000 $	57 $
Location bureau	12 000 $	46 $
Bénéfices marginaux	30 000 $	115 $
Taxes diverses	36 000 $	138 $
Développement professionnel	12 000 $	46 $
Associations professionnelles	3 000 $	11 $
Impression/photocopie	3 000 $	11 $
Matériel de bureau	3 000 $	11 $
Frais légaux et comptables	3 000 $	11 $
Administration/gestion	36 000 $	138 $
Assurances	3 000 $	11 $
Automobile	12 000 $	46 $
Autres dépenses	6 000 $	23 $
	303 000 $	*1 158 $*

Ratio Dépenses d'opération / Salaire global:

Annuel		Quotidien		
$\frac{303\ 000\ \$}{300\ 000\ \$}$	=	$\frac{1\ 158\ \$}{1\ 149\ \$}$	=	101 %

Personnel de bureau

Il s'agit ici du travail de secrétariat qui n'est pas relié directement à la réalisation d'un mandat spécifique: réponse au téléphone, recevoir les gens, correspondance, relations avec la banque, etc.

Marketing

Le marketing direct comprend les frais associés à la publicité traditionnelle: brochure, lettre publicitaire, annonce, publicité téléphonique, etc.

Quant au marketing personnel, il s'agit de la valeur du temps consacré par chaque conseiller à effectuer la vente de ses jours de consultation facturables. Il est recommandé que chaque conseiller se réserve une journée par semaine pour faire du marketing et ce, peu importe le volume de travail déjà accumulé. Une telle pratique stabilise le volume de travail en évitant qu'il y ait des périodes creuses à la suite de périodes fortement actives. Ainsi, dans cet exemple, les prévisions de coût sont les suivantes:

Propriétaire / associés	52 jours × $\frac{65\ 000\ \$}{261\ \text{jours}}$ × 2 personnes
Conseiller senior	52 jours × $\frac{50\ 000\ \$}{261\ \text{jours}}$ × 2 personnes
Conseiller junior	52 jours × $\frac{35\ 000\ \$}{261\ \text{jours}}$ × 2 personnes

Téléphone / poste

Cet item inclut les frais mensuels réguliers de téléphone, les appels non reliés à un contrat particulier (ce qui constituerait alors une dépense directe chargée au client) et les frais postaux pour la correspondance régulière ou publicitaire.

Location d'un bureau

Dans cet exemple, la location implique un coût de 1 000 $ par mois. Dans les cas où un conseiller travaille seul ou à temps partiel, la formule du partage d'un bureau avec d'autres professionnels peut être avantageuse en réduisant sensiblement les frais. Dans ce cas, le conseiller intègre également les coûts de partage d'un bureau dans le calcul de ses dépenses d'opération.

Bénéfices marginaux

Cet élément du budget comprend essentiellement la participation partielle ou complète aux frais de certaines assurances (vie, salaire, etc.) et la rémunération des jours de maladie, ce qui équivaut à environ 10 jours pour chaque conseiller, soit 11 490 $ (10 jours × 1 149 $) pour l'ensemble du cabinet-conseil servant ici d'exemple.

Taxes diverses

En plus des taxes d'affaires imposées par les divers niveaux gouvernementaux, nous pouvons inclure ici la participation de l'employeur à certains programmes sociaux obligatoires: assurance-chômage, régie des rentes, accident du travail, etc.

Développement professionnel

Le développement professionnel est important pour tout conseiller qui désire se tenir informé des nouvelles techniques ou des nouveaux développements dans son secteur. Chaque conseil devrait consacrer environ l'équivalent d'une journée par mois (11 jours × 1 149 $ = 12 639 $) à la lecture de livres, revues ou à suivre certains cours. Le montant prévu sert donc à défrayer la valeur du salaire consacré à la formation et certaines dépenses contingentes.

Associations professionnelles

Les conseillers se doivent d'être membres d'associations professionnelles ou scientifiques pour y établir et entretenir certains contacts ou collaborations fructueuses. Les exigences de l'action risquent d'isoler, sur le plan professionnel, les conseils et c'est un danger à éviter par le biais du développement et des associations professionnelles.

Impression/photocopie

Cette partie du budget d'opération n'inclut pas les coûts reliés à un mandat précis. Il s'agit ici de dépenses générales non imputables à un contrat particulier.

Matériel de bureau

À cet item budgétaire, on impute tout matériel périssable: papier, crayon, fiche, disquette, etc.

Frais légaux et comptables

Cet item est prévu pour couvrir le coût de certaines consultations auprès d'un avocat ou d'un expert-comptable.

Administration/gestion

Ce montant comprend les frais reliés à l'engagement, à temps plein ou à temps partiel, des ressources nécessaires à la gestion de la firme: comptable, commis, directeur administratif, etc. Cet item constitue, avec le personnel de bureau, le support technique nécessaire à l'activité d'une firme de conseillers.

Assurances

Il faut inclure ici les frais associés à diverses assurances, telles l'assurance feu/vol, l'assurance responsabilité civile, l'assurance responsabilité professionnelle.

Automobile

Il s'agit essentiellement du coût de location ou les paiements d'achat des automobiles nécessaires aux déplacements des conseils. De plus, ce montant peut être utilisé pour rembourser les dépenses de déplacements (exemple: 0,25 $ le kilomètre) déboursées par les conseillers. S'il y a des voyages occasionnés par un client précis, ces frais sont généralement facturés au client impliqué (dépenses directes).

Autres dépenses

Cette réserve peut être utilisée pour certaines dépenses imprévues ou occasionnelles: frais bancaires, cadeaux, télégrammes, etc.

Les proportions qui ont servi à élaborer ce budget d'opération typique (pour une firme de six conseils) sont tirées des sondages semestriels effectués par H.L. Shenson, et plus particulièrement de celui du mois de février 1986. Il s'agit d'une indication assez précise des proportions actuelles (tableau 6.1) consacrées à chacun des éléments du budget des dépenses opérationnelles en milieu américain. Il est bien évident que ces proportions doivent être adaptées à chaque contexte socio-économique particulier. C'est d'ailleurs ce qui explique que le pourcentage de ces dépenses d'opération peut varier de 80 % à 150 % de la masse salariale versée à l'ensemble des conseillers de la firme (Shenson, 1980).

Le tableau 6.1 permet également de constater, dans le temps, une relative stabilité du pourcentage attribué aux divers items du budget d'opération et ce, plus particulièrement, pour les sondages réalisés

Tableau 6.1

Pourcentage des frais d'opération par rapport aux salaires quotidiens de l'ensemble des conseillers oeuvrant dans une firme et répartition selon les divers items budgétaires d'opération

(Sondages H.L. Shenson)

	Juillet 1978	Avril 1979	Février 1980	Juillet 1980	Janvier 1981	Juillet 1981	Janvier 1982	Septembre 1982	Avril 1983	Octobre 1983	Mars 1984	Septembre 1984	Avril 1985	Février 1986
Pourcentage des frais d'opération par rapport aux salaires quotidiens	---	---	---	---	---	---	---	88	91	91	89	91	91	93
Items budgétaires d'opération														
- Personnel de bureau	19	23	22	22	17	16	10	12	11	11	10	10	10	13
- Marketing	15	20	20	22	15	17	25	22	24	25	26	28	29	30
- Téléphone/poste	11	7	18	15	11	10	6	5	5	5	5	5	5	5
- Location (bureau/équipement)	6	5	6	7	6	8	3	4	4	4	5	5	4	4
- Bénéfices marginaux	15	18	18	16	13	14	12	11	10	10	10	10	10	10
- Taxes diverses	15	14	12	7	10	10	10	11	11	11	12	12	13	12
- Développement professionnel	---	---	4	5	8	8	3	5	6	5	6	5	5	4
- Représentation, divertissement	---	---	---	---	5	5	---	---	---	---	---	---	---	---
- Associations professionnelles	---	---	---	---	---	---	1	1	1	1	1	1	1	1
- Impression/photocopie	---	---	---	---	---	---	1	1	1	1	1	1	1	1
- Matériel de bureau	---	---	---	---	---	---	1	1	1	1	1	1	1	1
- Frais légaux et comptables	---	---	---	---	---	---	2	1	1	1	1	1	1	1
- Administration/gestion	---	---	---	---	---	---	10	13	12	11	10	14	14	12
- Assurances	---	---	---	---	---	---	2	2	1	1	1	1	1	1
- Automobile	---	---	---	---	---	---	5	4	5	5	4	4	4	4
- Autres dépenses	19	18	4	5	14	13	11	8	7	7	8	4	2	2

Note: --- signifie que cet item n'est pas mentionné dans ces sondages.

depuis 1982. Un seul élément du budget, soit autres dépenses, diminue sensiblement mais ce fait s'explique probablement par l'insertion de certaines dépenses à l'intérieur des autres postes budgétaires.

Il semble que la proportion de 10-11 % attribuée aux bénéfices marginaux soit sous-évaluée puisque ceux-ci correspondent généralement à environ 30 % des salaires versés (Shenson, 1980). Il est possible encore ici que, dans ces sondages, cet item budgétaire soit distribué en réalité dans certains autres éléments du budget, notamment taxes diverses et développement professionnel.

Il est important de signaler enfin que cette opération de fixation des proportions est réalisée trois à quatre fois annuellement dans les premières années d'existence de la firme de conseils. Par la suite, il est recommandé de réviser cette répartition à tous les six mois pour établir l'importance des dépenses d'opération par rapport aux salaires versés aux conseillers. Ceci est très important puisque les conseils établissent fréquemment dans leurs offres de service le coût total du projet à partir des coûts salariaux et en y ajoutant automatiquement un certain pourcentage pour le profit et les frais d'opération tels qu'établis de la façon décrite précédemment.

1.3 *Profit*

Nous avons expliqué antérieurement que le fait d'être en affaires implique des risques financiers qui doivent être compensés par un profit correspondant. Comme dans tout investissement, plus le risque est élevé, plus le profit escompté et équitable est élevé. Shenson (1980) mentionne que celui-ci se situe généralement entre 16 % et 24 % du total des salaires des conseils et des dépenses d'opération. Nous supposerons, pour les fins de notre exemple, que le pourcentage de profit escompté est fixé à 23 % compte tenu des caractéristiques de la firme et surtout de l'importance des dépenses annuelles prévues (salaires des conseillers et dépenses d'opération) de 603 000 $. Le profit serait, dans ces conditions, d'environ 138 690 $ s'il n'y avait aucune perte ou dépenses additionnelles non prévues.

Le profit ne doit pas être confondu avec le salaire du / des propriétaire(s) / associé(s) de la firme. Le salaire est la compensation juste et équitable pour la valeur du travail effectué. Le profit, par contre, est le retour sur l'investissement et les risques financiers assumés par les propriétaires ou associés.

2 Établissement des honoraires quotidiens

Une année implique, pour chaque conseiller, environ 261 jours ouvrables. Son salaire annuel correspond donc à 261 fois son salaire quotidien. Or, s'il est rémunéré pour chaque jour ouvrable, il faut bien être conscient que chacun de ces 261 jours ne sera pas directement facturé à un client. Comment donc évaluer le nombre de jours facturables sur lesquels répartir ensuite l'ensemble du budget global (salaires des conseils, dépenses d'opération et profit escompté)?

Voici donc une suggestion de répartition qui semble s'adapter assez bien à la réalité des firmes de conseillers, selon Kubr (1978) et Shenson (1980):

Nombre maximum de jours ouvrables		261 jours
moins		
congé annuel	15 jours	
jours fériés	6 jours	
jours consacrés au marketing (1 jour/semaine en dehors de la période du congé annuel)	49 jours	
développement professionnel (1 jour/mois en dehors de la période du congé annuel)	11 jours	81 jours
Nombre de jours facturables aux clients		180 jours

Avec ces informations, il devient possible de calculer les honoraires professionnels quotidiens qui seront facturés au client pour chaque catégorie de conseillers.

Propriétaires / associés

Salaire = 65 000 $ / 180 jours facturables	361,11 $
Dépenses d'opération = 101 % de 361,11 $	364,72 $
Profit = 23 % de (361,11 $ + 364,72 $)	166,94 $
	892,77 $

Honoraire professionnel quotidien d'environ 900 $.

Conseiller senior

Salaire = 50 000 $ / 180 jours facturables	277,78 $
Dépenses d'opération = 101 % de 277,78 $	280,56 $
Profit = 23 % de (277,78 $ + 280,56 $).........	128,42 $
	686,76 $

Honoraire professionnel quotidien d'environ 700 $.

Conseiller junior

Salaire = 35 000 $ / 180 jours facturables	194,44 $
Dépenses d'opération = 101 % de 194,44 $	196,39 $
Profit = 23 % de (194,44 $ + 196,39 $)	89,89 $
	480,72 $

Honoraire professionnel quotidien d'environ 500 $.

Dans le but de mieux saisir l'importance des honoraires chargés aux clients par les conseillers, nous retournerons aux sondages effectués aux États-Unis, depuis 1982, par Howard L. Shenson. Étant donné l'ampleur des renseignements contenus dans ces sondages concernant plus de 55 spécialisations de l'activité-conseil, une sélection a été effectuée pour ne retenir que les conseillers organisationnels oeuvrant en gestion, personnel, services psychologiques, formation et recrutement de cadres. La figure 6.1 permet de constater le niveau actuel des honoraires quotidiens médians et leur évolution depuis 1982. La courbe est tracée selon la valeur monétaire américaine (U.S.) des honoraires. Pour fins de compréhension, cette valeur U.S. a été traduite en dollars canadiens (CAN.) et en francs français (F.F.) en utilisant la table de conversion incluse à l'appendice VII.

En février 1986, les conseils américains retenus facturaient, de façon générale, environ 710 $ U.S. (1 008 $ CAN. ou 4 849 F.F.). Il est bien entendu que la transformation automatique en dollars canadiens ou en francs français doit être utilisée avec prudence puisqu'elle ne tient pas compte de certaines réalités socio-économiques particulières au Canada ou à la France: l'inflation, l'offre et la demande de l'activité-conseil, les dispositions fiscales individuelles et corporatives, etc. De plus, autour de cette valeur médiane, la variabilité est très importante et elle traduit ainsi la présence de certains facteurs décisifs dans l'établissement des honoraires quotidiens: formation, âge, expérience, localisation géographique, etc. Voici donc l'étendue de cette variabilité des honoraires quotidiens en février 1986:

	10 % inférieur	Médiane	10 % supérieur
Dollars U.S.	380 $	710 $	1 211 $
Dollars CAN.	540 $	1 008 $	1 720 $
Francs F.F.	2 595 F.F.	4 849 F.F.	8 271 F.F.

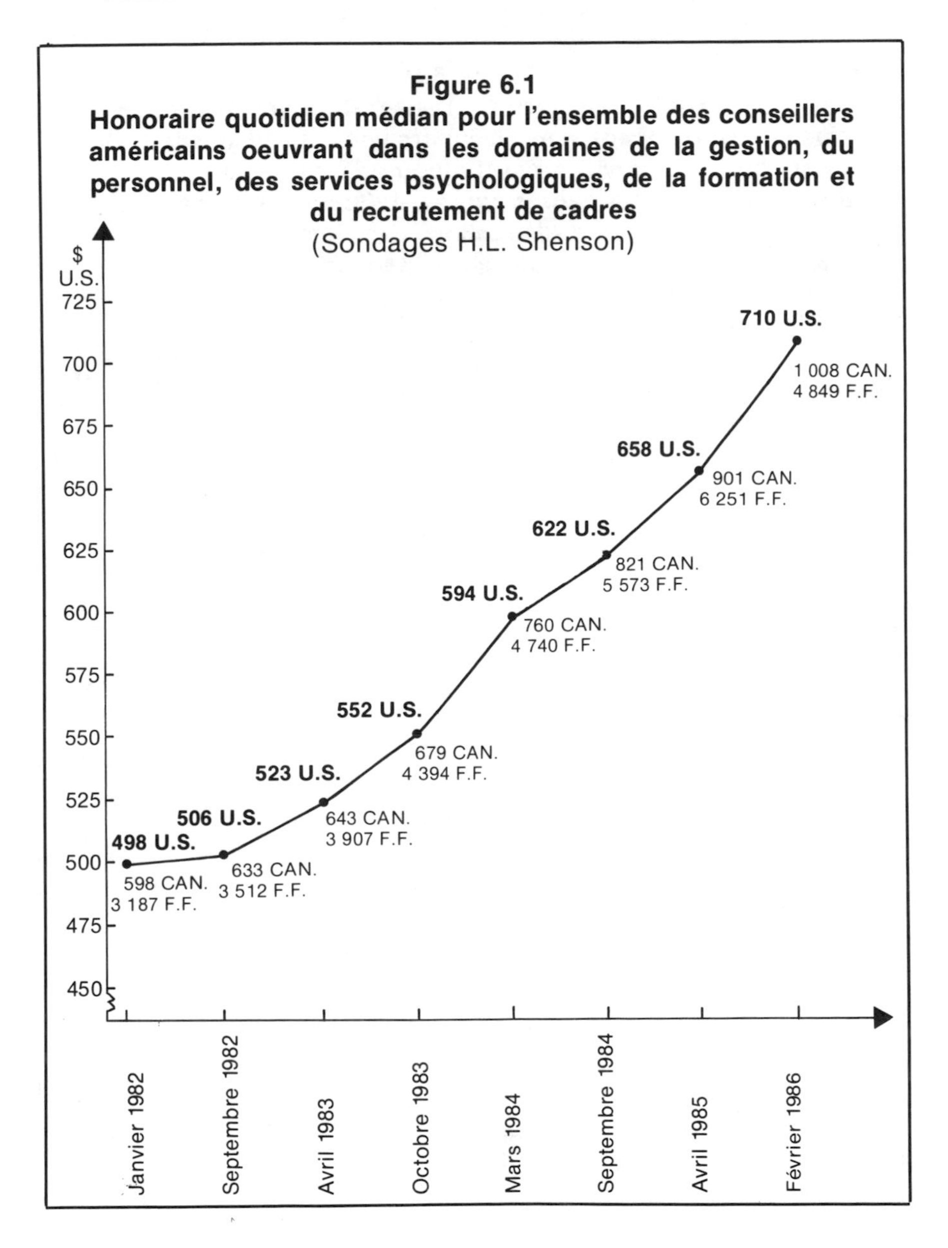

Figure 6.1
Honoraire quotidien médian pour l'ensemble des conseillers américains oeuvrant dans les domaines de la gestion, du personnel, des services psychologiques, de la formation et du recrutement de cadres
(Sondages H.L. Shenson)

La figure 6.2 fournit une autre information intéressante pour les mêmes cinq catégories retenues de conseils. En février 1986, le salaire annuel moyen (après déduction des dépenses d'affaires mais avant déduction des impôts personnels) se situe à 73 014 $ U.S. Les valeurs correspondantes en dollars canadiens et en francs français sont respectivement de 103 680 $ CAN. et de 498 686 F.F.

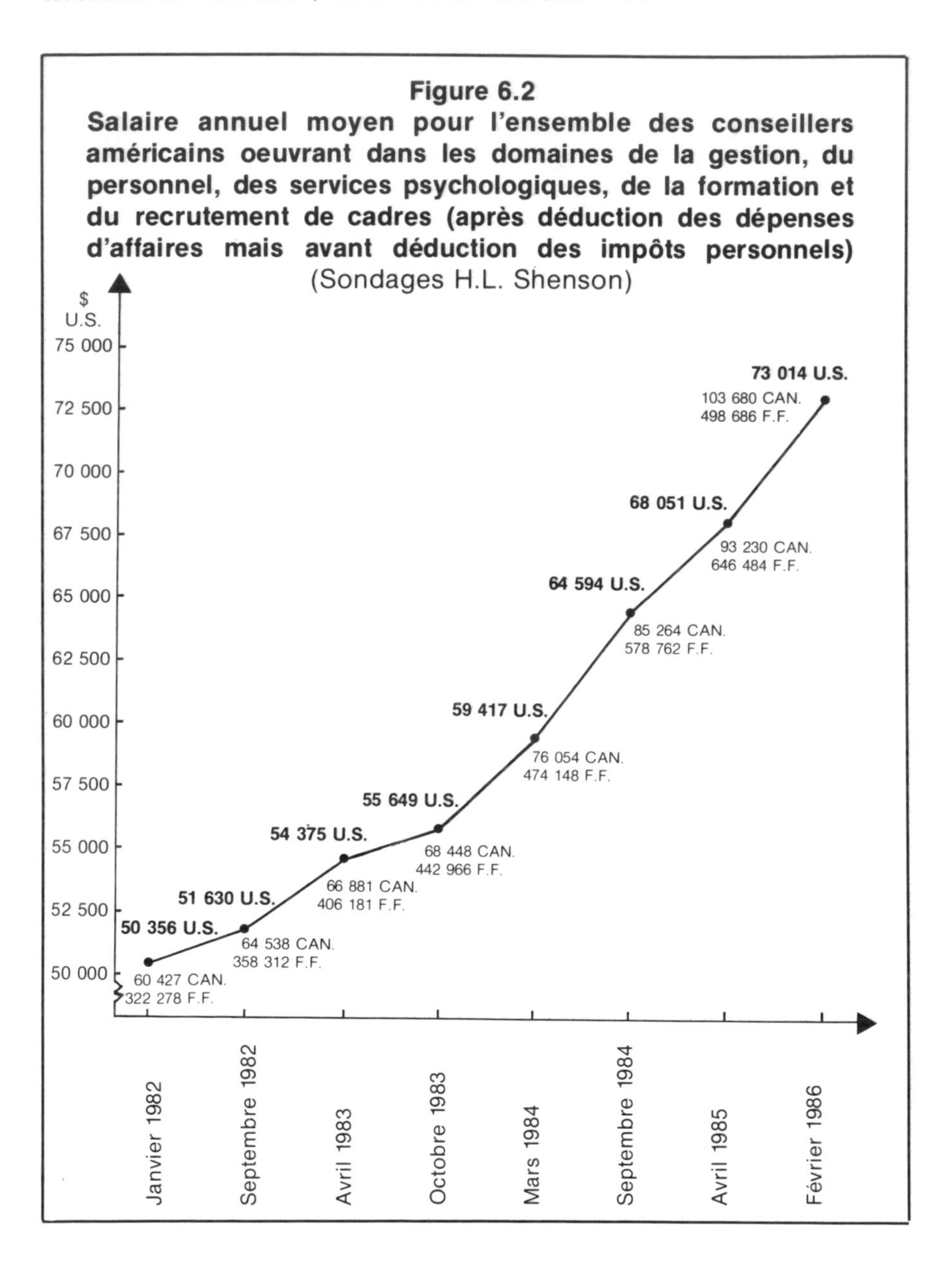

Figure 6.2
Salaire annuel moyen pour l'ensemble des conseillers américains oeuvrant dans les domaines de la gestion, du personnel, des services psychologiques, de la formation et du recrutement de cadres (après déduction des dépenses d'affaires mais avant déduction des impôts personnels)
(Sondages H.L. Shenson)

Une étude actuellement en cours au Québec[1] a pour but de décrire la pratique de la psychologie industrielle et organisationnelle. Parmi les 103 répondants (56 % de la population connue des psychologues industriels et organisationnels), 27 font de la consultation, à leur propre compte ou à titre d'employé d'une firme-conseil, dans les domaines de la gestion, du personnel, des services psychologiques, de la formation et du recrutement de cadres. Il s'agit évidemment d'une catégorie très spécifique de conseillers mais il est tout de même intéressant de souligner la distribution de leurs revenus annuels (tableau 6.2) puisque ces conseils de formation psychologique agissent dans des secteurs également occupés par des spécialistes de la gestion des ressources humaines, des relations de travail, etc. Il peut donc s'agir d'un indicateur intéressant de l'état des honoraires professionnels dans la consultation au Québec.

Tableau 6.2
Distribution du revenu annuel (dollars canadiens) des psychologues industriels et organisationnels québécois en consultation par rapport au nombre réel d'heures de travail par semaine (1986)
(N = 27)

$	25 heures et moins	26 à 50 heures	50 heures et plus	Total
Moins de 20 000	2	1	0	3
21 000 à 25 000	0	0	0	0
26 000 à 30 000	0	1	0	1
31 000 à 35 000	0	1	0	1
36 000 à 40 000	1	4	0	5
41 000 à 45 000	0	2	1	3
46 000 à 50 000	0	0	0	0
51 000 à 55 000	0	0	2	2
56 000 à 60 000	0	1	0	1
61 000 à 65 000	0	2	0	2
66 000 à 70 000	0	1	0	1
Plus de 71 000	0	4	4	8
Total	**3**	**17**	**7**	**27**

1. Cette étude de Bordeleau, Y. et Morin, E.M. sera publiée au cours de 1987 dans la Revue Canadienne de Psychologie.

Le tableau 6.2 permet de voir que la distribution des revenus est reliée au nombre réel d'heures de travail par semaine (corrélation R de .64). De façon générale, les plus bas revenus annuels, soit moins de 20 000 $ (CAN.), vont aux conseillers qui oeuvrent dans ce domaine à temps partiel (25 heures ou moins). Quant aux autres qui y travaillent probablement à temps plein, les revenus annuels s'échelonnent généralement de 31 000 $ (CAN.) à plus de 71 000 $ (CAN.). Il semble bien que le niveau de revenu annuel soit associé, de façon statistiquement significative, à l'âge (corrélation R de .53) et au nombre d'années d'expérience (corrélation R de .79). De plus, s'il ne semble pas y avoir généralement de relation entre le salaire annuel et le fait d'être à son compte ou employé, il faut cependant signaler, que pour la catégorie spécifique de revenu annuel de plus de 71 000 $ (CAN.), 6 répondants sur les 8 sont associés ou à leur propre compte.

Comme le démontre la comparaison des résultats québécois précédents et les conversions effectuées à partir des données américaines, il convient de souligner, en terminant cette section consacrée au calcul des honoraires professionnels, qu'il faut être très prudent dans l'interprétation des conversions effectuées en dollars canadiens et en francs français. Ces données sont fournies à titre d'information et constituent des estimations qui peuvent aider le conseiller dans l'établissement de son barème d'honoraires. Il faut cependant tenir compte, d'une façon importante, de son milieu et adapter ses honoraires professionnels aux caractéristiques et à l'évolution du marché.

3 *Dépenses de voyage*

Le problème du traitement des dépenses de voyage constitue un item distinct et particulier dans l'établissement de la facturation aux clients. Qu'advient-il des dépenses de voyage et du temps consacré au voyage par le conseil?

Mentionnons d'abord que les frais de voyage sont considérés comme des dépenses directes imputées au client et ne sont pas incluses dans le calcul des honoraires quotidiens du conseiller. Le tableau 6.3 montre qu'aux États-Unis, environ 30 à 40 % des conseils ne chargent pas le client pour le temps ou les dépenses de voyage durant la phase de prospection ou de préparation d'une offre de service. On peut supposer que, pour la majorité de ceux-ci, ces dépenses n'existent pas (ne s'applique pas) et qu'ils n'ont pas à se déplacer pour exercer leur travail. Par contre, une autre proportion importante de conseillers

(30 à 40 %) chargent aux clients, à la fois, des coûts pour le temps consacré au voyage et le remboursement des dépenses de voyage. Environ 25 % des conseils ne facturent que les dépenses strictes de voyage et non pas le temps dépensé à voyager. Enfin, très peu de conseillers (1 à 2 %) n'imputent au client que le temps de voyage sans aucune dépense de voyage. Il faut donc retenir que si les conseillers ont à voyager pour la préparation d'une offre de service ou pour la phase de prospection, ceux-ci facturent plus souvent temps et dépenses de voyage que dépenses de voyage seulement.

Qu'arrive-t-il maintenant durant la phase de réalisation d'un mandat en ce qui concerne spécifiquement le temps dépensé à voyager? En février 1986, Shenson (1986) démontre dans son sondage qu'environ 40 % des conseillers américains facturent leurs clients selon le tarif des honoraires réguliers et 20 % selon des honoraires réduits. Enfin, 30 % des conseillers ne font pas de charge pour le temps consacré au voyage (tableau 6.4) durant la réalisation de la mission.

Il est intéressant de remarquer que le pourcentage correspondant à la facturation selon le tarif des honoraires réguliers a tendance à

Tableau 6.3
Pourcentage de conseillers américains qui facturent le client pour le temps et les dépenses de voyage reliés à la préparation d'une offre de service ou la phase de prospection (Sondages H.L. Shenson)

	Janvier 1982	Septembre 1982	Avril 1983	Octobre 1983	Mars 1984	Septembre 1984	Avril 1985	Février 1986
Temps et dépenses de voyage	41	35	33	36	30	28	57*	60*
Dépenses de voyage seulement	23	26	28	22	27	31		
Temps seulement	3	2	2	1	1	0	0	0
Pas de charge/ ne s'applique pas	32	37	38	41	12	41	44	40

*Impossible, dans ce sondage, de distinguer entre ces deux catégories de réponse.

Tableau 6.4
Pourcentage de conseillers américains qui facturent directement le client pour le temps de voyage durant la réalisation du mandat
(Sondages H.L. Shenson)

	Avril 1979	Février 1980	Juillet 1980	Janvier 1981	Juillet 1981	Janvier 1982	Septembre 1982	Avril 1983	Octobre 1983	Mars 1984	Septembre 1984	Avril 1985	Février 1986
Selon les honoraires réguliers	49	57	60	61	60	63	48	47	49	44	41	40	40
Selon des honoraires réduits	25	20	19	17	18	11	16	15	16	17	19	20	20
Pas de charge	15	18	18	19	19	17	26	30	25	30	30	30	30
Ne s'applique pas	11	5	4	4	3	8	10	9	10	8	11	10	10

diminuer depuis 1980 alors que celui correspondant à l'absence de charge augmente. Il se peut que les conseillers aient de plus en plus tendance à estimer, pour un client particulier, l'ampleur du temps consacré à voyager durant la réalisation du mandat et à l'intégrer dans les coûts totaux présentés dans l'offre de service. Enfin, il faut souligner que la formule d'une compensation pour le temps de voyage selon des honoraires réduits ne semble pas avoir été jamais pratiquée par plus de 20% des conseillers américains.

En ce qui concerne les dépenses de voyage chargées directement aux clients, deux formes existent: le remboursement des frais effectivement encourus et le per diem (tableau 6.5).

Alors qu'en 1978, les conseils oeuvrant aux États-Unis utilisaient également les deux modalités de charge directe, il semble bien, qu'avec les années, la pratique ait évolué radicalement. En effet, en février 1986,

Tableau 6.5
Modalités de paiement pour les dépenses de voyage des conseillers américains durant la réalisation de leur mandat
(Sondages H.L. Shenson)

	Remboursement des frais encourus	Per diem	Per diem réclamé (valeur médiane en dollars américains U.S.)	Modalité non spécifiée
Juillet 1978	47 %	48 %	---	5 %
Avril 1979	39 %	56 %	---	5 %
Février 1980	39 %	59 %	84,00	2 %
Juillet 1980	36 %	61 %	93,00	3 %
Janvier 1981	28 %	69 %	100,00	3 %
Juillet 1981	25 %	72 %	112,00	3 %
Janvier 1982	22 %	73 %	118,00	5 %
Septembre 1982	26 %	64 %	112,00	10 %
Avril 1983	23 %	66 %	112,00	10 %
Octobre 1983	20 %	70 %	113,00	10 %
Mars 1984	18 %	73 %	114,00	10 %
Septembre 1984	16 %	74 %	114,00	10 %
Avril 1985	17 %	72 %	125,00	10 %
Février 1986	19 %	77 %	150,00	4 %

--- Non disponible dans ces sondages.

près de 75 % des conseillers optent pour un remboursement basé sur un per diem plutôt que pour le remboursement des frais réels encourus (19 %). Cette nouvelle approche a certes l'avantage, pour le client, de savoir à l'avance ce qui lui en coûtera exactement à l'item dépenses de voyage du conseil contrairement au remboursement des frais encourus qui laisse une grande latitude au conseiller. Par contre, le per diem permet également au conseiller, s'il lui arrive de minimiser ses dépenses de voyage, de faire des économies dont il profite ensuite personnellement.

Comme le per diem devient une formule de remboursement des frais de voyage de plus en plus utilisée, il convient de jeter un bref coup d'oeil sur ses divers éléments constituants. En effet, le per diem comprend généralement les dépenses suivantes:

— Chambre d'hôtel
— Petit déjeuner
— Repas du midi
— Repas du soir
— Transport (taxi, stationnement, etc.)
— Autres dépenses
  journaux
  nettoyage, cirage, etc.
  divertissement
  pourboires.

La valeur médiane du per diem s'établit en 1980, à environ 84 $ U.S. (97 $ CAN. ou 335 F.F.). En février 1986, celui-ci a augmenté de 79 % et est alors de 150 $ U.S. (213 $ CAN ou 1 025 F.F.). Est-il encore nécessaire de souligner le caractère strictement indicatif de ces conversions en dollars canadiens et en francs français puisque les conditions de vie et les coûts varient beaucoup d'un pays à l'autre? Même à l'intérieur d'un pays, il est parfois recommandé au conseil d'avoir deux per diem: un pour les grandes villes et un pour les plus petites villes. En effet, nous sommes tous bien conscients que le coût des chambres d'hôtel, les distances à parcourir et, à un degré moindre, le coût des repas varient d'une région à l'autre. Généralement, le coût du transport aérien et de la location d'automobile sont des dépenses exclues du per diem à cause de leur très grande variabilité dans le temps et dans l'espace. Celles-ci sont alors ajoutées au per diem correspondant aux frais de séjour et remboursés sur réception des pièces justificatives.

4 *Divers types d'honoraires professionnels*

Parler de la typologie des honoraires professionnels signifie simultanément faire référence à diverses formes d'ententes contractuelles. En effet, la facturation des honoraires découle, dans son application quotidienne, des termes du contrat. Nous décrirons, de façon détaillée, plus loin dans ce chapitre, les divers types de contrat. Dans la présente section, nous mentionnerons brièvement les diverses modalités d'honoraires professionnels et l'évolution de leur utilisation dans le temps. Le tableau 6.6 décrit, de 1978 à 1985, l'évolution des diverses méthodes de facturation utilisées par les conseillers américains. Ces derniers semblaient favoriser, de 1978 à 1981, l'utilisation de la formule mixte (honoraires quotidiens/horaires et prix fixe) par rapport aux formules prix fixe seulement ou honoraires quotidiens/horaires seulement. Compte tenu que la directive du sondage a été modifiée depuis 1981, il apparaît que les conseillers semblent avoir eu, pour la période 1981-1984, une préférence pour le mode d'honoraires selon un prix fixe par rapport aux honoraires quotidiens/horaires. Au cours des deux dernières années, il y eut une certaine inversion de ces deux modalités. Il est important de signaler que très peu de conseils utilisent un type d'honoraires professionnels incluant, en partie ou en totalité, une rémunération selon le rendement. Cette attitude s'explique généralement par le fait que le conseiller ne peut pas exercer un contrôle suffisant au moment de l'implantation de ses recommandations ou des systèmes proposés. Cette situation rend ainsi le conseil très dépendant de la façon dont le gestionnaire ou le client applique les solutions proposées et, dans ce contexte, la rémunération du conseiller repose entre les mains du client. Il y a là des risques sérieux qui justifient une très grande prudence face à l'utilisation de la rémunération selon le rendement.

5 *Points particuliers relatifs aux honoraires*

Dans cette section, nous aborderons certains aspects spécifiques reliés aux honoraires professionnels: paiement des honoraires à l'avance, charge progressive des honoraires, confirmation par écrit des honoraires, modification périodique des honoraires, diminution des honoraires pour attirer la clientèle, arrondissement des coûts, évitement des consultations gratuites.

Tableau 6.6
Méthodes de facturation utilisées* par les conseillers américains exprimées en pourcentage

(Sondages H.L. Shenson)	Juillet 1978	Avril 1979	Février 1980	Juillet 1980	Janvier 1981	Juillet 1981	Janvier 1982	Septembre 1982	Avril 1983	Octobre 1983	Mars 1984	Septembre 1984	Avril 1985	Février 1986
Honoraires quotidiens/horaires seulement	27	23	25	24	23	34	35	30	28	30	36	38	36	35
Prix fixe seulement	31	28	23	22	27	45	44	47	49	49	49	46	28	30
Mixte (honoraires quotidiens/horaires et prix fixe)	39	41	38	39	35	---	---	---	---	---	---	---	---	---
Rémunération selon le rendement seulement	---	3	3	3	3	5	4	5	5	5	4	5	11	13
Mixte (rémunération selon le rendement honoraires quotidiens/horaires, prix fixe)	---	---	10	10	12	6	5	3	4	4	4	6	---	---
Autres/non spécifié	3	5	1	3	---	10	12	16	14	12	7	5	25	22

* Pour les sondages de juillet 1978 à janvier 1981 inclusivement, les conseillers répondaient en fonction de leurs méthodes de facturation habituelles. Pour les sondages de juillet 1981 à février 1986, les conseillers répondaient en fonction de la méthode de facturation utilisée pour le dernier client.

--- Non disponible dans ces sondages.

5.1 *Paiement des honoraires à l'avance*

Certains conseils obtiennent de la part des clients un paiement complet ou partiel avant que ne débute le travail proprement dit. Un tel comportement est révélateur de l'attitude de confiance du client et est également justifié par le fait que le conseil, à court terme, engage des frais pour le client, dépenses qu'il n'a pas à supporter personnellement à moins que le client n'accorde, pour ce faire, une compensation financière équitable. Devant certains clients hésitants, le conseiller établit clairement sa politique de paiement et est ferme relativement à celle-ci. Il est rare qu'un client voulant réellement recourir à l'expertise d'un conseil, refuse de conclure une entente avec ce dernier pour une question de modalités de paiement. Si tel était le cas, il faudrait se demander jusqu'à quel point le client avait une volonté réelle de retenir les services d'un conseil particulier et quelle est sa confiance envers ce dernier.

Shenson (1983) suggère d'être explicite sur la position du conseiller face au paiement des honoraires à l'avance en faisant parvenir une lettre au client avant même la tenue de la première rencontre. Dans celle-ci, il peut rappeler:

- — Confirmation de l'entente avec le client
- — But de la rencontre ou du travail
- — Date/échéance de la rencontre ou du travail
- — Énoncé de sa politique face au paiement des honoraires à l'avance
- — Montant dû immédiatement
- — Modalités de transmission du paiement (poste, au moment de la rencontre, etc.)
- — Expression du plaisir du conseil à travailler éventuellement avec le client.

Suite à quarante-huit utilisations d'une telle lettre, Shenson (1983) mentionne avoir obtenu les résultats suivants: 21 ont annulé la rencontre prévue (doute sur le sérieux de leur démarche), 18 ont fait parvenir le chèque avant la rencontre, 8 ont remis le chèque au moment de la rencontre et 2 ont payé dans les trente jours. Cette façon de procéder a l'avantage d'assurer au conseil les fonds nécessaires à la distribution de ses services, de minimiser la collecte des comptes impayés et de démontrer au client que le conseil est un professionnel sérieux qui n'a pas de temps à perdre.

5.2 *Charge progressive des honoraires*

Un autre aspect a trait à la charge progressive des honoraires professionnels, c'est-à-dire l'envoi périodique d'un compte au client durant la réalisation du mandat. Quand une mission s'échelonne sur une période de temps assez longue, la plupart des conseillers recourent à ce mode de facturation (Hunt, 1977). Chaque compte précise le montant dû, la période de temps couverte et les réalisations ou services impliqués. Les avantages de fonctionner avec une facturation progressive sont nombreux: diminuer les exigences de mise de capital pour le conseil, simplifier la collecte des comptes étant donné qu'il est généralement plus facile d'obtenir de petits paiements qu'un paiement global, conscientiser le client en regard des coûts de l'intervention, sensibiliser le client quant à la valeur et à la présence du conseiller dans l'organisation. La facturation progressive peut exister selon un horaire régulier (par exemple, tous les mois) ou selon certains moments stratégiques de l'intervention du conseiller (par exemple, remise du rapport d'étape).

5.3 *Confirmation par écrit des honoraires professionnels*

Tout d'abord, s'il n'y a pas de contrat formel, il est souhaitable que le conseiller confirme, dans une lettre envoyée au client, les honoraires prévus, le travail à exécuter et les modalités de facturation. Si un contrat existe en bonne et due forme, ces divers aspects constituent habituellement des informations intégrées dans celui-ci.

5.4 *Modifications périodiques des honoraires professionnels*

Il arrive régulièrement qu'un conseil soit obligé de modifier ses tarifs ou honoraires pour s'ajuster au marché de la consultation ou tenir compte d'une augmentation de ses dépenses d'opération. Il est important de bien présenter cette opération aux clients pour qu'ils puissent comprendre et accepter ces modifications comme justifiées. Dans le contexte inflationniste actuel, il est tout à fait légitime qu'un conseiller hausse occasionnellement ses honoraires professionnels. C'est une règle normale de notre économie. Cependant, il faut éviter, qu'à tout moment, les tarifs soient changés. Ces réajustements s'effectuent une fois l'an ou au maximum deux fois par année. Les firmes de conseillers avertissent généralement leurs clients environ 90 jours à l'avance et expliquent, dans la lettre, les principales raisons qui justifient la hausse. Une telle attitude de la part du conseil confirme le respect qu'il accorde à son client en le prévenant suffisamment à l'avance et en lui fournissant les explications appropriées. Dans le but de minimiser la fréquence des hausses, il faut que le conseil prévoit des ajustements suffisants pour pouvoir ensuite attendre six mois ou un an. Si un conseiller s'engage dans un contrat de moyenne durée (plus de six mois), Shenson (1980) suggère que celui-ci prévoit une clause escalatoire d'ajustement des honoraires à la hausse du coût de la vie.

5.5 *Diminution des honoraires professionnels*

Quelle attitude doit adopter le conseil en regard de la diminution de ses honoraires dans le but d'attirer un client? Mentionnons d'abord que, de façon générale dans un milieu donné, les honoraires des divers conseillers dans un domaine particulier tendent à être comparables puisqu'ils résultent du même contexte socio-économique (toute chose étant égale par ailleurs en termes d'âge et d'expérience). Il faut que le conseil soit très prudent avant de «couper les prix» car un tel geste est généralement lourd de signification pour le client:

- Si un conseil «coupe les prix» sans diminuer l'étendue du mandat, il laisse entendre au client que ses honoraires étaient artificiellement soufflés.
- Si un conseil effectue le travail prévu à un coût moindre, il accepte implicitement que la valeur de ses services est limitée.
- «Couper les prix» pour augmenter la quantité de mandats constitue un risque grave car les clients, ayant réussi une fois à faire diminuer les coûts, sont tentés de répéter l'opération.
- Le fait d'accepter des coupures d'honoraires peut porter le client à penser que le conseil n'a pas d'autre option et que ce dernier est très dépendant du mandat qu'il lui confie.

Adopter une politique de coupure d'honoraires constitue pour le conseiller un risque important pouvant affaiblir son image et ternir sa réputation de compétence dans le milieu.

5.6 *Arrondissement des coûts*

En ce qui concerne la possibilité d'arrondir le coût total d'une offre de service, Shenson (1980) émet l'opinion qu'un chiffre arrondi risque de laisser croire au système-client qu'il y a dans cet estimé un surplus ou un coussin. En effet, un montant arrondi donne au client l'impression sinon la certitude que ce chiffre a nécessairement été arrondi à la hausse et non à la baisse. Il suggère si le coût total est, par exemple 10 393 $ CAN., de ne pas mettre 10 400 $ CAN.

5.7 *Évitement des consultations gratuites*

Enfin, un dernier problème à signaler est celui des consultations gratuites. Certains clients sont très habiles dans leur tentative d'obtenir des conseils sans frais, soit au moment de rencontres informelles, par téléphone, etc. Il est important de bien indiquer à ce type de clients qu'il n'y a pas de consultation sans honoraires. Dans ce contexte, le fait de suggérer au client de prendre un rendez-vous au bureau du conseil pour discuter plus en détails de la question formalise le cadre de la relation et justifie clairement la charge d'honoraires professionnels. Suite à la réalisation d'un mandat, il arrive à l'occasion que le client téléphone de multiples fois au conseiller pour certaines informations additionnelles. Où s'arrête donc la mission du conseiller par rapport à la phase du suivi? Il n'y a certes rien de plus clair que d'inclure, dans l'entente, «x» heures de consultation de suivi (en personne ou par téléphone). Au-delà de ce temps déjà rémunéré dans le mandat original, le conseiller précise que les heures additionnelles de suivi seront facturées à tel coût horaire. Toute entente formelle est le meilleur moyen d'éviter ce genre de désagrément et de manipulation.

6 *Fixation du prix d'un produit*

Comme nous l'avons signalé dans un chapitre précédent, certains conseillers développent des produits (manuel, bulletin périodique, logiciel, questionnaire, etc.). Il est important de déterminer, de façon systématique, le prix de vente de ce produit. Le conseil fixe généralement celui-ci en prenant en considération trois éléments majeurs: le prix couvre au minimum les dépenses directes de production et les dépenses d'opération correspondantes, le prix permet au conseiller de faire un profit raisonnable et enfin le prix tient compte de ce que le marché est prêt à payer pour un tel produit. Si le marché est restreint considérant la nature du produit, un prix élevé accroît les profits. Par contre, si le marché est relativement élastique, un prix trop haut peut réduire les ventes et la marge de profit. C'est donc une opération qui est abordée avec soin.

Supposons ici, à titre d'exemple, la publication d'un bulletin mensuel périodique sur les derniers développements dans le domaine de la gestion du personnel. Voici les diverses étapes de fixation du prix de ce produit:

Dépenses annuelles directes pour un abonnement (12 numéros)

Papier et impression (0,80 \$ × 12)	9,60 \$
Poste (0,34 \$ × 12)	4,08 \$
Manutention et envoi	5,00 \$
Total:	18,68 \$

Dépenses d'opération par année

Location bureau (10 % du total)	1 200 $
Secrétariat (36 jours × 95 $)	3 420 $
Équipement	400 $
Salaire du conseiller agissant à titre d'éditeur (48 jours × 200 $)	9 600 $
Total:	14 620 $

Si on assume que cet abonnement annuel peut se vendre sur le marché environ 120 $ et que le potentiel de marché est estimé à 400 abonnements:

Revenu brut	
120 $ × 400 abonnements	48 000 $
moins	
Dépenses de publicité ou de mise en marché (10 $ / abonnement)	4 000 $
moins	
Dépenses directe (18,68 $ × 400)	7 472 $
moins	
Dépenses d'opération annuelles	14 620 $
Profit net escompté:	21 908 $

Dans ce cas, le profit prévu par rapport aux dépenses ou à l'investissement est de 84 % (21 908 $ / 26 092 $) et le prix fixé découle surtout de la capacité du marché à absorber le coût maximal d'un abonnement annuel de 120 $. Si le conseil désire d'abord fixer le prix en fonction d'une marge de profit qu'il juge satisfaisante, il peut très bien établir le prix de l'abonnement de la façon suivante:

Dépenses totales	26 092,00 $
Profit désiré 30 %	7 827,60 $
Total:	33 919,60 $

Total	÷	nombre d'abonnements prévus	=	Prix unitaire annuel
33 919,60 $	÷	400 abonnements	=	84,80 $ ou 85 $

À partir de ces calculs et d'une évaluation du marché anticipé, il est relativement aisé pour le conseiller de prévoir le point de rentabilité de la production. Au prix de 120 $ l'abonnement, les coûts de production sont amortis après avoir vendu 218 abonnements annuels (26 092 $ / 120 $). Dans le cas où l'abonnement se vendrait 85 $, le point de rentabilité serait alors fixé à 307 abonnements vendus.

L'exemple présenté ici donne une bonne indication des divers facteurs à considérer au moment d'établir ou de fixer le prix de vente d'un produit quelconque développé par le conseil.

7 *Définition et utilités du contrat*

Le contrat se définit essentiellement «comme l'expression d'une entente entre des parties et comme un outil de gestion» (McGonacle, 1981). Dans le domaine spécifique de la consultation, Block (1981) précise que le contrat est une entente explicite dans laquelle le conseil et le client décrivent ce qu'ils attendent l'un de l'autre et la façon dont ils vont travailler ensemble. Si certains auteurs mettent l'accent sur le processus social que constitue la négociation d'un contrat, d'autres en font ressortir l'aspect légal et formel (Bermont, 1978; Shenson, 1980).

Les utilités concrètes d'un contrat sont nombreuses et importantes. Globalement, les avantages peuvent être classifiés en deux catégories: outil de travail et outil de gestion.

Quand nous mentionnons que le contrat est un outil de travail, nous voulons attirer l'attention sur le fait que le contrat a les avantages suivants:

— Écrire un contrat oblige le conseil à préciser les services qu'il entend fournir ou le produit qu'il doit réaliser. C'est essentiellement un objectif de clarté sur le contenu du travail. Il faut donc considérer le contrat comme un outil de communication.

— L'utilisation d'un contrat permet également de mettre par écrit les termes de l'entente pour fins de référence ultérieure. Pouvoir référer à ce document évite parfois des problèmes d'interprétation ou d'oubli. En ce sens, le contrat est un outil qui facilite l'efficacité de la relation conseiller-client. Shenson (1980) recommande de mettre, par écrit, les informations essentielles concernant les diverses activités de la mission: ce que vous ferez et non comment vous allez le faire.

— En précisant, dans le contrat, les responsabilités respectives du conseil et du client, le conseiller définit simultanément les limites de sa liberté et de son indépendance. Il faut que le conseil puisse se garantir une liberté de manoeuvre suffisante et nécessaire à la réalisation du mandat.

En tant qu'outil de gestion, le contrat définit le cadre et les modalités qui vont régir la relation entre le client et le conseil. De façon plus précise, le contrat revêt ces avantages:

— Le contrat, dans son aspect légal, garantit au conseil que son investissement en temps et argent sera remboursé selon les termes précisés dans l'entente. Il ne travaillera pas ou n'investira pas pour rien. Le conseiller cherche ainsi, par la signature de cette entente, à s'assurer la récupération de ses honoraires.

— Dans le contrat, le conseiller rend très explicite son niveau de responsabilité et ce, pour éviter d'être éventuellement tenu responsable pour des événements dont il n'avait pas le contrôle. Il faut dire clairement ce dont il est responsable et ce dont il n'est pas responsable comme par exemple, l'impossibilité de mener à terme un mandat selon l'échéancier prévu à cause d'une grève ou d'une fermeture temporaire par la direction, etc.

— Si le contrat a pour but de prévenir les litiges, il a également pour objectif de définir les modalités de règlements de ceux-ci afin d'éviter, si possible, d'aller en cour.

— Le contrat possède aussi une dimension reliée à la mise en marché. En effet, l'entente pour des mandats ultérieurs semblables sera plus rapide si des contrats ont déjà été formulés par rapport à des problématiques analogues.

— En cas de litige impossible à solutionner hors cour, le contrat signé, peu importe sa forme, devient un document d'une importance capitale pour présenter la cause devant un juge.

8 *Attitude du conseil et négociation du contrat*

Dans cette section, nous décrirons d'abord les attitudes que doit manifester le conseil en abordant la phase de la négociation du contrat avec le client. Dans un second temps, certaines précautions à prendre seront alors soulignées.

Le conseiller a avantage à percevoir et à concevoir la relation de consultation comme une relation dont la responsabilité est partagée également entre le conseil et le client. Il est souhaitable qu'il y ait, au niveau des responsabilités, une symétrie entre les deux parties pour que la mission soit un succès. Chaque partie accepte d'être imputable de certaines responsabilités à la condition qu'elle perçoive les avantages monétaires ou autres qu'elle peut en retirer.

Le conseil développe l'habitude d'être franc, direct et clair dans la négociation. Il a avantage à dire explicitement et simplement au client ce qu'il attend de lui. L'ambiguïté, les attentes à demi-explicitées et les demandes mal formulées sont autant de causes contextuelles qui font échec à une négociation efficace.

Le conseiller aide généralement le client, probablement moins habile, à discuter ouvertement de ses attentes et de ses besoins. Par des attitudes de support verbal et comportemental, le conseil encourage et facilite l'expression du client. Il faut, de toute évidence, que les attentes de ce dernier soient clairement et complètement présentées pour que le conseil puisse tenter d'y répondre. Le conseiller est sensible au processus interactionnel en cause et en facilite le déroulement.

Enfin, le conseiller fait preuve de réalisme quant à ses capacités et limites personnelles de même qu'en regard des contraintes et des résistances organisationnelles. Tenant compte de toute la situation d'ensemble, il lui faut être prudent dans l'exposé des avantages associés à ses services ou à son produit. Il ne promet pas l'impossible ou ne laisse pas miroiter des résultats irréalistes.

Sur le plan des précautions à prendre dans le processus de négociation du contrat, mentionnons que le conseiller et le client ont avantage à rendre le plus explicite possible leurs attentes respectives au moment de mettre en place cette relation de collaboration. Certaines négociations échouent justement parce que les parties ne sont pas assez sensibles aux besoins de l'autre. De plus, il peut exister des différences appréciables entre les deux partenaires quant à leurs valeurs, à leur façon de percevoir le problème, à leur façon d'aborder au point de vue méthodologique la situation problématique, etc.

Il est de plus important de faire en sorte que les motivations cachées du conseil et du client soient bien mises en évidence. Il arrive fréquemment qu'un client ait d'autres raisons, que celles exprimées officiellement, pour faire appel à un conseiller. Par exemple, il peut bien chercher une personne sur qui remettre la responsabilité d'une décision qu'il se voit forcer de prendre sans vouloir l'assumer: par exemple «la réduction des effectifs a été recommandée par le conseiller», etc. Parallèmement, il se peut aussi qu'un conseiller accepte un mandat dans le but premier de vendre tel ou tel produit et non de chercher la solution la mieux adaptée au problème du client.

Au début du processus de négociation, le conseil se demande «qui est le client». Celui à qui parle le conseiller n'est peut-être pas le client véritable dans la mesure où il ne fait que recueillir de l'information et n'a pas le pouvoir de confier un mandat engageant la responsabilité de l'organisation. Il est difficile pour le conseiller d'établir un contrat avec quelqu'un qui n'est pas directement impliqué. Le client véritable est habituellement celui qui demande la rencontre initiale, fixe les objectifs du projet, approuve les actions entreprises et reçoit le rapport de la mission (Block, 1981).

Pour bien réussir un mandat, il est nécessaire que le conseiller cherche à impliquer, dans le processus de négociation du mandat, toutes les personnes de l'organisation qui pourraient être concernées éventuellement. Une telle approche évite que certains gestionnaires développent de l'insécurité et cherchent ensuite toutes les occasions possibles pour appliquer les freins. Celui qui fait appel au conseiller est généralement plus ouvert, et conséquemment plus réceptif, à la venue de celui-ci que les autres gestionnaires impliqués.

Enfin, il est excessivement souhaitable que le conseiller ait des contacts directs avec la direction, obtienne leur autorisation officielle et puisse compter sur leur support actif. Il est risqué de finaliser une entente avec un cadre intermédiaire car la direction peut, par la suite, intervenir de multiples façons pour terminer le mandat ou le modifier. Ce contact direct avec la direction permet de bien comprendre les motifs sous-jacents à la consultation, de mesurer la réaction de la direction à l'approche suggérée et de convaincre personnellement le décideur du bien-fondé de la proposition présentée.

9 *Diversité des formes de contrat*

Essentiellement, le contrat entre un client et un conseiller peut prendre trois formes:

— Entente verbale
— Lettre d'entente
— Contrat formel.

Disons immédiatement que tout type d'entente possède juridiquement l'obligation d'en respecter les termes à la fois pour le client et le conseiller. Il est cependant évident, qu'en cas de litige, un document écrit est plus facile à mettre en preuve qu'une entente verbale d'où la très grande popularité de deux formes de contrat: la lettre d'entente et le contrat formel. Ceci est d'ailleurs confirmé par les sondages de Shenson (tableau 6.7).

La première forme d'entente est celle qui est faite oralement entre les parties. Le travail à exécuter, les conditions de sa réalisation et les responsabilités des deux parties ont fait l'objet de discussion et

Tableau 6.7
Pourcentage des conseillers américains* exigeant un contrat écrit pour tout mandat dont la valeur est supérieure à 1 000 $ (U.S.)
(Sondages H.L. Shenson)

	Pourcentage
Juillet 1980	81.1
Janvier 1981	80.2
Juillet 1981	85.1
Septembre 1982	72.1

*Dans les domaines de la gestion, du personnel, des services psychologiques, de la formation et du recrutement de cadres.

d'entente. En un mot, tous les termes du contrat ont été abordés mais ne sont pas insérés dans un texte écrit.

La lettre d'entente fait suite à l'accord des deux parties qui se sont entendues sur les éléments principaux du mandat. Cette entente est décrite dans une lettre acceptée par les parties. Sa forme est habituellement moins légale que celle d'un contrat formel et le contenu de la lettre d'entente est plus axé sur le processus et le déroulement de la mission. Il est utile de mentionner ici que la différence entre la lettre d'entente et le contrat formel existe souvent plus au niveau de la forme que du fond.

Enfin, le contrat formel est présenté selon des modalités plus légales, plus détaillées, plus complexes. Le document essaie de prévoir, le plus possible, les modes de solution de tous les problèmes ou litiges prévisibles. Les modalités du déroulement et les conditions financières ou physiques de réalisation de la mission y sont habituellement bien décrites.

9.1 *Lettre d'entente*

Toutes les ententes relatives à des mandats de consultation ne doivent pas nécessairement être traduites dans une forme compliquée et légaliste. Une entente peut être inscrite dans un document écrit relativement simple et court. La lettre d'entente s'adapte bien à des cas individuels et constitue une forme personnalisée d'entente. Il serait cependant possible de concevoir, dans le cas de mandats simples et répétitifs, une sorte de lettre d'entente standard avec des espaces libres pour entrer certaines informations clés: nom du client, adresse, date de la remise du rapport, etc. Cette lettre signée par les deux parties ou par une des deux parties revêt essentiellement le caractère d'un contrat à respecter (Shenson, 1980). Donc, cette forme de contrat est tout à fait valide.

Il arrive souvent que le conseil prépare une première rédaction de la lettre qu'il soumet ensuite au client. Une fois la rédaction finale terminée, les deux parties signent conjointement la lettre d'entente. Une autre façon de procéder est la suivante: rédaction de la lettre par le conseiller qui signe alors la lettre, la fait parvenir au client en lui mentionnant de réagir dans les jours suivants si les termes de la lettre d'entente ne reflètent pas exactement les modalités de l'entente établie antérieurement.

Cette forme simplifiée d'entente est souvent mieux acceptée par les clients pour qui des contrats formels et légaux développent de l'anxiété. En apparence du moins, une lettre d'entente est plus près du vécu quotidien des gens que des contrats détaillés et complexes. Malgré cette apparente simplicité, ceci ne fait pas oublier qu'un certain nombre d'informations importantes doivent apparaître généralement dans cette forme de lettre:

- Services impliqués dans le mandat
- Durée et échéancier de la mission
- Information périodique sur les progrès de la mission
- Honoraires et remboursement des dépenses
- Conditions de travail fournies par le client
- Produit ou rapport final à remettre au client
- Responsabilités et autonomie du conseil
- Confidentialité des informations recueillies
- Clauses spéciales:
  Conditions pour pouvoir mettre fin à l'entente
  Façon de solutionner un litige entre le client et le conseiller
  Non-transférabilité du contrat à un autre conseil
  Façon de modifier la présente entente.

Pour illustrer concrètement ce qu'est une lettre d'entente, deux exemples annotés sont inclus à l'appendice VIII de ce volume (exemples A et B).

9.2 *Contrat formel*

Dans la prochaine section, nous présenterons une synthèse des diverses clauses contractuelles généralement incluses dans les contrats formels régissant la relation conseil-client. Plusieurs auteurs se sont penchés sur cet aspect juridique de la pratique de la consultation (Shenson, 1980; McGonagle, 1981; Block, 1981; Gallessich, 1982). Le tableau 6.8 résume bien l'ensemble des clauses habituellement retenues de même que les clauses spéciales associées à certains contrats. Il est évident que chaque contrat est particulier et adapté au contexte de la consultation.

Voici maintenant la description de chacune des clauses les plus couramment utilisées dans les contrats formels de l'activité-conseil.

□ Identification des parties contractantes

Au tout début du contrat, les deux parties contractantes sont bien identifiées de même que les personnes spécifiques qui agissent au nom et pour les deux organisations impliquées, soit l'organisation-client et

Tableau 6.8
Principales clauses incluses dans les contrats de consultation

- Identification des parties contractantes
- Préambule
- Modalités d'approche
- Résultats prévus
- Rôle et responsabilités du conseil
- Rôle et responsabilités du client
- Échéancier
- Facturation des honoraires et conditions de paiement
- Confidentialité
- Règlement des litiges
- Signatures du contrat
- Clauses spéciales possibles
  - Responsabilité du conseil en cas de poursuite légale
  - Utilisation de sous-contractants
  - Conflit d'intérêt du conseil
  - Respect des politiques de l'organisation-client
  - Changement dans les termes du contrat
  - Cessation du contrat
  - Modalités de communication des avis
  - Assurance
  - Approbation du travail du conseil

l'organisation-conseil. À ces informations, s'ajoutent l'adresse et parfois la nature des entreprises ou organismes. Par la suite, il est d'usage courant d'utiliser dans l'ensemble du contrat les termes «le client» et «le conseiller» pour identifier chacune des deux parties contractantes.

□ Préambule

Dans le préambule, la nature générale du problème est énoncée et située dans le contexte des relations qui ont déjà été établies entre le conseiller et le client. Ainsi, il pourrait être fait mention que, par exemple, suite à une rencontre ou à un entretien téléphonique, il est convenu que le client et le conseil énoncent leur intention mutuelle d'établir une relation de consultation pour aborder une situation problématique précise:

— Identifier les problèmes affectant le climat de travail et suggérer des améliorations possibles

— Fournir aux employés mis à pied une assistance pour les aider à se relocaliser

— Améliorer la compétence technique des employés

□ Modalités d'approche

Dans cette section, le conseil énumère les moyens qu'il compte prendre pour atteindre l'objectif. Comme la raison d'être du contrat consiste à éviter le plus possible les ambiguïtés, il est souhaitable que la description de l'approche soit détaillée et spécifique. Le conseiller décrit les tâches et sous-tâches nécessaires à l'atteinte de l'objectif visé. S'il y a eu, dans le processus de définition du mandat, dépôt d'une proposition ou d'une offre de service, l'existence de cette dernière peut être mentionnée et le document alors joint en annexe au contrat. En un mot, cette partie du contrat constitue le plan d'action du conseiller.

Il arrive que certains services habituellement fournis par le conseil ne le soient pas, pour diverses raisons, dans le cadre d'une mission spécifique. Il est prudent d'inclure ici une mention d'exclusion claire et précise. Ceci évite que celui qui a l'obligation d'interpréter le contrat, prenne pour acquis que tel ou tel service est implicitement inclus selon les us et coutumes.

□ Résultats prévus

Le conseiller est le plus spécifique possible sur les tâches qu'il accomplira et les résultats attendus. Il lui faut cependant être prudent et réaliste quant aux répercussions organisationnelles prévues suite à ses services. Le conseil doit s'assurer qu'il possède le contrôle de tous les éléments nécessaires à la réalisation du mandat. En effet, il ne peut promettre qu'en fonction de ce qu'il contrôle personnellement.

Il est de plus souhaitable que les résultats soient traduits dans des extrants clairement observables ou mesurables:

— Fournir un rapport périodique le 19 février 1986
— Remettre le rapport final le 10 décembre 1985
— Réduire le taux d'absentéisme de 5 %.

Plus les résultats prévus sont énoncés de façon floue, plus il y a risque de multiples interprétations. Beaucoup de mandats de consultation se sont soldés par des conflits ou des échecs parce que les services ou les produits n'étaient pas suffisamment définis et ceci peut être la cause de nombreux litiges. Plus la précision est grande, plus le client est en mesure de suivre et d'évaluer l'évolution de la mission et plus le conseil connaît bien ce qu'on attend de lui.

Il y a lieu également, dans cette partie du contrat, de préciser qui sera propriétaire des produits (manuel, programme de formation, questionnaire, document audio-visuel, etc.) qui pourraient être développés par le conseiller à l'intérieur du cadre de sa mission. Il vaut mieux prévenir que de tenter de développer des ententes a posteriori.

□ Rôle et responsabilités du conseil

En définissant son rôle et ses responsabilités, le conseil précise les conditions relatives à son association avec le client dans le cadre de la réalisation du mandat. Essentiellement, le conseiller spécifie les obligations qu'il accepte dans la poursuite des objectifs fixés et dans les moyens qu'il prendra pour atteindre ceux-ci.

Il est important que le conseil soit sensibilisé à toute atteinte de ses droits de gérance. En effet, ce dernier établit avec le client une relation de contractant indépendant qui peut choisir son personnel, en assumer le contrôle et, conséquemment, être responsable de leur travail. Il lui faut de plus être en mesure, à l'intérieur des clauses contractuelles, de pouvoir choisir les moyens désirés pour atteindre les objectifs visés. Le conseiller a tout intérêt à éviter que sa liberté ou sa flexibilité sur le plan opérationnel soit limitée par certaines clauses contraignantes.

C'est également dans cette section que le conseiller est amené à spécifier les personnes qui l'assisteront dans la réalisation de la mission en fournissant les informations suivantes: nom des personnes, formation et expérience de celles-ci.

□ Rôle et responsabilités du client

Cette partie du contrat revêt une importance capitale car elle permet de mettre par écrit les ententes qui ont pu être l'objet de discussion entre le conseiller et le client relativement à l'implication de ce dernier. Il est généralement recommandé que l'organisation-client nomme une personne qui agit en son nom pour remplir ses obligations envers le conseil. Cette façon de procéder a également l'avantage de permettre, dans le temps, une interprétation uniforme des clauses du contrat. Cette personne désignée par le client devient l'interlocuteur du conseiller.

Cette clause précise ce que le client s'engage à faire dans la réalisation de la mission. Ceci peut prendre des formes multiples: fournir un espace de travail, utilisation de la photocopie ou autre équipement de l'organisation, disponibilité des services de secrétariat, faciliter l'accès du conseiller à l'information nécessaire à la mission, disponibilité du client pour des rencontres avec le conseil, diffusion interne par le client des résultats d'une enquête, etc.

Il est utile de revenir ici sur un aspect particulier de l'implication du client, soit celui qui consiste à rendre accessible au conseil les informations nécessaires à sa mission (listes d'employés, descriptions de tâches, rapports internes, procès-verbaux de réunions, etc.). Les modalités, conditions et limites de cette accessibilité sont énoncées clairement et précisément dans le contrat car ces informations sont souvent indispensables au conseiller pour effectuer une intervention de qualité. Sa performance est généralement conditionnée par l'accès à certaines informations écrites ou à certains informateurs-clés dans l'organisation.

□ Échéancier

Au point de vue légal, il est nécessaire de spécifier une date ou un délai précis pour la réalisation d'une mission sinon il serait difficile de faire respecter un contrat qui n'inclut pas ce genre de clause. Cette absence d'information rend les conditions temporelles d'exécution du mandat excessivement floues et sujettes à de nombreuses interprétations et litiges. Il est généralement utile de préciser le moment où le mandat sera terminé, la ou les dates du dépôt des rapports d'étape et même, parfois, la date du début de l'intervention du conseiller.

□ Facturation des honoraires et conditions de paiement

Précédemment dans ce chapitre, nous avons décrit la façon d'établir les honoraires quotidiens du conseiller. En ce qui concerne les modalités de facturation et de paiement, le montant total d'une mission peut être réparti, présenté au client et payé par celui-ci selon des formes nombreuses allant de modalités fort simples (tarif quotidien ou horaire) à des modalités beaucoup plus complexes (rémunération selon le rendement, prix fixe avec clause escalatoire). Nous avons vu antérieurement (tableau 6.6) que les conseils utilisent habituellement, à ce niveau, des modes de contrats plutôt simples: honoraires quotidiens/horaires et prix fixe.

Les diverses modalités de facturation et de paiement qui peuvent être utilisées par les conseillers, selon les circonstances, feront maintenant l'objet de brèves descriptions.

Les **honoraires quotidiens/horaires** constituent une des méthodes les plus couramment utilisées. Elle est surtout utile quand il n'est pas possible de déterminer avec exactitude (ou avec un minimum de risque) le coût total d'un mandat. Cette forme de facturation est également utilisée quand un client a recours à un conseiller très spécialisé pour une période de temps relativement courte.

Dans ce contexte, le conseil facture le client selon un tarif quotidien ou horaire qui est basé sur la formule décrite précédemment dans ce chapitre. Ce tarif comprend donc les salaires, les dépenses d'opération et le profit escompté. Évidemment, dans ce type de contrat, le client prend de nombreux risques car il n'a pas d'idée précise du coût total de l'intervention du conseiller. Il est donc préférable, dans cette condition, de facturer le client chaque mois afin que ce dernier soit continuellement informé de l'évolution des coûts. Il arrive même que le client fixe un maximum au contrat signifiant ainsi qu'il est prêt à faire les déboursés, sur réception périodique des factures du conseil, jusqu'à concurrence du montant total spécifié. Il y a alors réévaluation et décision quant à la poursuite de la mission.

Une autre forme populaire de clause monétaire est celle du **prix fixe**. Le conseil informe le client du coût total à débourser pour les services requis. S'il s'agit d'un travail imprécis dont il est difficile de prévoir en détails les opérations, il est risqué pour le conseiller de formaliser, dans un contrat, une entente selon un prix fixe. En effet, le conseiller assume alors l'obligation d'effectuer le travail décrit pour le prix déterminé a priori et ce, même si les coûts de réalisation du mandat dépassent les prévisions. Ce type de contrat diminue les risques du client puisqu'il connaît au départ ce que lui coûtera l'intervention du conseiller. Par contre, ce dernier, tout en assumant certains risques, peut en retirer un plus grand profit s'il est plus efficace.

Dans le contexte d'un contrat à prix fixe, l'entente contractuelle spécifie habituellement, de façon précise, les conditions de paiement.

Par exemple, un contrat de 45 000 $ peut être payé selon les conditions suivantes:

15 août 1986 .... 10 000 $
15 octobre 1986..... 10 000 $
15 décembre 1986 ... 10 000 $
Balance payable à la remise du rapport final .... 15 000 $

La clé du succès dans un contrat à prix fixe réside dans la capacité du conseil à bien évaluer l'ensemble des opérations requises et dans sa capacité à contrôler lui-même le rythme de réalisation du mandat.

Pour évaluer avec justesse les coûts du mandat, le conseiller doit être prêt à prendre des risques et posséder l'expertise lui permettant d'être bien sensibilisé aux divers aspects du travail à effectuer. Une estimation exacte implique du temps et des efforts car le conseil doit subdiviser l'ensemble des activités, en sous-activités et en tâches de façon à pouvoir évaluer le temps et le coût de chacun des segments pour ensuite en arriver à fixer le coût total. À la fin du processus, le conseil ajoute une marge de sécurité mais il le fait avec prudence puisqu'il veut demeurer compétitif tout en ayant une sécurité proportionnelle à l'importance du risque encouru.

Une troisième modalité, moins répandue dans le domaine de la consultation, est celle de la **rémunération selon le rendement**. Dans ce type d'entente, le conseiller reçoit essentiellement une compensation établie sur la base de la performance organisationnelle obtenue suite à son intervention. Le gain économique résulte donc de ses efforts et de sa capacité à apporter une solution appropriée. Ce contrat selon la performance s'applique plus facilement dans le cas d'intervention relative à la production/génie industriel et à la vente/marketing.

Pour que cette modalité d'entente puisse s'appliquer, il est nécessaire que les résultats de l'intervention soient clairs et que l'application ou l'implantation des recommandations du conseil n'échappe pas trop au contrôle de ce dernier. En effet, si le conseiller n'est pas certain que ses suggestions vont être bien comprises et adéquatement opérationnalisées, il sera possiblement pénalisé financièrement sans qu'il n'y puisse rien. L'établissement des critères pour mesurer les résultats doit être spécifique, observable, mesurable et pertinent. Par exemple, il peut s'agir du nombre d'employés ayant réussi à un programme de formation, de l'accroissement du chiffre d'affaires suite à une campagne publicitaire, des profits, du nombre d'employés sélectionnés encore en poste après un an, etc.

Un conseiller ne devrait pas établir avec un client ce genre d'entente contractuelle à moins qu'il n'ait un contrôle direct et complet sur le personnel impliqué et sur les aspects techniques concernés.

Enfin, les **honoraires par provision** constituent une entente ouverte avec un conseiller où celui-ci reçoit en avance un montant spécifique pour être ensuite disponible à un client, selon sa demande, pour une durée déterminée. Il faut évidemment spécifier les services impliqués et les conditions de disponibilité du conseil. Le client se garantit ainsi les services éventuels du conseiller.

Cette sorte d'entente existe quand il est possible de prédire avec une certaine exactitude le temps nécessaire pour atteindre les objectifs du client. Comme cette disponibilité du conseil réduit sa flexibilité pour accepter d'autres mandats, il est généralement admis que le conseil reçoit en avance entre 20 % et 30 % de la valeur totale du temps réservé au client. En ce qui concerne la facturation ordinaire du temps effectivement consacré au client, le conseil fait parvenir ses comptes d'honoraires quotidiens ou horaires, selon les modalités déterminées, soit au mois ou à autres intervalles définis. Il arrive parfois que les honoraires par provision soient déduits, proportionnellement, sur les honoraires réels facturés par la suite au client. Ainsi, le paiement en avance constitue pour le conseil une certaine compensation pour sa disponibilité sans être un paiement supplémentaire pour le client éventuel.

Il existe certaines **variantes aux contrats à prix fixe ou à honoraires quotidiens/horaires** dont nous ferons maintenant mention. C'est donc dire qu'en plus du prix fixe ou du compte d'honoraires (basés sur un tarif quotidien ou horaire), le client a également à respecter certaines autres ententes à incidence monétaire.

Premièrement, le client a parfois l'obligation de rembourser, sur présentation des pièces justificatives, certaines dépenses prévues à l'entente. Cette situation est fréquente quand le conseil n'est pas en mesure de prévoir à l'avance le coût exact de ces dépenses. Dans le contrat, il est possible de spécifier que ces dépenses sont estimées à tel montant afin de donner une idée de l'ordre de grandeur au client mais ce dernier rembourse au conseil la totalité des dépenses sur présentation des documents comptables nécessaires. Ces dépenses peuvent correspondre à plusieurs items: transport, hôtel, téléphone, achat du matériel nécessaire au contrat, intérêt pour avances bancaires nécessaires à la réalisation de la mission, etc. Il y a donc ici un certain risque que prend le client.

Deuxièmement, peu importe qu'il s'agisse d'un contrat à prix fixe ou d'honoraires quotidiens/horaires, il arrive que le client et le conseiller fixent d'un commun accord une date précise où, compte tenu de changements économiques ou de changements dans la nature même du mandat, il sera possible de discuter à nouveau et d'ajuster l'aspect monétaire de l'entente contractuelle.

Troisièmement, à l'image de la variante précédente, le contrat à prix fixe ou à honoraires quotidiens/horaires inclut parfois une clause escalatoire. Le contrat prévoit alors automatiquement un mécanisme d'ajustement de la dimension monétaire à certains changements tels l'indice des prix à la consommation, l'indice d'inflation, la valeur du dollar canadien par rapport à une monnaie étrangère, etc. Dans le contexte économique actuel, il est avantageux et même nécessaire de prévoir l'insertion d'une telle clause surtout si le contrat couvre une longue période.

Quatrièmement, il arrive que l'on associe au contrat à prix fixe une pénalité ou une récompense selon le rendement du conseil. Au moment de la signature du contrat, le conseil et le client s'entendent sur le coût réel du projet et le profit désiré par le conseil (exemple: coût de 20 000 $; profit de 5 000 $). Le prix fixe est alors de 25 000 $. Les parties peuvent accepter que l'augmentation des coûts réels (au-dessus de 20 000 $) soit assumée à 60 % par le conseil et 40 % par le client.

Voici hypothétiquement ce que pourrait donner ce type d'entente:

	Prévision du coût réel	Profit du conseil	Déboursé supplémentaire du client
	20 000 $	5 000 $	0
Hypothèses:			
A - Coût réel plus élevé que prévu	25 000 $	5 000 $ – 3 000 $ soit 2 000 $	2 000 $
B - Coût réel plus bas que prévu	18 000 $	5 000 $ + 2 000 $ soit 7 000 $	0

En terminant cette section consacrée aux modalités de facturation et de paiement, il convient de mentionner que cet aspect des contrats est souvent objet de controverse. Il faut être le plus précis possible à ce niveau et porter une attention particulière à certains points, notamment la façon de rémunérer équitablement le conseil si le mandat est arrêté avant la fin prévue, l'ajout d'honoraires si le conseiller effectue à l'intérieur de la mission un travail supplémentaire non prévu à l'origine, les délais acceptables et acceptés entre l'envoi de la facture du conseil et le paiement effectif du client, etc.

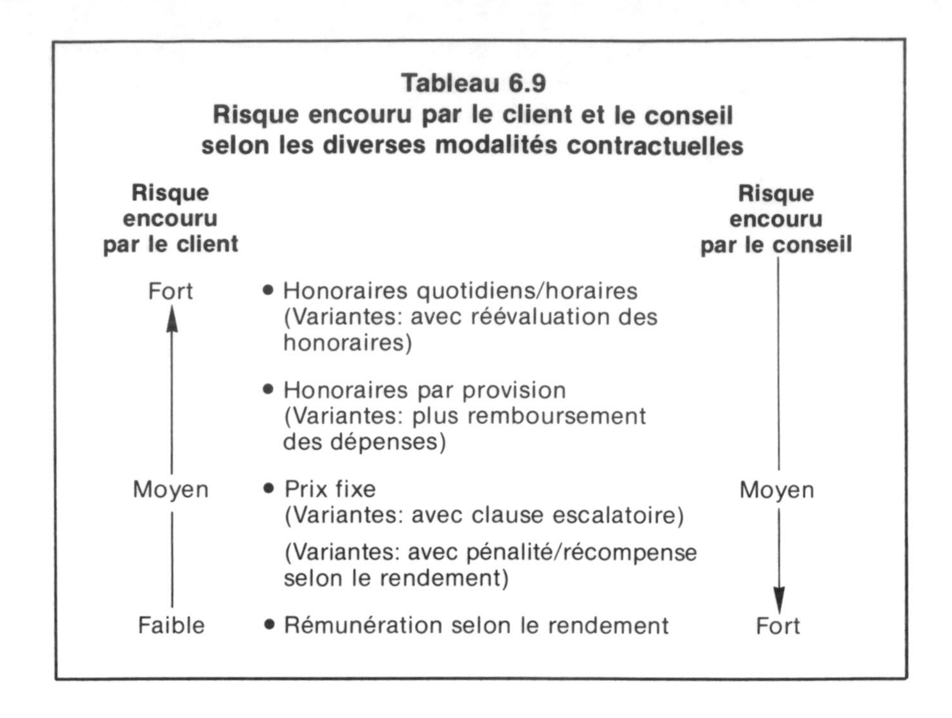

Tableau 6.9
Risque encouru par le client et le conseil selon les diverses modalités contractuelles

Risque encouru par le client		Risque encouru par le conseil
Fort ↑	• Honoraires quotidiens/horaires (Variantes: avec réévaluation des honoraires)	
	• Honoraires par provision (Variantes: plus remboursement des dépenses)	
Moyen	• Prix fixe (Variantes: avec clause escalatoire) (Variantes: avec pénalité/récompense selon le rendement)	Moyen
Faible	• Rémunération selon le rendement	↓ Fort

Le tableau 6.9 illustre, de façon simplifiée, le risque plus ou moins grand assumé par le conseiller et par le client selon les diverses modalités contractuelles établies entre les parties. Tout est ici question de négociation puisqu'il est bien évident que chacune des parties au contrat essaie de minimiser les risques encourus.

En conclusion, nous pouvons dire qu'il existe de très nombreuses modalités de facturation et de conditions de paiement qui se traduisent en certaines clauses contractuelles. Il s'agit donc de «choisir la méthode de compensation qui correspond le plus aux besoins et aux bénéfices des deux parties, le client et le consultant» (Laberge, 1982).

□ Confidentialité

Comme le conseil agit dans des contextes politiques, la question de savoir qui a accès à l'information ou au rapport du conseiller devient un sujet fort délicat. Le conseil a avantage à ne jamais perdre de vue cette dynamique parfois complexe.

Les clauses relatives à la confidentialité spécifient à qui seront remis les résultats du travail du conseiller, les modalités de diffusion éventuelle des résultats, les garanties de sécurité pour les informateurs qui ont fourni au conseil certains renseignements utiles à sa mission, les limites imposées au conseil relativement à la divulgation des informations sur l'organisation recueillies lors de la réalisation de son mandat.

☐ Règlement des litiges

Dans certains contrats, les parties s'entendent pour préciser les modes de négociation et/ou d'arbitrage extra-judiciaires susceptibles de s'appliquer en cas de litige. Il peut être fait mention explicitement de la création d'un comité ou de la nomination de telle personne qui agirait alors comme arbitre du litige. Les parties s'entendent a priori pour respecter la décision de ce comité ou de cet arbitre.

Dans le cas d'un contrat signé entre un client et un conseil établi dans deux pays différents, il peut être utile de signaler, qu'advenant une poursuite devant une cour judiciaire, quelle serait la loi (un des deux pays) en vertu de laquelle la poursuite serait intentée.

☐ Signatures du contrat

La signature du contrat par les deux parties, via deux personnes dûment autorisées, signifient que les deux organisations impliquées acceptent de respecter les termes de l'entente. Les signataires sont habituellement désignés par une résolution du conseil d'administration des deux organismes. Avec un tel document, les organisations sont liées et doivent remplir les engagements pris par leur mandataire respectif. Ce à quoi s'engagent les parties, c'est essentiellement ce qui est décrit dans le contrat. Légalement, si les droits et devoirs ne sont pas inscrits dans ce document, ils n'existent pas. Au moment de la signature du contrat, il est coutumier qu'il y ait deux copies originales du contrat de sorte que chacune des parties reçoit un document original signé.

☐ Clauses spéciales

Comme chaque contrat est spécifique, il existe parfois des clauses spéciales qui s'ajoutent aux clauses plus courantes décrites antérieurement. Nous les énumérerons donc brièvement.

Certains contrats précisent les **limites de la responsabilité du conseil en cas de poursuite légale**. Si l'organisation-client est poursuivie suite à l'intervention du conseil ou à l'utilisation d'un produit par ce dernier, il se peut (tout dépendant des termes de l'entente) que le conseiller en soit tenu responsable et doive rembourser les frais juridiques et les amendes imposées. De plus, une firme de conseils est susceptible d'être poursuivie si le mandat n'a pas été exécuté selon les règles de l'art. Si le conseil désire limiter sa responsabilité face à des poursuites légales, il le négocie avec le client et le rend explicite dans le contrat comme, par exemple, dans le cas de l'impossibilité de terminer une mission pour des raisons hors de son contrôle (retard, grève, etc.).

La possibilité de transférer une partie du mandat à un **sous-contractant** fait souvent l'objet d'une clause spéciale. Cette possibilité peut être totalement écartée ou peut exister si le conseil respecte certaines modalités: faire accepter le sous-contractant par le client, garantir qu'il n'y aura pas de coût supplémentaire, demeurer légalement responsable de l'exécution du mandat aux yeux du client, être également responsable du personnel sous-contractant, etc.

Il arrive que le client exige du conseil que ce dernier soit obligé, selon les termes mêmes du contrat, de déclarer tout **conflit d'intérêt** actuel ou potentiel. Par exemple, le conseiller ne pourrait pas accepter un travail semblable de la part d'un compétiteur du client durant la réalisation du mandat accepté ou durant une période future de temps déterminée.

Certaines clauses spécifient parfois que le conseiller est, durant la réalisation de la mission, **soumis aux politiques de l'organisation:** code d'éthique de l'organisme, règlements sur la sécurité, limite de dépenses (hôtel, transport, etc.), limite d'accès à certains endroits de l'usine, etc.

Tout **changement dans les termes du contrat** est possible s'il est accepté et transmis aux parties selon un mode prédéterminé, par lettre recommandée, tant de jours avant son application. Les parties se protègent ainsi de toute fausse interprétation possible suite à des discussions plus ou moins formelles entre les parties contractantes.

Les termes de la **cessation** possible d'un mandat sont parfois inclus dans le contrat. Ce genre de clause permet, à chaque partie, de mettre fin à l'entente de façon permanente ou de suspendre temporairement la réalisation du mandat. Cette possibilité de mettre fin au contrat, de la part des deux parties, est une clause assez fréquente dans les contrats de consultation.On y retrouve généralement la spécification d'un délai d'avertissement et les modalités de paiement pour les travaux déjà réalisés. La cessation peut être causée par une insatisfaction du client face au travail du conseil, par une disparition du besoin à l'origine de la demande des services du conseiller, par une coupure dans les budgets du client, etc.

Les modalités de **communication des avis** entre les parties sont également susceptibles de faire l'objet d'une clause spéciale. En effet, les parties s'entendent souvent pour que les avis soient donnés par écrit, en spécifiant bien à qui ils doivent être adressés chez le client et le conseiller de même que les délais nécessaires à leur application.

Le client oblige parfois le conseiller à **être assuré**, soit pour la responsabilité professionnelle ou la responsabilité civile (par exemple, en cas d'accident), afin que le conseil assure lui-même la protection des employés qu'il pourrait envoyer, par exemple, dans l'usine durant la réalisation d'un mandat.

Comme certains paiements sont associés souvent à la remise des rapports d'étape ou du rapport final du conseil, il est parfois utile de spécifier clairement les conditions **d'approbation du travail du conseil** de la part du client: qui, quand et comment.

L'étendue des clauses spéciales dans un contrat varie beaucoup d'un cas à l'autre. Ce peut être parfois inexistant ou très substantiel. Dans tous les cas où un contrat est établi entre un client et un conseil, ce dernier a avantage à consulter son aviseur légal ou son avocat. Même s'il est bien informé sur la rédaction d'un contrat, il est plus prudent de consulter un expert. Advenant éventuellement des difficultés d'application ou d'interprétation, le conseil pourra avoir de nombreux problèmes et regretter trop tard de ne pas avoir requis l'avis d'un expert légal. Pour diminuer les coûts, le conseiller travaille souvent lui-même à la rédaction du contrat qu'il soumet ensuite à son avocat pour vérification et correction.

Dans le but d'illustrer concrètement la forme que peut prendre un contrat, le lecteur trouvera à l'appendice VIII deux exemples (exemples C et D). Ceux-ci sont annotés pour en faire ressortir les principaux éléments constituants déjà décrits dans le tableau 6.8. Cette liste des clauses généralement intégrées dans les contrats de consultation peut servir de guide au conseil qui désire préparer un contrat adapté à ses besoins.

En conclusion de ce chapitre consacré aux honoraires professionnels et au contrat, il est utile de mentionner qu'à ce niveau, tout est spécifique. Si les informations fournies dans ce chapitre aident à mieux comprendre le fonctionnement de la fixation des honoraires et la constitution d'un contrat, il n'en demeure pas moins que les données de base sont celles que doit y mettre le conseil lui-même. Compte tenu du marché de même que des us et coutumes d'un milieu, les honoraires professionnels et les contrats les plus valables sont ceux qui sont les mieux adaptés aux besoins et aux attentes du conseiller et de son client.

Chapitre 7
STRUCTURATION ET FONCTIONNEMENT D'UN CABINET-CONSEIL

La décision de se lancer en affaires à titre de conseiller est difficile et complexe. C'est à la fois une aventure stimulante et risquée. Cette décision doit être mûrie et fondée sur une analyse systématique et rigoureuse des avantages et des inconvénients. À chaque année, un très grand nombre d'entreprises naissent mais, malheureusement, la grande majorité ont une espérance de vie ne dépassant pas cinq ans. Dans un contexte économique difficile, rien ne peut remplacer une réflexion objective et une logique implacable pour compenser l'enthousiasme et le dynamisme du futur conseiller. Il s'agit donc d'une décision d'une extrême importance qu'il ne faut pas décourager mais qui est le fruit d'une approche analytique rationnelle.

Ce dernier chapitre est consacré aux diverses facettes de la structuration et du fonctionnement d'un cabinet-conseil. Nous aborderons alors les aspects suivants: évaluations préalables au lancement, cadre juridique, facteurs de succès d'une association, organisation et lancement d'un cabinet-conseil et enfin, considérations déontologiques.

1 Évaluations préalables au lancement

Comme le souligne Kubr (1978), l'importance d'une firme de conseils varie beaucoup, allant du conseiller indépendant à l'association plus ou moins restreinte et enfin au cabinet important employant parfois plusieurs centaines de conseillers. Il est bien évident que les cadres juridique et fonctionnel sont adaptés à ces réalités tout à fait différentes. Cependant, la plupart de ces cabinets de conseils de grande envergure ont démarrer sur une base modeste à la fois aux plans des investissements et des ressources humaines.

Tout comme pour l'adulte, une organisation de conseillers traverse des étapes de croissance mais la plus importante et la plus fondamentale est certainement celle de la naissance. Celle-ci doit se réaliser dans des conditions optimales favorisant la survie éventuelle. Dans ce contexte, un conseiller, désirant se lancer à son propre compte, commence par faire une évaluation objective de deux dimensions de base: sa propre compétence et le segment-cible du marché. Si une personne possède une spécialité quelconque, elle peut vouloir la mettre à profit en offrant ses services à des organisations qui en ont besoin. Le futur conseiller identifie alors, d'une façon précise, sa compétence distinctive et c'est sur celle-ci qu'il capitalisera, à moins de s'associer à d'autres individus possédant des compétences complémentaires. Dans un second temps, le conseil évalue le marché et la concurrence. L'idéal est certes d'identifier un créneau inoccupé, c'est-à-dire certains services nécessaires non encore satisfaits dans le milieu où il souhaite avoir ses opérations. Par contre, si le service offert est actuellement disponible, le futur conseil analysera les caractéristiques de la concurrence actuelle pour ensuite évaluer ce qu'il peut offrir de différent en termes d'éventail de services ou de qualité de ceux-ci. Il peut commencer par se renseigner auprès d'associations ou corporations professionnelles, de bibliothèques, de conseillers connaissant bien le secteur d'activités concerné, de chambres de commerce, de divers organismes gouvernementaux en contact avec le milieu visé, de documents statistiques disponibles, etc. La clientèle future doit être bien cernée: ses besoins par rapport au service offert, le prix qu'elle est disposée à payer, la fréquence de ses besoins et sa situation géographique par rapport à l'entreprise.

Après avoir identifié un besoin réel pour ses services, le futur conseiller passe ensuite à l'établissement d'un budget prévisionnel représentant, sur le plan financier, ce que sera la prochaine année d'exploitation. Ces prévisions seront comparées, à chaque mois ou à chaque trimestre, aux résultats réels obtenus de façon à pouvoir rapidement réajuster si certains changements importants surviennent dans les conditions du marché ou dans les dépenses encourues. Si les revenus sont moindres que prévu, le conseil est alors en mesure de corriger la situation en diminuant les dépenses. Il est possible d'établir un état prévisionnel en se basant sur certaines données statistiques disponibles sur le plan national ou local. Les résultats de sondage, présentés dans le chapitre précédent traitant du calcul des honoraires et des frais d'opération (voir tableau 6.1), peuvent être utiles comme point de départ pour l'établissement de l'état prévisionnel.

L'état des prévisions budgétaires inclut les frais fixes récurrents, les frais variables en fonction des contrats reçus ou prévus et les revenus escomptés. Il est recommandé dans un état prévisionnel de subdiviser par mois les divers items de façon à pouvoir exercer un suivi plus efficace et rapide. Ce budget prévisionnel prend la forme décrite au tableau 7.1.

Tableau 7.1
Exemple d'un état prévisionnel des revenus et dépenses

	Janvier	Février	Mars	Avril	etc.
Frais fixes					
Loyer	---	---	---	---	
Téléphone	---	---	---	---	
Publicité	---	---	---	---	
etc.	--	---	---	---	
Frais variables					
Personnel	---	---	---	---	
Imprimerie	---	---	---	---	
Informatique	---	---	---	---	
etc.	---	---	---	---	
Dépenses totales	X_1	X_2	X_3	X_4	
Revenus escomptés	Y_1	Y_2	Y_3	Y_4	
Liquidité (dette)*	Z_1	Z_2	Z_3	Z_4	

*Liquidité Y - X = Z (si négatif, le chiffre est indiqué entre parenthèses, ce qui signifie dette).

Goudreau et Murray (1983) mentionnent que cette étape essentielle évite souvent de s'engager dans des dépenses extravagantes. L'omission de cette démarche peut faire en sorte que le conseiller ne prévoit pas certaines immobilisations importantes telles l'achat d'un micro-ordinateur, de mobilier, d'un immeuble, etc.

Cet état prévisionnel, en plus de permettre d'envisager l'avenir à court terme avec une certaine clairvoyance et sécurité, est également une pièce absolument nécessaire si le conseil désire négocier du financement auprès des banques. Un directeur de banque ne prêtera pas s'il n'a pas une idée assez précise des opérations futures. Comme l'ouverture d'un bureau exige des investissements importants, le conseiller qui n'a pas l'argent disponible, va négocier avec un directeur de banque un financement qui prend généralement deux formes: le prêt personnel ou la marge de crédit. Mentionnons ici qu'il n'est pas toujours souhaitable du point de vue fiscal que le conseil investisse des économies déjà accumulées. Dans chaque cas particulier, un comptable peut évaluer les inconvénients et les avantages d'une telle approche de financement.

Le prêt personnel est caractérisé par les aspects suivants: celui qui reçoit le prêt en est personnellement responsable, les taux d'intérêt sont plus élevés et le remboursement se fait généralement selon un échéancier fixe. Quant à la marge de crédit, elle peut être décrite ainsi: tous les associés (le cas échéant) sont conjointement et solidairement responsables, les taux d'intérêt sont plus bas et le remboursement se fait automatiquement par la banque à même les liquidités au compte bancaire du cabinet-conseil. Entre un prêt personnel et une marge de crédit, il semble préférable de négocier une marge de crédit puisque les taux d'intérêt sont habituellement inférieurs à ceux d'un prêt personnel. De plus, il est souvent possible de négocier, en impliquant ses associés, une marge de crédit plus élevée qu'un prêt personnel.

2 *Cadre juridique*

Un cabinet-conseil peut exister selon diverses modalités de fonctionnement, c'est-à-dire que le conseil peut agir seul ou s'associer avec d'autres collègues de la même discipline ou de champs de connaissances connexes. Dans un cas comme dans l'autre, il a le choix du cadre juridique, soit la société non incorporée ou la société incorporée. Nous décrirons maintenant, de façon plus détaillée, les caractéristiques de chacun de ces deux types de société. Mentionnons d'abord qu'il n'est pas obligatoire de requérir les services d'un avocat ou d'un comptable pour effectuer les démarches nécessaires à la création d'une société. Cependant, comme les règles régissant les aspects juridiques de ces organisations sont complexes et ont des conséquences très importantes, il est fortement recommandé au nouveau conseil de solliciter les services de spécialistes dans le domaine et de ne pas s'aventurer seul dans ce secteur inconnu.

Pour fins d'information générale, soulignons qu'en février 1986, Howard L. Shenson rapporte, suite à un sondage effectué auprès d'un échantillon de 7 129 conseillers américains, que 39,2 % sont propriétaires uniques, 21,5 % associés, 38,3 % sont employés par une entreprise privée de consultation et 1 % par une firme de conseils sans but lucratif.

Pour présenter les caractères distinctifs des diverses sortes de société, nous nous inspirerons de Goudreau et Murray (1983) et surtout des deux excellents ouvrages de Gagnon (1981) portant sur la relation d'association dans une entreprise non incorporée et dans une entreprise incorporée.

2.1 *Association dans une entreprise non incorporée*

Dans le cas d'une entreprise non incorporée, un conseil peut opter pour l'entreprise à propriétaire unique ou décider de s'associer formellement avec d'autres conseillers.

L'entreprise individuelle comprend un seul conseil, également propriétaire, auquel vient se joindre ponctuellement un nombre variable de conseillers en fonction de la quantité et de la durée des mandats. Habituellement, le conseil enregistre le nom de la société au bureau des raisons sociales du district judiciaire où il désire ouvrir son cabinet. Par une telle démarche, il protège le nom et permet ainsi au public de connaître celui qui fait affaires sous cette raison sociale. Le propriétaire est personnellement responsable de toutes les dettes. Pour fins fiscales, le conseil a la possibilité de déduire certaines dépenses d'opération et ses profits nets sont imposés au taux des particuliers. Le conseil est seul à prendre les décisions ce qui permet une rapidité d'action appréciable. Par contre, ce cadre légal rend plus difficile l'emprunt de capital auprès des institutions bancaires, est caractérisé par des tâches administratives plus lourdes au fur et à mesure que la société prend de l'expansion et n'a pas de permanence advenant la maladie ou le décès du propriétaire.

La société la plus fréquente est celle qui regroupe deux ou plusieurs associés qui mettent en commun leurs biens, talents et leur savoir-faire en vue d'exploiter en copropriété un cabinet-conseil en vertu d'un contrat intervenu entre eux. Cette forme d'association est bien adaptée à un nombre restreint d'associés. À l'instar de l'entreprise non incorporée à propriétaire unique, les associés sont personnellement, conjointement et solidairement responsables des états financiers (dettes et obligations). En ce sens, on parle de responsabilité illimitée. Advenant que la société ne puisse acquitter ses dettes, les associés (à la limite, un seul associé) devront payer personnellement celles-ci. Le risque peut être plus ou moins important selon l'ampleur des immobilisations. Par contre, il y a un risque sérieux, de plus en plus fréquent, soit l'éventualité d'unc poursuite relative à la qualité des services professionnels. Ce genre de poursuite légale a parfois des conséquences monétaires graves d'où la nécessité d'avoir une excellente assurance responsabilité professionnelle.

Ce genre de société impliquant un nombre limité d'associés se caractérise par le fait que chacun apporte quelque chose à l'entreprise en considération d'une participation au capital et au profit éventuel.

À l'intérieur d'une entreprise non incorporée, trois formes de société sont généralement utilisées selon un ordre décroissant d'importance: la société nominale, la société réelle et la société en commandite.

□ Société nominale

La société nominale est la plus souvent utilisée dans le contexte de la consultation si les conseils optent pour la formation d'une entreprise non incorporée. Les personnes exercent leurs activités sous un nom commun ou une raison sociale enregistrée. En plus de prendre la décision de faire affaires ensemble sous un nom, les associés font entre eux autant d'ententes qu'ils le désirent dans le but de structurer le cadre de leurs relations professionnelles. Ces ententes sont habituellement de trois ordres, soit des ententes administratives (répartition des obligations financières, des revenus et dépenses), des ententes professionnelles (plan professionnel, degré d'autonomie désirée, activités hors société, etc.), des ententes sur les modalités d'entrée et de sortie (convention achat-vente, décès, maladie prolongée, etc.) et des ententes sur les modalités d'arbitrage en cas de mésentente entre associés.

Gagnon (1981) souligne qu'il s'agit d'une institution qui n'a de société que le nom puisque chaque associé a une exploitation indépendante de celle des autres. Les seules choses mises en commun sont le nom et certaines dépenses qu'ils partagent: coût des bureaux, d'une réceptionniste, des frais de secrétariat, du service téléphonique, etc. Théoriquement, chaque conseil est alors libre quant à sa pratique, ses honoraires, son salaire. Essentiellement, cette forme de société permet une économie par le partage de certaines dépenses administratives. Ce n'est pas une vraie société car il n'y a pas d'apport individuel, de mise en commun ou de partage de profits. La société nominale, telle que décrite, convient bien quand les associés ont des revenus qui varient beaucoup entre eux et que ces derniers souhaitent conserver leur autonomie professionnelle.

□ Société réelle

Le second type de société, moins utilisé cependant, correspond à la société réelle. Goudreau et Murray (1983) décrivent bien ce qu'est la société réelle. Il s'agit vraiment d'une société de revenus et de dépenses. En effet, les associés mettent en commun à la fois les dépenses et les honoraires perçus. Ces honoraires versés à la société sont retournés, du moins partiellement, aux associés sous forme de salaire fixe après avoir payé les dépenses. Cette forme de société est beaucoup plus exigeante que la société nominale en ce sens qu'elle favorise la collaboration et s'appuie sur des valeurs professionnelles et intérêts communs.

Étant donné l'importance de l'apport des divers associés, il est encore plus nécessaire d'établir des ententes ou conventions de fonctionnement claires et précises. Si les associés perçoivent des honoraires semblables et ont des dépenses équivalentes, le partage sera égal. Par contre, si un associé investit au départ plus de capital qu'un autre, il faut prévoir qu'il reçoive des intérêts proportionnels établis selon le taux moyen du marché. Si les honoraires perçus sont inégaux entre les associés, il est utile d'établir, qu'une fois les dépenses et les salaires payés, chacun reçoit une partie des profits proportionnellement à leur apport respectif. Enfin, les associés peuvent également décider de se diviser, selon des modalités déterminées, les bénéfices ou de réinvestir ceux-ci dans le développement de la société.

La société réelle est particulièrement adaptée aux conseillers qui partagent un centre d'intérêt, des objectifs communs, des efforts professionnels équivalents et le désir de travailler ensemble à des projets communs.

□ Société de commandite

La société de commandite est peut-être actuellement la forme la moins utilisée bien qu'elle représente parfois une modalité intéressante de fonctionnement. Son avantage majeur sur les sociétés nominale et réelle est la possibilité pour certains associés, de limiter leur responsabilité à leur apport effectif dans la société. Contrairement aux types précédents de société, la société en commandite ne considère pas, au plan de la responsabilité, tous les associés sur un même pied. Au contraire, on y retrouve essentiellement deux genres d'associés: les associés commandités et les associés commanditaires. Les premiers ressemblent sensiblement aux associés des sociétés nominale ou réelle alors que «l'associé commanditaire est une personne qui investit une somme d'argent ou des biens dans la société et qui ne s'occupe aucunement de son administration» (Gagnon, 1981). Pour attirer de tels associés, souvent nécessaire, la loi permet que ceux-ci aient une responsabilité limitée équivalente à la valeur de leur apport. Ils ne seront donc pas responsables de toutes les dettes et obligations de la société. Cette forme de société s'apparente passablement à l'entreprise incorporée dont nous parlerons un peu plus loin dans ce chapitre.

Pour créer une société non incorporée, la procédure est habituellement assez simple mais il est tout de même recommandé de consulter un conseiller légal. La création d'une telle société se fait de façon moins rigoureuse et contraignante qu'une entreprise incorporée. Elle est d'abord et avant tout une création des parties impliquées et la loi y est moins présente que dans le cas d'une incorporation. Dans ce contexte, le contrat et les conventions entre associés sont très importants et il est souhaitable que tout se fasse par écrit et non pas seulement verbalement. L'entente doit d'être claire et précise.

Les associés n'ont qu'à enregistrer le nom de la société au bureau des raisons sociales dans le ou les districts judiciaires où les conseillers ont l'intention de faire affaires. Cet enregistrement protège la raison sociale et permet de vérifier si celle-ci n'est pas déjà utilisée par une autre société. Il est alors de pratique courante de faire suivre le nom de la société de l'abréviation Enr. (enregistré). Tout changement éventuel dans les membres associés, le nom ou l'adresse doit faire l'objet d'une nouvelle déclaration par le biais des mêmes règles que la déclaration originale.

2.2 *Association dans une entreprise incorporée*

Cette forme d'association est souvent désignée sous divers vocables: société par actions, compagnie, corporation ou société à responsabilité limitée. L'entreprise incorporée est très largement utilisée dans le domaine de la consultation, soit par un conseiller seul ou par plusieurs associés. Quand le nombre d'associés augmente ou que l'entreprise prend de l'envergure, les firmes de conseils sont habituellement formées sous le mode de la corporation.

La compagnie est fondamentalement une entité légale ou personne morale créée par un acte gouvernemental. Au Québec, ce geste peut être posé par le gouvernement canadien ou le gouvernement provincial. Le gouvernement émet alors un certificat ou une charte d'incorporation émise en conformité avec les lois régissant la formation de ce type de société. Une fois constituée, la compagnie est considérée comme si elle était une «personne ayant des actifs et un passif propre, pouvant contracter en son nom, pouvant poursuivre, pouvant être poursuivie, etc.» (Gagnon, 1981). La compagnie a ainsi une existence distincte et indépendante de celle de ses propriétaires. La propriété de la firme se traduit par la possession d'actions. Contrairement à une personne humaine, une compagnie peut être achetée ou vendue, en totalité ou en partie, par le moyen du contrôle des actions. On parle en ce sens de personne morale et non de personne humaine. Enfin, tout comme un robot, l'entreprise a besoin, pour assurer sa survie, de personnes physiques qui vont l'administrer et la guider vers l'atteinte des objectifs fixés. Ces administrateurs peuvent être ou non des actionnaires ou propriétaires.

Dans une compagnie ou entreprise incorporée de conseillers, les associés qui sont de fait des actionnaires, ne sont pas personnellement responsables des dettes, obligations ou erreurs professionnelles faites au nom de la société. Leur responsabilité est limitée à ce qu'ils y ont investi pour l'achat des actions. En cas de faillite ou poursuite judiciaire, leurs biens personnels ne sont pas saisis par les créanciers ou les demandeurs. Pour éviter des situations difficiles, la compagnie, et non les actionnaires en tant qu'individus, doit contracter une assurance responsabilité professionnelle.

Sur le plan fiscal, le taux d'imposition des profits des compagnies est généralement moindre que celui qui s'applique aux particuliers comme c'est le cas des associés dans une société non incorporée. Par contre, les gouvernements établissent des règles très strictes qui déterminent le fonctionnement des entreprises incorporées ce qui alourdit, de façon importante, l'administration d'une société incorporée: rapports annuels divers, assemblée annuelle des actionnaires, réglementations multiples, etc.

Les actionnaires sont, par le contrôle des actions, propriétaires. À ce titre, ils votent, en proportion de leur pourcentage d'action, concernant les décisions importantes de la firme: investissements majeurs et nomination des administrateurs responsables du fonctionnement quotidien. Ce droit de vote s'exerce généralement dans le cadre de l'assemblée annuelle des propriétaires. Les actionnaires reçoivent, en contrepartie de leur investissement, des bénéfices, dividendes ou profit. Dans les cabinets de conseils, il arrive fréquemment que les actionnaires soient les conseillers seniors qui contrôlent l'ensemble des conseils salariés. Ces derniers peuvent éventuellement devenir, sur l'invitation des associés seniors, associés et actionnaires eux-mêmes.

La société incorporée possède une autre caractéristique intéressante, soit celle de la permanence. À cause de son existence légale, il n'est pas permis d'y mettre fin sans passer par les moyens légaux prévus par les gouvernements. C'est également un avantage majeur au plan de la planification successorale. La société survit au décès d'un de ses actionnaires et ses actions sont alors transmises à ses héritiers qui peuvent alors les conserver ou les vendre. Cette notion de permanence légale assure une certaine stabilité susceptible d'inspirer confiance aux investisseurs, banquiers et employés de la firme.

La démarche d'incorporation est beaucoup plus coûteuse que le simple enregistrement de la raison sociale d'une société non-incorporée. Il peut en coûter de 500 à 1 000 dollars canadiens (ou environ 2 500 à 5 000 francs français) selon les honoraires des conseillers légaux. Au Canada, les délais sont habituellement de un à trois mois.

Dans la formation d'un nom corporatif, il est recommandé de tenir compte de trois éléments: l'élément distinctif, l'élément descriptif et l'élément légal. L'élément distinctif est le principal moyen de personnaliser le nom de l'entreprise alors que l'élément descriptif fait mention des principales activités de la société. Enfin, l'élément légal fait référence à l'incorporation comme telle. Voici maintenant, de façon concrète, certains exemples de noms corporatifs:

	Élément distinctif	*Élément descriptif*	*Élément légal*
1)	Bertrand	Gestion	Inc.
2)	Tofax	Management	Ltd
3)	Édition	Conseil	Inc.
4)	Montréal	Communications	Inc.

Dans les exemples présentés ci-dessus, l'élément distinctif représente divers types de nom. Il peut s'agir d'un nom de famille (exemple 1), d'un nom inventé (exemple 2), de l'emploi d'un nom du dictionnaire (exemple 3) ou d'un nom géographique (exemple 4). Il est évidemment possible d'intervertir l'ordre des deux premiers éléments. Au moment de l'incorporation, les responsables concernés s'assureront que le nom choisi n'est pas déjà utilisé, soit comme nom de compagnie ou marque de commerce, qu'il ne porte pas à confusion avec des sociétés déjà existantes, qu'il est suffisamment explicite, qu'il ne fait déjà l'objet d'une interdiction selon certains règlements, etc.

Les formules d'associations sont nombreuses et variées. Chacune possède ses avantages et ses désavantages sur les plans juridique, psychologique et professionnel. Il n'y a certes pas de formule idéale. Nous sommes d'accord avec Goudreau et Murray (1983) que la meilleure forme d'association est celle qui répond le mieux aux besoins, attentes et objectifs professionnels des futurs associés. Par contre, il semble bien que la société nominale permet aux associés de se familiariser, de mieux se connaître tout en partageant les dépenses et en conservant leur autonomie professionnelle. Cette phase permet souvent à des associés de confronter des modes de fonctionnement et des points de vue différents ce qui peut ensuite les inciter, ou le contraire, à s'unir dans une forme d'association plus exigeante et plus appropriée, comme la société réelle ou la société incorporée.

3 *Facteurs de succès d'une association*

L'association doit être considérée à la fois sous deux angles différents mais complémentaires: le cadre juridique et le contexte psychologique. Nous avons déjà abordé le premier aspect. La dimension psychologique de l'association sera maintenant considérée et il est important que tous ceux qui sont intéressés à ouvrir un cabinet-conseil avec des associés, y accordent une grande attention. Comme le souligne Gagnon (1981), nul ne peut nier l'importance primordiale de l'aspect humain dans toute relation d'association. Aucun cadre juridique ne peut faire fonctionner harmonieusement une relation à long terme si les membres impliqués n'y retrouvent pas satisfaction et plaisir. Une association se veut d'abord et avant tout une relation continue, évolutive dans le temps, basée sur une confiance réciproque et une capacité d'acceptation de l'autre. Nous allons donc considérer, dans cette section, deux aspects psychologiques décisifs: les motivations à s'associer et les critères de choix d'un associé.

3.1 *Motivations à s'associer*

La première motivation à s'associer est souvent le **manque de capitaux**. Généralement, la personne qui a développé le concept, recherche l'appui d'un associé pouvant fournir les investissements nécessaires à la réalisation du projet. Or, ce dernier est habituellement peu actif directement dans l'entreprise et son seul intérêt est de retirer des bénéfices sur son investissement le plus rapidement possible. À l'opposé, l'associé-entrepreneur souhaite fréquemment une expansion rapide nécessitant le réinvestissement des profits. De plus, si l'entreprise fait des profits, l'associé-entrepreneur a l'impression de faire tout le travail, de mériter la majeure partie des profits et de ne plus avoir besoin de financement. Par contre, si la firme n'est pas prospère, l'associé-investisseur ne trouve pas son compte et est souvent porté à en attribuer la cause à l'associé-entrepreneur. Cette seule source de motivation n'est pas très prometteuse d'une association viable à cause des nombreuses sources de conflit potentiel dû à des objectifs individuels et à une implication personnelle très différents des associés.

La seconde motivation est celle du **partage des risques**. Le risque associé au lancement d'une nouvelle entreprise, comme un cabinet-conseil, effraie parfois l'entrepreneur qui décide alors de s'associer avec d'autres et de partager les risques. Une telle attitude est souvent fondée sur une illusion. En effet, si l'aventure tourne mal, l'entrepreneur, seul ou associé, peut tout perdre. Tout comme pour la motivation précédente, si l'entreprise fonctionne bien, l'associé-initiateur peut être frustré d'avoir à partager ses profits avec un associé moins actif alors que l'idée originale et le travail reposent essentiellement sur lui-même. C'est donc encore ici une motivation douteuse ou risquée du moins si elle existe seule.

La troisième motivation concerne le **manque de connaissances** de l'entrepreneur-initiateur. Dans un tel contexte, il recherche l'association avec une personne plus spécialisée dans le domaine. Cependant, au fur et à mesure que l'associé-entrepreneur acquiert ces connaissances, il en vient à sentir de moins en moins l'utilité d'avoir un associé. Pour sa part, l'associé-spécialiste croit qu'il joue un rôle très important dans le succès de l'entreprise et mérite une part appréciable des profits. Sans être aussi dangereuse que les autres motivations déjà mentionnées, il y a tout de même certains dangers associés à celle-ci surtout s'il s'agit là de l'unique motivation.

La prochaine motivation est beaucoup plus valable que les précédentes: désir de **partager les tâches et responsabilités** dans la gestion et la distribution des services de consultation. Il s'agit là d'une motivation plus symétrique ou équilibrée entre les associés. En effet, le besoin existant, chacun perçoit le rôle de l'autre mais aussi son apport personnel. Quand les tâches sont bien partagées, coordonnées et respectueuses de la compétence de chacun des associés, les efforts sont partagés et complémentaires. Ce type de situation a également l'avantage de tendre à une certaine permanence dans la vie de l'entreprise. La complémentarité, la confiance entre associés, le respect mutuel, la communication efficace sont des caractéristiques très importantes de ce genre de motivation à s'associer.

La cinquième motivation correspond au **désir d'expansion**, soit acquérir une nouvelle dimension ou s'attaquer à de nouveaux marchés. Fréquemment, ce besoin est satisfait par la fusion de deux firmes de conseillers. Or, les négociations sont souvent difficiles car il s'agit d'évaluer l'apport respectif des deux associés ou sociétés et de prévoir le partage éventuel des bénéfices. Conséquemment, il arrive malheureusement que ces projets de fusion en demeurent au stade de la discussion. Pour réussir une telle démarche, il est important que les associés aient des objectifs personnels semblables ou complémentaires et soient réalistes quant à leur capacité de bien travailler ensemble.

Enfin, la sixième et dernière motivation mentionnée par Gagnon (1981) est celle de la **relève**. En consultation, cette motivation est moins fréquente bien qu'elle existe à l'occasion. L'associé principal souhaite, pour diverses raisons notamment la retraite, passer la direction à un associé plus jeune en qui il a confiance. La relation est souvent du type maître-élève. L'associé principal fait alors connaître à ses clients celui qui prend la relève et lui transfert progressivement sa clientèle. Dans ce contexte, la négociation de l'association se fait sur la base de la valeur de l'achalandage. La capacité de travailler en équipe et la confiance sont aussi des aspects excessivement fondamentaux dans cette motivation.

Les motivations paraissent donc nombreuses et variées. Cependant, les meilleures motivations sont certes celles où chaque partie y tire un avantage précis, où il existe une certaine symétrie dans l'implication personnelle de chacun, où le désir d'association a un caractère de permanence dans la vie évolutive de l'entreprise et où une complémentarité évidente existe entre les associés.

3.2 *Critères du choix d'un associé*

À partir des remarques précédentes concernant les diverses motivations à s'associer, il est maintenant possible de faire ressortir les critères qui devraient servir au choix d'un associé, étant donné l'importance de cette opération dans le succès éventuel d'une association.

Le premier critère est celui de la **connaissance réciproque des associés.** L'association, c'est un peu comme le mariage. Les chances de succès augmentent si les partenaires se connaissent bien et s'acceptent mutuellement. Nous ne parlons pas évidemment ici d'une connaissance superficielle qui ne traverse pas l'enthousiasme des premiers moments. Seul un contact quelque peu continu permet aux associés de bien connaître la façon de fonctionner de chacun. Une plus faible connaissance est parfois compensée par une grande capacité d'adaptation mais c'est là un risque à éviter au moment de choisir un associé. Comme on le mentionne souvent, il faut d'abord bien se connaître et s'accepter pour ensuite être capable d'en faire autant pour les autres. L'évaluation de ses propres qualités et défauts, capacités et limites de même que l'évaluation des mêmes aspects chez le futur associé facilitent l'estimation des risques inhérents à l'établissement et au succès éventuel d'une relation d'association.

Le second critère concerne la présence d'**objectifs personnels similaires ou complémentaires.** Les associés doivent posséder une vision à long terme du devenir de l'entreprise, vision qui va dans la même direction en termes de mission, objectifs, buts et moyens. Pour qu'il y ait une synergie efficace, il est nécessaire que les axes d'action soient bien identifiés. La confrontation de conceptions irréconciliables est certainement le meilleur moyen de tuer une organisation.

Le prochain critère du choix d'un associé est relié au niveau d'**honnêteté**, de **franchise** et de **confiance**. Ces trois caractéristiques constituent les ferments essentiels au succès d'une relation d'association. Aucune convention ou loi ne peut créer la confiance mutuelle. Si celle-ci n'existe pas, chaque associé sent le besoin de vérifier sans cesse ce que l'autre fait. Plusieurs associés qui ont bien réussi leur relation parlent même de «confiance inconditionnelle» (Gagnon, 1981). Cette confiance se bâtit sur la franchise et l'honnêteté ce qui incite les associés à ne rien cacher et à divulguer tout ce qui peut avoir, à court ou long terme, une incidence sur leur relation. Tout au long de l'association, chacun est capable de dévoiler ses erreurs ou mauvaises décisions puisque l'autre associé l'apprendra éventuellement. Cette attitude d'ouverture permet également de prendre rapidement les mesures correctrices souhaitables.

Le fait que les associés possèdent une complémentarité, constitue un avantage non négligeable. Il ne s'agit pas ici d'une complémentarité au niveau des objectifs ce dont nous avons déjà discuté mais d'une **complémentarité au plan des connaissances, expériences, aptitudes et habiletés.**

Le cinquième critère important à considérer est la **capacité d'adaptation** de l'associé. Les partenaires ont à faire face à des réalités mouvantes et ils doivent pouvoir s'adapter continuellement. De plus, chacun est amené à s'adapter à la personnalité, au mode de fonctionnement et aux méthodes de travail de l'autre. Ce critère est étroitement relié au premier critère mentionné, soit la connaissance réciproque.

Enfin, le dernier critère, mais non le moindre, est le **sens de la communication.** Chaque associé est convaincu des mérites d'une communication claire, franche et continue entre eux. C'est de cette façon qu'ils sont en mesure de transmettre leurs opinions, suggestions et impressions. Bien que ce critère puisse sembler évident, il n'est pas toujours facile d'assurer une communication efficace entre associés quand on observe certaines associations devenir moribondes à cause de malentendus malheureux.

Ces quelques critères suggérés pour choisir un associé peuvent aider ceux qui ont l'intention de s'unir à des collègues pour la formation d'une firme de conseillers. Le choix d'un associé est d'une importance capitale et il faut aborder cette étape avec réalisme et prudence.

4 *Organisation et lancement d'un cabinet-conseil*

L'organisation comme telle d'une firme de conseillers est une étape plus ou moins bien connue. Le nouveau conseil ne sait généralement pas par où débuter et comment procéder. Dans la section suivante, nous allons tenter d'esquisser certaines considérations qui sont de nature à faciliter la tâche de celui qui souhaite se lancer dans une carrière de consultation. Deux aspects particuliers seront successivement exposés, soit la structure d'un cabinet-conseil de même que l'organisation physique et humaine d'un bureau de conseillers.

4.1 *Structure d'une firme de consultation*

Comme le souligne Kubr (1978), il n'existe pas de structure type d'une organisation de conseils. La structure adoptée tient compte habituellement du style de gestion du fondateur, de la spécialisation de la firme, du nombre de services offerts, de la répartition géographique des clients et du cadre juridique qui a servi à la naissance du cabinet-conseil. Malgré la grande diversité possible d'organigrammes, il est tout de même utile de faire ressortir certains principes fondamentaux qui président habituellement au choix de la structure de la firme:

— Chaque conseiller principal ne peut superviser efficacement plus de cinq conseils travaillant sur le terrain.

— Chaque conseiller principal, ou chef de mission, est responsable du bon fonctionnement de plusieurs missions.

— Chaque chef de mission doit être en mesure de garder le contact avec les anciens clients et établir le contact avec de nouveaux clients.

— Une unité de conseillers ne dépasse pas généralement trente conseillers. Si le nombre dépasse ce seuil, il vaut mieux créer deux sous-unités avec un cadre responsable de chacune.

— Advenant la présence de plusieurs types de spécialistes, il convient de penser à une structure matricielle où chacun des conseillers fonctionne sous l'autorité de deux supérieurs (un responsable sur le plan technique et un responsable sur le plan administratif). La structure matricielle s'adapte continuellement en fonction des dimensions techniques des divers mandats.

Les figures 7.1 et 7.2 illustrent deux types de cabinet-conseil. La première structure illustre le cas d'un petit cabinet-conseil dirigé par un conseiller principal, probablement le fondateur et président directeur général. C'est la forme la plus simple et la plus fréquente en contextes canadien, américain et européen.

La figure 7.2, pour sa part, sert à illustrer une firme de conseillers ayant pris une certaine expansion et se retrouve avec un total d'environ 25 personnes. Étant donné le plus grand nombre de conseillers et de chefs de mission, ce cabinet exige la présence d'un directeur administratif qui peut être le fondateur de la société ou une personne attitrée à l'administration quotidienne des diverses facettes de l'organisation.

Indépendamment du nombre de conseillers présents dans une firme, il y a un certain nombre de fonctions qui doivent être assumées. Dans les deux cas extrêmes, il y a une personne attitrée à chaque fonction ou toutes les fonctions sont assumées par un seul individu.

Figure 7.1
Organigramme d'un petit cabinet-conseil

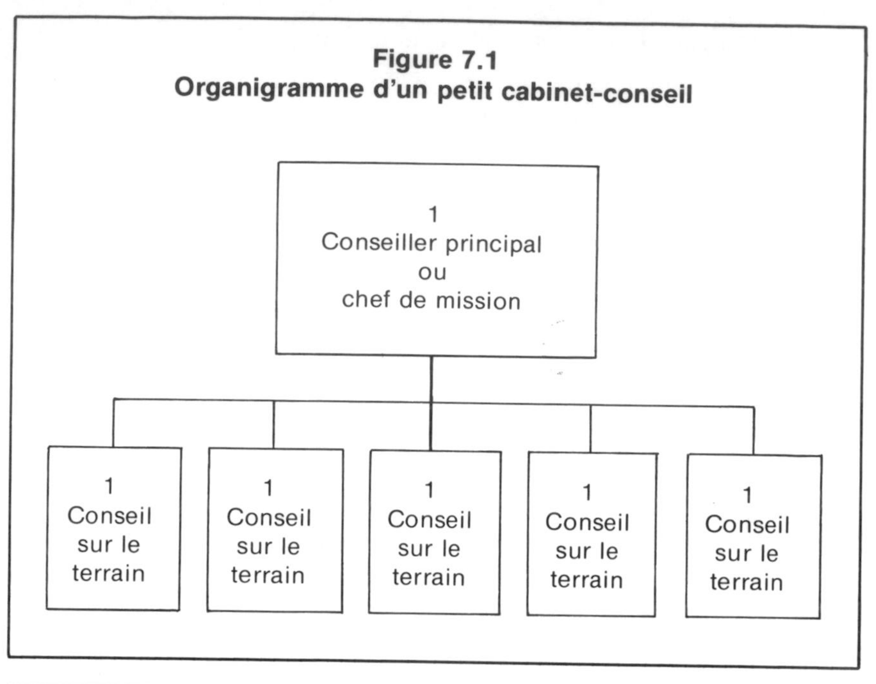

Figure 7.2
Organigramme d'un cabinet-conseil d'environ 25 personnes

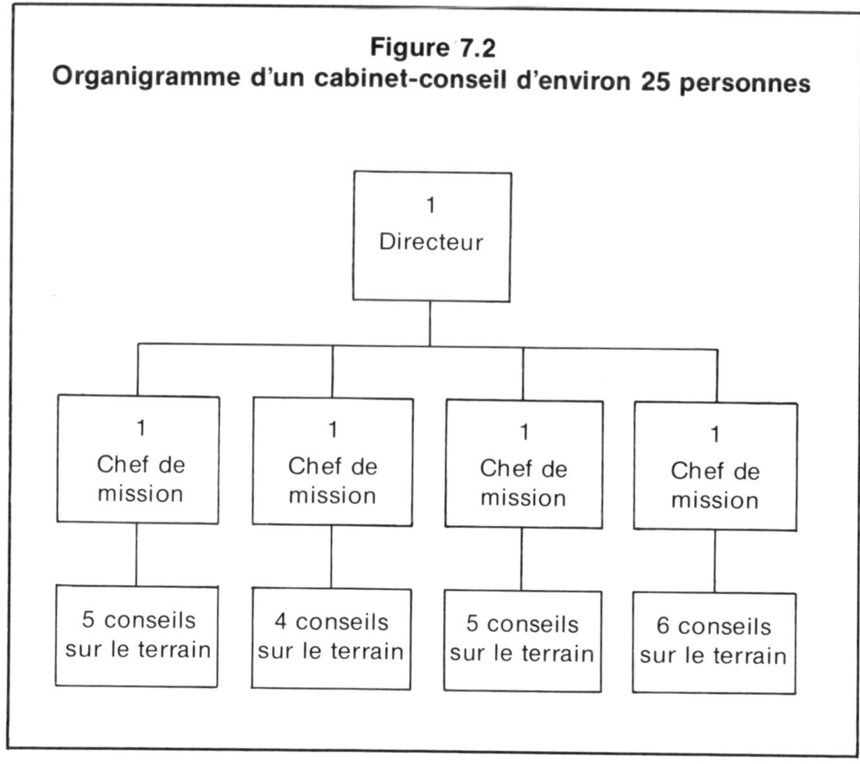

Évidemment dans la réalité, il arrive que ces fonctions soient distribuées à plus d'une personne, ce qui allège la tâche et permet une meilleure utilisation des employés professionnels ou de bureau en fonction de leurs aptitudes et habiletés. Nous verrons ici quelles sont les fonctions habituellement présentes dans un cabinet-conseil.

□ Fonctions de l'entreprise

Les trois grandes fonctions présentes dans toute entreprise, y compris une firme de conseils, sont les suivantes: production, commercialisation et administration.

La fonction **production** signifie ici la production de biens ou de services. Elle a donc trait à l'exécution des mandats, à la recherche et au développement (nouveaux produits ou nouveaux services de consultation) et au contrôle de la qualité des services fournis par le cabinet-conseil. Dans ce dernier cas, la qualité concerne tout autant la compétence professionnelle des conseillers que l'efficacité de leurs interventions.

La fonction **commercialisation** réfère au maintien des marchés acquis et au développement de nouveaux segments ou clientèles-cibles. La mise en marché est habituellement fondée sur la stratégie de l'image de prestige et de compétence professionnelle.

Enfin, la troisième fonction de l'entreprise est la fonction **administration**. Dans le contexte actuel, on y retrouve fréquemment la gestion des ressources financières (comptabilité, facturation, investissement, etc.), la gestion des ressources humaines (recrutement, sélection et formation du personnel professionnel et de bureau) et la gestion de l'information (documentation, informatique, fichiers, etc.).

Quand une firme de conseillers est assez développée pour y retrouver trois niveaux de conseils, soit junior, intermédiaire et senior, les fonctions de l'organisation sont généralement distribuées selon les modalités suivantes:

Conseils seniors → Commercialisation stratégique
Administration financière

Conseils intermédiaires → Administration des ressources humaines
Commercialisation
Administration de l'information

Conseils juniors → Production
Administration de l'information

Si un cabinet-conseil est de taille plutôt réduite, ces diverses fonctions existent tout de même et la responsabilité d'assumer celles-ci repose alors sur les quelques conseillers de l'organisation.

□ **Services administratifs internes**

Les fonctions de l'entreprise dont il fut question auparavant, se traduisent dans un cabinet-conseil par la mise en place de services administratifs internes plus ou moins distincts les uns des autres. Il convient maintenant de les identifier et de les décrire sommairement. Ces principaux services administratifs sont la direction générale, le personnel, la production, la comptabilité, la mise en marché et la documentation.

La **direction générale** comprend le directeur général et quelques-uns des conseillers principaux ou associés seniors. Plus le cabinet est important, plus la direction générale a un rôle crucial à assumer. Le directeur général ou président est habituellement un conseiller de carrière qui possède des qualités de gestionnaire bien développées. La direction générale est responsable d'établir les grandes politiques et orientations de développement. En plus de se préoccuper de la planification stratégique, celle-ci assume également la coordination entre les divers services ou les divers conseillers.

Le **service du personnel** est responsable de la réalisation de la stratégie de développement sous l'angle des besoins en ressources humaines généralement satisfaits par le biais du recrutement, de la sélection et de la formation des conseils. Le rôle de ce service est fort important puisque c'est essentiellement la qualité des services offerts par les conseillers qui construit l'image de marque d'un bureau de conseils. Donc, le choix de ces spécialistes est crucial pour la renommée de l'organisation. Comme ce sujet a été abordé en détails dans le troisième chapitre de ce volume, nous ne nous y attarderons pas plus longuement. Soulignons que le service du personnel ne se préoccupe pas seulement de l'acquisition de nouveaux conseillers mais aussi du perfectionnement continu des conseils déjà en place dans l'organisation.

Le **service de la production** concerne, dans un cabinet-conseil, la réalisation des mandats et/ou la conception de certains produits associés à la mission du cabinet: questionnaire, programme de formation, document audio-visuel, etc. Sous ce service, nous regroupons essentiellement le contrôle de la qualité, le suivi des missions et la recherche/développement. Kubr (1978) mentionne l'importance du contrôle de la qualité dans les opérations régulières d'un cabinet-conseil dans le but d'identifier l'impact réel des missions et les lacunes ou déficiences des conseils: contrôle de la compétence, des comportements et de l'efficacité de chaque conseiller, examen des progrès réalisés suite aux nouvelles missions et évaluation des rapports avant de les transmettre aux clients. De plus, le contrôle de la qualité est étroitement associé à l'opération suivi des missions. Les firmes de conseillers doivent avoir une politique de suivi systématique des missions et ce, dans une double perspective, soit évaluer l'impact des propositions et conserver le contact avec le client. Le suivi constitue une source d'information de première importance qui permet, en plus d'évaluer le passé, d'être renseigné sur les nouveaux besoins du client. Ce suivi est habituellement assuré par les conseillers qui sont intervenus chez le client au moment de la réalisation du mandat. Enfin, la recherche et le développement visent à concevoir et éventuellement offrir aux divers systèmes-clients certains services ou produits en demande. Ces besoins sont souvent mis en évidence lors du suivi des missions.

Le service suivant, soit la **comptabilité**, revêt un caractère essentiel parce qu'il s'agit du baromètre qui fournit sans cesse aux associés, directeur général ou président, l'état de santé du cabinet d'où l'importance de développer certaines grilles ou outils de gestion comptable et financière. Par le biais d'indices clés, le conseiller est en mesure d'être continuellement tenu informé de l'évolution de son entreprise: coût d'opération, revenus d'honoraires professionnels, profit, etc.

Le conseil a avantage à recourir aux services d'un comptable pour mettre sur pied un système comptable approprié aux pratiques courantes en consultation et aux implications fiscales: grand livre, caisse-recettes, caisse-déboursés, petite caisse, rapports de taxes diverses, comptes à payer, comptes à recevoir, conciliations bancaires, etc. Même si les conseillers sont souvent peu enclins à s'intéresser à ces dimensions administratives, il est recommandé qu'ils s'y impliquent afin d'être informés du déroulement des opérations. Ceci est rendu relativement facile avec l'avènement, à coûts abordables, de la micro-informatique.

Kubr (1978) suggère la mise en place de plusieurs contrôles mensuels de gestion qui constituent autant de photographies de l'entreprise vue sous divers angles. Essentiellement, une première catégorie de contrôles a pour objectif de comparer régulièrement l'évolution réelle à l'évolution prévue:

— Tarif d'honoraires utilisé par rapport aux prévisions
— Utilisation du temps total par rapport aux prévisions
— Nombre d'enquêtes faites par rapport aux prévisions
— Journées cumulées facturables par rapport aux prévisions
— Honoraires cumulés encaissés (et arriérés d'honoraires) par rapport aux prévisions
— Honoraires cumulés encaissés par rapport aux dépenses cumulées.

Certains autres contrôles mensuels de gestion ont pour but de fournir des informations essentielles sans que celles-ci soient axées sur la comparaison réel-prévision. Nous décrirons sommairement les aspects suivants: relevé de temps, facturation, relevé des frais remboursables par le client et dossier de la mission.

Les feuilles de relevé de temps comprennent toutes les informations nécessaires à la facturation éventuelle au client. En plus, ces renseignements facilitent le contrôle opérationnel de chaque mission en termes du temps consacré à chacune des étapes. Tous les conseillers font parvenir aux services administratifs, sur une base hebdomadaire ou mensuelle, leur fiche de temps qui est de fait une fiche standard comprenant le nom du conseil, le nom du client, périodes de temps et moments consacrés aux divers mandats, tarif d'honoraires, nombre de jours facturables par client et utilisation par le conseiller des diverses journées non facturables (rencontres, marketing, formation, congé, maladie, etc.).

La facturation s'effectue à partir de la compilation des feuilles de relevé de temps et est acheminée aux clients selon les modalités et la fréquence décrites dans les contrats. Généralement, la facturation s'effectue tous les mois et le montant dû est payable dans les 30 jours. Il peut arriver qu'un conseiller puisse étendre ce délai à 60 ou même 90 jours dans le but de s'assurer certains clients. Ici, tout est une question d'équilibre et de jugement. En effet, le conseiller doit être prudent car plus ses comptes à recevoir sont élevés plus il a l'obligation de financer ses opérations sur une période de temps plus longue. Il est nécessaire de procéder à une bonne analyse coût/bénéfice pour déterminer la meilleure attitude à adopter. Pour aider le futur conseiller, deux exemples de facture sont inclus à l'appendice IX. Dans le premier cas (exemple A), il s'agit d'une facture basée sur des honoraires calculés à l'heure. Dans le second exemple (exemple B), la facture fait référence à un contrat à prix fixe. Notons également que le relevé des frais remboursables par le client est fait systématiquement si le cabinet-conseil ne souhaite pas payer certaines dépenses normalement assumées par le client: frais de voyage et de séjour, téléphones, télex, etc.

Enfin, les responsables des services comptables conservent habituellement un dossier ou fichier pour chacune des missions en cours. Les informations diverses concernant un mandat sont continuellement remises à jour. Celles-ci permettent de vérifier les progrès de la mission et de s'assurer que le client reçoit périodiquement les factures pour les services rendus. De plus, chaque fiche de notation contient un certain nombre de renseignements utiles: nom du client, nature de la mission, tarif d'honoraires prévu, conseils attitrés, chef de la mission responsable, personne-contact dans le système-client, durée prévue, date du début et de la fin de l'intervention, etc.

En conclusion, mentionnons que les divers outils de gestion ont pour but principal de contrôler les dépenses par rapport aux prévisions, d'alerter en cas de déviations graves et de prendre action, au moment opportun, selon les besoins identifiés.

La **mise en marché** constitue un service administratif important parce que responsable d'apporter «l'eau au moulin». L'objectif de ce service est de conserver le contact avec les anciens clients et d'identifier de nouveaux clients susceptibles de fournir éventuellement des mandats. Habituellement, cette responsabilité est assumée par les conseils seniors de la firme bien que tous soient sensibilisés à la dimension promotion.

Un cabinet-conseil doit toujours avoir une certaine réserve de mandats confiés mais non encore exécutés. Ceci est excessivement important pour assurer la stabilité de l'organisation et éviter des moments creux où les conseils n'ont pas de travail. Une telle situation risquerait d'amener fréquemment des mises à pied et des réengagements avec des risques évidents de perdre, un jour ou l'autre, les meilleurs conseillers. Kubr (1978) suggère un seuil minimal qui correspond au volume moyen du travail des conseillers pendant une semaine. Pour un (1) conseiller, nous obtenons ainsi la charge future de travail souhaitable:

$$\frac{\text{180 jours facturables par année} \times \text{1 conseil}}{\text{52 semaines}} = \text{3.5 jours de travail d'avance}$$

Ce nombre de jours réservés à l'avance est multiplié par le nombre de conseillers travaillant pour la firme dans le but de calculer la marge de sécurité désirable pour l'ensemble du cabinet-conseil. Si cette réserve décroît, cela peut représenter un danger pour l'avenir. Par contre, si ce nombre est supérieur, il faudrait envisager l'opportunité d'ajouter de nouvelles ressources.

Lors de ses sondages semi-annuels, Howard L. Shenson a sans cesse évaluer, auprès de ses échantillons de conseillers américains, le nombre de jours de consultation réservés à l'avance. Les données présentées dans le tableau 7.2 indiquent que la majorité de ces conseils ont généralement entre 6 et 24 journées de consultation prévues à l'avance. Au cours des dernières années, il est possible d'observer que la proportion de conseils ayant une réserve équivalente à moins de 5 jours a tendance à diminuer constamment alors qu'un plus grand pourcentage de conseillers se retrouvent, en 1985 et 1986, dans la catégorie 16 et 24 jours. Il semble donc qu'il y ait, au cours des dernières années, un accroissement de la charge de travail future. Nous

Tableau 7.2
Nombre de jours de consultation réservés à l'avance pour les conseillers américains
(Sondages H.L. Shenson)

	NOMBRE DE JOURS					
	Moins de 5	**6 à 15**	**16-24**	**25-39**	**40-79**	**80 et plus**
Janvier 1982	20,4 %	30,6 %	23,2 %	17,9 %	4,4 %	3,5 %
Septembre 1982	23,6 %	24,5 %	19,4 %	20,4 %	2,4 %	9,7 %
Avril 1983	18,9 %	26,8 %	21,4 %	21,6 %	3,1 %	8,2 %
Octobre 1983	16,5 %	31,2 %	23,9 %	18,9 %	4,4 %	5,1 %
Mars 1984	14,1 %	32,5 %	24,6 %	15,9 %	8,1 %	4,8 %
Septembre 1984	12,9 %	31,8 %	28,9 %	16,4 %	6,3 %	3,7 %
Avril 1985	11,2 %	28,7 %	35,4 %	15,7 %	4,8 %	4,2 %
Février 1986	10,1 %	26,5 %	40,4 %	14,2 %	5,1 %	3,7 %

remarquons que ces résultats, en milieu américain, dépassent de beaucoup le chiffre minimal de 3.5 jours déterminés par Kubr (1978). Comparativement à la réalité de la pratique professionnelle en consultation, ce dernier chiffre paraît être plutôt minimal qu'optimal.

Enfin, le dernier service administratif interne considéré est celui de la **documentation**. Le mandat principal de celui-ci recoupe deux volets: conservation et classement des informations concernant les missions réalisées, acquisition de la documentation pertinente et utile à la pratique des conseillers. Ce service a la responsabilité de constituer une bibliothèque de référence en choisissant, archivant et diffusant auprès des conseillers toute information utile relative aux méthodes de travail et aux théories ou recherches dans le domaine de spécialisation du cabinet-conseil. Cette bibliothèque possède les volumes ou manuels récents, les rapports annuels de compagnies, rapports gouvernementaux, les revues les plus importantes et tous les dossiers concernant la réalisation des mandats antérieurs. Cette dernière information est importante car elle constitue une source de renseignements très riche et utile à la préparation éventuelle d'offres de service. C'est également un outil de formation très valable pour les nouveaux conseillers.

Le système de classification de l'information cherche généralement à être simple mais efficace, c'est-à-dire rendre facilement accessible l'information à celui qui en a besoin. À ce niveau, la micro-informatique facilite la gestion et la diffusion de l'information de même que l'accès à de nombreux services bibliographiques spécialisés dans tous les domaines du savoir. Il faut signaler l'importance de gérer avec discrétion certaines informations telles les dossiers des clients antérieurs. Leur accès est limité et contrôlé. En 1981, Dumont a expliqué, dans une série d'articles, les étapes de la mise en place d'un centre de documentation d'entreprise. Ces renseignements sont très utiles à un conseiller qui souhaite équiper son cabinet-conseil d'un tel centre d'information et de documentation.

Voilà donc décrites, d'une façon relativement sommaire, les principales caractéristiques de la structure habituelle des firmes de conseillers. Il est bien entendu que chaque cabinet-conseil possède ses particularités et que la structure la plus adéquate est celle qui répond, encore ici, le mieux aux besoins et à la personnalité des conseillers.

4.2 *Organisation physique et humaine*

Nous aborderons maintenant un deuxième aspect essentiel au lancement d'un bureau de pratique professionnelle en consultation, soit les dimensions identification de la firme, localisation et aménagement des bureaux, pénétration initiale du marché, personnel et assurance-responsabilité.

□ Identification du cabinet-conseil

La caractéristique distinctive d'une organisation de conseillers relève fréquemment de deux facteurs complémentaires, soit le nom et le symbole graphique. Sur le plan du nom à donner à la firme, le conseiller peut utiliser son propre nom ou un nom impersonnel accompagné d'un élément descriptif. Le nom impersonnel (Nigam Management Inc. ou Les Conseillers en Sciences du Loisir Inc.) a l'avantage de dissocier le nom personnel du conseil et les activités professionnelles, ce qui peut être souhaitable advenant, par exemple, une faillite ou une poursuite de la part d'un client insatisfait. Par contre, ce genre de nom a souvent l'inconvénient d'être général ou de porter à confusion si les mots retenus sont fréquemment utilisés. Le nom personnel possède, pour sa part, certains avantages importants: personnaliser la relation de consultation dans des environnements social et organisationnel complexes et anonymes, donner une plus grande visibilité au conseil en mettant son nom en évidence. D'ailleurs, dans le domaine de la consultation en Amérique, c'est fréquemment là l'alternative choisie par certaines firmes de consultation: Société Pierre Boucher Inc., André Filion Psychologie Industrielle Inc., Rourke Bourbonnais et Associés, Caron Bélanger Woods Gordon,

Young International, etc. Par contre, d'autres, notamment en Europe, préfèrent l'utilisation de nom fictif dont les diverses lettres ont une signification précise:

Cedeve
Compagnie d'Études pour le Développement des Entreprises

Cogessor
Compagnie de Gestion et d'Organisation

CGI
Conseillers en Gestion et Informatique

GMV Conseil
Gestion, Marketing et Vie de l'Entreprise

Groupe Setec
Société d'Études Techniques et Économiques

Irco
Institut de Recherche et de Consultation auprès des Organisations

Il n'y a pas, au niveau du choix du nom, de formule idéale car il faut essentiellement prendre en considération les avantages et inconvénients en fonction des habitudes et des caractéristiques de la mise en marché des différents milieux culturels. De plus, il ne faut jamais perdre de vue que le nom seul ne peut suppléer à une faiblesse importante dans la stratégie de marketing du cabinet-conseil.

Le second élément d'identification de la firme est le symbole graphique. Le but de celui-ci est de projeter immédiatement une image positive et reconnaissable associée à l'entreprise. Cette image graphique correspond essentiellement à la façon dont la firme désire être perçue par la clientèle: innovatrice, conservatrice, dynamique, etc. En plus de transporter ce message, le symbole permet, par son caractère unique, de distinguer le cabinet des autres entreprises du même secteur. Les graphistes travaillent en collaboration étroite avec les conseillers pour bien saisir les éléments distinctifs de la firme et les traduire adéquatement dans un symbole. Un bon symbole est un élément de communication important qui, associé au nom, devient le véhicule qui transmet au public une image positive et significative de l'organisation. Le symbole graphique et le nom du cabinet-conseil se retrouveront ensuite sur tout le matériel identifiant la firme: lettre, publicité, carte d'affaires, etc.

□ Localisation et aménagement des bureaux

Avant même de choisir un emplacement précis et de penser à l'aménagement des bureaux, le conseiller débutant évalue, de façon réaliste, ses besoins. Va-t-il acheter un édifice, louer un bureau, ou tout simplement louer un service d'identification (adresse postale, secrétaire-réceptionniste)? Si le conseiller n'a pas réellement besoin d'un bureau parce que l'ensemble de son travail se fait chez le client, il peut tout simplement louer un service d'identification permettant de situer physiquement le siège social du cabinet tout en bénéficiant de certains services précis: réception de son courrier et des messages téléphoniques, secrétariat pour sa correspondance et la facturation et probablement un bureau loué à l'heure pour recevoir certains clients. Si le conseil souhaite avoir, de façon permanente, pignon sur rue, il loue un bureau ou achète un édifice. Cette dernière hypothèse est nettement à déconseiller pour un nouveau conseiller à cause des investissements énormes nécessaires. Il ne devrait pas retenir cette alternative avant d'avoir bien développer sa clientèle et s'être assuré une certaine stabilité dans ses revenus. Dans un tel contexte, l'achat peut s'avérer alors un très bon investissement.

Qu'il s'agisse d'une location ou d'un achat, le choix de l'emplacement est une décision importante. Si un conseiller fait affaires avec des entreprises et qu'il doit recevoir des clients à son bureau, il est préférable qu'il s'installe près du centre-ville ou dans un endroit pas trop éloigné et facilement accessible par transport public ou automobile. La proximité d'un terrain de stationnement constitue un net avantage. Plus les clients font fréquemment appel aux services du conseil, plus il est important que ce dernier soit localisé près de ses clients. Dans son choix d'emplacement, le nouveau conseiller a avantage à utiliser les critères suivants: la qualité du quartier, la localisation de sa clientèle potentielle, les règlements municipaux de zonage, le coût des taxes d'affaires et des permis nécessaires, les facilités de transport public et privé, la qualité de l'immeuble, l'adéquation entre l'espace disponible et les besoins du cabinet-conseil, les possibilités d'expansion future, la durée du bail en fonction des investissements pour aménager les bureaux, etc.

En 1986, aux États-Unis, près du trois quarts des conseillers exercent leur profession dans un bureau consacré exclusivement à la consultation et situé à l'extérieur de leur résidence. Environ 20 % des conseils américains ont leur bureau à leur résidence privée, ce qui permet simplement d'avoir une adresse postale comme pour les services d'identification dont nous avons parlé antérieurement. Un faible pourcentage de ceux-ci pratiquent à partir d'un bureau situé chez le client (2,5 %), dans une université (3,6 %) ou dans un autre commerce appartenant déjà au conseil (0,8 %).

À partir des résultats des sondages effectués périodiquement par Shenson, il est possible de constater, au fil des années, une baisse du

Tableau 7.3
Emplacement physique du lieu de travail dans des conseils américains
(Sondage H.L. Shenson)

	Bureau à la maison	Bureau consacré à la consultation	Bureau situé chez le client	Bureau à l'université	Autre bureau d'affaires opéré par le conseil
Janvier 1982	28,1 %	59,3 %	2,7 %	4,3 %	5,6 %
Septembre 1982	26,6 %	62,4 %	1,9 %	5,8 %	3,3 %
Avril 1983	27,2 %	64,4 %	2,4 %	5,6 %	0,4 %
Octobre 1983	25,4 %	66,0 %	2,6 %	5,4 %	0,6 %
Mars 1984	22,4 %	67,8 %	3,5 %	4,3 %	2,0 %
Septembre 1984	23,1 %	68,6 %	2,8 %	3,6 %	1,9 %
Avril 1985	22,4 %	70,7 %	2,2 %	3,7 %	1,0 %
Février 1986	20,6 %	72,5 %	2,5 %	3,6 %	0,8 %

pourcentage de conseillers ayant leur bureau à la résidence en faveur d'une augmentation du pourcentage de ceux qui possèdent un bureau extérieur consacré à la consultation. Ces résultats laissent entrevoir l'émergence d'une pratique de plus en plus structurée et professionnelle.

Au niveau de l'aménagement physique des bureaux, il faut habituellement prévoir l'espace nécessaire pour répondre aux besoins suivants: un espace où sont conservés la documentation et les rapports de mission, une salle d'entrevue ou de réunion, un bureau fermé pour le ou les conseillers seniors, une salle de travail pour les conseillers juniors, un secrétariat, une salle de réception et d'attente. Il faut évidemment ajuster tout ceci en fonction de l'ampleur du personnel professionnel et de bureau. L'aménagement général doit être confortable, propre, chaleureux, attrayant et refléter l'ambiance caractéristique du cabinet-conseil. La sobriété et le bon goût sont généralement fort appréciés de la clientèle. Dans les bureaux, la disposition des meubles favorise la discussion et il est préférable de ne voir sur la table de travail du conseil que les dossiers du client avec lequel il est en discussion. Il faut éviter d'embourber ces lieux de rencontre d'une masse de documents ou de livres et revues hétéroclites.

Mentionnons en terminant que le conseiller débutant peut très bien ne pas acheter le mobilier nécessaire mais le louer d'entreprises spécialisées ce qui diminue les investissements initiaux. Cette option constitue même parfois un avantage puisque ces dépenses peuvent être déductibles au point de vue fiscal. Il est recommandé au nouveau conseil de consulter un comptable pour évaluer quelle est la meilleure des hypothèses entre l'achat ou la location du mobilier.

□ Pénétration du marché dans la phase initiale

Le développement initial du marché exige d'abord et avant tout une bonne analyse des caractéristiques des compétiteurs et de la clientèle potentielle en termes de localisation, des besoins et du prix qu'elle est prête à payer pour les services offerts. De plus, le nouveau conseiller dresse le bottin complet de ses connaissances et de ses relations d'affaires afin de les aviser du lancement de son cabinet-conseil.

Sur le plan stratégique, le conseiller peut tenter d'obtenir un mandat de la part de son employeur actuel ce qui lui fournit une certaine base de départ. Il a également avantage à offrir ses services aux clients les plus prestigieux car, s'il décroche un mandat, ceci devient un élément très utile dans le développement éventuel de sa clientèle. Troisièmement, le nouveau conseiller profite de toutes les occasions fournies (conférences, radio, télévision, etc.) pour discuter de concepts, de problèmes pratiques et de solutions nouvelles reliés à sa spécialisation. De cette façon, il cherche à augmenter sa visibilité sur le marché en projetant une image de compétence susceptible d'inspirer confiance à de nouveaux clients. Enfin, le conseil peut également développer certains produits nouveaux (questionnaire, programme de formation, document audio-visuel, etc.) qui sont de nature à bien le situer dans le marché.

Il arrive fréquemment que de nouvelles firmes de conseils s'associent, dans leur phase de développement initial, à des cabinets de vérification comptable ce qui constitue souvent une très bonne stratégie de départ. En effet, ces cabinets sont en contact constant avec un très grand nombre d'organisations. Ils sont fréquemment les premiers à percevoir certains problèmes de fonctionnement relatifs aux ressources humaines, à la mise en marché, à la production, etc. Les vérificateurs comptables réfèrent alors ces clients à divers spécialistes d'où l'avantage pour un jeune conseiller d'envisager une forme d'association avec un cabinet-conseil en vérification comptable.

Comme nous avons déjà consacré deux chapitres entiers à des sujets connexes, soit les activités du conseil et le marketing de celles-ci, le conseiller débutant a avantage à considérer à nouveau les suggestions décrites dans ces chapitres. Nous ne nous attarderons donc pas plus longuement sur la dimension pénétration initiale du marché.

□ Personnel professionnel et de bureau

Sur le plan du personnel professionnel et de bureau, l'accroissement de celui-ci est habituellement fonction du nombre d'années d'existence de la firme de même que du rythme de développement de son marché. Un cabinet-conseil naissant est généralement très légèrement équipé au niveau des ressources humaines. Au début, le conseiller principal peut avoir le support d'une secrétaire-réceptionniste et d'un comptable à temps partiel. Dans ce cas, le conseil consacre lui-même un certain temps aux tâches administratives. Cependant, ce dernier doit continuellement réfléchir à l'utilisation efficace de son temps. Il arrive souvent qu'il devient plus rentable, pour le conseiller, d'engager du personnel de soutien supplémentaire et de consacrer son propre temps au développement du marché et à la réalisation des missions. Il lui faut prendre garde de ne pas perdre de vue l'essentiel pour ne considérer que l'accessoire. La consultation, ce n'est évidemment pas les tâches de soutien. Celles-ci viennent seulement appuyer les activités principales. Les résultats des enquêtes effectuées par Shenson démontrent qu'actuellement aux États-Unis, la très grande majorité (environ 70 %) des firmes de conseillers sont relativement petites puisqu'elles n'ont aucun ou un seul employé de bureau ou de soutien (tableau 7.4). Ceci laisse

Tableau 7.4
Nombre d'employés de bureau ou de soutien oeuvrant dans les firmes de conseillers américains
(Sondages H.L. Shenson)

	Nombre d'employés				
	0	1	2	3	4 et +
Janvier 1982	39,8 %	40,2 %	11,5 %	8,5 %*	
Septembre 1982	35,1 %	39,3 %	9,3 %	9,1 %	7,2 %
Avril 1983	32,4 %	40,6 %	8,8 %	10,3 %	7,9 %
Octobre 1983	30,6 %	41,7 %	9,4 %	10,1 %	8,1 %
Mars 1984	24,9 %	41,2 %	11,6 %	9,7 %	12,6 %
Septembre 1984	23,2 %	42,1 %	12,5 %	8,1 %	13,6 %
Avril 1985	23,9 %	43,5 %	13,1 %	8,4 %	11,1 %
Février 1986	25,4 %	44,5 %	12,8 %	8,4 %	8,9 %

*Impossible, dans ce sondage, de distinguer entre ces deux catégories de réponse.

donc supposer que les conseillers américains ne travaillent pas au sein de grands cabinets de conseils. Nous remarquons, depuis 1982, une tendance légère à ce que ces derniers aient, de plus en plus, au moins un employé de bureau. Simultanément, il y a une nette diminution du pourcentage des conseillers qui travaillent sans avoir d'employé de soutien.

Du côté du personnel professionnel, les nouveaux conseillers hésitent souvent à prendre de l'expansion en engageant du personnel additionnel et ce, pour diverses raisons: crainte que la demande éventuelle diminue, crainte que le nouveau professionnel quitte après quelques temps avec une partie de la clientèle, incapacité du conseiller-fondateur de déléguer des mandats à des employés ne travaillant pas de la même façon que lui. Une firme de conseillers ne peut pas croître si le gestionnaire craint de déléguer et n'a pas confiance en son personnel. Une façon d'aborder cette problématique de l'expansion consiste, comme étape intermédiaire, à l'engagement de personnel professionnel à temps partiel pour la réalisation d'une mission particulière. L'embauche d'employé professionnel indépendant possède certains avantages, notamment une charge financière moins lourde étant donné l'absence de sécurité d'emploi et de bénéfices marginaux souvent importants, moindre risque de se faire éventuellement prendre une partie de la clientèle, une flexibilité beaucoup plus grande pour s'adapter à la fluctuation des demandes de service. Par contre, il faut bien réaliser que ces employés sont moins identifiés à la firme, probablement moins loyaux face à l'employeur et moins fiables en ce sens qu'ils peuvent quitter rapidement s'ils trouvent un travail permanent ailleurs.

Le tableau 7.5 nous indique encore que les petites firmes de consultation sont très nombreuses aux États-Unis. En effet, en 1986, 75 % de celles-ci sont constituées de deux ou moins employés professionnels/associés/propriétaires. Il s'agit donc de petits cabinets sur le plan de l'ampleur des ressources humaines professionnelles. Depuis 1982, on y observe également un léger accroissement de ce type d'organisation de faible dimension.

Il est également intéressant de noter que, dans les sondages de H.L. Shenson, la proportion du nombre de conseillers américains ayant moins d'une année d'expérience va sans cesse en augmentant (tableau 7.6), passant de 12,5 % en 1982 à 19,2 % en 1986. Ainsi, ces résultats signifient une entrée annuelle de plus en plus importante de nouveaux conseillers sur le marché américain de la consultation.

En conclusion, mentionnons qu'il est souhaitable que les responsables des cabinets de consultation évaluent bien les besoins en personnel professionnel et de bureau en fonction de deux critères inter-

Tableau 7.5
Nombre de professionnels (employés/propriétaires/associés) oeuvrant dans les firmes de conseillers américains
(Sondages H.L. Shenson)

	Nombre de professionnels					
	1	2	3-4	5-6	7-8	9 et +
Janvier 1982	37,1 %	28,9 %	13,2 %	9,1 %	5,3 %	6,4 %
Septembre 1982	38,5 %	27,6 %	11,9 %	8,4 %	5,5 %	8,1 %
Avril 1983	40,6 %	28,9 %	9,6 %	7,9 %	3,7 %	9,9 %
Octobre 1983	40,4 %	28,1 %	9,9 %	8,0 %	3,5 %	10,1 %
Mars 1984	39,2 %	30,1 %	10,5 %	8,1 %	2,7 %	9,4 %
Septembre 1984	39,2 %	31,6 %	10,5 %	8,8 %	2,9 %	8,4 %
Avril 1985	40,5 %	31,9 %	11,1 %	8,3 %	3,7 %	4,5 %
Février 1986	42,7 %	32,4 %	12,6 %	6,9 %	3,1 %	2,3 %

Tableau 7.6
Nombre d'années d'expérience des conseillers américains
(Sondages H.L. Shenson)

	Moins d'une année	Une année mais moins de quatre	Quatre années mais moins de sept	Sept années mais moins de dix	Dix années et plus
Janvier 1982	12,5 %	27,4 %	21,8 %	15,1 %	23,2 %
Septembre 1982	11,3 %	25,5 %	23,6 %	16,3 %	23,3 %
Avril 1983	12,5 %	27,3 %	20,2 %	17,7 %	22,3 %
Octobre 1983	13,2 %	28,1 %	22,1 %	15,5 %	22,5 %
Mars 1984	14,7 %	29,2 %	18,7 %	14,8 %	22,6 %
Septembre 1984	16,6 %	29,7 %	19,5 %	14,2 %	20,0 %
Avril 1985	18,3 %	30,5 %	18,8 %	15,6 %	16,8 %
Février 1986	19,2 %	28,8 %	15,8 %	14,9 %	21,3 %

dépendants: les ressources nécessaires pour répondre aux besoins présents et les ressources nécessaires pour développer de nouveaux secteurs ou accroître la capacité de satisfaire un plus grand nombre de clients. Ces diverses hypothèses sont essentiellement considérées à la lumière des orientations stratégiques de développement adoptées par le ou les propriétaires d'un cabinet-conseil.

□ Assurance-responsabilité

Dans le contexte actuel de l'évolution de la société, il est très important qu'un cabinet-conseil se protège adéquatement en prenant des assurances au niveau de la responsabilité professionnelle et de la responsabilité civile ou protection générale.

Un conseil n'est jamais à l'abri d'une poursuite même si, selon les divers codes déontologiques des organismes professionnels, ce dernier a l'obligation de conseiller ses clients conformément à la «doctrine de l'homme prudent». Depuis quelques années, le nombre de poursuites intentées contre des professionnels a connu une augmentation spectaculaire. Les changements profonds de la société font en sorte que les clients sont exigeants face au professionnel consulté. Les sommes demandées en dommages et intérêts atteignent parfois des niveaux faramineux. En plus de devenir de plus en plus conscients de leurs droits, les gens ne portent plus aux professionnels, y compris les conseillers, une estime les plaçant en haut de l'échelle sociale et en faisant des intouchables. S'ils croient avoir raison, les clients sont prêts et capables de contester la valeur des actes professionnels posés. Même si un conseiller croit à la qualité de ses interventions, il lui faut se rappeler que toute personne peut, à tort ou à raison, penser le contraire et intenter des poursuites. Le conseil n'a pas alors d'autre choix que de se défendre, ce qui occasionne des frais d'avocat généralement élevés. Pour ces diverses considérations, il est prudent pour un nouveau conseiller de consulter un courtier en assurances et un avocat afin de se mettre le plus possible à l'abri des conséquences désastreuses possibles de telles poursuites. D'ailleurs, Bermont (1981) a écrit une brochure intéressante sur les moyens à prendre pour éviter de se retrouver victime de poursuites pour responsabilité professionnelle.

Bien que les contrats d'assurance responsabilité professionnelle varient beaucoup d'un assureur à l'autre ou d'un secteur particulier de la consultation à un autre, il est tout de même utile de signaler quel est le sommaire des garanties et exclusions habituelles qu'on y retrouve:

— *Garanties*

Protection entière contre toute poursuite en responsabilité invoquant la faute, l'erreur, la négligence ou l'omission dans l'exercice professionnel.

Protection des actes antérieurs à la période d'assurance aussi bien que durant l'exercice de la profession jusqu'à la retraite ou même après le décès (pour une période de 12 mois).

Prise en charge de la défense de l'assuré en cas de poursuite partout dans le monde.

Remboursement de tous les frais raisonnables engagés par l'assuré pour aider l'assureur à préparer sa défense.

Pertes actuelles de revenu de l'assuré.

— *Exclusions*

Poursuite découlant d'une faute intentionnelle de l'assuré.

Poursuite résultant d'actes frauduleux ou criminels.

Poursuite concernant des actes inhabituels pour l'activité professionnelle du conseiller.

Afin de donner une idée générale des modalités et des coûts associés à la décision de prendre une telle assurance, un formulaire typique de demande de renseignements et de déclaration de l'assuré est annexé à l'appendice X.

Le second volet des assurances à considérer est celui de la responsabilité civile ou protection générale. Le conseiller est susceptible d'être poursuivi pour tout accident survenu, dans ses bureaux, à un de ses clients ou à un de ses employés dans l'exercice de son travail. Ce genre de protection s'applique aux blessures corporelles, au décès et aux dommages matériels causés à la propriété d'autrui. Il est aussi nécessaire que le cabinet-conseil assure ses propres biens. Le conseiller a choisi ses bureaux en fonction de ses besoins et il a aménagé sa base d'opération selon ses goûts: tableaux, mobiliers, équipement, documentation, etc. S'il est locataire, il peut être tenu responsable de tout dommage accidentel causé à l'édifice. S'il est propriétaire de l'édifice où se trouvent ses bureaux, il doit encore plus assurer la valeur de cet investissement. Il est donc également important que le conseiller assure ses biens contre le feu, le vol, le vandalisme et se dote d'une assurance responsabilité civile.

5 *Considérations déontologiques*

Dans cette dernière section du présent chapitre, le sujet abordé concerne les considérations déontologiques du travail de conseiller auprès des organisations. Il s'agit là d'un sujet fort complexe qui a fait l'objet de la publication de plusieurs volumes, chapitres ou articles. Évidemment dans le cadre général de ce volume, nous ne ferons qu'esquisser les principales caractéristiques du sujet: définition d'un code de déontologie, sa signification sociale, ses modalités d'application et enfin les règles déontologiques les plus courantes.

5.1 *Définition d'un code de déontologie*

La notion de code d'éthique ou de code de déontologie est étroitement associée, selon Lippitt et Lippitt (1978), à celle de professionnalisme. En effet, un code se développe habituellement quand une profession spécifique acquiert une certaine maturité. Ceci signifie que le rôle professionnel se centre alors autour des exigences suivantes: acquérir les connaissances de base de la discipline, apprendre à appliquer efficacement les connaissances et les habiletés, toujours placer les intérêts du client avant ses propres intérêts ou ceux de son groupe professionnel, maintenir de hauts standards de qualité dans le service à la clientèle et toujours se comporter de façon professionnelle.

Shay (1965) définit l'éthique professionnelle comme l'ensemble des normes de conduite et de pratique professionnelle découlant de la nature de la profession, des buts et fonctions de celle-ci dans la société. De plus, c'est un peu considéré comme la meilleure façon d'appliquer les connaissances et habiletés propres à la profession. Kubr (1978) va sensiblement dans la même direction en affirmant que c'est l'ensemble des responsabilités professionnelles ayant un caractère obligatoire et servant de base aux mesures disciplinaires en cas de transgression d'un membre.

Les grands principes sous-jacents à l'élaboration d'un code de déontologie prennent essentiellement racine sur la conception décrite précédemment. Lippitt et Lippitt (1978) soulignent les principes de base comme suit:

— Fournir des guides de référence permettant d'expliciter les comportements professionnels justifiables aux yeux du client.

— Permettre au professionnel d'inspirer confiance au client en affirmant que celui-ci va agir dans l'intérêt du client.

— Démontrer que le professionnel s'engage à faire un bon travail pour le client en retour de la confiance de ce dernier.

L'élaboration de ces règles de conduite vise plusieurs buts simultanément. Sur le plan de la profession comme telle, le code de déontologie encourage la qualité et la compétence des professionnels par l'acquisition et l'application efficace de connaissances et d'habiletés de même que par le respect des règles de conduite professionnelle. Au niveau de la clientèle, le code a pour but de développer la crédibilité du conseil quant à son désir de satisfaire les clients en leur garantissant la protection prioritaire de leurs intérêts et l'excellence des services rendus. Enfin par rapport à la société, le code de déontologie se veut une manifestation concrète des bonnes relations que la profession souhaite établir avec la société à qui s'adressent ses services en faisant connaître publiquement les normes qui régissent l'exercice professionnel. Ces critères concrets et objectifs permettent de juger, par la suite, le respect attribué par les membres à ces règles de conduite.

Comme la consultation a acquis au cours des années une maturité de plus en plus manifeste, il convient de souhaiter avec Gallessich (1982) que la profession se dote de règles de conduite exigeantes étant donné l'impact sérieux des interventions des conseils auprès des organisations. Le besoin d'avoir un code de déontologie apparaît quand le «maniement factice de quelques connaissances est remplacé par l'application compétente d'un ensemble de connaissances généralement accepté» (Kubr, 1978). De plus, un très grand nombre de personnes sont généralement affectées par les décisions des gestionnaires suite aux recommandations des conseillers sur les plans de la productivité, de la motivation et de la satisfaction au travail. Les conseillers ont l'obligation de se comporter de façon éthique en mettant le bien de la société au premier rang de leurs préoccupations quotidiennes.

5.2 *Signification sociale d'un code de déontologie*

Suite à la description précédente, il est possible de saisir clairement la dimension sociale de l'éthique professionnelle. À cause de sa position privilégiée en tant que professionnel, le conseiller a certaines obligations sociales importantes. En effet, souvent le client, individu ou organisation, fait appel à un spécialiste parce qu'il n'a pas les connaissances ou ressources personnelles pour résoudre son problème. Le client se trouve ainsi dans un état de dépendance face au professionnel en qui il met toute sa confiance. Ce dernier ne doit pas abuser de cette situation et c'est pourquoi il est nécessaire qu'il agisse, d'une façon éthique, avec discrétion, jugement et considération prioritaire de l'intérêt du client. Les clients, et la société en général, sont en droit de s'attendre à un haut niveau de conduite professionnelle.

Le code d'éthique professionnelle reflète, par son existence même, l'altruisme et l'orientation vers un service rendu de façon systématique et exigeante. Par l'adoption d'un tel code, la profession explicite le cadre de son contrat social et l'adhésion de ses membres à ces règles de conduite traduit bien leur engagement personnel face à la société. Il est essentiel que la société soit bien informée du contenu de ce code de déontologie et qu'elle connaisse les normes qui régissent la pratique professionnelle des conseillers. Ainsi, le consommateur peut choisir, négocier et apprendre quand il est utile de faire appel à un professionnel de la consultation. Le client possède également une grille lui permettant de juger, à l'intérieur des normes établies, le caractère éthique des services rendus. En contrepartie, les clients ont l'obligation de ne faire aucune pression sur les conseillers pour obtenir d'eux des services qui iraient à l'encontre des normes reconnues par la profession.

L'existence d'un code de déontologie protège la société et la profession par l'identification et l'exclusion des conseils incompétents ou non respectueux des normes sociales et professionnelles reconnues et acceptées.

5.3 *Application d'un code de déontologie*

Lippitt et Lippitt (1978) mentionnent que, peu importe la valeur d'un code d'éthique, il n'y a aucune garantie d'application de celui-ci à moins qu'il y ait des moyens concrets mis en place et acceptés des membres pour faire respecter les règles de conduite d'une profession. Il y a de fait trois modalités pour favoriser l'application et le respect du code de déontologie. Premièrement, les membres peuvent, par auto-discipline ou engagement volontaire, respecter la lettre et l'esprit des règles d'éthique d'une profession. Dans ce contexte, on s'attend à ce que les membres soient alertes face aux conflits potentiels de valeurs et qu'ils décident de leur action en fonction des normes acceptées. Ils sont généralement sensibilisés et informés des règles de conduite acceptables lors de leur formation académique, à travers certaines activités spécifiques ou par des publications sur le sujet. Deuxièmement, il peut y avoir recours à des méthodes disciplinaires informelles. Les pairs font pression directement auprès des membres de la profession qui semblent s'écarter des règles déontologiques acceptées. Enfin, la troisième modalité d'application du code d'éthique est beaucoup plus formelle puisqu'elle correspond à la création d'un comité disciplinaire interne à la profession. Celui-ci examine les plaintes et fait comparaître les parties impliquées. Sa décision est habituellement exécutoire et prend diverses formes: réprimande, pratique sous supervision obligatoire, suspension du droit de pratique, soumission à un traitement de réhabilitation, exclusion temporaire ou permanente de l'organisation professionnelle.

Nous avons déjà discuté, dans cet ouvrage, de la consultation interne et externe. Selon l'avis des auteurs (Lippitt et Lippitt, 1978; Dekom, 1969), il n'a rien qui laisse croire que le code de déontologie des conseils internes et des conseils externes devraient être différents. Il semble bien que les mêmes règles fondamentales de conduite s'appliquent dans ces deux formes de pratique de la consultation. L'élaboration d'un code de déontologie se complique, quand il faut se demander s'il est possible, en consultation, de n'avoir qu'un seul et même code pour tous les professionnels qui agissent comme conseils auprès des organisations: administrateurs, ingénieurs, psychologues, sociologues, communicateurs, publicistes, etc. Le fait de n'utiliser qu'un seul code de déontologie pour les conseillers organisationnels paraît être difficile d'application et ce, pour plusieurs raisons.

La principale raison relève de la diversité au niveau de la formation professionnelle d'origine des conseils. Ceux-ci proviennent de milieux fort différents qui possèdent chacun leur tradition et leur règle de fonctionnement. Vouloir faire un code applicable à tous les conseillers risquerait d'aboutir à des règles de conduite très générales. Par contre, chaque code professionnel spécifique devient trop précis et peut ne pas avoir de base d'application suffisamment large. Il faut trouver entre ces deux extrêmes une position médiane raisonnable et pragmatique pour les conseillers et les clients éventuels.

La seconde difficulté a rapport à la complexité du processus et du contexte de consultation. Chaque mission ou chaque contexte est tellement différent et spécifique qu'il semble être difficile de dégager des règles de conduite générales. De plus, il y a encore de nombreux conflits au sein même de la profession de conseil auprès des organisations sur les fonctions et rôles des conseillers et sur ce qui est éthique ou non. Enfin, pour ces diverses raisons, certains professionnels de la consultation se questionnent sur la nécessité d'un code de déontologie pour le secteur de la consultation.

Bien qu'il faille souligner qu'un code d'éthique professionnelle ne peut être viable que si les membres de l'organisme adhèrent à ses principes de base et que la société en général les endosse. Plusieurs associations ou organisations professionnelles ont joué un rôle déterminant dans le développement du professionnalisme de la consultation en promouvant certaines normes d'éthique et ce, en dépit des difficultés énumérées ci-dessus.

5.4 *Règles déontologiques les plus courantes*

Dans la prochaine partie, nous tenterons de faire ressortir les règles de conduite les plus courantes que l'on retrouve dans divers codes d'éthique appliqués à la consultation ou à diverses professions dont les membres agissent fréquemment à titre de conseillers auprès des organisations. Ces règles seront présentées en fonction de quatre volets principaux: compétence et responsabilité professionnelle du conseil, priorité aux intérêts du client, bien-être de la société et respect de la profession.

□ Compétence et responsabilité professionnelle du conseil

Le conseiller fait preuve de réalisme face à ses qualifications professionnelles et connaissances techniques de façon à ne pas offrir au client des services qui dépassent sa stricte compétence. Il n'accepte pas de mandat qui dépasse ses capacités et il se soucie de la qualité des services qu'il peut rendre au client. Dans ce contexte, le conseil cherche continuellement à se perfectionner, à être à date relativement aux développements récents dans son domaine d'expertise. Ainsi, il bénéficie personnellement de ces acquis et contribue indirectement au développement de sa profession.

Concernant l'efficacité du conseil lors de ses interventions, ce dernier cherche à maximiser celle-ci en s'assurant d'être en forme physiquement et mentalement de sorte qu'il puisse offrir des services de qualité. S'il est dans un état tel que celui-ci puisse compromettre son efficacité, il s'abstient alors d'accepter un mandat, suspend ou met fin à celui en cours. Dans le même ordre d'idées, le conseil évalue l'efficacité de chacune de ses interventions afin d'en tirer des leçons pour l'avenir et fait preuve d'auto-critique à son égard en évaluant si les objectifs de l'intervention ont été ou non atteints. Il est même souhaitable que les conseillers sollicitent les évaluations objectives et intègres des clients dans le but d'atteindre toujours de plus hauts standards d'excellence.

Enfin, le conseil auprès des organisations se questionne sur ses biais personnels, ses préjugés, ses valeurs et ce, dans le but d'en minimiser les effets néfastes sur sa pratique professionnelle. Il doit chercher à résoudre les problèmes organisationnels en respectant les réalités et les valeurs du milieu et non en imposant, plus ou moins consciemment, ses propres positions ou valeurs. Le conseil est sensibilisé à ses diverses caractéristiques personnelles qui peuvent créer des biais systématiques dans l'établissement de relations professionnelles avec les clients. À ce niveau, il doit distinguer entre ses propres valeurs sociales et politiques et celles de ses clients. Il n'a pas le droit d'imposer ses valeurs aux clients ou de forcer ce dernier à modifier les siennes.

□ Priorité aux intérêts du client

Le conseil place les intérêts du client avant ses propres intérêts ou ceux de sa profession. Il agit toujours au mieux des intérêts du client. Le conseiller auprès des organisations se préoccupe du bien-être de son client en l'informant de la nature de son intervention, en obtenant son consentement et en préservant sa santé physique et mentale. S'il existe certains risques, le système-client en est informé et il a la liberté d'accepter ou non la recommandation du conseil. Ce dernier évite de manipuler le client. Au contraire, il cherche à le rendre de plus en plus autonome et capable de décider par lui-même. Il faut éviter, à tout prix, d'entretenir la dépendance du client. Seuls les mandats pouvant réellement aider l'organisation sont acceptés par les spécialistes de la consultation. Si le conseil perçoit raisonnablement que ses services ne sont plus utiles à son client, il cesse son intervention.

Sur le plan de la confidentialité, il est impérieux que le conseil assiste les gestionnaires dans l'établissement des politiques relatives à la confidentialité lors de son intervention. Au moment de la réalisation de la mission, le conseiller reçoit une foule d'informations et il lui faut respecter la confiance que les gens ont mis en lui en garantissant la confidentialité de ses sources. S'il y a des limites à la confidentialité, les membres de l'organisation en sont informés et ils sont libres de participer directement ou non à la mission du conseil. Holtz (1983) suggère à un conseiller qui doute de la nature confidentielle d'une information de ne prendre aucune chance et de la conserver sous le sceau de la confidentialité. Un conseil ne révèle jamais une donnée confidentielle avant d'avoir eu la permission écrite de l'auteur de cette information. Dans la même ligne de pensée, soulignons que la tenue et la gestion des dossiers relatifs aux divers clients garantissent à ces derniers la dimension confidentielle. Enfin, il est bien évident que tout conseiller ne peut utiliser à son avantage personnel une information reçue confidentiellement.

Quand il est question de l'intérêt du client, il faut envisager l'existence possible de conflits d'intérêt de la part du conseiller et l'impact de ceux-ci sur la qualité des services rendus à la clientèle. Comme le conseiller joue simultanément plusieurs rôles, il se peut que certains conflits naissent entre ceux-ci. D'abord, le conseil ne doit détenir aucune responsabilité ou ne contrôler aucun intérêt chez un concurrent de son client. Il est nécessaire également qu'il informe ce dernier de toute relation et intérêt qui peuvent avoir une influence sur l'impartialité et l'objectivité de son jugement en tant que conseil. Par exemple, ce dernier devrait dévoiler au client ses intérêts personnels dans les sources d'approvisionnement de fournitures ou de services qu'il recommande. En plus, il ne doit pas s'occuper de deux clients concurrents sans les prévenir et encore moins encourager un employé de changer d'emploi alors qu'il agit comme conseil auprès de son employeur.

Dans ses relations avec les systèmes-clients, le conseiller rédige des contrats clairs qui évitent l'ambiguïté et permettent au client de bien connaître la nature et les conditions des services offerts par le professionnel. Le client est en mesure de donner son accord pour un mandat de façon éclairée et en toute connaissance de cause. Il est évident que, par la suite, le conseil remplit son mandat, selon les termes prévus, avec responsabilité et compétence professionnelles.

□ Bien-être de la société

Le conseiller agit continuellement comme un citoyen responsable soucieux du bien-être de la collectivité. Il fait preuve d'un sens aigu de responsabilité sociale, ne cherche pas à attirer la clientèle par une publicité frauduleuse et fixe des honoraires qui respectent les us et coutumes de son milieu social d'opération. Le conseiller est sensibilisé au bien-être de la société et il évite de mettre en danger celui-ci par ses agissements personnels et professionnels. Il est de plus recommandé que, par souci de responsabilité sociale, il accepte d'aider certains clients individuels ou organisationnels qui auraient besoin de son aide mais qui n'ont pas les ressources financières pour le rémunérer. Habituellement, il est prêt à faire, selon ses disponibilités, un certain travail volontaire et bénévole.

Le conseil est respectueux des règles de fonctionnement de la société. Par exemple, dans sa publicité, il est discret et ne promet pas de bénéfices irréalistes dans l'unique but d'attirer une clientèle. Sa publicité est objective, discrète et de bon goût. Il ne recrute pas des clients en utilisant des moyens incompatibles avec la dignité de la profession. Au contraire, il cherche à inspirer confiance au public pour acquérir le respect de ce dernier. La publicité évite de laisser place à l'interprétation au niveau de ses qualifications et de ses relations. S'il désire utiliser le nom d'un de ses clients prestigieux, il doit en obtenir l'autorisation explicite et lui soumettre, pour approbation, le texte publicitaire précis. Dans ses activités de promotion, le conseil fait sans cesse place à un souci de professionnalisme et non à des considérations strictement économiques.

Les honoraires professionnels du conseiller sont fixés, d'une façon juste et équitable, en fonction de ce qui est raisonnable dans son milieu social et professionnel. Ceux-ci sont généralement les mêmes pour tout le monde et il n'accepte pas, en plus de ses honoraires, de commissions ou autres avantages compensatoires pour les services rendus. Le conseiller fait évidemment preuve d'honnêteté dans la facturation de ses honoraires professionnels.

☐ **Respect de la profession**

Le conseil représente toujours et partout sa profession de façon à conserver la réputation honorable de celle-ci. Il est soucieux de l'image publique de son association ou organisation professionnelle et demeure responsable du maintien des plus hautes normes de qualité sur le plan des services professionnels.

Il est prêt à collaborer, de façon constructive, avec les autres membres de sa profession, à ne pas faire une compétition déloyale ou déplacée à ses collègues. Le conseiller participe à la formation des nouveaux conseils en favorisant le partage de ses connaissances et de ses expériences professionnelles. Celui-ci se sent impliqué et identifié à sa profession en participant aux diverses activités de son regroupement. C'est un lieu de ressourcement personnel, de partage et de solidarité. Chaque conseiller se sent responsable de la façon dont la profession s'exerce et il signale d'abord toute pratique dérogatoire aux collègues directement impliqués et ensuite aux responsables de la profession. Tout ceci se fait par souci d'établir et de conserver la bonne renommée de la profession.

Enfin, dans l'exercice de ses fonctions, le conseil est amené à créer et gérer une quantité impressionnante de dossiers. Ceux-ci renferment des renseignements importants concernant les différents clients. Advenant un changement de conseiller (décès, maladie, changement d'employeurs, etc.), les dossiers doivent être tenus à jour et bien gérés à la fois sur les aspects contenu et confidentialité.

Voilà donc les règles déontologiques les plus fondamentales que nous retrouvons dans les divers codes d'éthique de professionnels qui pratiquent comme conseils auprès des organisations. Dans le but de mieux illustrer concrètement ce qu'est un code de déontologie, certains exemples sont inclus à l'appendice XI. Il s'agit des codes des associations ou corporations professionnelles suivantes: Institut des conseillers en administration du Québec, Association canadienne des conseillers en administration, Syntec-Management (France), Corporation professionnelle des psychologues du Québec. Dans ces divers codes d'éthique, on y voit apparaître des règles de conduite qui recouvrent, en général, les divers comportements décrits précédemment.

Conclusion

En conclusion de cet ouvrage, il convient de se demander ce qu'est l'avenir de la consultation auprès des organisations. Les données présentées antérieurement démontrent certes que la profession de conseiller est dynamique et en plein essor. Tout comme Hunt (1977) le signalait, il y a tout lieu de voir l'avenir avec optimisme et ce, à trois niveaux: accroissement de la demande de services et ouverture de nouveaux champs d'activités pour les conseils, croissance du nombre de conseils pour répondre aux besoins présents ou nouveaux et pour assurer le remplacement normal des conseillers, développement de connaissances et de techniques de consultation appropriées.

Malgré cet optimisme, il y a lieu de s'interroger sur le statut actuel de la carrière de conseiller auprès des organisations. Quand une activité ou un service acquiert une certaine maturité, on parle alors de professionnalisme. Présentement, la consultation répond-elle aux caractéristiques d'une profession? Gallessich (1982) énonce les critères d'une grille d'évaluation permettant de répondre à cette interrogation:

— Travail à plein temps: Une profession constitue une occupation à plein temps et rapporte à celui qui l'exerce sa principale source de revenu.

— Identification: Une profession a généralement une identification propre et durable.

— Organisation: Les membres d'une profession se regroupent habituellement sous forme d'associations.

— Formation: Une profession requiert un certain bagage de connaissances et de techniques acquises lors d'une formation spécialisée.

— Orientation service: Un haut degré de professionnalisme est associé à une orientation importante de service à la société et à la recherche du bien-être de cette dernière.

— Autonomie: Une profession se voit dotée d'une autonomie sur les plans de l'évaluation et du contrôle des services offerts, du contenu et des exigences de la formation.

Comme en témoigne ce volume (voir appendice II), il existe de nombreuses associations regroupant les conseillers autour de leur formation d'origine (ingénieur, administrateur, psychologue, etc.) ou de leur intérêt spécifique pour la consultation. L'existence de ces dernières associations permet de constater l'émergence actuelle d'une profession axée sur la consultation auprès des organisations. En effet, plusieurs des critères mentionnés par Gallessich sont satisfaits, notamment le fait que la consultation constitue un travail à plein temps, qu'elle possède une identification spécifique et durable, qu'elle est organisée à l'intérieur de certaines associations, qu'elle est orientée dans ses principes déontologiques vers le service à la société. Quant à la formation spécialisée à la consultation, celle-ci ne fait que commencer à se manifester. En effet, certaines associations organisent des cours d'initiation ou de perfectionnement à l'intention de leurs membres nouveaux et anciens. Ces cours prennent des formes diverses: conférences, séminaires, ateliers, congrès, revue, etc. Il n'existe généralement pas actuellement de formation universitaire propre à la consultation auprès des organisations. De plus, les associations reliées à la consultation ne se sont pas encore vues remettre, par les pouvoirs gouvernementaux ou par la société, l'autonomie et l'autorité pour réglementer la formation, l'exercice et l'évaluation de l'activité-conseil. Pour en arriver à remplir les conditions associées à ces deux derniers critères, il faudra que les conseillers prennent une certaine distance par rapport à leurs professions d'origine pour en arriver à se regrouper dans des associations indépendantes et multidisciplinaires consacrées exclusivement à la consultation. Ces associations devront alors se préoccuper, de façon prioritaire, de la structuration de l'activité de consultation: formation spécialisée en consultation, évaluation de la qualité des services offerts par les membres, règles déontologiques, crédibilité de la profession auprès de la société et accréditation des membres de la profession.

Si la profession paraît pleine de vitalité et de dynamisme, il est cependant utile de s'interroger sur les axes prévisibles de son développement. Encore trop peu de conseillers conçoivent, dans leur rôle, la nécessité de transmettre leurs connaissances des processus de consultation aux collègues ou aux nouveaux venus dans la carrière. Dans le passé, après avoir acquis des connaissances professionnelles spécifiques, le conseil apprenait sur le terrain ce qu'était son rôle de conseiller. Cet état de fait explique également le peu de connaissances théoriques et la quasi-absence de recherches portant sur la dynamique et l'impact de l'activité-conseil. La consultation est vue présentement comme une activité qui se pratique beaucoup plus qu'elle ne s'apprend. De plus, le perfectionnement ou la formation continue des conseils est une préoccupation plutôt marginale et aléatoire si nous regardons ce qui se passe dans la réalité quotidienne.

La consultation, tout comme plusieurs professions, ne sera jamais une science exacte. Il faut cependant constater que le conseiller peut grandement améliorer (et rendre professionnelle) sa pratique de la consultation en s'appuyant sur des bases théoriques et sur des résultats de recherches scientifiques portant sur le processus de consultation, sur les habiletés des conseillers efficaces et sur l'impact organisationnel de l'intervention du conseil. Il est souhaitable d'appuyer la consultation sur des bases empiriques solides.

Plusieurs auteurs, notamment Gallessich (1982), constatent le besoin de mieux structurer la formation des conseils auprès des organisations en retenant deux caractéristiques importantes: la multidisciplinarité et une formation universitaire spécifique à la consultation. Il est nécessaire d'aller chercher le «corpus» de connaissances dans les diverses disciplines appropriées et de l'organiser dans un ensemble indépendant axé et consacré exclusivement à la connaissance et à la maîtrise du processus de consultation. Il ne faut pas que la consultation soit une sous-spécialisation de la formation professionnelle d'origine comme c'est le cas actuellement. Il est souhaitable, pour accéder à un statut professionnel reconnu, que la formation à la consultation constitue une sur-spécialisation autonome et distincte. Ainsi, un psychologue, un administrateur ou un ingénieur ne s'orienterait pas vers la consultation comme un des secteurs d'embauche possibles (entreprise privée, gouvernement, firme de conseils, etc.) mais il choisirait d'appliquer ses connaissances en tant que conseil auprès des organisations. Il y a, dans cette vision, un changement d'allégeance profond: le conseiller se consacre d'abord et avant tout à la consultation et non pas à la psychologie, à l'administration ou au génie. Dans cette perspective, nous pourrions fort bien imaginer une maîtrise ou un doctorat en consultation organisationnelle disponible à tous ceux qui détiennent une formation de premier ou de second cycle.

Pour réaliser cette perspective de développement, un leadership éclairé et dynamique est nécessaire. Présentement, la consultation auprès des organisations paraît être soumise à une fragmentation trop grande et possiblement néfaste. Les conseillers sont déchirés entre les associations professionnelles d'origine et celles qui mettent l'accent sur la consultation. Où va essentiellement leur allégeance profonde? À l'intérieur même de l'activité-conseil, les associations concurrentes sont nombreuses, surtout aux États-Unis. Cette multitude d'organismes rend-elle difficile la collaboration et la coordination nécessaire à l'épanouissement de la profession? Il faudrait peut-être penser à la création d'un conseil intraprofessionnel et interprofessionnel, permettant de réunir des représentants des divers groupes intéressés à la consultation auprès des organisations, dans le but d'identifier les dilemmes qui confrontent les conseillers, de solutionner les problèmes de croissance de cette nouvelle profession et d'accélérer la professionnalisation de l'activité-conseil.

S'il y a eu, depuis cinquante ans, beaucoup de chemin parcouru, il est maintenant temps de négocier le dernier virage...

APPENDICES

Appendice I

Exemples du contenu de différents mandats[1] possibles de consultation

1. Ces diverses interventions ont été classées généralement selon les principales fonctions de l'organisation mais il est évident que certains objets de consultation peuvent impliquer plus d'une fonction.

Production

■ **Méthodes et organisation de la production**

Plan et devis des installations techniques
Conception d'équipement
Manipulation du matériel
Approvisionnement en matières premières
Planification du flux de production
Normes de production

■ **Gestion de la production**

Contrôle des coûts de production
Contrôle des inventaires
Horaires de production
Étude de temps et mouvement
Étude ergonomique
Formation technique des employés
Organisation du travail
Systèmes de rémunération
Conditions de travail des employés de production
Sécurité des appareils de production

Personnel

■ **Acquisition des ressources humaines**

Analyse des tâches
Description des emplois
Recrutement employés/cadres
Procédures de sélection
Planification des besoins de main-d'oeuvre

■ **Gestion des ressources humaines**

Politiques de gestion du personnel
Administration des salaires et bénéfices
Gestion des dossiers du personnel
Évaluation du rendement
Supervision du personnel
Relations de travail
patrons/syndicats/employés
Résolution de conflits
Formation du personnel
Planification de carrière
Counseling auprès des employés en difficulté
Promotion, mutation et relocalisation du personnel
Motivation et satisfaction au travail
Santé et sécurité du personnel

■ **Organisation**

Planification stratégique et opérationnelle
Processus de décision
Politiques de gestion
Développement organisationnel
Structures administratives / organigrammes
Style de gestion, valeurs, objectifs
Participation des employés au profit

Marketing

■ **Études de marché**

Stratégies de mise en marché (quoi, où, quand, comment, combien, à qui, etc.)
Prévision des ventes
Emballage
Campagne de publicité ou promotion

■ **Distribution**

Canaux de distribution
Relations avec distributeurs
Formation des vendeurs

■ **Conception de nouveaux produits/services**

Finance

■ **Analyse financière**

Études économiques de faisabilité
Financement de développement
Sources de financement disponibles
Fusion ou acquisition d'entreprises
Rendement sur investissement
Capital-action
Prévision de liquidité
Évaluation actuarielle des bénéfices marginaux

■ **Systèmes comptables**

Budgétisation
Comptabilité financière
Gestion des comptes
Facturation

Informatique

- **Évaluation des ressources**

Évaluer l'utilisation actuelle des ressources informatiques
Études de faisabilité et de rentabilité
Gestion des fichiers d'information

- **Conception**

Systématiser le traitement de l'information
Concevoir les systèmes informatiques optimaux
Choix de l'équipement approprié
Programmation

- **Implantation**

Mettre en place les ressources informatiques
Formation du personnel

Relations publiques

- **Interne à l'organisation**

Information des employés
Conférences, rencontres
Communiqués internes
Journal de l'organisation

- **Externe à l'organisation**

Relations avec les gouvernements
Perception de l'image de l'organisation par la clientèle
Conférences de presse/Communiqués de presse
Relations avec les diverses institutions du milieu

Sécurité/santé

- **Conditions physiques**

Pollution de l'air
Risques d'accident
Bruit

- **Conditions psychologiques**

Stress au travail
Fatigue
Alcoolisme, drogue

Appendice II

Associations professionnelles et éditeurs susceptibles d'intéresser les conseils

ASSOCIATIONS PROFESSIONNELLES

Les associations professionnelles ou groupes d'intérêt pour les spécialistes de la consultation peuvent également devenir une source d'information fort utile au gestionnaire qui désire associer les services de consultation à ses ressources organisationnelles.

La liste décrite ci-dessous n'est évidemment pas exhaustive mais elle peut servir de point de départ à tout individu désirant entreprendre des démarches auprès de ces groupes ou associations.

■ ANGLETERRE

International Consultants Foundation
11/12 The Green
London W5

Management Consultants Association
2324 Cromwell Place
London, SW7-2LG

■ BELGIQUE

Association Belge des Conseils en Organisation et Gestion
c/o CICB, rue Ravenstein 3,
1000 Bruxelles

Comité Européen des Bureaux d'ingénierie
83, Boul. Jacquemin
1000 Bruxelles

■ CANADA

Association Canadienne des Conseillers en Administration
555, Boul. Dorchester ouest
Suite 1505
Montréal, Québec
H2Z 1B1

Association des Professionnels en Ressources Humaines du Québec
1253, Avenue McGill
Bureau 192
Montréal, Québec
H3B 2Y5

Association Québécoise pour la Formation et la Performance en Milieu de Travail
C.P. 526
Tour de la Bourse
Montréal, Québec
H4Z 1J8

Canadian Association of Management Consultants
Toronto-Dominion Center
Box 289
Toronto, Ontario

Corporation des Conseillers en Relations Industrielles du Québec
88, St-Joseph ouest
Montréal, Québec
H2T 2P4

Corporation Professionnelle des Administrateurs Agréés du Québec
1575, Boul. Henri-Bourassa ouest
Bureau 510
Montréal, Québec
H3M 3A9

Corporation Professionnelle des Psychologues du Québec
1575, Boul. Henri-Bourassa ouest
Montréal, Québec
H3M 3A9

Institut des Conseillers en Administration du Québec
555, Boul. Dorchester ouest
Bureau 926
Montréal, Québec
H2Z 1B1

Institut des Conseillers en Organisation et Méthodes
2730, rue du Roitelet
Ste-Rose, Laval, Québec
H7L 3R7

Réseau O.D. Canada Network Inc.
C.P. 382
Brossard, Québec
H4Z 3N3

Société Canadienne de Psychologie
558, King Edward Avenue
Ottawa, Ontario
K1N 7N6

■ ÉTATS-UNIS

American Association of Advertising Agencies
666 Third Avenue
New York, NY 10017

American Association of Healthcare Consultants
1235 Jefferson Davis Highway, Suite 602
Arlington, Virginia 22201

American Association of Professional Consultants
912 Union Street
Manchester, N.H. 03104

American Business Women's Association
P.O. Box 8728
9100 Ward Parkway
Kansas City, MO 04114

American Chamber of Commerce Executives
1133, 15th Street, NW, Suite 620
Washington, DC 20005

American Association of Small Research Companies
8794 West Chester Pike
Upper Darby, PA 19082

American Consultants League
2030 Clarendon Boulevard, Suite 206
Arlington, Virginia 22201

American Consulting Engineers Council
1015 15th Street, NW, Suite 802
Washington, DC 20005

American Federation of Small Business
407 South Dearborn Street
Chicago, IL 60605

American Institute of Architects
1735 New York Avenue, NW
Washington, DC 20006

American Institute of Certified Public Accountants
1211 Avenue of Americas
New York, NY 10036

American Management Association
135 West 50th Street
New York, NY 10020

American Marketing Association
222 South Riverside Plaza
Chicago, IL 60606

American Psychological Association
Division Consulting Psychology
631A Street, SE
Washington, DC 20003

American Society for Public Administration
1120 G Street, NW, Suite 500
Washington, DC 20005

American Society for Training and Development
600 Maryland Avenue SW, Suite 305
Washington, DC 20024

American Society of Agricultural Consultants Enterprise Center
8301 Greensboro Dr., Suite 470
McLean, Virginia 22102

American Society of Association Executives
1575 Eye Street, NW
Washington, DC 20005

American Society of Appraisers
P.O. Box 17265
Washington, DC 20041

ASSOCIATIONS PROFESSIONNELLES

American Society of Consulting Planners
9001 Edmonston Road
Greenbelt, Maryland 20770

American Society of Professional Consultants
2 Hamilton Avenue
New Rochelle, NY 10801

American Society of Women Accountants
35 East Wacker Drive
Chicago, IL 60601

Association for Creative Change
P.O. Box 437
Wilmette, IL 60091

Association of Consulting Chemists and Chemical Engineers
50 East, 41st Street, Suite 92
New York, NY 10017

Association of Consulting Management Engineers Inc.
230 Park Avenue
New York, NY 10017

Association of Executive Recruiting Consultants Inc.
30 Rockefeller Plaza, Suite 1914
New York, NY 10112

Association of Federal Communications Counsulting Engineers
Post Office Box 19333
Washington, DC 20036

Association of Graphic Arts Consultants
1730 North Lynn Street
Arlington, Virginia 22209

Association of Internal Management Consultants
P.O. Box 304
East Bloomfield, NY 14443

Association of Labor-Management Administrator and Consultants on Alcoholism
1800 Kent Street, Suite 907
Arlington, Virginia 22209

Association of Management Consultants
500 North Michigan Avenue, Suite 1400
Chicago, IL 60611

Association of Management Consulting Firms
230 Park Avenue
New York, NY 10169

Association of Outplacement Consulting Firms
Two Sunrise Place
Armonk, NY 10504

Association of Productivity Specialists
Pan Am Building
200 Park Avenue, Suite 303 E
New York, NY 10017

Association of Professional Materials Handling Consultants
1548 Tower Road
Winnetka, IL 60093

Association of Trial Behavior Consultants
Department of Speech Communication
University of Arizona
Tucson, Arizona 85721

Center for Small Business
U.S. Chamber of Commerce
1615 H Street, NW
Washington, DC 20062

Certified Consultants International (Social Studies)
P.O. Box 573
Brentwood, Tennessee 37027

Consultants National Resource Center
Gaplant
Maryland 21736

Council of Management Consulting Organizations
230 Park Avenue
New York, NY 10017

Data Processing Management Association
505 Busse Highway
Park Ridge, IL 60068

Financial Executives Institute
633 Third Avenue
New York, NY 10017

Food Facilities Consultants Society
13227 Eighth Avenue, NW
Seattle, Washington 98177

Independent Computer Consultants Association
P.O. Box 27412
St-Louis, Missouri 63141

Institute of Certified Financial Planners
3443 S. Galena, Suite 190
Denver, CO 80231

Institute of Certified Professional Business Consultants (Medical-Dental)
221 LaSalle Street, Suite 2026
Chicago, Illinois 60601

Institute of Management Consultants Inc.
19 West 44th Street, Suite 810-811
New York, NY 10036

Institute of Personal Image Consultants (Public Relations)
96 State Street
Brooklyn, New York 11201

International Association of Applied Social Scientists
6170 East Shore Drive
Columbia, South Carolina

International Association of Business Communicators
870 Market Street, Suite 940
San Francisco, CA 94102

International Association of Merger & Acquisitions Consultants
11258 Goodnight Lane, Suite 104
Dallas, Texas 75229

International College of Real Estate Consulting Professionals
1908 First Bank Place West
Minneapolis, MN 55402

International Communications Association
12750 Merit Drive, Suite 828, LB-89
Dallas, TX 75251

International Consultants Foundation
5605 Lamar Road
Washington, DC 20016

International Council for Small Business
St. Louis University
3674 Lindell Boulevard
St. Louis, MO 63108

National Association of Freight Transportation Consultants
14 Station Road
Simsbury, CONN 06070

National Association of Accountants
919 Third Avenue
New York, NY 10022

National Association of Manufacturers
1776 F Street, NW
Washington, DC 20006

National Association of Pension Consultants and Administrators
Three Piedmont Center Building, Suite 300
Atlanta, Georgia 30305

National Association of Personnel Consultants
1432 Duke Street
Alexandria, Virginia 22314

National Association of Tax Consultors
454 North 13th Street
San Jose, California 95112

National Association of Vision Program Consultants
1755 Church Street, NW
Washington, DC 20036

National Business League
4324 Georgia Avenue, NW
Washington, DC 20011

National Federation of Independent Business
150 West 20th Avenue
San Mateo, CA 94403

National Management Association
2210 Arbor Boulevard
Dayton, OH 45439

National Small Business Association
1604 K Street, NW
Washington, DC 20006

National Society of Professional Engineers
2029 K Street, NW
Washington, DC 20006

National Society of Public Accountants
1010 North Fairfax Street
Alexandria, VA 22314

New York Management Center Inc.
360 Lexington Avenue
New York, NY 10017

Nurse Consultants Association
Post Office Box 25875
Colorado Springs, Colorado 80936

Organization Development Institute
11234 Walnut Ridge Road
Chesterland, Ohio 44026

Organization Development Network
1010 Park Avenue
Plainfield, New Jersey 07060

Professional & Technical Consultants Association
1330 South Bascom Avenue, Suite D
San Jose, California 95128

Professional engineers in Private Practice
2029 K Street, NW
Washington, DC 20006

Public Relations Society of America
845 Third Avenue
New York, NY 10022

Sales & Marketing Executives International
380 Lexington Avenue
New York, NY 10168

Society of Executive Recruiting Consultants
Box 30246
Dallas, TX 75230

Society of Marine Consultants
Post Office Box 72
Rockville Centre, New York 11571

Society of Medical-Dental Management Consultants
4959 Olson Memorial Highway
Minneapolis, MN 55422

Society of Professional Management Consultants
163 Engle Street
Englewood Cliffs, New Jersey 07631

Society of Risk Management Consultants
4947 Lake Shore Road
Hamburg, New York 14075

Society of Telecommunications Consultants
1 Rockefeller Plaza, Suite 1410
New York, NY 10020

■ FRANCE

Chambre Syndicale des Sociétés d'Études et de Conseils
3, rue Léon-Bonnant
75016 Paris

Fédération Européenne des Associations de Conseils en Organisation
233, Faubourg Saint-Honoré
75008 Paris

■ HOLLANDE

Fédération Internationale des Ingénieurs-Conseils
Carel Van Bylandtlaan 9
2596 HP La Haye

■ IRLANDE

Association of Management Consulting Organizations
Confederation House
Kildare Street
Dublin 2

■ PÉROU

Federacion Latinoamericano de Asociaciones de Consultores
Av. R. Rivera Novarrette 457
Piss 3 — Of. 3-B
Lima 27

■ SUISSE

Association Suisse des Conseils en Organisation et Gestion
Bellariastrasse 51,
8038 Zurich

International Consultants Foundation
12, rue Robert-de-Trax, 1206
Genève

ÉDITEURS

■ ÉTATS-UNIS

Bermont Books Inc./Consultant's Library
P.O. Box 309
Gleneld, MD 21737

BNA Communications Inc.
9401 Decoverly Hall Road
Rockville, Maryland 20850

Boardroom Reports Inc.
500 Fifth Avenue
New York, NY 10710

Bradford's Directory of Marketing Research Agencies
P.O. Box 276
Fairfox, Virginia 20030

Columbia Books Inc.
734 15th Street, NW
Washington, DC 20005

Consultant's Network
57 W 89th Street
New York, NY 10024

Consultant News
Templeton Road
Fitzwilliam, New Hampshire 03447

Consulting Opportunities Journal
1629 K Street, NW, Suite 520
Washington, DC 20006

Development Publications
5605 Lamar Road
Bethesda, MAR 20816

Editorial Services Company
1140 Avenue of the Americas
10th Floor
New York, NY 10036

Frank Tennant Consultancy
1301 Forestwood Drive
McLean, VA 22101

Gale Research
Book Tower
Detroit, Michigan 48226

Harris, Ragan Management Corporation
9200 Sunset Blvd
Los Angeles, CA 90069

Hartman Consulting Services
11437 Cherry Hill Road
Beltsville, MD 20705

Howard L. Shenson Inc.
20750 Ventura Blvd, Suite 206
Woodland Hills, CA 91364

Info Co.
Box 35
Norwood, New Jersey 07648

JLA Publications
50 Follen Street
Cambridge, MA 02138

J. Stephen Lanning
1629 K Street, NW
Washington, DC 20006

Kennedy and Kennedy
Templeton, Road
Fitzwilliam, NH 03447

NTL/Learning Resources Corporation
7594 Eads Avenue
La Jolla, CA 92037

Organizational Renewal Inc./ The Gordon Lippitt Group
5605 Lamar road
Washington, DC 20016

Psychological Films Inc.
1215 Chapman Avenue
Orange, CA 92667

Stephen Bosustow Productions
1649 Eleventh Street
Santa Monica, CA 90404

University Associates Inc.
8517 Production Avenue
P.O. Box 26240
San Diego, CA 92126

Xicom Inc.
RFD No. 1
Tuxedo, NY 10987

Appendice III

Rapport d'évaluation du conseiller en formation

RAPPORT D'ÉVALUATION DU CONSEILLER EN FORMATION

Nom du candidat:	Nom du responsable:
Rapport intermédiaire ☐ Rapport final ☐	Date:

Période couverte par cette évaluation:

du ______________________ au ______________________

A. ÉVALUATION DE L'APPRENTISSAGE DES CONTENUS:

Évaluer la maîtrise actuelle des contenus abordés en mettant un v dans la colonne appropriée.

Suggérez les améliorations souhaitables.

X : Sujet couvert durant la période actuelle
A : Satisfaisant
B : Satisfaisant avec réserves
C : Non satisfaisant

	X	A	B	C	Améliorations suggérées
1. Cadre conceptuel général					
Milieux organisationnels					
- Systèmes socio-techniques					
- Fonctions du management					
- Gestion administrative					
- Informatique/bureautique					
- Environnement économique/social					
Sciences du comportement					
- Culture et climat organisationnels					
- Stratégie d'introduction du changement					
- Comportements en milieux organisationnels					
- Communication orale/écrite					
- Fonctionnement des groupes					
Méthodes d'intervention ou de recherche					
- Résolution des problèmes					
- Techniques de planification					
- Cueillette d'information					
- Traitement informatique					

Nom du candidat:	Date:

	X	A	B	C	**Améliorations suggérées**
2. Processus de consultation					
- Origine, nature et objectif - Rôles et modèles d'intervention - Caractéristiques du conseiller - Relations client-conseil - Phases du processus - Honoraires et contrat - Mise en marché des services - Organisation d'une structure de consultation - Éthique					

Évaluer le candidat en fonction de chacune des caractéristiques suivantes.

Mettez un v dans la colonne appropriée et suggérez les améliorations souhaitables.

A : Satisfaisant

B : Satisfaisant avec réserves

C : Non satisfaisant

	A	B	C	**Améliorations suggérées**
3. Compréhension de soi				
Habiletés intellectuelles - Vivacité et curiosité intellectuelles - Jugement sûr - Capacité d'analyse - Capacité de conceptualisation				
Habiletés interpersonnelles - Communication - Capacité d'adaptation - Diplomatie/tact - Ouverture aux autres - Capacité de travail en équipe				

Nom du candidat:				Date:
	A	B	C	**Améliorations suggérées**
Personnalité/attitudes - Intégrité - Persévérance - Discipline personnelle - Tolérance à l'ambiguïté - Confiance en soi et dans les autres - Autonomie - Dynamisme - Innovation - Réalisme				

Évaluation globale du responsable:

Recommandations:

Signature:

J'ai pris connaissance de cette évaluation.

Responsable: ____________________

Candidat: ____________________

Date: ____________________

Appendice IV

Caractéristiques des sujets des divers sondages effectués par Howard L. Shenson

POPULATION ESTIMÉE, ÉCHANTILLONS DE CONSEILLERS AMÉRICAINS ET TAUX DE RETOUR POUR LES DIVERS SONDAGES EFFECTUÉS PAR H.L. SHENSON

	Population* estimée	Échantillons sélectionnés au hasard	% de retour
Juillet 1978	-----	1 305	39 % (514)
Avril 1979	-----	1 075 (questionnaire 1) 2 402 (questionnaire 2)	67 % (717) 36 % (903)
Février 1980	-----	5 002	60 % (3 016)
Juillet 1980	-----	4 818	65 % (3 125)
Janvier 1981	-----	5 176	70 % (3 645)
Juillet 1981	52 444	6 004	67 % (4 021)
Janvier 1982	56 540	7 444	69 % (5 128)
Septembre 1982	62 978	9 001	69 % (6 223)
Avril 1983	70 153	8 598	70 % (6 044)
Octobre 1983	72 245	9 252	68 % (6 315)
Mars 1984	69 225	9 313	70 % (6 549)
Septembre 1984	72 445	9 905	69 % (6 812)
Avril 1985	79 601	10 345	68 % (7 005)
Février 1986	81 326	10 111	71 % (7 129)

*Cette population et ces échantillons au hasard ont été identifiés à partir de différents annuaires sur les conseillers et la pratique de l'activité-conseil, de listes d'adresses et des dossiers de Howard L. Shenson Inc.

Appendice V

Outils de communication avec les médias d'information

Section A
Communiqué de presse

Section B
Invitation à une conférence de presse

Section C
Curriculum vitae

COMMUNIQUÉ DE PRESSE
EMBARGO: VENDREDI 16 MARS 1984

SOURCE: SOCIÉTÉ CANADIENNE DES RELATIONS PUBLIQUES (QUÉBEC) INC.
Pierre de Montigny, ARP
(514) 281-8714

ASSOCIATION DES RELATIONNISTES DU QUÉBEC
Nicole Blouin
(514) 849-6466

RENSEIGNEMENTS: AGENCE MARSY INC.*
Danielle Duranceau
(514) 871-1757

La SCRP (Q) Inc. et l'ARQ se fusionnent:

NAISSANCE DE LA SOCIÉTÉ DES RELATIONNISTES DU QUÉBEC INC.

Respectivement réunis en assemblée générale spéciale, les membres de la Société canadienne des relations publiques (Québec) Inc. (SCRP (Q) Inc.) et ceux de l'Association des relationnistes du Québec (ARQ) ont conclu le 15 mars une entente selon laquelle les deux associations se regroupent et forment une nouvelle société qui sera connue sous le nom de LA SOCIÉTÉ DES RELATIONNISTES DU QUÉBEC INC.

Ce regroupement des professionnels des relations publiques portera les effectifs de la Société à environ 500 membres. En effet, la Société canadienne des relations publiques comptait, avant la fusion, près de 350 membres au Québec provenant surtout des milieux d'affaires et entreprises privées, tandis que l'Association des relationnistes était composée de plus de 100 membres provenant surtout des milieux gouvernementaux et para-gouvernementaux. Un marché potentiel pourrait être

(suite. . .)

---

*Reproduit avec la permission de Lucette St-Amant, Présidente de Communications Marsy Inc.

ajouté à ces effectifs portant ainsi dans un avenir très rapproché le total des membres à 1 000 au Québec.

Cette fusion survient à la suite d'une longue négociation entamée il y a quelques années et de la création d'un comité spécial composé de 5 représentants de chacune des parties. Les propositions émises par ce comité ont été entérinées par les deux présidents et par leur conseil d'administration respectif et soumis par la suite à une assemblée spéciale tenue le 15 mars à Montréal. Les membres de la SCRP (Q) Inc. et de l'ARQ ont accepté l'acte d'accord ainsi que les nouveaux statuts de la Société des relationnistes du Québec Inc.

Selon le nouveau président de la SOCIÉTÉ DES RELATIONNISTES DU QUÉBEC INC., M. Pierre de Montigny, ARP, «cette réunification des forces permettra d'offrir aux membres un éventail accru de services tels: séances de formation, conférences, ateliers, etc. La Société pourra aussi se doter d'un secrétariat plus structuré».

À plus long terme, les nouveaux dirigeants s'emploieront à élever le prestige de la profession en demandant à l'Office des professions du Québec la reconnaissance officielle de son statut professionnel.

De plus le programme national d'agrément de la SCRP s'appliquera aux membres de la nouvelle Société qui pourront se prévaloir des avantages des examens facultatifs du Conseil d'agrément institué il y a 15 ans et actuellement présidé par un membre du Québec. Plus de 450 membres canadiens sont des Praticiens Agréés en Relations Publiques (ARP).

La Société canadienne des relations publiques (Québec) Inc. célébrait en 1983 son 35e anniversaire de fondation. Plusieurs activités importantes se sont déroulées dans le cadre de cet événement. On se rappellera que c'est à Montréal en 1948, qu'est née la SCRP qui compte actuellement, à l'échelle nationale, 13 sociétés membres et plus de 1 600 membres et associés.

(suite...)

La SCRP (Q) Inc. et l'ARQ se fusionnent --- 3

La création de la SOCIÉTÉ DES RELATIONNISTES DU QUÉBEC INC. permet déjà d'entrevoir un avenir prometteur pour les membres de cette profession. On sait que les entreprises privées et publiques disposent toutes d'un service de relations publiques ou d'affaires publiques, généralement dirigé par un vice-président ou l'équivalent, ou font appel à l'une des 65 agences spécialisées du Québec pour effectuer leurs travaux en communication.

Les conseils d'administration des deux sociétés fusionnées demeureront en fonction jusqu'à la prochaine assemblée du 16 mai.

— 30 —

SOURCE: **Association Internationale de Psychologie du Travail**
Monsieur Jean Hamelin, Président du Congrès '86
(514) 738-4567

RENSEIGNEMENTS: **Pro-Congrès Inc.**
Madame Louise Sicotte
(514) 378-2481

INVITATION À UNE CONFÉRENCE DE PRESSE

Depuis 1980, l'Association Internationale de Psychologie du Travail organise, tous les deux ans, un important congrès faisant état des développements récents dans le domaine de la psychologie du travail. Des informations sur ce congrès vous seront communiquées par le Président du Congrès '86, Monsieur Jean Hamelin et son comité organisateur lors d'une

CONFÉRENCE DE PRESSE
LE MERCREDI, 21 MARS 1986 À 11 HEURES
AU RESTAURANT ALEXANDRE
784, Avenue Beauchamp
Montréal

en présence du président de l'Association Internationale de Psychologie du Travail, Monsieur Alain Simard.

Monsieur Hamelin sera, de plus, accompagné par le Ministre du travail et de la main-d'oeuvre, Monsieur Jacques Allard, de même que par des commanditaires et des représentants du milieu des affaires et du monde universitaire.

Le Président du Congrès '86 dévoilera à cette occasion le programme du congrès de même que le nom des conférenciers invités venant d'Europe et des États-Unis.

R.S.V.P. (514) 378-2481
Madame Louise Sicotte ou
Madame Irène Lafleur
Pro-Congrès Inc.

— 30 —

CURRICULUM VITAE de Yvan Bordeleau, Ph.D.

Le 7 août 1986.

Monsieur **Yvan Bordeleau** a obtenu en 1973 un doctorat (Ph.D.) en psychologie industrielle et organisationnelle. De 1968 à 1971, il a été professeur à l'École des Hautes Études Commerciales de Montréal. Depuis 1971, il enseigne au Département de Psychologie de l'Université de Montréal où il est actuellement professeur titulaire. Durant plusieurs années, il a assumé la direction du programme de psychologie industrielle et organisationnelle. En 1979, Monsieur Bordeleau a été professeur invité au California State University Long Beach (California).

Ses intérêts de recherches et d'enseignement portent principalement sur la méthodologie de recherche auprès du personnel et en milieu organisationnel, sur la pratique de la consultation dans les organisations et sur les styles de direction ou de leadership. Monsieur Bordeleau a publié de nombreux articles dans des revues scientifiques et professionnelles (Revue Canadienne des Sciences du Comportement, Revue Québécoise de Psychologie, Revue Internationale de Psychologie Appliquée,...). Il a de plus participé à la rédaction de divers ouvrages sur la psychologie industrielle et organisationnelle publiés au Canada et en France. Il est d'ailleurs l'auteur du questionnaire «Style de Gestion du Personnel» largement utilisé pour l'évaluation et la recherche en personnel, au Canada, en France, en Belgique et en Amérique du Sud. À plusieurs occasions, il a présenté des communications lors de congrès nationaux et internationaux.

Monsieur Yvan Bordeleau est membre de plusieurs associations professionnelles ou scientifiques dont la Corporation Professionnelle des Psychologues du Québec, la Société Canadienne de Psychologie, l'Association Internationale de Psychologie Appliquée, l'Association de Psychologie du Travail de Langue Française et l'American Society of Professional Consultants.

Au cours des quinze dernières années, Monsieur Bordeleau a agi comme psychologue-conseil auprès de nombreuses organisations publiques, para-publiques et privées dans les domaines suivants: les conditions de travail en milieu éloigné, le climat organisationnel et les relations de travail, la culture organisationnelle, la sélection et l'évaluation du personnel, la formation et le perfectionnement.

— 30 —

Appendice VI

Exemple d'une brochure promotionnelle

Reproduit avec la permission de CGI Conseillers en Gestion et Informatique.

Fondée en août 1976, « Conseillers en gestion et informatique CGI » est composée d'administrateurs et de professionnels de grande compétence oeuvrant dans les domaines de l'administration et de l'informatique. Elle compte à son actif de nombreuses réalisations pour le compte d'entreprises privées et d'organismes publics les plus variés. L'objectif de CGI est d'offrir des services-conseils de très haute qualité professionnelle et de participer activement à la réalisation des objectifs de ses clients confrontés à la révolution administrative de la présente décennie.

Membre de l'Association canadienne des conseillers en administration.

L'entreprise d'aujourd'hui et CGI

L'évolution rapide de la structure économique et sociale de notre société oblige les organisations, quels que soient leur taille et le secteur de leur activité, à faire face à des situations complexes, changeantes et toujours plus difficiles à prévoir. Plus que jamais, le succès d'une entreprise repose sur son dynamisme interne, une planification judicieuse et une recherche constante de l'efficacité. Aussi, l'entreprise privée ou l'organisme public se doivent-ils de considérer le changement comme un élément positif contribuant à leur réussite.

Dans ce contexte, la recherche du succès impose de nombreux et nouveaux défis aux dirigeants. Ils doivent pouvoir compter sur des ressources spécialisées dans les disciplines contribuant le plus à l'évolution et au progrès. En matière administrative, ces ressources sont notamment requises pour la planification stratégique, la réalisation d'études d'orientation et de plans d'organisation, l'élaboration de politiques, procédures, normes d'efficacité et de performance, ainsi que pour la conception et l'implantation de systèmes.

En outre, la gestion doit maintenant s'inscrire au rang des disciplines d'avant-garde. En effet, l'apport de l'électronique, des télécommunications et de matériels de haute technologie est devenu prépondérant dans son évolution et sa rationalisation. Aussi, les dirigeants doivent-ils s'associer à des spécialistes capables de marier les besoins qui découlent des objectifs de l'organisation et les capacités immenses offertes par les outils informatiques, télématiques et bureautiques. L'importance que revêtent les systèmes faisant appel à cette technologie, par les investissements qu'ils requièrent et par leur impact direct sur l'efficacité de l'entreprise, exige que toutes les précautions soient prises pour assurer le succès de leur développement et de leur implantation.

Montréal CIDEM

Québec

Pour tirer des bénéfices concrets de cette technologie, de ses outils et des systèmes qu'elle rend possibles, l'entreprise privée et l'organisme public doivent s'appuyer sur des praticiens aussi bien capables de maîtriser les techniques que d'en situer l'application dans le cadre d'une solution administrative globale où les impacts humains sont soigneusement analysés.

Certaines organisations ne disposent pas de ressources permanentes aptes à réaliser l'ensemble de leurs développements administratifs et informatiques. La solution économique, dans ce cas, consiste en l'utilisation d'une société de services spécialisée qui supplée à la non-disponibilité des ressources internes. D'autres organisations se dotent d'un noyau de ressources spécialisées suffisant pour faire face à leurs besoins courants. Pour elles, c'est la recherche d'une expertise spécifique, ou la nécessité d'apporter un complément aux ressources internes pour une période de temps définie, qui amène les administrateurs à recourir aux services externes.

Dans les deux cas, en plus de l'acquisition de services directs, la présence de conseillers externes permet à l'organisation de bénéficier d'un point de vue objectif, dégagé de tout préjugé, et de l'expérience de situations semblables vécues dans d'autres organisations.

CGI s'est précisément donné pour mission d'offrir des services de consultation en administration et en informatique aux entreprises privées et aux organismes publics. Forte de la compétence supérieure de ses membres et appuyée par ses nombreuses réalisations, elle offre des services professionnels de très haut niveau qui répondent aux besoins de l'entreprise moderne dans les domaines de l'administration, des systèmes et de l'informatique.

Les caractéristiques fondamentales de CGI

Pour être en mesure d'assister avec un maximum d'efficacité les entreprises et les organismes publics qui ont recours à ses services, CGI a adopté des politiques et des règles de pratique distinctives.

L'application stricte de ces règles confère à CGI cinq caractéristiques fondamentales :

Un groupe de professionnels de haut niveau, tous associés

La compétence d'une société de services-conseils se mesure à la valeur professionnelle et au dynamisme des conseillers qui la composent. Consciente de cette réalité, **CGI** s'est dotée de politiques particulières de recrutement et d'intéressement.

CGI ne compte que des professionnels et des administrateurs de grande expérience qui ont à leur actif de nombreuses réalisations importantes. Ce sont des concepteurs et des praticiens qui ont été recrutés pour l'étendue et la diversité de leur expérience, leur esprit d'innovation, leur dynamisme, leur réputation professionnelle et leur esprit d'équipe.

Forts d'une expérience moyenne de plus de douze ans et bénéficiant d'un programme de formation continue, les conseillers de **CGI** maîtrisent à fond les méthodes de travail et les techniques les plus avancées de leur sphère d'activité.

Chacun des conseillers est à la fois actionnaire et employé permanent de la société, ce qui constitue une source exceptionnelle de motivation.

Une équipe multidisciplinaire et une pratique synergique

CGI regroupe, dans chacun de ses bureaux, des conseillers spécialisés dans toutes les disciplines professionnelles reliées à l'administration et à l'informatique. Ils sont en majorité membres actifs des associations professionnelles représentatives de leur domaine respectif.

Les politiques en usage chez **CGI** et une planification rigoureuse permettent d'affecter à la réalisation de chaque mandat le ou les conseillers ayant les compétences les plus appropriées.

De plus, à certaines étapes cruciales de leurs interventions, les conseillers de **CGI** affectés chez un client soumettent leurs travaux à la critique de leurs collègues. Leur interaction dans un travail d'équipe méthodique permet d'atteindre un haut degré d'efficacité et de produire un résultat global supérieur à des interventions individuelles et fragmentées. Chaque solution développée résulte donc d'un effort de groupe, lequel constitue une véritable synergie intellectuelle et professionnelle.

De la même façon, par le biais de son équipe de recherche, des groupes de synergie sont systématiquement mis sur pied pour aborder les situations complexes auxquelles font face les organisations modernes et pour explorer les voies de solution aux grandes questions auxquelles **CGI** sera confrontée chez ses clients en vertu de sa mission.

L'utilisation de groupes multidisciplinaires et une pratique synergique assurent aux clients de **CGI** un travail de très haute qualité professionnelle.

Un contrôle rigoureux des résultats, des échéances et des coûts

CGI a une solide expérience de la réalisation d'études et de projets. Aussi est-elle convaincue de l'importance d'une planification approfondie et d'un contrôle d'exécution rigoureux réalisés en collaboration avec le client. Ces convictions sont à la base des structures de fonctionnement et des méthodes de gestion de projet dont s'est dotée **CGI**.

Cela permet, dès le début d'un projet, de préciser avec le client les objectifs à atteindre et les produits à livrer ainsi que d'élaborer un plan de travail comportant un calendrier de réalisation et une évaluation détaillée des coûts. Les clients disposent donc des instruments nécessaires pour suivre chaque étape de la réalisation des mandats. Ils ont la garantie de recevoir des produits conformes aux résultats attendus, selon les échéances et les budgets prévus.

Une parfaite objectivité

Une société de consultation doit mériter la confiance de ses clients. Celle-ci s'avère primordiale, non seulement au succès de ses affaires, mais également au succès de ses interventions.

Pour développer et maintenir cette confiance, les qualifications professionnelles ne suffisent pas. Celles-ci doivent être doublées d'un souci constant d'intégrité et d'objectivité. **CGI** a acquis au cours des années une réputation d'intégrité qu'elle entend fermement maintenir. Quant à l'objectivité, **CGI** la considère comme une caractéristique essentielle à la profession de conseiller en administration ou en informatique.

En ce qui a trait à l'informatique, par exemple, ni **CGI** ni ses conseillers ne sont liés à quelque fournisseur d'équipements, de logiciels ou de services de traitement que ce soit, garantissant ainsi des choix et des solutions strictement analysés en fonction des seuls besoins des clients.

Une garantie de continuité dans le service

Une société de consultation doit offrir à ses clients toute l'assurance de continuité de ses services.

CGI offre cette garantie de continuité grâce à ses politiques d'emploi et d'actionnariat; tous ses conseillers sont permanents et associés de l'entreprise.

C'est ainsi que **CGI** assure la disponibilité de ses conseillers pour toute la durée d'une étude ou d'un projet quelle que soit son envergure. Elle assure aussi que ses conseillers maintiennent un contact suivi avec ses clients une fois les mandats accomplis.

Les services

Gestion

Planification stratégique

Etudes d'orientation

Études et plans d'organisation

Analyse d'effectifs

Planification des ressources humaines, matérielles et financières

Formation de cadres

Elaboration de politiques administratives

Etudes d'opportunité et analyse de coûts et bénéfices

Direction de projets

Conception, réalisation et mise en oeuvre de systèmes administratifs

Conception administrative de systèmes

Elaboration de procédures administratives

Analyse d'impact de nouvelles lois, règlements ou politiques

Vérification opérationnelle

Evaluation de systèmes administratifs

Elaboration de standards d'efficacité et de performance

Analyse de méthodes de travail

Informatique

Elaboration de plans directeurs

Direction de centres informatiques

Direction de projets

Etudes et choix d'équipements

Etudes et choix de logiciels et de progiciels

Elaboration de normes d'analyse, de programmation et de documentation de systèmes

Développement de systèmes • analyse préliminaire et étude d'opportunité • analyse fonctionnelle • réalisation technique

Implantation de systèmes

Conception logique et physique de bases de données

Télématique

Bureautique

Vérification interne informatique et vérification de systèmes

Optimisation de systèmes

Evaluation de systèmes informatiques

Contrôle de qualité

Consultation technique

Formation • gestion de projets • bases de données • analyse structurée • programmation structurée

La politique de service

CGI a pour objectif de clore chacune de ses interventions par la mise en place d'une solution pratique, efficace et économique qui réponde exactement aux besoins de son client et corresponde en tous points à ses attentes. Pous s'assurer de l'atteinte de cet objectif, elle a développé un processus d'intervention rigoureusement suivi par ses conseillers.

Que ce soit dans le cadre d'un appel de proposition ou d'une entente de gré à gré, **CGI** procède toujours à une planification préliminaire de son intervention qui, menée de concert avec le client, lui permet de définir avec précision les objectifs et les résultats attendus. Ces premières analyses n'entraînent, bien entendu, aucun frais pour le client.

Par la suite, un plan de travail est proposé, décrivant l'approche choisie, les étapes nécessaires à la réalisation du mandat, ainsi que le calendrier et le devis de réalisation. Ce plan de travail permet l'identification précise des produits à livrer à chacune des phases du projet.

Dès le début de l'exécution du mandat, lorsque la nature d'un projet le permet, un groupe de synergie est constitué. **CGI** est convaincue que l'application d'une telle méthode est essentielle pour assurer à ses clients des services de la plus haute qualité professionnelle en raison de la diversité des champs de spécialisation rencontrés dans les domaines de l'administration et de l'informatique. Cette façon de procéder, qui caractérise **CGI**, a grandement contribué à bâtir sa réputation de compétence.

Au cours de la réalisation des travaux, le client est constamment informé des progrès réalisés. Pour faciliter les communications et favoriser l'intégration du conseiller au sein de l'organisation desservie, **CGI** préconise d'effectuer le travail dans les locaux du client.

Pour s'avérer efficace, un système administratif ou informatique doit s'insérer dans le processus global de gestion de l'entreprise. Pour sa part, grâce à sa compréhension du management, **CGI** considère chacun de ses mandats, non pas comme une fin en soi, mais comme un élément d'un ensemble plus vaste dans lequel il doit être parfaitement intégré. Cette intégration à l'organisation est assurée, en particulier, par :

Une analyse de conformité par rapport aux objectifs généraux ;

Une étude d'impact sur l'organisation, les procédures administratives et les opérations ;

Une vérification de cohérence avec les politiques en vigueur ;

Une planification des ressources humaines, matérielles et financières requises ;

Un plan détaillé d'implantation.

Dans tous les mandats qui leur sont confiés, les conseillers de **CGI** travaillent en collaboration étroite avec les ressources internes du client. Ils utilisent des méthodes de travail éprouvées ainsi que des normes précises et propres à **CGI** ou, selon le désir du client, les normes en vigueur dans son organisation.

Lorsque ses conseillers collaborent à la réalisation de plans stratégiques, de schémas directeurs, de conceptions administratives, de vérifications opérationnelles et autres études d'orientation, **CGI** est évidemment disposée à participer à la mise en application des recommandations qu'elle formule, soit en assumant la direction des projets, soit en s'associant aux différentes phases de leur réalisation.

Dans ses champs de compétence, **CGI** intervient à des niveaux de gérance, de coordination, de conception, de réalisation ou d'implantation ainsi qu'à plusieurs de ces niveaux à la fois. Elle est en mesure de prendre l'entière responsabilité d'un mandat et de l'exécuter avec ses seules ressources ou en collaboration avec celles du client ; elle comble aussi des besoins d'expertise particulière en appoint à un groupe de travail déjà organisé.

9

Une présence dans tous les secteurs de l'économie

CGI a de nombreuses réalisations à son actif dans les domaines de l'administration et de l'informatique, tant auprès des entreprises privées et des groupes coopératifs que des gouvernements et des organismes publics.

Les clients de **CGI** appartiennent à divers secteurs d'activité parmi lesquels on retrouve :

Les industries manufacturières

Les entreprises de construction

Les entreprises de services

Les entreprises de distribution et de vente au détail

Les sociétés d'assurance

Les institutions bancaires et financières

Les compagnies de transport

Les gouvernements fédéral, provinciaux et municipaux

Les organismes des secteurs public et parapublic

Les institutions d'enseignement

Les établissements de santé et de services sociaux

CGI, plus qu'une entreprise de consultation: un partenaire

CGI connaît bien les défis que les organisations modernes doivent relever pour remplir efficacement leur mission et atteindre leurs objectifs. Elle affecte à la réalisation de ses mandats les conseillers possédant les connaissances, les techniques et les méthodes de travail requises. Elle applique les plus hauts standards professionnels reconnus et oeuvre en collaboration étroite avec ses clients.

Les assises professionnelles solides sur lesquelles repose la réputation de **CGI**, constituent pour tous ses clients un gage de collaboration, de fiabilité, d'efficacité et de satisfaction.

Les réalisations de **CGI** bénéficient aujourd'hui à une multitude d'intervenants du monde des affaires et de l'administration.

Conseillers en gestion et informatique CGI :

Un groupe de conseillers compétents et associés

Une équipe multidisciplinaire

Un membre de l'Association canadienne des conseillers en administration

Un contrôle rigoureux des résultats, des calendriers de réalisation et des coûts

Une parfaite objectivité

Une garantie de continuité dans le service

autant de caractéristiques qui permettent à **CGI** d'être un partenaire efficace en administration et en informatique.

Appendice VII

Table de conversion

Dollar américain
(U.S.)

Dollar canadien
(CAN.)

Franc français
(F.F.)

TABLE DE CONVERSION DU DOLLAR AMÉRICAIN (U.S.) EN DOLLAR CANADIEN (CAN.) ET EN FRANC FRANÇAIS (F.F.)

Pour obtenir un (1) dollar U.S., il faut débourser:

	CAN.	F.F.
Juillet 1978	1.13	4.40
Avril 1979	1.14	4.37
Février 1980	1.15	4.23
Juillet 1980	1.16	4.25
Janvier 1981	1.20	5.05
Juillet 1981	1.24	6.53
Janvier 1982	1.20	6.40
Septembre 1982	1.25	6.94
Avril 1983	1.23	7.47
Octobre 1983	1.23	7.96
Mars 1984	1.28	7.98
Septembre 1984	1.32	8.96
Avril 1985	1.37	9.50
Février 1986	1.42	6.83

Appendice VIII

Exemples : Lettres d'entente et contrats formels

Exemple A — Lettre d'entente

Annotations

le 29 mai 1980

Monsieur
Directeur
Relations de travail

ouest, boulevard Dorchester
Montréal, Québec.

Monsieur

Services impliqués

À la suite de nos récentes rencontres et après études des divers documents et renseignements fournis par Monsieur , je suis en mesure de vous soumettre un plan de réalisation suivi d'une évaluation approximative des coûts concernant l'enquête sur les relations de travail à

Responsabilités des conseils

J'assume personnellement toute la responsabilité de la réalisation de ce projet. À cause de l'ampleur de la population concernée, de la complexité du problème à étudier et de la période de temps relativement courte pour réaliser le projet, j'ai réuni une équipe de plusieurs spécialistes compétents pour m'assister.

Les membres de cette équipe qui seront impliqués à divers degrés dans la réalisation de ce projet sont:

2

—

, tous détenteurs d'un doctorat et spécialistes dans un des aspects du travail de recherche dont il s'agit ici. Monsieur

, agira en qualité de directeur général et sera mon bras droit dans la réalisation de chacune des phases de ce projet.

— , directeur du Centre de Sondage de l'Université de sera notre conseiller principal sur les questions d'échantillonnage.

— seront utilisés comme interviewers «seniors».

— 5 psychologues industriels seront responsables d'équipe d'interviewers en dehors de la région métropolitaine.

— 10 étudiants ayant terminé leur scolarité cette année et étant présentement en rédaction de mémoire de maîtrise en psychologie industrielle et organisationnelle agiront en qualité d'interviewers.

— 1 secrétaire administratif.

— 3-4 étudiants seront affectés à un travail général de bureau tel que la transcription des entrevues pré-expérimentales, la vérification des questionnaires répondus, la codification, etc...

L'équipe pourra donc comprendre, durant la phase d'activité la plus intense, soit celle de l'expérimentation, jusqu'à une trentaine de personnes environ.

3

Produit: modalités de réalisation

En vue d'atteindre tous les objectifs précisés dans le projet de mandat que vous m'avez confié, il est nécessaire d'obtenir des résultats qui soient sûrs, complets, représentatifs, porteurs d'une évaluation raffinée et nuancées sur laquelle il vous serait possible d'appuyer des décisions stratégiques avec un risque minimum d'erreur.

Dans ce but, nous avons l'intention d'utiliser un questionnaire écrit assez élaboré, suivi d'une courte entrevue semi-structurée. Il n'est pas besoin d'insister sur le soin qu'il faudra apporter à l'élaboration d'un tel instrument. Pour ce faire, nous avons l'intention d'effectuer une pré-expérimentation à l'aide d'entrevues de groupe et d'entrevues individuelles semi-structurées avec des employés de divers milieux au sein de l'organisation. Ces entrevues seront animées par des interviewers «seniors» qui amèneront les participants à exprimer spontanément leurs attitudes profondes sur tous les aspects concernant leur travail et ce qui l'entoure. L'analyse du contenu de ces rencontres fournira l'essentiel des éléments nécessaires à l'élaboration des questionnaires qui couvriront toutes les dimensions cruciales de l'état des relations de travail entre et les diverses catégories d'employés qui forment son personnel.

Cette première version des questionnaires sera discutée avec les responsables de la recherche à afin de connaître leurs opinions, commentaires et suggestions. De plus, avant de préparer la forme finale des questionnaires, il serait souhaitable de rencontrer les cadres des divers syndicats afin d'obtenir leurs réactions aux instruments. Nous croyons ainsi pouvoir recueillir des données qui permettront de rendre encore plus efficace l'outil que nous projetons d'utiliser. Chacun des questionnaires ainsi élaborés comprendra un tronc commun pour tous les groupes d'employés auquel s'ajoutera une partie spécifique à chacun des groupes. C'est pourquoi nous faisons mention de plusieurs questionnaires. La courte entrevue qui suivra permettra, à l'aide des questions ouvertes qui y seront posées, de découvrir, s'il y a lieu, l'existence d'opinions ou de réactions non abordées dans les questionnaires écrits et surtout d'évaluer l'importance à attacher aux réponses et commentaires fournis par les personnes interrogées. Cette évaluation qualitative sera d'une valeur inestimable lors de l'interprétation de l'analyse statistique des données.

Comme la qualité du rendement des questionnaires est influencée par la façon dont on l'utilise, tous les interviewers recevront une formation spécifique sur la façon d'obtenir les résultats les meilleurs avec ces instruments. Pour nous assurer encore davantage de la qualité du travail des interviewers, une vérification sera effectuée auprès d'un certain pourcentage de répondants afin de savoir de quelle façon les entrevues se sont déroulées. Ceci n'enlève absolument rien au caractère confidentiel des entrevues.

Même si cette procédure assure une valeur qualitative certaine aux entrevues, il demeure cependant nécessaire de s'appuyer sur un échantillon numériquement représentatif pour atteindre les mêmes critères d'excellence au niveau de l'évaluation quantitative.

Dans la phase pré-expérimentale, il n'est évidemment pas nécessaire d'interviewer un échantillon représentatif de la population à étudier. Il suffit d'interroger un nombre minimal de personnes provenant de tous les groupes d'emplois dans l'organisation. Par contre, dans la phase expérimentale, il est essentiel pour l'analyse statistique d'établir un échantillon qui soit vraiment représentatif de la population et qui permette de conserver un nombre suffisant de répondants dans les divers sous-groupes créés par différentes variables à contrôler, telles que l'âge, l'ancienneté, la catégorie d'emploi, le sexe, etc...

À cause des variables énumérées précédemment, et dont il faudra tenir compte, notre conseiller en échantillonnage est d'avis qu'il serait prudent de fixer à un minimum de 8% le pourcentage de représentation chez les employés syndiqués permanents, chez les employés temporaires et chez les employés cadres. Dans cette perspective, nous prévoyons un total approximatif de 1576 entrevues individuelles avec questionnaire. Ce chiffre étant basé sur les données en personnel datant du 1er janvier 1980 sera à reviser au moment de la mise en marche de la recherche. La réalisation effective de ces entrevues exigera la participation d'une vingtaine d'interviewers durant 4 à 6 semaines si les horaires d'entrevues sont respectés. Ainsi, il faudra établir un deuxième échantillon afin de pourvoir des substituts pour chacun des employés absents à cause de la période de vacances ou pour d'autres raisons.

Responsabilités du client

La liste complète des employés choisis au hasard sera fournie par votre organisation selon les paramètres que nous établirons. Il est entendu que la convocation des employés sélectionnés, de même que la réservation des locaux appropriés seront assurées par votre organisation. L'établissement des horaires d'entrevues devra tenir compte de la disponibilité de nos interviewers.

Responsabilités des conseils

La vérification des questionnaires répondus, la codification des réponses, l'inscription des réponses sur cartes, la programmation et le traitement informatiques seront la responsabilité de l'équipe. Les techniques d'analyse statistique seront choisies en fonction de leur capacité à faire ressortir les résultats les plus significatifs, les plus pratiques et les plus utilisables.

Durée et échéancier

La durée raisonnable requise pour la réalisation de ce projet, dans des conditions normales, semble être d'environ

100 jours de travail qui se répartissent comme suit:

— Pré-expérimentation entrevues de groupe/individuelles analyse de contenu	24 jours
— Elaboration du questionnaire/choix de l'échantillon	5 jours
— Sélection et formation des interviewers	3 jours
— Expérimentation/codification/vérification	28 jours
— Rédaction du rapport préliminaire	3 jours
— Programmation et traitement informatiques	5 jours
— Analyse des données / rédaction du rapport final	32 jours

Si on veut que le rapport soit remis le 31 octobre 1980, il est impératif que le travail de recherche commence dès la première semaine de juin.

Honoraires et remboursement des dépenses

Afin de donner une idée de la façon dont nos honoraires sont établis, nous énumérons les différentes étapes de la recherche avec le coût pour chacune d'elles. Dans le cas de l'expérimentation, les prévisions budgétaires sont approximatives en ce sens que le nombre définitif d'entrevues dépend de la taille exacte de la population au moment de la mise en marche de cette phase de la recherche.

Les dépenses de transport et de séjour des interviewers qui parcoureront la province ne sont pas incluses dans les prévisions budgétaires suivantes. Il semble préférable qu' assume ces frais. Je suis prêt à supporter temporairement ces dépenses et à en réclamer le paiement ultérieurement avec présentation de pièces justificatives. Afin d'uniformiser ce genre de dépenses, il serait fort utile de connaître la politique d' en ce qui concerne le déplacement de ses propres employés. Les interviewers devraient être soumis aux mêmes règles.

7

Préparation/rencontres avec représentants des institutions patronale et syndicale		$
Pré-expérimentation		
— entrevues de groupe	3 ×	$
— entrevues individuelles	15 ×	$
Analyse de contenu et élaboration des questionnaires		$
Echantillonnage		$
Sélection et formation des interviewers		$
Impression des questionnaires		$
Expérimentation: entrevues 1576 ×		$
Informatique		$
— codification		
— vérification		
— perforation		
— programmation		
— traitement		
Analyse des données, rédaction du rapport		$
Location d'appareils d'enregistrement, achat de rubans, etc...		$
Téléphone, papeterie, etc...		$
		$

Afin de faciliter l'administration du projet, j'aimerais que le paiement des honoraires soit fait en trois versements soit: un premier versement de $ à l'acceptation du projet; un deuxième versement de $ lors de la remise du rapport préliminaire; un dernier versement correspondant au solde à la remise du rapport final.

Exemple A

8

Confidentialité des informations recueillies

Il est entendu que toutes les données de cette re-
recherche seront traitées de façon strictement confidentielle et sont la propriété d' . De plus, aucune personne interviewée ne sera identifiée en relation avec ses réponses.

J'espère que ces données sont à votre satisfaction. Je suis à votre entière disposition pour en discuter plus en détail si vous le désirez.

Veuillez agréer, Monsieur , l'expression de mes sentiments les meilleurs.

____

Signatures des conseils

Exemple B — Lettre d'entente

Annotations

Madame
Ministère de
Direction du personnel
, de la Chevrotière
ième étage
Québec, Québec
G1R 5A1

Madame

En réponse à votre appel d'offre du 21 août 1984, nous vous faisons parvenir la présente offre de services.

5.3.1 Introduction

Services impliqués

Votre appel d'offre concerne la production d'un questionnaire valide, à correction manuelle et informatisée, sur la satisfaction et la productivité des employé(e)s au travail, la production d'un manuel d'accompagnement à l'intention du (de la) gestionnaire de même que la conception du rapport à transmettre aux utilisateurs(trices).

Dans notre offre de services, nous proposons de vous livrer les produits suivants:

Un questionnaire

- issu des données de votre enquête de 1982;
- validé auprès d'un échantillon représentatif de votre population d'employés;
- d'aspect agréable et invitant.

Un modèle de feuilles-réponses permettant la saisie électrographique des données (lecteur optique)

Un programme informatique de traitement de ces données en fonction des normes de votre population.

Un programme informatique de présentation (rapport) de ces données.

Une technique de correction manuelle (avec normes).

Un manuel d'accompagnement (pour gestionnaires) exposant la nature de l'instrument, les directives de passation, la lecture des résultats et leur interprétation, le «feedback» au groupe d'employés.

. . . 2

Exemple B

/2

La démarche retenue résulte de deux préoccupations majeures. D'une part, en conformité avec la nouvelle politique du Ministère de du Québec telle qu'exprimée par les deux objectifs du sondage, produire un instrument diagnostique pouvant générer des informations riches, signifiantes, comparatives et utilisables (pratiques) permettant aux cadres du Ministère «de savoir ce que les employé(e)s pensent des divers aspects (productivité, satisfaction, responsabilité) du travail qu'ils ont à accomplir, de leur direction hiérarchique et de leur Ministère» et au Ministère de «connaître les attentes de ses employé(e)s au travail en regard des principes de sa politique de gestion des ressources humaines.» D'autre part, dans l'esprit même du cahier des charges, produire un instrument valide, scientifiquement sûr dont le mode d'administration, de correction et d'interprétation est aisé et respectueux pleinement de l'anonymat.

Nous vous proposons un plan de réalisation composé de quatre phases essentielles à l'atteinte des objectifs énumérés précédemment, un échéancier conséquent à ces quatre phases et une évaluation des coûts qui se chiffrent à $.

5.3.2 Le soumissionnaire

Responsabilités des conseils

La réalisation du projet sera assumée conjointement par le docteur , D.Ps, professeur à la Faculté des Sciences de l'Université de , le docteur , Ph.D., et le docteur ,D.Ps., professeurs titulaire et agrégé en psychologie organisationnelle au département de de l'Université de . Ces trois universitaires sont regroupés pour la consultation et la recherche sous la raison sociale de dont l'adresse est la suivante:

Le coordonnateur et responsable de l'équipe de recherche sera le docteur

Vous trouverez ci-joint le curriculum vitae de chacun des trois chercheurs principaux.

. . . 3

Exemple B

/3

Produit: modalités de réalisation

5.4 La soumission globale

Selon la nouvelle politique du Ministère de du Québec, un questionnaire sur la satisfaction et la productivité des membres du personnel devra fournir de «l'information pour alimenter les échanges entre les membres d'une équipe de travail et dégager les actions qu'il faut entreprendre pour améliorer le climat de travail et la productivité de l'équipe».

Afin de rencontrer les objectifs mentionnés auparavant et de se conformer à la nouvelle politique de gestion des ressources humaines au Ministère de du Québec, nous proposons un plan d'action composé de quatre phases essentielles qui sont les suivantes: élaboration de l'instrument, programmes informatisés de correction et de transmission des données, rédaction du manuel d'accompagnement, conception graphique du matériel.

5.4.1 Description de la soumission

Phase 1: Elaboration du questionnaire

Dans notre plan d'action, nous avons pris appui sur les postulats scientifiques régissant le processus d'élaboration de questionnaire de façon à fournir au Ministère de un instrument valide et crédible qui permette une lecture la plus juste possible de la réalité organisationnelle et qui soit à l'abri des biais et des critiques. Nous proposons donc une démarche classique d'élaboration instrumentale en six étapes.

1. La première version du questionnaire proviendra des 300 suggestions regroupées sous onze thèmes tirés de la consultation menée par le Ministère de en 1982. Nous présumons que ces données ont atteint un degré de spécificité et de concret qui rendent possible leur traduction en énoncés.

2. Selon une conception synergique de travail, nous souhaitons analyser et décortiquer, avec les représentants du Ministère de du Québec, cette première version du questionnaire afin, d'une part, de les associer à la démarche entreprise et, d'autre part, de voir à ce que l'instrument proposé corresponde le mieux possible aux besoins du Ministère.

. . . 4

3. Suite à cette session commune de travail, nous formulerons une seconde version de l'instrument incluant la lettre d'accompagnement, la totalité des échelles de réponse, un aménagement plus organique des sections, un ou des modèles de page couverture, etc.

4. Un prétest du questionnaire sera effectué auprès d'une trentaine d'employé(e)s du Ministère de du Québec. Ce prétest vise à identifier, auprès des employé(e)s, leur compréhension des énoncés, leur motivation à y répondre, la pertinence des questions, les redondances éventuelles et la durée moyenne de passation. A cette étape, la collaboration des représentants du Ministère nous est à nouveau requise pour la convocation de groupes d'employés (5 ou 6 par groupe), la réservation de locaux. Chaque session de prétest se déroulera comme suit: passation du questionnaire, entrevue de groupe pour en connaître en détails les forces et les faiblesses.

(Responsabilités du client)

5. Les résultats du prétest pourront éventuellement entraîner une refonte assez substantielle de l'instrument, particulièrement en regard des facteurs durée, compréhension et pertinence des questions. Si tel est le cas, il faudra tenir une rencontre avec les représentants du Ministère pour la sélection des thèmes et items-clé. Tous ces efforts aboutiront à toutes fins pratiques à la version expérimentale du questionnaire.

6. Cette sixième étape confirmera ou non la justesse des choix antérieurs. En ce sens, la validation du questionnaire expérimentale est l'étape la plus critique de tout le processus d'élaboration instrumentale. Il est essentiel de procéder à la validation auprès d'un échantillon **représentatif** dont le nombre et la composition seront déterminés par notre expert en sondage après analyse de la population des employé(e)s du Ministère de du Québec. Cette étape a pour but d'établir statistiquement la structure finale du questionnaire, la consistance interne des facteurs, leur degré d'indépendance, leur signification profonde. Dans le cas présent, la validation auprès d'un échantillon représentatif rendra également possible et nécessaire l'établissement de normes de comparaisons qui permettront d'interpréter les résultats ultérieurs en regard de divers groupes d'employé(e)s. Pour l'exécution de cette étape, il est indispensable que le Ministère de du Québec nomme un responsable interne veillant à la distribution des

(Responsabilités du client)

. . . 5

questionnaires expérimentaux, à leur cueillette et au suivi de l'opération auprès de l'échantillon désigné par les chercheurs. Tout le matériel nécessaire à l'expérimentation (questionnaires, lettre d'accompagnement, cartons de rappel) sera fourni par l'équipe de recherche.

(Responsabilités des conseils)

Phase 2 : Informatisation des processus de saisie, de traitement et de transmission des données

De par la nature même des exigences relatives à la transmission des résultats (caractérisées par une réalité organisationnelle à multiples paliers, par la nécessité de présenter les résultats selon différents regroupements, par le respect de l'anonymat et de la confidentialité), il appert que la voie informatique est la seule viable. Dans cette perspective, nous proposons l'utilisation d'un système de saisie électrographique des données (lecteur optique) qui élimine les erreurs de transfert et réduit considérablement la durée de cette saisie. A cette effet, nous concevront une (des) feuille(s)-réponse à correction électrographique. A titre de technique d'appoint, nous fournirons cependant une grille de correction manuelle (probablement intégrée au manuel d'accompagnement).

Quant au traitement et à la transmission des résultats, il est évident qu'il faudra concevoir des programmes informatisés qui leur soient spécifiques. C'est la façon la plus sûre de minimiser les erreurs de calcul, de transformation et même de comparaisons aux normes. D'autre part, ce processus assure la standardisation au niveau de la présentation des résultats (tableaux de fréquence, histogramme, profil) de même qu'au niveau de l'interprétation (écarts significatifs par rapport au groupe de comparaison). L'informatisation de ces processus permettra au Ministère, par l'interprétation de la banque de données ainsi constituée, des études comparatives entre des unités différentes ou entre des moments différents. Ainsi, nous mettrons au point, avec nos conseillers-informaticiens en mesure et évaluation, deux programmes informatisés (traitement des données brutes et de transmission des résultats).

. . . 6

/6

Phase 3 : Rédaction du manuel d'accompagnement

Un guide d'utilisation du questionnaire sera conçu en vue de présenter le rôle de l'instrument, les buts et les objectifs poursuivis en fonction de la philosophie de gestion du Ministère de , la méthodologie d'élaboration et de validation (qualités métrologiques), les directives concernant son mode d'administration, la correction manuelle et informatisée et les modalités d'interprétation. Ce manuel d'accompagnement contiendra aussi des propositions pour le gestionnaire sur la façon de présenter et de discuter les résultats avec ses subordonnés. Bref, l'objectif général du manuel est de favoriser une utilisation aisée, commune et juste de l'instrument. Mais compte tenu que la lecture ne peut remplacer l'action comme mode d'apprentissage, il y a vraisemblablement lieu que le Ministère prévoit des sessions de pratique à l'utilisation de l'instrument particulièrement en regard de l'analyse et de la discussion des résultats.

Phase 4 : Conception graphique du matériel

Pour superficielle qu'elle puisse paraître, la qualité graphique et esthétique des instruments mis à la disposition des utilisateurs joue un rôle non négligeable dans leur adoption et utilisation. A cet égard, nous comptons faire appel à un artiste-graphiste spécialisé dans la conception d'instruments/documents de travail. Cet expert aura à concevoir les pages couvertures, la disposition des textes, les caractères, la couleur, etc. Après consultation auprès des représentants du Ministère quant à la convenance des maquettes, il aura à livrer tous les produits graphiques «prêts à l'impression» (camera ready). Un questionnaire scientifiquement valide a intérêt à être présenté dans un format agréable, suscitant la participation, soulignant le caractère rigoureux de sa conception et démontrant le sérieux de l'engagement organisationnel quant à son utilisation.

Estimation des durées et des coûts

Durée et échéancier

Selon notre plan de réalisation, l'exécution des opérations proposées dans la présente recherche s'échelonnera sur une période de 5 mois. Le graphique qui suit illustre la durée respective de chacune des phases et des étapes les composant:

. . . 7

Exemple B

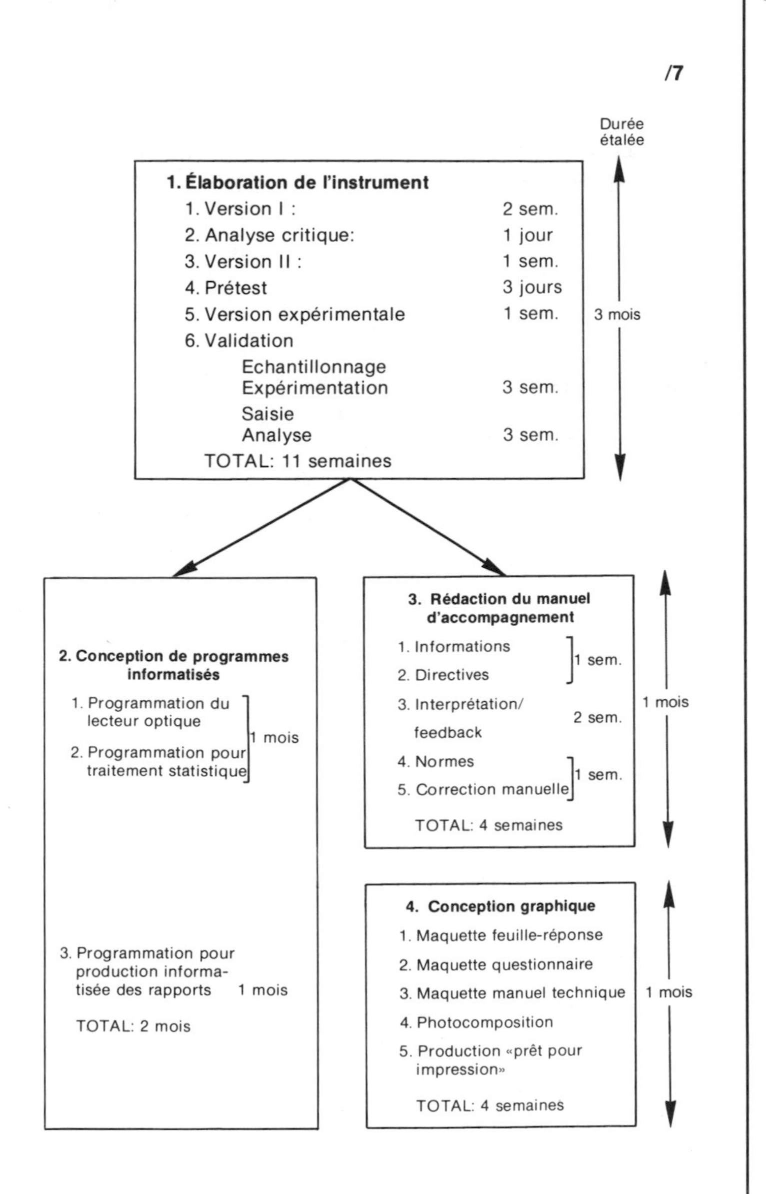

/7
Durée étalée
1. Élaboration de l'instrument
1. Version I : 2 sem.
2. Analyse critique: 1 jour
3. Version II : 1 sem.
4. Prétest 3 jours
5. Version expérimentale 1 sem.
6. Validation
Echantillonnage
Expérimentation 3 sem.
Saisie
Analyse 3 sem.
TOTAL: 11 semaines
3 mois
2. Conception de programmes informatisés
1. Programmation du lecteur optique
2. Programmation pour traitement statistique
1 mois
3. Programmation pour production informatisée des rapports 1 mois
TOTAL: 2 mois
3. Rédaction du manuel d'accompagnement
1. Informations
2. Directives
1 sem.
3. Interprétation/ feedback
2 sem.
4. Normes
5. Correction manuelle
1 sem.
TOTAL: 4 semaines
1 mois
4. Conception graphique
1. Maquette feuille-réponse
2. Maquette questionnaire
3. Maquette manuel technique
4. Photocomposition
5. Production «prêt pour impression»
TOTAL: 4 semaines
1 mois

Exemple B

/8

Responsabilités des conseils

La réalisation de ce projet nécessitera le recours à un certain nombre de personnes-ressources, outre les trois chercheurs responsables de ce projet.

Concernant la problématique de l'échantillonnage, nous ferons appel à Monsieur , directeur du de

En ce qui concerne la conception des programmes informatisés de correction et de transmission, un conseiller-informaticien sera éventuellement déterminé selon que la programmation devra être faite en fonction d'un ordinateur central (ex.: FORTRAN) ou d'un micro-ordinateur (ex.: BASIC).

Monsieur , M.Sc. en rédaction de thèse (métrologie) au département de de l'Université de , sera affecté au rôle de programmeur-analyste.

Madame , artiste graphiste et responsable de publications scientifiques et culturelles sera notre concepteur et conseillère en matière de présentation graphique.

Monsieur , M.Ps., étudiant au doctorat en psychologie industrielle et organisationnelle, sera particulièrement impliqué dans la conception de l'instrument et la rédaction des textes.

Madame assumera les nombreuses tâches de secrétariat inhérentes à ce type de projet.

Responsabilités du client

Pour faciliter la réalisation de ce projet, nous avons besoin d'une bonne synchronisation des parties impliquées. De même, l'obtention de la collaboration ou du moins de la neutralité des organismes syndicaux sera, elle aussi, capitale. Le Ministère de veillera à susciter ces conditions favorables au succès de la recherche.

. . . 9

Exemple B

/9

Honoraires

Afin de vous donner un bon aperçu de la façon dont nos honoraires sont établis, nous énumérons les coûts respectifs des différentes phases et étapes de cette soumission:

Elaboration de l'instrument	$
Version I	
Analyse critique (rencontre)	
Version II	
Prétest	
Version expérimentale	
Validation	
Echantillonnage	
Expérimentation	
Saisie des données	
Analyse	
Conception de programmes informatisés	$
Feuilles-réponses	
Programme de traitement	
Programme de transmission	
Rédaction du manuel d'accompagnement	$
Informations/Directives	
Propositions d'interprétation/de feedback	
Normes et correction manuelle	
Conception graphique	$
3 maquettes	
Photocomposition	
«Prêt pour impression»	
Transport/Séjour (3 fois à Québec)	$
Photocopie	$
Secrétariat	$
Matériel de bureau	$
Téléphone	$
Temps ordinateur	$
	$

... 10

Exemple B

/10

Dans le but de faciliter l'administration du projet, nous souhaitons que le paiement des honoraires se fasse en trois versements au nom de : un premier versement de $ à la signature du contrat; un second de $ lors de l'expérimentation du questionnaire dans sa phase finale et le solde à la remise du questionnaire, du programme de correction informatisée et du guide de l'utilisateur.

Clause spéciale: propriété et droit d'auteur

Il est entendu que les produits précités deviendront la propriété exclusive du Ministère du Québec mais nous demandons que le nom des trois auteurs soit clairement identifié sur tout le matériel imprimé.

Nous espérons que cette soumission sera à votre entière satisfaction et nous sommes à votre disposition pour en discuter plus en détails si vous le désirez.

Veuillez agréer, Madame , l'expression de nos salutations distinguées.

Signature des conseils

________________ ________________ ________________

Coordonnateur et responsable

, D.Ps.
Faculté des Sciences de
Université de

Exemple C — Contrat

D. Page 1 de 5

Annotations

C O N T R A T

ENTRE Le Gouvernement du Québec, agissant et représenté aux présentes par Monsieur , sous-ministre adjoint du ministère de ci-après appelé

PARTIE DE PREMIÈRE PART.

Identification des parties contractantes

ET La société & Associés Inc. ayant siège social au , Montréal H4L 4B7, agissant et représentée aux présentes par Monsieur , président de ladite société autorisé pour les fins du présent, contrat par minute numéro un (1) du Conseil d'administration de ladite société en date du 31 janvier 1971, ci-après appelée

PARTIE DE DEUXIÈME PART.

LES DEUX PARTIES CONVIENNENT DE CE QUI SUIT :

Préambule

A) **OBJET :**

L'objet du présent contrat se limite à :

a) dégager une définition opérationnelle du concept de «Groupe ethnique».

b) construire un outil de connaissance de la dynamique des groupes ethniques.

c) utiliser cet outil sur le groupe italien.

d) valider cet outil et le perfectionner s'il y a lieu.

B) **PARTICIPATION :**

Le présent contrat sera exécuté par la PARTIE DE DEUXIÈME PART avec la collaboration et l'assistance de la PARTIE DE PREMIÈRE PART, chacune des parties agissant sous la responsabilité et le contrôle de l'autorité dont elle dépend et conformément à ses règlements.

.../2

Exemple C

/2 D. Page 2 de 5

C) **OBLIGATIONS:**

Responsabilités du client

1. La PARTIE DE PREMIÈRE PART s'engage par les présentes à payer à la PARTIE DE DEUXIÈME PART la somme d'argent figurant à l'annexe (01) du présent contrat selon les modalités et conditions qui y sont fixées.

   La PARTIE DE PREMIÈRE PART s'engage, en ce qui concerne l'analyse des résultats (étape 6) à prendre à sa charge la perforation des cartes mécanographiques et le traitement des données par ordinateur.

Modalités d'approche

2. La PARTIE DE DEUXIÈME PART s'engage par les présentes:

   a) A effectuer toutes les recherches nécessaires pour la réalisation de l'objet du présent contrat selon le contenu des étapes suivantes:

   Etape 1: Révision des études connexes au sujet.

   Etape 2: Clarification opérationnelle du concept de «Groupe ethnique».

   Etape 3: Elaboration du modèle d'analyse.

   Etape 4: Construction des instruments de recherche nécessaire à l'étude.

   Etape 5: Expérimentation des instruments auprès du groupe italien.

   Etape 6: Analyse des résultats.

   Etape 7: Rédaction et présentation dactylographique du rapport de recherche en cinq (5) exemplaires.

Responsabilités du conseil

   b) A utiliser les moyens techniques et les ressources humaines les plus appropriées et les plus raisonnables pour atteindre les objectifs du présent contrat.

3. a) Toutes les recherches, les analyses, les textes originaux, les rapports, les programmes préparés par la PARTIE DE DEUXIÈME PART en vertu du présent contrat seront la propriété exclusive de la PARTIE DE PREMIÈRE PART.

   b) La PARTIE DE DEUXIÈME PART reconnaît et cède à la PARTIE DE PREMIÈRE PART tous les droits de publication et de reproduction des résultats des recherches effectuées en vertu du présent contrat. Elle reconnaît aussi le droit exclusif d'utilisation des instruments d'études issus de ces recherches par la PARTIE DE PREMIÈRE PART.

.../3

c) La PARTIE DE DEUXIÈME PART ne fera connaître à quiconque sans l'assentiment écrit de la PARTIE DE PREMIÈRE PART tout ou partie du résultat des recherches effectuées en vertu du présent contrat.

Confidentialité

d) La PARTIE DE PREMIÈRE PART s'engage par les présentes à mentionner lors de toute publication du rapport final du résultat des recherches, la parenté de l'étude par le libellé suivant en page titre: «Etude réalisée par et Associés Inc. en collaboration avec la direction de la Recherche du ministère de du Québec».

Clause spéciale: propriété et droit d'auteur

E) **DURÉE**

Echéancier

Le présent contrat est valable pour une période de 12 mois à compter du 21 février 1974 au 21 février 1975, période au cours de laquelle toutes les clauses prévues à l'article C-2 du présent contrat et de son annexe devront être exécutées à la satisfaction de la PARTIE DE PREMIÈRE PART.

F) RÉSILIATION:

Clause spéciale: cessation

1. En cas de défaut de la PARTIE DE DEUXIÈME PART de respecter toutes et chacune des obligations prévues à la clause C-2 du présent contrat et de son annexe, la PARTIE DE PREMIÈRE PART pourra en tout temps mettre fin au présent contrat en signalant à la PARTIE DE DEUXIÈME PART en quoi elle en remplit pas ses obligations et en lui donnant avis de son intention de mettre fin au présent contrat si celle-ci ne remédie pas à cette situation.

2. La PARTIE DE DEUXIÈME PART aura alors un délai d'un mois à compter de la réception de cet avis pour remédier au défaut mentionné dans l'avis, faute de quoi à l'expiration de ladite période d'un (1) mois le présent contrat prendra automatiquement fin.

3. Advenant résiliation du présent contrat avant sa date d'échéance la PARTIE DE DEUXIÈME PART s'engage à rembourser à la PARTIE DE PREMIÈRE PART tout ou partie des avances qui lui auront été consenties par celle-ci au prorata du nombre des étapes non exécutées par la PARTIE DE DEUXIÈME PART et selon les coûts prévus au projet soumis à la PARTIE DE PREMIÈRE PART par et Associés Inc. le 12 décembre 1973. Le remboursement devra être fait dans un délai de quinze (15) jours suivant la période mentionnée à la clause F) 2 du présent contrat.

. . ./4

G) CONTRIBUTION :

La PARTIE DE DEUXIÈME PART reconnaît et accepte qu'un comité d'évaluation soit établi comme seul juge de la bonne exécution du contrat et de son annexe d'une part, et de la justification des dépenses encourues pour les fins du présent contrat d'autre part. Ce comité d'évaluation comprendra deux (2) représentants de la PARTIE DE PREMIÈRE PART et un (1) représentant de la PARTIE DE DEUXIÈME PART.

Règlement des litiges

Clause spéciale: Approbation du travail du conseil

H) AUTORISATION PRÉALABLE :

Ce contrat et son annexe ont été approuvés par minute du Conseil du Trésor no. du 13 février 1974.

Signatures du contrat

EN FOI DE QUOI LES PARTIES ONT SIGNÉ COMME SUIT :

Montréal, le 21 février 1974.

Pour le Gouvernement du Québec

____

Sous-ministre adjoint

Pour la Société et Associés Inc.

____

Président

EN PRÉSENCE DE :

____

Conseiller-cadre et directeur (p.i.)
de la Recherche

/5 Page 5 de 5

Gouvernement du Québec

Ministère de **Annexe 01**

ORGANISME : & ASSOCIÉS INC.

Montréal H4L 4B7

Facturation des honoraires et conditions de paiement

La PARTIE DE PREMIÈRE PART paiera à la PARTIE DE DEUXIÈME PART la somme de $ (dollars) selon les échéances et aux conditions suivantes:

1. Une somme de $ (mille) à la signature du contrat.

2. Une somme de $ (mille) après l'accomplissement de l'étape 3 prévue à la clause C-2 (a) du présent contrat et sur acceptation par le comité d'évaluation prévu à la clause G d'un rapport portant sur le progrès des recherches.

3. Une somme de $ (dollars) après remise et acceptation par le ministère du rapport final de recherche prévu à la clause C-2 du présent contrat.

Clause spéciale: Responsabilité du conseil en cas de poursuite légale

4. La PARTIE DE DEUXIÈME PART garantit la PARTIE DE PREMIÈRE PART contre tout recours pour quelque motif que ce soit de la part de personnes pouvant participer directement ou indirectement aux activités de recherche ou d'études définies à la clause A du présent contrat.

Minute du Conseil du Trésor no. du 13 février 1974.

Annexe au contrat signé à Montréal, le 21 février 1974.

Signatures de l'annexe au contrat

Pour le Gouvernement du Québec

____

Sous-ministre adjoint

Pour la société et Associés Inc.

____

Président

EN PRÉSENCE DE :

____

Conseiller-cadre et directeur (p.i.)
de la Recherche

Exemple D — Contrat

Annotations

CONTRAT :

AVIS D'ADJUDICATION NO :

Convention intervenue à Montréal, province de Québec,

ENTRE: , corporation légalement constituée ayant son siège social en la ville de Montréal, province de Québec, ci-après représentée par monsieur , directeur Ressources Humaines, dûment autorisé aux fins des présentes, ci-après appelée la

Identification des des parties contractantes

ET : ET ASSOCIÉS, société légalement constituée ayant une place d'affaires en la ville de Montréal, ci-après représentée par monsieur , dûment autorisé aux fins des présentes, ci-après appelée le CONSULTANT.

ATTENDU que la veut obtenir du CONSULTANT la fourniture de services professionnels.

Préambule

ATTENDU que le CONSULTANT offre de fournir les services professionnels mentionnés aux présentes, aux conditions énoncées ci-après.

— 1 —

MAINTENANT LES PARTIES FONT FOI ET IL EST CI-APRES CONVENU PAR ET ENTRE LES PARTIES :

Exemple D

1.0 **OBJET DU CONTRAT**

La retient les services professionnels du CONSULTANT pour une étude sur les conditions de vie des cadres et de leurs familles vivant dans les villages du territoire de la , tel que plus amplement décrit à l'annexe A.

2.0 **REPRÉSENTANTS**

2.1 Le représentant du CONSULTANT est monsieur Ce dernier aura l'autorité complète pour agir pour et au nom du CONSULTANT en toute matière relative à l'administration et à l'exécution du présent Contrat; tout changement de représentant sera communiqué par écrit à la pour son approbation.

2.2 Pour les fins du présent Contrat, le représentant de la sera Monsieur , chef de service Conditions de travail et Conditions de vie de la direction Ressources Humaines.

3.0 **MODALITES D'EXECUTION DES SERVICES**

Modalités d'approche

3.1 **Autorité de la**

Les services mentionnés aux présentes seront fournis par le CONSULTANT sous la direction générale de la

3.2 **Obligations de la**

Responsabilités du client

La fournira au CONSULTANT, à la demande de ce dernier, et suivant les services que le CONSULTANT est appelé à fournir, tous les renseignements, données et documents en la possession de la qui sont nécessaires au CONSULTANT pour l'exécution de ses services.

3.3 **Obligations du CONSULTANT**

Responsabilités du conseil

3.3.1 Le CONSULTANT est entièrement responsable envers la de la bonne exécution, selon les règles de l'art, des services qu'il doit fournir en vertu du présent Contrat. Il est expressément convenu que le CONSULTANT est et agit en tant qu'entrepreneur indépendant dans l'exécution des services et non comme mandataire, agent ou employé de la . Le CONSULTANT aura la responsabilité entière de son personnel engagé dans l'exécution des services. Le CONSULTANT fournira les services selon ses propres méthodes de travail, d'une manière ordonnée et professionnelle et maintiendra une discipline et un ordre stricts parmi ses employés.

3.3.2 Le CONSULTANT s'engage à fournir à la , sur demande, la liste de son personnel qu'il entend affecter à l'exécution du Contrat. La se réserve le droit d'accepter ou de refuser toute personne suggérée par le CONSULTANT. Le CONSULTANT doit s'assurer que toutes les personnes qu'il assignera à l'exécution des services s'acquittent de leurs devoirs professionnels avec tout le soin, la diligence et la compétence requis, en assurant une étroite collaboration avec

— 2 —

la ou ses représentants, les autres firmes et les spécialistes dont la pourra retenir les services. La peut exiger tout changement dans le personnel du CONSULTANT, et toute personne ainsi désignée par la ne peut être réassignée à l'exécution des services prévus aux présentes, sans l'autorisation écrite de la

Exemple D

3.4 **Propriété des documents**

Tout document préparé par le Consultant en relation avec les services prévus aux présentes est la propriété exclusive de la . Le CONSULTANT pourra retenir pour les fins seulement de ses dossiers, aux frais de la , une copie de tout document préparé, à l'occasion des services prévus aux présentes.

4.0 **REMUNERATION**

Facturation des honoraires et conditions de paiement

4.1 La rémunère le CONSULTANT pour tous les services rendus en vertu du présent Contrat en payant au CONSULTANT un montant forfaitaire de ($) DOLLARS, pour les services autorisés en vertu du Contrat.

Les frais de transport de Montréal aux divers sites et retour pour réaliser l'objet du présent Contrat, ainsi que les frais de vivre et couvert du CONSULTANT pendant les séjours aux sites sont à la charge de la .

Les frais réels encourus pour la réalisation de l'objet du présent contrat sont remboursés par la sur présentation des pièces justificatives.

4.2 La paie le montant forfaitaire comme suit:

— $ à la signature du Contrat;
— $ lorsque toutes les entrevues sont terminées;
— $ lors de la remise à la du rapport final.

4.3 Le CONSULTANT doit établir la facture en un original et trois copies, laquelle doit indiquer clairement le numéro du contrat et être envoyée à:

Division Comptes à payer
, boulevard de Maisonneuve est
e étage
Montréal (Québec)
H2L 4M8

Les factures sont approuvées par le représentant de la

L'original et la première copie doivent être accompagnés de toutes les pièces justificatives nécessaires pour la vérification des montants demandés pour les frais remboursables.

5.0 **OBSERVANCE DES LOIS**

Clause spéciale: Respect des politiques de l'organisation-client

Le CONSULTANT devra se conformer à toutes les lois et à tous les règlements ou décrets applicables.

— 3 —

Exemple D

6.0 **OBSERVANCE DES REGLEMENTS DE LA**

Le CONSULTANT s'engage à observer et à faire observer en tout temps par toute personne sous sa juridiction tous les règlements que la juge bon et raisonnable d'édicter, de temps à autre, et dont la fera part au CONSULTANT pour la bonne administration du bureau.

7.0 **VISITES AU CHANTIER**

En vue d'assurer le contrôle des visiteurs se rendant au chantier, le CONSULTANT est tenu d'obtenir au préalable l'autorisation de la en faveur de toutes personnes auxquelles il se propose de donner accès au chantier.

Confidentialité

8.0 **CARACTERE CONFIDENTIEL**

Le CONSULTANT respectera le caractère confidentiel de tout document, renseignement, information, communication et rapport ayant trait au présent Contrat, et en conséquence, le CONSULTANT n'en divulgera aucune partie à toute autre personne, sauf du consentement préalable écrit de la et alors seulement dans la mesure autorisée par la ; la présente disposition s'étend à toute communication de la au CONSULTANT concernant le présent Contrat.

Toutefois, les dispositions du présent article ne s'appliqueront pas aux données techniques et aux renseignements techniques:

a) qui étaient en possession du CONSULTANT préalablement aux négociations entre la et le CONSULTANT;

b) qui ont été publiés par un organisme autre que le CONSULTANT ou qui étaient généralement connus du public ou qui relèvent du domaine public ou encore;

c) qui sont des renseignements et données techniques que le CONSULTANT a légalement obtenus ultérieurement auprès de tiers n'ayant aucun rapport avec les services ou avec l'exécution des services.

Clauses spéciales: Cessation et changement dans les termes du contrat

9.0 **RESILIATION DU CONTRAT ET CHANGEMENT D'ENVERGURE**

9.1 La se réserve le droit de mettre fin au présent Contrat sur préavis écrit de dix (10) jours; en tel cas, le CONSULTANT devra remettre à la tout document, étude et renseignement en sa possession concernant le présent Contrat.

9.2 Dans le cas de résiliation du présent Contrat, le CONSULTANT n'aura droit qu'à cette partie de la rémunération alors gagnée à la date de la résiliation du Contrat.

9.3 La se réserve également le droit, en tout temps, après consultation avec le CONSULTANT, de modifier en plus ou en moins l'envergure prévue.

Exemple D

10.0 **SUSPENSION DES SERVICES**

10.1 La peut, en tout temps et de temps à autre, suspendre en totalité ou en partie seulement l'exécution des services. Par la suite, le CONSULTANT reprendra l'exécution des services quand il sera appelé à le faire par la

10.2 En cas de suspension de l'exécution des services à la demande de la , le CONSULTANT aura droit à une compensation additionnelle sous forme de remboursement de coûts additionnels raisonnablement et nécessairement encourus par le CONSULTANT pour se conformer à l'avis de suspension et pour la reprise des services après la fin de la période de suspension. Cependant, le CONSULTANT n'aura droit à aucune indemnité pour autres pertes, dommages, dépenses ou frais.

10.3 En cas de suspension de l'exécution des services, à la demande de la , pour une période de plus d'un an, une telle suspension sera censée constituer une résiliation imposée par la suivant les dispositions de l'article intituté «RESILIATION DU CONTRAT ET CHANGEMENT D'ENVERGURE».

11.0 **CESSION DE CONTRAT**

Clause spéciale: Utilisation de sous-contractants

Le présent Contrat ne pourra être cédé, donné en sous-traitance, transporté ou donné en garantie, en tout ou en partie, directement ou indirectement sans l'autorisation écrite de la . Dans tout cas de cession, sous-traitance, transport ou donation en garantie sans autorisation ou d'acte, demande, requête, jugement, ordonnance ou saisie en ayant l'effet, la pourra mettre fin unilatéralement au Contrat. Sauf si en a préalablement convenu par écrit, le CONSULTANT reste entièrement responsable envers la de l'exécution complète du Contrat.

12.0 **LANGUE DE TRAVAIL**

Clause spéciale: Respect des politiques de l'organisation-client

La langue est le français. La pourra toutefois exiger, pour des raisons spéciales que certains documents soient préparés en anglais.

13.0 **EFFETS DU CONTRAT**

Clause spéciale: Effet rétroactif

13.1 Le Contrat remplace et annule, toute convention, entente, lettre d'entente, communication, négociation, écrites ou verbales, qui auraient précédé sa date d'entrée en vigueur et tous les services décrits au Contrat et fournis par le CONSULTANT à la à compter du jour de l'entrée en vigueur du Contrat, le sont en vertu du Contrat.

13.2 La demeure cependant redevable au CONSULTANT des sommes dues, lors de l'entrée en vigueur du Contrat, par la au CONSULTANT pour services rendus jusqu'à l'entrée en vigueur du Contrat, en vertu de toute lettre d'entente valide jusqu'à l'entrée en vigueur.

13.3 Les responsabilités, garanties et obligations assumées par le CONSULTANT en vertu des dispositions de la loi et du présent Contrat survivent à la terminaison du Contrat et continueront de lier le CONSULTANT.

Clause spéciale:
Modalités de communication des avis

14.0 **RENONCIATION**

14.1 La ne sera censée avoir renoncé à aucune des stipulations du Contrat à moins que ladite renonciation n'ait été établie par écrit. Aucune telle renonciation ne sera, ou ne pourra être interprétée comme étant une renonciation à un défaut passé ou futur, à une violation ou à une modification d'aucun des termes, dispositions, conditions ou stipulations du Contrat, sauf tel qu'expressément stipulé dans la renonciation.

14.2 Les droits et recours conférés à la et inclus dans le Contrat ont un caractère cumulatif. L'exercice de l'un ou l'autre des droits ou recours en question ne constituera nullement un abandon ni une renonciation à l'égard d'aucun des autres droits ou recours.

14.3 Aucune approbation donnée par la , selon les dispositions du Contrat, ne limite la responsabilité incombant au CONSULTANT en vertu du Contrat.

Clause spéciale:
Responsabilité du conseil et du client en cas de poursuite légale

15.0 **FORCE MAJEURE**

Aucune des parties ne pourra être considérée en défaut dans l'exécution de ses obligations en vertu des présentes lorsque telle exécution est retardée, retenue ou empêchée par suite de force majeure, c'est-à-dire, un événement extérieur aux parties, que celles-ci ne pouvaient prévoir, auquel elles ne pouvaient résister et qui a rendu absolument impossible l'exécution de l'obligation.

Règlement des litiges

16.0 **DOMICILE ET LOIS APPLICABLES**

Les parties aux présentes élisent domicile en la ville de Montréal, district judiciaire de Montréal, et conviennent que le Contrat est soumis aux lois de la province de Québec.

Clause spéciale:
Modalités de communication des avis

17.0 **AVIS ENTRE LES PARTIES**

Tout avis permis ou requis en vertu du présent Contrat devra être par écrit et sera censé avoir été valablement donné s'il est livré de main à main ou s'il est transmis par la poste sous pli recommandé et affranchi ou par télégramme aux adresses suivantes:

a) à la : , boulevard de Maisonneuve est
Montréal (Québec) H2L 4M8

b) au CONSULTANT: , rue Ste-Claire
Montréal (Québec) H1L 1Z1

Tout tel avis donné ainsi que ci-dessus stipulé sera censé avoir été reçu lors de sa livraison, ou le deuxième (2e) jour ouvrable après sa mise à la poste, ou six (6) heures ouvrables après le dépôt du télégramme au bureau de la compagnie de télégraphe selon le cas.

Chaque partie pourra aviser l'autre, de la façon ci-haut mentionnée, de tout changement d'adresse pour la signification d'avis.

18.0 **ANNEXES**

Règlement des litiges

Les annexes jointes au présent Contrat, en font partie intégrante comme si elles y étaient récitées au long; en cas de conflit ou de divergence d'interprétation entre les dispositions des annexes et celle du présent Contrat, les termes et dispositions du Contrat prévaudront.

19.0 **DATE D'ENTREE EN VIGUEUR ET DUREE DU CONTRAT**

La date d'entrée en vigueur est fixée au 8 juillet 1981 et la date de terminaison du Contrat est fixée au 15 janvier 1982 sans la nécessité d'aucun avis.

20.0 **ASSURANCES**

Clause spéciale: Assurance

Le CONSULTANT doit obtenir auprès d'assureurs acceptables à la les assurances stipulées à l'annexe B.

EN FOI DE QUOI, les parties aux présentes ont signé cette convention en double exemplaire.

Signatures du contrat

Signature: ______________________
directeur Ressources Humaines

Date: ______________________

____
directeur Approvisionnement

ET ASSOCIES
____

Signature: ______________________

Date: ______________________

Exemple D

Modalités d'approche

ANNEXE "A"

DESCRIPTION DES TRAVAUX

1.0 Etudier les conditions de vie des cadres de la et des entrepreneurs, y compris leurs familles, vivant dans les villages sur le complexe , soit à , , et .

2.0 Faire une étude prospective auprès des mêmes cadres et de leurs familles pour appuyer la décision de la de construire ou non des villages sur les futurs complexes, et afin de prévoir des solutions de rechange dans l'hypothèse où la décide de ne pas établir de villages.

Aspects à couvrir

Les objectifs principaux de cette étude sont de connaître les réactions des cadres de la et des cadres des entrepreneurs, en ce qui concerne leurs conditions de vie en général, dans les villages mentionnés ci-avant. Plus précisément, l'étude couvrira les aspects suivants: l'accueil, le logement (roulottes et maisons), la nourriture, les loisirs, les sports, les aménagements, l'équipement et les services divers tels la buanderie, le transport, le téléphone, la télévision, la radio, la poste, la banque, les magasins pour articles courants et les services médicaux. L'étude portera aussi sur l'atmosphère générale et les règlements régissant la vie dans les villages.

3.0 Au niveau de la préexpérimentation, en plus d'interroger un nombre minimal de personnes provenant de tous les groupes impliqués dans les divers villages, les recherchistes du groupe d'étude consulteront les cadres de la et des entrepreneurs ayant vécu dans les villages du complexe puis ayant quitté les chantiers par la suite. Cette liste sera fournie par la

Résultats prévus

Rapport:

Le rapport final sur l'étude devra être remis à la direction Ressources humaines de la le 15 janvier 1981.

.../2

Exemple D

ANNEXE "B"

ASSURANCES

Clause spéciale: Assurances

La a souscrit et maintiendra en vigueur, à ses frais, deux polices d'assurance de base, soit une «Assurance Tous Risque contre les dommages directs - Risques de Constructeurs» et une «Assurance Globale de Responsabilité Civile». Le CONSULTANT assumera le premier 5 000$ de dommages à chaque événement assuré par l'une de ces polices incluant chaque événement où sa responsabilité est établie et des dommages sont causés par ou aux véhicules fournis par la

La police «Risques de Constructeurs» protège la contre l'erreur ou l'omission du CONSULTANT et les assureurs renoncent expressément à leur droit de subrogation contre ledit CONSULTANT. Toutefois, advenant des dommages résultant d'une erreur ou d'une omission de la part du CONSULTANT, ce dernier assumera le premier 100 000$ de dommages à chaque événement assuré.

Des copies des polices souscrites par la ainsi que des informations et directives à l'intention du CONSULTANT sont contenues dans un cahier intitulé Annexe - Assurances disponible pour consultation au service Gestion de risque et d'assurances de la

Appendice IX

Exemples de facture

INTERVENTION
RECHERCHE
CONSULTATION
AUPRES D'ORGANISATIONS

1145 rue Guertin · Montréal · Qué. · H4L 4B7 · (748-8648)

Lavigne et Mongeau Inc.
Att: Monsieur Jacques Lavigne
1240 rue de la Montagne
Montréal, (Québec)
H3Z 3Y8

Facture: 640 - 8
Date : 1 Juin 1986

doit à:

Irco Inc.
1145 rue Guertin
Saint-Laurent, (Québec)
H4L 4B7

la somme totale de 1059.80$ pour honoraires professionnels et remboursement des dépenses dont les détails suivent:

Honoraires professionnels

Avril 9, 1986 Rencontre avec P. Mongeau pour analyser le rapport ----2 heures--------------------	200.00$
Avril 15,1986 Présentation des résultats au comité de gestion----4 heures--------------------	400.00$
Mai 10,1986 Suivi de l'implantation des propositions ----2 heures--------------------	200.00$
	800.00$

Dépenses

Voyage Montréal-Québec ---500Km x .25------------------	125.00$
Hotel (reçu annexé) -------------------------------	75.00$
Repas (reçus annexés) -------------------------------	59.80$
	259.80$

Montant dû et payable avant le 1 Juillet 1986

TOTAL: 1059.80$

Robert Laflamme

IRCO INC.

INTERVENTION
RECHERCHE
CONSULTATION
AUPRES D'ORGANISATIONS

1145 rue Guertin · Montréal · Qué. · H4L 4B7 · (748-8648)

Tofax Inc
Att: Madame Pierrette Pesant
2340 Place du roi
Montréal (Québec)
YoJ 8H4

doit à

Irco Inc.
1145 rue Guertin
Saint-Laurent (Québec)
H4L 4B7

Date:	31 Mars 1986	Termes:	Payable 30 jours
Mandat:	Contrat 849-083-741	Facture:	728-4

Pour services rendus entre le 1 mars et le 31 mars 1986 concernant le mandat décrit au contrat sus-mentionné.

Facture progressive 3240.00$

Appendice X

Formulaire de proposition d'assurance responsabilité professionnelle

PROPOSITION

ASSURANCE RESPONSABILITÉ PROFESSIONNELLE

1. Nom et adresse du membre (ci-après appelé le "proposant")

2. Nom, adresse et numéro de téléphone à rectifier s'il y a lieu

____

____

3. Numéro de membre ______________________________

4. Cochez la case appropriée

   [ ] J'exercice en pratique privée, à temps plein ou partiel

   [ ] Je n'exerce pas en pratique privée

5. Assurance antérieure

   Nom de l'assureur ______________________________

   Numéro du contrat ______________________________

   Montant d'assurance ______________________________

   Période d'assurance ______________________________

6. Au cours des cinq (5) dernières années, le proposant a-t-il été l'objet d'une ou plusieurs réclamations? [ ] Oui [ ] Non

   Si "oui", veuillez nous fournir tous les détails mentionnant:

   a) la date à laquelle la réclamation fut faite; b) la date où l'acte donnant lieu à la poursuite fut commis; c) le nom du réclamant; d) la nature de la réclamation; e) montant impliqué incluant les réserves; f) le règlement final. ______________________________

   ____

   ____

   ____

   ____

   ____

(VERSO)

7.

a) Est-ce qu'un client vous a indiqué par écrit qu'il pourrait intenter une poursuite contre vous? [ ] Oui [ ] Non

b) Est-ce qu'une demande de documents de la part d'un de vos clients vous laisse croire qu'il pourrait intenter une poursuite contre vous? [ ] Oui [ ] Non

c) Y a-t-il des faits dont vous avez connaissance, qui ont été révélés à vos clients ou qui devront être révélés à vos clients, qui pourraient avoir comme résultat une poursuite judiciaire contre vous? [ ] Oui [ ] Non

d) Y a-t-il des faits dont vous avez connaissance qui, s'ils étaient révélés à vos clients, pourraient avoir comme résultat une poursuite judiciaire contre vous? [ ] Oui [ ] Non

Si "oui", précisez en indiquant:

a) le nom du réclamant potentiel; b) la date de l'acte pouvant donner lieu à une réclamation; c) une description des faits ou circonstances en question. ______________

____

____

____

____

8. Montants d'assurance désirés et coût (*cochez*):

Pratique privée à temps plein ou partiel	Coût	Autre	Coût
[ ] 100 000/200 000 $	163,50 $	[ ] 100 000/200 000 $	149,33 $
[ ] 250 000/500 000 $	231,08 $	[ ] 250 000/500 000 $	203,83 $
[ ] 500 000/1 000 000 $	312,83 $	[ ] 500 000/1 000 000 $	272,50 $
[ ] 1 000 000/2 000 000 $	394,58 $	[ ] 1 000 000/2 000 000 $	340,08 $

Note: Les coûts mentionnés ci-dessus incluent la taxe de 9%.

Je déclare que les réponses contenues dans cette proposition sont exactes et complètes et que des efforts raisonnables ont été effectués afin d'obtenir l'information suffisante de toute personne pouvant être garantie par cette assurance afin de compléter adéquatement cette proposition d'assurance. Le soussigné convient également que s'il advenait un changement significatif dans la condition du proposant entre la date de cette proposition et la date d'entrée en vigueur de cette assurance et qui aurait pour effet de rendre cette proposition inexacte ou incomplète, il expédiera immédiatement à l'assureur un avis écrit de tel changement. Bien que la signature de cette proposition n'engage ni le soussigné ni l'assureur à la souscription d'une telle assurance, il est convenu que les réponses qui y sont contenues constitueront la base du contrat, advenant l'émission de la police, et que cette proposition formera une partie intégrante de la police.

Signature du proposant ______________________ Date______________

S.V.P. RETOURNER AVEC LE PAIEMENT APPROPRIÉ À:
Service d'assurance responsabilité professionnelle

Montreal (Quebec)

Appendice XI

Codes de déontologie de certains regroupements professionnels:

Institut des conseillers en administration du Québec

Association canadienne des conseillers en administration

Corporation professionnelle des psychologues du Québec

Syntec-Management Syndicat des conseils en management (France)

INSTITUT DES CONSEILLERS EN ADMINISTRATION DU QUÉBEC

Code général d'éthique professionnelle

Reproduit avec la permission de l'Institut des conseillers en administration du Québec.

Introduction

Le conseiller en administration tient au caractère confidentiel de ses services professionnels. Il se doit d'être loyal envers ses clients autant qu'envers sa profession, et s'acquitte de ce devoir avec intégrité et grand souci de ses responsabilités. Il n'accepte donc que les mandats qui sont de sa compétence et recherche les intérêts de son client, s'efforçant constamment de lui faire accepter la meilleure voie à suivre.

Ces principes, dont le conseiller en administration se fait une règle de vie professionnelle, sont à la base même du code d'éthique que doivent respecter les membres de l'Institut des Conseillers en Administration du Québec dans l'exercice de leurs fonctions.

Les règles de conduite professionnelle ont pour but:

- d'aider le conseiller à orienter son comportement professionnel;
- de lui indiquer le statut professionnel qu'il doit maintenir;
- de permettre à la clientèle de connaître les normes professionnelles de compétence, d'objectivité et d'intégrité qu'il respecte dans la conduite de ses travaux;
- de présenter à la société en général une image professionnelle, compétente et fiable.

Aussi:

- de faire connaître les normes d'éthique les plus aptes, selon l'expérience, à inspirer et mériter la confiance du public;
- de servir à éclaircir des situations problématiques;
- d'établir des critères concrets et objectifs pour appuyer les décisions.

Dominantes de la profession

Les règles d'éthique qu'impose l'Institut découlent de la nature même de la profession de conseillers en administration. Ces caractéristiques sont les suivantes:

1) une connaissance intime de la profession, ses éléments, ses buts, ses disciplines, techniques et pratiques;
2) des normes de responsabilité professionnelle dans ses rapports avec ses clients, ses collègues, les membres d'autres professions, et le public en général;
3) une discipline permettant de favoriser l'avancement des connaissances techniques utilisées par les membres de la profession;
4) un sentiment de fierté et de loyauté envers la profession susceptible de conduire vers de nouveaux sommets de compétence et de dignité. Le véritable professionnel croit profondément en la valeur de son métier. Cette conviction inspire tous ses actes et lui permet de maintenir un haut niveau de services professionnels.

Les membres des professions libérales s'appliquent à faire servir leurs connaissances et leurs aptitudes spécialisées aux besoins de la société. Comme il s'agit d'un travail d'ordre intellectuel et souvent de nature variée, ils doivent constamment faire preuve de jugement et de discrétion. De même doivent-ils garder à l'esprit que les clients, ne connaissant pas toujours la discipline exercée et ne pouvant peut-être pas évaluer complètement la qualité de ses services rendus, doivent souvent appuyer leur confiance sur la bonne réputation de la profession toute entière. Les clients sont en droit de compter sur le plus haut niveau de conduite professionnelle. Cette attente doit se justifier par l'existence de règles de conduite qui les protègent.

Règles de conduite

Les membres de l'Institut des Conseillers en Administration du Québec sont tenus de respecter les règles suivantes. Elles sont divisées suivant la nature des activités auxquelles elles s'appliquent.

Du développement des affaires

101. Employer, dans le développement des affaires, des méthodes qui vaudront à l'Institut et à ses membres le respect du public.

102. N'accepter et ne réaliser que des mandats qui sont de sa compétence et qu'il croit vraiment profitables à ses clients. Lorsque le mandat requiert des connaissances ou des techniques qui ne sont pas de son domaine, il conseille de faire appel à d'autres professionnels.

103. Avant d'accepter un mandat, obtenir du client tous les détails requis pour bien comprendre la nature du problème, l'envergure des travaux et pour établir les avantages que le client pourra en retirer. Cette démarche restera confidentielle et se fera suivant les conditions pré-établies.

104. S'assurer que le client ou le client éventuel comprend bien les objectifs et l'étendue de l'étude ou des services, de même que la base de la facturation; de plus, discuter avec le client tous les changements importants dans la nature, l'étendue, les échéances ou les autres aspects du mandat et obtenir l'assentiment du client avant de donner suite à ces changements. Lorsque c'est possible, ces ententes doivent être faites par écrit.

105. Ne jamais donner une garantie des bénéfices qui résulteront de son travail.

106. Ne pas offrir ou rendre des services professionnels où les honoraires seraient établis suivant une formule basée sur les résultats.

107. Ne pas exiger des honoraires excessifs qui nuiraient à ses rapports professionnels ou qui pourraient inciter le public à ne pas utiliser les services de conseillers en administration.

108. Dès qu'il apprend qu'un autre conseiller en administration est à l'oeuvre chez un client ou un client éventuel, s'assurer, avant d'exécuter son mandat ou d'accepter un mandat, qu'il n'y a pas de risques de conflits entre leurs mandats respectifs, dont le client ou le client éventuel pourrait souffrir.

109. Dévoiler au client les intérêts qu'il pourrait avoir dans les sources d'approvisionnement de fournitures ou de services qu'il recommande.

110. Ne pas offrir ou rendre des services à un client suivant des conditions telles que son objectivité, son indépendance ou son intégrité pourraient être réduites; également, se réserve le droit de se retirer d'un dossier si des conditions hors de son contrôle surviennent qui nuiraient à la bonne marche des travaux.

De l'exécution d'un mandat

201. Toujours agir au mieux des intérêts de son client.

202. Exécuter chaque mandat de façon individuelle, en s'efforçant d'en arriver à des recommandations propres à la situation, et qui soient réalistes et pratiques. Etre prêt à aider le client, dans la mesure du possible, à la mise en oeuvre des recommandations.

203. Faire des recommandations et poser des actes qui respectent les lois en vigueur, y compris celles touchant la santé et la sécurité.

204. Respecter le caractère confidentiel de tous les renseignements que son travail pourrait lui procurer concernant les affaires de son client et ne pas tenter d'en profiter financièrement ou autrement, ni d'en faire profiter d'autres personnes.

205. Conserver son indépendance vis-à-vis son client et s'assurer que les conseils qu'il lui donne s'inspirent d'une étude impartiale des faits et sont appuyés par des opinions responsables. Il doit éviter tout rapport personnel qui pourrait l'influencer dans ses conseils concernant tout employé de son client.

206. S'abstenir de s'occuper de problèmes délicats communs à deux ou plusieurs clients concurrents, sans les prévenir.

207. Faire part à son client de tous ses rapports, personnels ou autres, et des intérêts ou circonstances qui pourraient influencer l'exécution d'un mandat.

De la bonne renommée de l'Institut

301. S'efforcer sans cesse de protéger et de rehausser le niveau de sa profession en reconnaissant qu'il lui incombe, dans l'intérêt du public et de sa profession, de contribuer au développement et à l'acceptation de moyens de gestion constamment améliorés.

302. Ne ménager aucun effort pour communiquer au public une plus juste compréhension et un plus grand respect de la profession, afin que le conseiller puisse l'exercer de la manière la plus efficace. Partant, son comportement avec ses clients, ses collègues et avec toute autre personne suscitera leur confiance et leur estime pour lui-même et pour sa profession. Non seulement évitera-t-il tout écart professionnel, mais il se gardera même contre tout ce qui pourrait y faire croire.

Du comportement professionnel

401. Ne porter de jugement sur le travail d'un autre conseiller en administration qu'à la connaissance de ce dernier.

402. S'abstenir de suggérer à un employé de son client un emploi ailleurs. Une annonce dans les journaux ne constitue pas une suggestion.

403. S'abstenir d'exercer une fonction professionnelle lorsque son jugement est ou pourrait être affaibli à cause d'un malheur, de la maladie ou pour toute autre raison.

404. Refuser de s'associer professionnellement avec tout autre conseiller en administration qui ne se conforme pas aux règles de conduite de l'Institut.

405. Ne pas utiliser sciemment, sans permission, des procédures, des techniques, des fournitures ou autres données conçues et appartenant de façon exclusive à d'autres conseillers en administration. Cette règle ne restreint en rien la responsabilité du conseiller en administration de partager avec ses confrères les méthodes et les techniques qu'il utilise chez ses clients.

Reproduit avec la permission de l'Association Canadienne des Conseillers en Administration.

Code de Déontologie

Les membres de l'Association canadienne des conseillers en administration se conforment au code d'éthique professionnelle suivant:

- toute information concernant les affaires du client, obtenue dans le cours d'un engagement professionnel, doit être considérée comme confidentielle;

- avant d'entreprendre une tâche assignée, la firme-membre doit prendre toutes les mesures nécessaires pour s'assurer que le client et le conseiller ont une compréhension claire et mutuelle des objectifs à atteindre. Le client devra recevoir une estimation des coûts, de préférence avant que le travail ne soit commencé, ou aussitôt que possible après;

- aucun service professionnel ne sera rendu pour des honoraires dont la somme dépend des bénéfices financiers obtenus par le client;

- les membres devront informer leurs clients de tout lien d'affaires, de toute affiliation ou de tout intérêt qui pourraient représenter un conflit d'intérêts. Les clients devront être avertis de tout contrat avec des organisations rivales, et de tout intérêt que la firme consultante pourrait avoir dans les produits ou les services qu'elle recommande;

- les membres ne devront pas user de pratiques indues pour obtenir des engagements, ni agir d'aucune manière pouvant nuire à la réputation de l'ACCA ou de ses membres.

Reproduit avec la permission de la Corporation Professionnelle des Psychologues du Québec.

Code de déontologie des psychologues

CHAPITRE I
DEVOIRS ET OBLIGATIONS ENVERS LE PUBLIC

1. Le psychologue inscrit au tableau de la Corporation professionnelle des psychologues du Québec doit, dans l'exercice de sa profession, tenir compte des principes scientifiques généralement reconnus en psychologie.

2. Le psychologue doit tenir compte de l'ensemble des conséquences prévisibles que peuvent avoir sur la société ses recherches et travaux.

3. Le psychologue doit favoriser l'amélioration de la qualité et de l'accessibilité des services professionnels dans le domaine où il exerce.

4. Le psychologue doit favoriser les mesures d'éducation et d'information du public dans le domaine où il exerce.

CHAPITRE II
DEVOIRS ET OBLIGATIONS ENVERS LE CLIENT

5. Dans les chapitres II à IV, à moins que le contexte n'indique un sens différent, on entend par « client » la personne à qui un psychologue rend des services professionnels.

SECTION I
DISPOSITIONS GÉNÉRALES

6. Avant d'accepter un mandat et durant son exécution, le psychologue doit tenir compte des limites de sa compétence et des moyens dont il dispose. Il ne doit pas entreprendre des travaux professionnels pour lesquels il n'est pas suffisamment préparé.

7. Le psychologue doit consulter un autre psychologue, un membre d'une autre corporation professionnelle ou une autre personne, ou diriger son client vers l'une de ces personnes, lorsque l'intérêt du client l'exige.

8. Le psychologue doit, en tout temps, reconnaître à son client le droit de consulter un autre psychologue, un membre d'une autre corporation professionnelle ou une autre personne.

9. Le psychologue doit s'abstenir d'exercer sa profession s'il se trouve dans un état susceptible de compromettre la qualité de ses services. Notamment, il ne doit pas exercer sa profession alors qu'il est sous l'influence d'une substance pouvant produire l'ébriété, l'affaiblissement ou la perturbation des facultés, ou l'inconscience.

10. Le psychologue doit établir et maintenir une relation de confiance mutuelle entre lui et son client.

11. Le psychologue ne doit établir un diagnostic à l'égard de son client ou ne doit donner des avis et des conseils à ce dernier que s'il possède les informations professionnelles et scientifiques suffisantes.

12. Le psychologue doit s'abstenir de s'immiscer dans les affaires personnelles de son client.

13. Le psychologue doit, dans l'exercice de sa profession, avoir une conduite irréprochable envers son client, que ce soit sur le plan physique, mental ou affectif.

SECTION II
INTÉGRITÉ ET OBJECTIVITÉ

14. Le psychologue doit s'acquitter de ses obligations professionnelles avec intégrité, objectivité et modération.

15. Le psychologue doit éviter toute méthode ou attitude susceptible de donner à son activité professionnelle un caractère de lucre.

16. Le psychologue doit informer son client éventuel, ou la personne qui en est responsable légalement quand le client n'est pas en mesure d'évaluer la situation, de tous les aspects de son activité professionnelle susceptible de l'aider dans sa décision de recourir ou non à ses services.

17. Le psychologue doit informer son client de l'ampleur et des modalités du mandat que ce dernier lui a confié et il doit obtenir son accord à ce sujet.

18. Le psychologue doit expliquer à son client la nature et la portée du problème qui, selon lui, découle de l'ensemble des faits dont il a pris connaissance.

19. Le psychologue doit éviter toute fausse représentation en ce qui a trait à sa compétence, à l'efficacité de ses propres services ou de ceux généralement rendus par les membres de sa profession ou par son employeur.

20. Le psychologue doit s'abstenir de rendre des services professionnels à des personnes avec qui il entretient une relation susceptible de nuire à la qualité de son intervention.

21. Le psychologue ne doit recourir à aucun procédé dans le but de forcer une personne à faire des aveux.

22. Sauf en ce qui concerne ses honoraires, le psychologue ne doit établir avec son client aucun lien économique susceptible de nuire à la qualité de son intervention.

23. Le psychologue doit éviter de poser ou de multiplier des actes professionnels sans raison suffisante et doit s'abstenir de poser un acte inapproprié ou disproportionné au besoin de son client.

SECTION III
DISPONIBILITÉ ET DILIGENCE

24. Le psychologue doit faire preuve de disponibilité et de diligence à l'égard de son client. Quand il ne peut répondre à une demande dans un délai raisonnable, il doit aviser le client du moment où il sera disponible.

25. Le psychologue doit fournir à son client les explications nécessaires à la compréhension et à l'appréciation des services qu'il lui rend.

26. Sauf dans le cas d'un examen de sélection ou lorsqu'il agit comme consultant auprès d'un autre professionnel, le psychologue doit fournir au client qui en fait la demande, un rapport écrit ou verbal.

27. Le psychologue ne peut, sauf pour un motif juste et raisonnable, cesser de rendre ses services à un client. Constituent entre autres des motifs justes et raisonnables:

1) la perte de la confiance du client;

2) le fait que le client ne tire plus avantage des services du psychologue;

3) le fait que le psychologue soit en situation de conflit d'intérêts ou dans un contexte qui compromet sa relation avec le client;

4) l'incitation du client, à l'accomplissement d'actes illégaux, injustes ou frauduleux.

28. Avant d'interrompre ses services auprès d'un client, le psychologue doit l'en aviser dans un délai raisonnable et s'assurer que cette cessation de service n'est pas préjudiciable à son client.

SECTION IV
RESPONSABILITÉ

29. Le psychologue doit engager sa responsabilité civile personnelle. Il lui est interdit d'insérer dans un contrat de services professionnels une clause excluant cette responsabilité.

SECTION V
INDÉPENDANCE ET DÉSINTÉRESSEMENT

30. Le psychologue doit subordonner son intérêt personnel ou, le cas échéant, celui de son employeur ou de ses collègues de travail à l'intérêt de son client.

31. Le psychologue doit ignorer toute intervention d'un tiers qui pourrait avoir une influence préjudiciable sur l'exécution de ses devoirs professionnels.

32. Le psychologue doit sauvegarder son indépendance professionnelle et éviter toute situation où il serait en conflit d'intérêts.

33. Dès qu'il constate qu'il se trouve dans une situation de conflit d'intérêts ou qu'il risque de s'y trouver, le psychologue doit définir la nature et le sens de ses obligations et de ses responsabilités et en informer son client.

34. Le psychologue ne peut partager ses honoraires avec une autre personne que dans la mesure où ce partage correspond à une répartition des services et des responsabilités.

35. Le psychologue doit s'abstenir d'accepter, en plus de la rémunération à laquelle il a droit, tout avantage, ristourne ou commission relatif à l'exercice de sa profession. De même, il ne doit pas verser, offrir de verser ou s'engager à verser un tel avantage, ristourne ou commission.

36. Pour un service donné, le psychologue ne doit accepter des honoraires que d'une seule source, sauf s'il y a entente écrite entre les parties stipulant le contraire. Il ne doit accepter le versement de ses honoraires que de la part de son client ou de la personne qui en est responsable légalement.

37. Le psychologue ne doit agir, dans la même affaire, que pour l'une des parties en cause. Si ses devoirs professionnels exigent qu'il agisse autrement, le psychologue doit préciser la nature de ses responsabilités et tenir toutes les parties intéressées informées qu'il cessera d'agir si la situation devient inconciliable avec son devoir d'impartialité.

SECTION VI
SECRET PROFESSIONNEL

38. Le psychologue est tenu au secret professionnel.

39. Le psychologue peut être relevé de son secret professionnel par autorisation écrite de son client ou si la loi l'ordonne.

40. Lorsque le psychologue demande à un client de lui révéler des renseignements confidentiels ou lorsqu'il permet que de tels renseignements lui soient confiés, il doit s'assurer que le client est pleinement informé des utilisations diverses qui peuvent être faites de ces renseignements.

41. Le psychologue ne doit pas révéler qu'une personne a fait appel à ses services.

42. Le psychologue doit prendre toutes les mesures raisonnables pour empêcher que ses associés, employés ou autres personnes dont il retient les services ne divulgent les confidences de son client.

43. Le psychologue doit préserver l'anonymat du client lorsqu'il utilise des informations obtenues de celui-ci à des fins didactiques ou scientifiques.

44. Le psychologue doit informer ceux qui participent à une séance de la possibilité que soit révélé un aspect quelconque de la vie privée de l'un ou l'autre d'entre eux et doit les inviter à respecter le caractère confidentiel des informations qu'ils pourront recueillir durant cette séance.

45. Le psychologue appelé à faire une expertise professionnelle devant un tribunal doit informer de son mandat la personne qu'il examine à cet effet. Son rapport et sa déposition devant le tribunal doivent se limiter aux éléments pertinents à la cause.

46. Le dossier tenu par le psychologue ne doit être divulgué qu'avec l'autorisation écrite de son client.

47. Dans le cas où le psychologue désire enregistrer ou filmer une entrevue, il doit au préalable obtenir la permission écrite du client.

48. Lorsque le psychologue exerce sa profession auprès d'un couple ou d'une famille, le droit au secret professionnel de chaque membre du couple ou de la famille doit être sauvegardé.

Le psychologue doit garder secrets les éléments du dossier ou les informations qui proviennent de chacun des membres du couple ou de la famille.

49. Le psychologue ne doit pas faire usage de renseignements de nature confidentielle préjudiciables au client ou en vue d'obtenir un avantage pour lui-même ou pour autrui.

SECTION VII
ACCESSIBILITÉ DES DOSSIERS

50. Sauf pour des motifs justes et raisonnables, le psychologue doit permettre à son client de prendre connaissance des documents qui le concernent dans son dossier et d'obtenir copie de ces documents. Constituent notamment des motifs justes et raisonnables:

1) le risque de compromettre la valeur méthodologique et métrologique d'un test en remettant le protocole au client;

2) le fait que le dossier soit constitué dans le contexte d'un examen de sélection;

3) le fait que la consultation des documents du dossier soit préjudiciable au client.

SECTION VIII
FIXATION ET PAIEMENT DES HONORAIRES

Le psychologue doit demander et accepter des honoraires justes et raisonnables qui sont justifiés par les circonstances et proportionnels aux services rendus.

Il doit notamment tenir compte des facteurs suivants, pour la fixation de ses honoraires:

1) son expérience;

2) le temps consacré à l'exécution du service professionnel;

3) la difficulté et l'importance du service;

4) la prestation de services inhabituels ou exigeant une compétence ou une célérité exceptionnelles.

52. Le psychologue doit fournir à son client toutes les explications nécessaires à la compréhension de son relevé d'honoraires et des modalités de paiement. Le fait que deux psychologues ou plus fournissent des services psychologiques à un même client ou qu'il y ait mise en commun d'honoraires ne dispense pas le psychologue de cette obligation.

53. Le psychologue ne peut exiger à l'avance le paiement de ses honoraires professionnels. Par entente écrite avec son client, il peut cependant exiger une avance pour couvrir le paiement des déboursés nécessaires à l'exécution des services professionnels requis.

54. Le psychologue doit prévenir son client du coût approximatif et prévisible de ses services professionnels.

55. Le psychologue ne peut percevoir des intérêts sur ses comptes qu'après en avoir dûment avisé son client. Les intérêts ainsi exigés doivent être d'un taux raisonnable.

56. Avant de recourir à des procédures judiciaires, le psychologue doit épuiser les autres moyens dont il dispose pour obtenir le paiement de ses honoraires.

57. Lorsque le psychologue confie à une autre personne la perception de ses honoraires, il doit s'assurer que celle-ci procède avec tact et mesure.

CHAPITRE IV
DEVOIRS ET OBLIGATIONS
ENVERS LA PROFESSION

SECTION I
ACTES DÉROGATOIRES

58. En plus des actes mentionnés aux articles 57 et 58 du Code des professions les actes suivants sont dérogatoires à la dignité de la profession:

1) inciter quelqu'un de façon pressante et répétée à recourir à ses services professionnels;

2) réclamer d'un client une somme d'argent pour un service professionnel ou une partie d'un service professionnel dont le coût doit être assumé par un tiers, à moins qu'il y ait une entente formelle à cet effet entre le psychologue, le client et ce tiers;

3) conseiller ou encourager un client à poser un acte illégal ou frauduleux;

4) communiquer avec un plaignant, sans la permission écrite et préalable du syndic de la corporation, lorsque le psychologue est informé d'une enquête sur sa conduite ou sur sa compétence professionnelle ou lorsqu'il a reçu signification d'une plainte à son endroit;

5) présenter à un client une note d'honoraires pour entrevue, communication ou correspondance avec le syndic dans le cas où ce dernier a demandé au psychologue des explications ou des renseignements concernant une plainte d'un client ou de toute autre personne;

6) réclamer des honoraires pour des actes professionnels non rendus;

7) fournir un reçu ou un autre document indiquant d'une manière fausse que des services ont été rendus;

8) ne pas informer le plus tôt possible la corporation qu'un candidat ne respecte pas les conditions d'admission à la corporation;

9) ne pas informer le plus tôt possible la corporation du fait qu'une personne usurpe le titre de psychologue;

10) ne pas informer la corporation qu'il a des raisons de croire qu'un psychologue est incompétent ou déroge à la déontologie professionnelle;

11) avoir des relations sexuelles avec son client.

SECTION II
RELATIONS PROFESSIONNELLES

59. Le psychologue doit répondre dans les plus brefs délais à toute correspondance provenant du syndic de la corporation des enquêteurs ou des membres du comité d'inspection professionnelle agissant en leur qualité.

60. Le psychologue ne doit pas surprendre la bonne foi d'un collègue ou se rendre coupable envers lui d'un abus de confiance ou de procédés déloyaux. Il ne doit pas, notamment, s'attribuer le mérite de travaux qui revient à un collègue.

61. Le psychologue consulté par un collègue doit fournir à ce dernier son opinion et ses recommandations dans le plus bref délai possible.

62. Le psychologue qui exerce conjointement sa profession avec d'autres psychologues ou avec d'autres personnes doit veiller à ce que cette pratique ne cause aucun préjudice au client.

63. Le psychologue appelé à collaborer avec un autre psychologue ou avec une autre personne doit préserver son autonomie professionnelle. Il n'est pas tenu d'accomplir une tâche contraire à sa conscience professionnelle ou aux principes régissant l'exercice de sa profession.

Il doit informer la corporation des pressions qu'il subit et qui nuisent à l'exercice de sa profession.

64. Le psychologue à qui la corporation demande de participer à un arbitrage des comptes, à un comité de discipline ou d'inspection professionnelle doit accepter cette fonction à moins de motifs exceptionnels.

65. Le psychologue doit, dans la mesure du possible, contribuer au développement de sa profession par l'échange de ses connaissances et de son expérience avec ses collègues et les étudiants et par sa participation aux cours et aux stages de formation continue.

SECTION III
DÉCLARATIONS PUBLIQUES

66. Dans ses déclarations publiques traitant de psychologie, le psychologue doit éviter le recours à l'exagération ainsi que toute affirmation revêtant un caractère purement sensationnel.

67. Le psychologue qui donne publiquement des informations sur les procédés et techniques psychologiques doit indiquer clairement les restrictions qui s'appliquent à l'usage de ces procédés et de ces techniques.

68. Le psychologue doit éviter de discréditer auprès du public les méthodes psychologiques usuelles ou nouvelles, différentes de celles qu'il emploie, quand celles-ci satisfont aux principes scientifiques généralement reconnus en psychologie.

69. Dans toute activité de consultation professionnelle s'adressant au public, par le truchement de conférences ou de démonstrations publiques, d'articles de journaux ou de magazines, d'émissions de radio ou de télévision, de textes ou de messages adressés par courrier, le psychologue doit prendre soin de souligner la valeur relative des informations ou conseils donnés à cette occasion.

70. Le psychologue doit s'abstenir de participer en tant que psychologue à toute forme de réclame publicitaire recommandant au public l'achat ou l'utilisation d'un produit quelconque.

71. Le psychologue qui participe à la distribution commerciale d'instruments, de volumes ou d'autres produits concernant la psychologie doit appuyer toute affirmation touchant l'opération, les avantages et le rendement de ces produits sur des preuves professionnellement et scientifiquement acceptables.

SECTION IV
NORMES D'UTILISATION DES TESTS PSYCHOLOGIQUES

72. En tout ce qui concerne l'administration, l'interprétation et l'utilisation des tests psychologiques ainsi que la publication des tests et l'information que doivent contenir les manuels et documents s'y rattachant, le psychologue doit s'en tenir aux principes scientifiques généralement reconnus en psychologie, notamment ceux énumérés dans le manuel publié par l'American Psychological Association, « Standards for Educational and Psychological Tests ».

73. Le psychologue doit s'abstenir d'administrer des tests par correspondance, à moins que le test n'ait été conçu à cette fin.

SECTION V
INTERPRÉTATION DU MATÉRIEL PSYCHOLOGIQUE

74. Le psychologue doit interpréter le matériel psychologique avec prudence.

75. Le psychologue ne peut remettre à autrui, sauf à un autre psychologue les données brutes et non interprétées inhérentes à une consultation psychologique.

76. Dans tout rapport psychologique, écrit ou verbal, le psychologue doit s'en tenir à son interprétation du matériel psychologique relié à la consultation, à ses conclusions et à ses recommandations.

77. Le psychologue doit éviter toute possibilité de fausse interprétation ou d'emploi erronée des informations qu'il fournit à autrui.

SECTION VI
PRÉCAUTIONS À PRENDRE DANS LA RECHERCHE

78. Avant d'entreprendre une recherche, le psychologue doit en évaluer les conséquences pour les participants. Notamment:

1) il doit consulter toute personne susceptible de l'aider dans sa décision d'entreprendre la recherche ou dans l'adoption de mesures particulières pour éliminer les risques pour les participants;

2) il doit s'assurer que tous ceux qui collaborent avec lui à la recherche partagent son souci du respect intégral des participants;

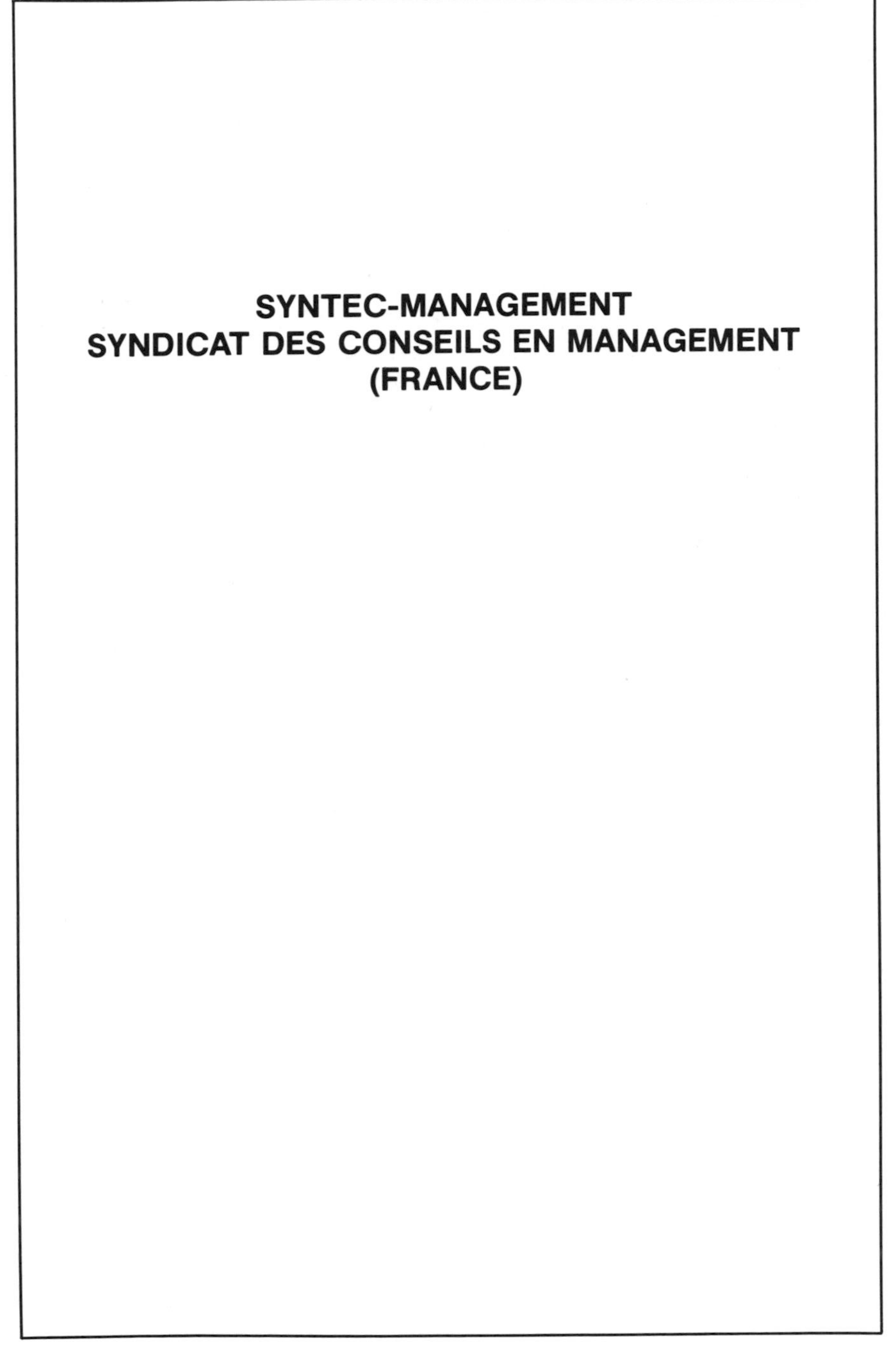

SYNTEC-MANAGEMENT
SYNDICAT DES CONSEILS EN MANAGEMENT
(FRANCE)

Reproduit avec la permission de Syntec-Management (France).

POUR MÉRITER LA CONFIANCE

la déontologie professionnelle

Les dirigeants des Sociétés d'Études et de Conseil, membres de Syntec-Management, sont tenus de respecter et de faire respecter par leurs collaborateurs les principes généraux régissant l'exercice des activités libérales, et notamment les règles suivantes, qui constituent le Code d'Honneur de leur profession.

Ils s'engagent, en particulier, à :

1 N'accepter aucune mission que leur organisation ne soit qualifiée pour remplir au mieux des intérêts de celui qui la lui confie.

2 Faire preuve, en toutes circonstances, d'une entière loyauté à l'égard du client qui les a honorés de sa confiance, et mettre tout en œuvre pour sauvegarder ses intérêts légitimes.

3 N'accepter, pour une mission déterminée, aucune rémunération autre que celle convenue avec le client.

4 S'interdire, en conséquence, de solliciter, ni accepter d'un tiers, à l'insu du client, aucun avantage, commission, rétribution, de quelque nature que ce soit.

5 S'interdire toute démarche, manœuvre ou déclaration susceptible de nuire à la réputation d'un confrère ou d'être préjudiciable à ses affaires.

6 Faire preuve d'esprit de confraternité et d'entr'aide à l'égard des ingénieurs et autres hommes de l'art, avec lesquels ils peuvent être appelés à collaborer.

7 Respecter, dans leurs rapports avec la clientèle, les conditions générales établies par la Chambre Syndicale.

8 S'interdire, pour obtenir des affaires, de recourir à des moyens incompatibles avec la dignité de la profession et, en particulier, de publier des annonces ou textes publicitaires à caractère laudatif.

9 Suivre et faire suivre par leurs collaborateurs un programme de perfectionnement continu, portant sur les connaissances techniques aussi bien que générales, afin d'assurer à la clientèle, le concours de qualité élevée qu'elle est en droit d'attendre et d'exiger de la part d'une Société membre de Syntec.

UNE GARANTIE DE MORALITE

Bibliographie et références

ABRAMOVITZ, A.B. (1958) Methods and techniques of consultation. *American Journal of Orthopsychiatry*, 28, January, pp. 126-133.

ACADEMY OF MANAGEMENT (1978) *Standards of professional conduct for academic/management consultants.* New-York, N.Y.: Division of Managerial Consultation, Academy of Management.

ACCOUNTANCY (1968) Council statement on consultancy. *Accountancy*, 79, July, pp. 497-498.

ACHILLES, P.G. (1950) Consulting psychology in business and industry *in* Fryer, D.H., Henry, E.R. *Handbook of applied psychology, Vol. 2.* New-York, N.Y.: Rinehard and Company.

ACKOFF, Russell L. (1960) Unsuccessful case studies and why. *Operations Research,* 8, March-April, pp. 259-263.

ADVERTISING AGE (1968) Consultant formed to help employees hire minority executives. *Advertising Age,* August 12, pp. 105.

ALBAN, B. (1974) Further questions about and by a shadow consultant, *Journal of Applied Behavioral Science,* 10, 4, pp. 595-597.

ALBERT, J. (1978) *How to be your own management consultant.* New-York, N.Y.: McGraw-Hill Book Company.

ALBERT, K.J. (1983) *How to solve business problems: the consultant's approach to business problem-solving.* New-York, N.Y.: McGraw-Hill Book Company.

ALBRIGHT, D.E. (1970) The role of private educational consultants in public education. Ph.D. dissertation, University of Iowa.

ALBROOK, Robert (1969) Europe's lush market for advice — american preferred. *Fortune*, 80, July, pp. 128-131.

ALLEN, Roger W. (1962) Management evaluates the management consultant. *Personnel Administration*, 25, September-October, pp. 32-41.

ALPERT, J.L. (1976) Conceptual bases of mental health consultation in the schools. *Professional Psychology*, 7, pp. 619-626.

ALPERT, J.L. (1977) Training and conducting research in consultation: Can they be done simultaneously? Paper presented at 85th annual meeting of American Psychological Association, San Francisco, September.

ALPERT, J.L. MEYERS, J. (1983) *Training in consultation: perspectives from mental health, behavioral and organizational consultation.* Springfield, Ill.: Charles C. Thomas Publisher.

ALTMAN, M.A. WEIL, R. (1978) *Managing your accounting and consulting practice.* New-York, N.Y: Matthew Bender.

AMERICAN ASSOCIATION ENGINEERS COUNCIL (1982) *Public relations guide for consulting engineers.* Washington, D.C.: American Association Engineers Council.

AMERICAN ASSOCIATION OF JUNIOR COLLEGES (1967) *On using and being a consultant.* Washington, D.C.: American Association of Junior Colleges.

AMERICAN ASSOCIATION OF SCHOOL ADMINISTRATORS (1964) *Management surveys for schools: Their uses and abuses.* Washington, D.C.: American Association of School Administrators.

AMERICAN ENTREPRENEURS' ASSOCIATION (1979) *Consulting service... AEA Manual No. 151.* Santa Monica, Cal.: American Entrepreneurs' Association.

AMERICAN HOSPITAL ASSOCIATION (1967) Statement on selection of a consultant for hospitals and health care institutions. *Journal of the American Hospital Association,* 41, July 16, pp. 107-111.

AMERICAN INSTITUTE OF CERTIFIED PUBLIC ACCOUNTANTS (1968) *Guideline for administration of the management advisory services practice: Guidelines Series No. 1.* New-York, N.Y.: American Institute of Certified Public Accountants.

AMERICAN INSTITUTE OF CERTIFIED PUBLIC ACCOUNTANTS (1969) Role in advisory management services. *Management Services,* 6, November-December, pp. 50-53.

AMERICAN INSTITUTE OF CERTIFIED PUBLIC ACCOUNTANTS (1971) *Documentation guides for administration of management advisory services engagements.* New-York, N.Y.: American Institute of Certified Public Accountants.

AMERICAN INSTITUTE OF CERTIFIED PUBLIC ACCOUNTANTS (1974) *Statements on management advisory services.* New-York, N.Y.: American Institute of Certified Public Accountants.

AMERICAN INSTITUTE OF CERTIFIED PUBLIC ACCOUNTANTS (1976) *Guidelines for cooperative management advisory services engagements.* New-York, N.Y.: American Institute of Certified Public Accountants.

AMMER, Dean (1963) When the management consultant is called in. *Purchasing,* December 3, pp. 50-55.

AMMON-WEXLER, J. (1978) *How to create a winning proposal.* Englewood Cliffs, N.J.: Prentice-Hall.

AMONT, R.F. et al. (1958) *Management consulting,* Boston, Mass.: Management Consulting Report Associates.

ANDREYCHUCK, Theodore (1964) Psychology of consulting, *Management Sciences,* March-April, pp. 53-59.

ANTON, Tod A. (1964) Outside specialists and school districts. Ed.D. dissertation, University of Southern California.

ANTONETTI, C. (1974) *Entraînement à l'expression orale.* Paris: Hommes et techniques.

ANUNDSEN, Kristin (1969) Student consultants serve ghetto business clients. *New-York University Alumni News,* December, pp. 8.

APPELBAUM, J. EVANS, N. (1978). *How to get happily published.* New-York, N.Y.: Harper & Row.

APPELBAUM, Steven H. (1973) Just what should an organizational development specialist do? *Personnel Journal,* 52, 3, March, pp. 222-223.

ARCHER, J.N. (1968) Management consultants in government. *O&M Bulletin,* 23, February, pp. 23-28.

ARGALL, S.B.C. (1981) Firm brochures and client newsletters. *The Practical Accountant,* July, pp. 30-33.

ARGYRIS, C. (1961) Explorations in consulting-client relationships, *Human Organizations*, 20, pp. 121-133.

ARGYRIS, C. (1969) Explorations in consulting-client relationships *in* Bennis, W.G., Benne, K.D., Chin, R., *The planning of change*, New-York, N.Y.: Holt, Rinehart and Winston Inc.

ARMSTRONG, J.D. (1965) Getting value from management consultants. *The Manager*, 33, March, pp. 27-29.

ARNOLD, W.J. (1981) From the outside, looking in. *Academic Consultants' Communique*, 9, 2, pp. 2.

ASSOCIATION CANADIENNE DES CONSEILLERS EN ADMINISTRATION (1978) *Rapport annuel*. Montréal, Qué.: Association Canadienne des Conseillers en Administration.

ASSOCIATION MANAGEMENT (1969) Management consultants: what they can and can't do for you. *Association Management*, 18, pp. 8-15.

ASSOCIATION OF CONSULTING ENGINEERS OF CANADA (1976) *The practice of consulting engineering*. Montréal, Qué.: Association of Consulting Engineers of Canada.

ASSOCIATION OF CONSULTING MANAGEMENT ENGINEERS (1954) *How the management consulting profession serves american business*. New-York, N.Y.: Association of Consulting Management Engineers.

ASSOCIATION OF CONSULTING MANAGEMENT ENGINEERS (1966) *Guide to professional practice (suggestions for preparing proposals; interim report practice; survey report practice)*, New-York, N.Y.: Association of Consulting Management Engineers.

ASSOCIATION OF CONSULTING MANAGEMENT ENGINEERS (1966) *Professional practices in management consulting, New-York, N.Y.: Association of Consulting Management Engineers.*

ASSOCIATION OF CONSULTING MANAGEMENT ENGINEERS (1969) *Survey on professional consulting fee arrangements*, New-York, N.Y.: Association of Consulting Management Engineers.

ASSOCIATION OF CONSULTING MANAGEMENT ENGINEERS (1969) *Ethics and professional conduct in management consulting*. New-York, N.Y.: Association of Consulting Management Engineers.

ASSOCIATION OF CONSULTING MANAGEMENT ENGINEERS (1970) *Survey on compensation for professional staff in management consulting firms*, New-York, N.Y.: Association of Consulting Management Engineers.

ASSOCIATION OF CONSULTING MANAGEMENT ENGINEERS (1970) *Survey on staff travel and subsistence expense policies and practices in management consulting firms*, New-York, N.Y.: Association of Consulting Management Engineers.

ASSOCIATION OF CONSULTING MANAGEMENT ENGINEERS (1971) *Selected references on management consulting*. New-York, N.Y.: Association of Consulting Management Engineers.

ASSOCIATION OF CONSULTING MANAGEMENT ENGINEERS (1971) *Interviewing and testing techniques used in selecting management consulting engineers*, New-York, N.Y.: Association of Consulting Management Engineers.

ASSOCIATION OF CONSULTING MANAGEMENT ENGINEERS (1971) *Survey on employee benefits in management consulting firms*, New-York, N.Y.: Association of Consulting Management Engineers.

ASSOCIATION OF CONSULTING MANAGEMENT ENGINEERS (1971) *Personal qualifications of management consultants*, New-York, N.Y.: Association of Consulting Management Engineers.

ASSOCIATION OF CONSULTING MANAGEMENT ENGINEERS (1971) Public ownership of management consulting firms: the case for and against. *Management Consultant*, Summer, pp. 1-4.

ASSOCIATION OF CONSULTING MANAGEMENT ENGINEERS (1972) *How to control the quality of a management consulting assignment,* New-York, N.Y.: Association of Consulting Management Engineers.

ASSOCIATION OF CONSULTING MANAGEMENT ENGINEERS (1975) *Survey on professional consulting fee arrangements,* New-York, N.Y.: Association of Consulting of Consulting Management Engineers.

ASSOCIATION OF CONSULTING MANAGEMENT ENGINEERS (1977) *Key operating ratios in management consulting firms,* New-York, N.Y.: Association of Consulting Management Engineers.

ASSOCIATION OF CONSULTING MANAGEMENT ENGINEERS (1977) *Survey on compensation for professional staff in management consulting firms,* New-York, N.Y.: Association of Consulting Management Engineers.

ASSOCIATION OF CONSULTING MANAGEMENT ENGINEERS (1978) *Selected references on management consulting.* New-York, N.Y.: Association of Consulting Management Engineers.

BABBIE, E.R. (1979) *The practice of social research.* Belmont, Cal.: Wadsworth Publishing Company Inc.

BACKER, T.E. (1981) Organizational consultation: where we stand in 1981. *Consultation,* 1, 1, pp. 5-11.

BACKER, T.E., GLASER, E.M. (1979) *Portraits of 17 outstanding organizational consultants.* Los Angeles, Cal.: Human Interaction Research Institute.

BAKER, John K., SCHAFFER, Robert H. (1969) Making staff consulting more effective, *Harvard Business Review,* 47, 1, January-February, pp. 62-71.

BALKIN, R. (1977) *A writer's guide to book publishing.* New-York, N.Y.: Hawthorne Books.

BANET, A.G., Jr. (1976) Consultation-skills inventory *in* Pfeiffer, J.W, Jones, J.E. (eds.), *The 1976 annual handbook for group facilitators,* La Jolla, Cal.: University Associates Inc.

BANGEL, Arthur B. (1967) Human relations and the management analyst. *Systems and Procedures Journal,* 18, November-December, pp. 30-32.

BARAIL, Lewis C. (1955) Operations research consultants' role: Increase profits. *Journal of Commerce and Commercial,* September 12, pp. 32.

BARDON, J.I. (1977) The consultee in consultation: preparation and training. Paper presented at 85th annual meeting of American Association, San Francisco.

BARNES, R.H. BUSSE, E.W., BRESSLER, B. (1957) The training of psychiatric residents in consultative skills. *Journal of Medical Education,* 32, pp. 124-130.

BARRETT, James (1970) The problems of the hired specialist. *Business Horizons,* 13, August, pp. 75-80.

BARRON'S (1970) Thinking hard: management consultants ponder far-reaching social problems. *Barron's,* March 9, pp. 5.

BARRY, J.R. (1970) Criteria in the evaluation and consultation. *Professional Psychologist,* 1, pp. 363-366.

BASS, Bernard (1971) The american advisor abroad. *Journal of Applied Behavioral Science,* 7, May-June, pp. 285-308.

BASS. L.W (1959) The administration of external projects. *Industrial and Engineering Chemistry,* 51, April, pp. 97a-98a.

BATES, D.L., LYLE, W.G. (1979) Cost-benefit analysis of consulting engagements *in* Gore G.J., Wright, R.G. *The academic consultant connection.* Dubuque, IOWA: Kendall/Hunt Publishing Company.

BATIE, B.N. (1970) Consultant's eye view can help. *Administrative Management,* 31, April, pp. 71-73.

BEARDWOOD, R. (1969) Doctors of the corporate ego. *Fortune*, 79, pp. 108-110.

BEAUDOIN, O. (1986) *Le counseling en milieu de travail.* Montréal, Qué.: Éditions Agence d'ARC.

BECKHARD, R. (1959) Helping a group with planned change: A case study. *Journal of Social Issues,* 15, 2, pp. 13-19.

BECKHARD, R. (1969) *Organization Development: Strategies and models,* Reading, Mass.: Addison-Wesley Publishing Co. Inc.

BECKHARD, R. (1971) *The leader looks at the consultative process,* Falls Church, Va.: Leadership Resources Inc.

BEISSER, A., GREEN, R. (1972) *Mental health consultation and education.* Palo Alto, Cal.: National Press Books.

BELBECK, Kenneth G. (1968) How do you buy a consultant? *Financial Post*, 62, May 25, pp. 1-11.

BELKIN, G.S. (1984) *Getting published: a guide for businesspeople and other professionals.* New-York, N.Y.: John Wiley & Sons.

BELL, Chip R., NADLER, Leonard (1979) *The client-consultant handbook,* Houston, Tex.: Gulf Publishing.

BENNE, K.D. (1959) Some ethical problems in groups and organizational consultation. *Journal of Social Issues,* 15, 2, pp. 60-67.

BENNE, K.D. (1969) Some ethical problems in group and organizational consultation *in* Bennis W.G., Benne K.D., Chin R., *The planning of change,* New-York, N.Y.: Holt, Rinehart and Winston Inc.

BENNETT, Graham (1965) Can consultants select better executives? *Rydge's,* 38, August, pp. 677-678.

BENNIS, Warren G. (1965) Theory and method in applying behavioral science to planned organizational change. *Journal of Applied Behavioral Science*, 1, 4, pp. 337-339.

BENNIS, Warren G. (1969) *Organizational development: Its nature, origins and prospects.* Reading, Mass.: Addison-Wesley Inc.

BENNIS, W.G., BENNE, K.D., CHIN, R. (1969) *The planning of change.* New-York, N.Y.: Holt, Rinehart and Winston Inc.

BERGAN, J.R. (1977) *Behavioral consultation.* Columbus, Ohio: Merrill.

BERGAN, J.R. TOMBARI, M. (1976) Consultant skill and efficiency and the implementation and outcomes of consultation. *Journal of School Psychology*, 14, 1, pp. 3-13.

BERGMAN, Walter J. (1970) Top management's use of outside services *in* Maynard, H.B., *Top management handbook.* New-York, N.Y.: McGraw-Hill Book Co.

BERGONZOLI, J. (1981) Une formule d'assistance conseil aux petites et moyennes entreprises. Mémoire présenté à l'Institut d'Administration des Entreprises de Bordeaux (France).

BERMONT, H. (1978) *How to become a successful consultant in your own field.* Washington, D.C.: Bermont Books Inc./Consultant's Library.

BERMONT, H. (1979) *The successful consultant's guide to authoring, publishing and lecturing.* Washington, D.C.: Bermont Books Inc./Consultant's Library.

BERMONT, Hubert (1979) *The successful consultant's guide to writing proposals and reports,* Washington, D.C.: Bermont Books Inc./Consultant's Library.

BERMONT, Hubert (1981) *The successful consultant's guide to winning government contracts,* Washington, D.C.: Bermont Books Inc./Consultant's Library.

BERMONT, H. (1981) What does it take to become a successful consultant? *The Professional Consultant,* January, pp. 6-7.

BERMONT, H. (1981) *The consultant's malpractice avoidance manual,* Washington, D.C.: Bermont Books Inc./Consultant's Library.

BERMONT, H. (1982) *The complete consultant: a roadmap to success.* Washington, D.C.: Bermont Books Inc./Consultant's Library.

BERMONT, H. (1982) *Psychological strategies for success in consulting.* Washington, D.C.: Bermont Books Inc./Consultant's Library.

BERMONT, H., GARNIN, A. (1981) *How to win with information or lose without it.* Washington, D.C.: Bermont Books Inc./Consultant's Library.

BERNAY'S, E.L. (1971) Emergence of the public relations counsel: principles and recollections. *Business History Review,* 45, Autumn, pp. 296-316.

BERTZ, Robert (1969) The project consultant: his unique role. Paper presented at the American Personnel and Guidance convention, Las Vegas, March.

BIDWELL, R., LIPPITT, G. (1971) Attitudes of consultants and clients to research on the consultation process. Unpublished paper, The George Washington University.

BIGOOD, R. (1981) *Future markets for consultancy.* Midland, Mi.: Northwood Books.

BLAKE, R., MOUTON, J.S. (1976) *Consultation,* Reading, Mass.: Addison-Wesley.

BLAKE, Robert R., MOUTON, Jane S. (1968) *Corporate excellence through grid organization development.* Houston, Tex.: Gulf Publishing.

BLOCK, P. (1981) *Flawless consulting: a guide to getting your expertise used.* Austin, Tex.: Learning Concepts.

BLUMBERG, A. (1959) A selected annotated bibliography on the consultant relationship with groups. *Journal of Social Issues,* 15, 2, pp. 68.

BLUNDELL, K.D. (1966) British view of the role of the consulting engineer. *Paper Trade Journal, 29,* August, pp. 44-45.

BOB, Murray L. (1969) And a consultant shall lead them. *Library Journal,* 94, January, pp. 44-45.

BOEHME, W. (1956) The professional relationship between consultant and consultee. *American Journal of Orthopsychiatry,* 26, pp. 241-248.

BOEN, J.R., ZAHN, A. (1982) *The human side of statistical consulting.* Belmont, Cal.: Lifetime Learning Publications.

BOETTINGER, H.M. (1975) New directions for management and consultants. *Conference Board Record,* 12, pp. 53-56.

BORDELEAU, Y., BRUNET, L., HACCOUN, R.R., RIGNY, A.J., SAVOIE, A. (1982) *Comprendre l'organisation: approches de recherche.* Montréal, Qué.,: Éditions Agence d'ARC Inc.

BORDIN, Edward S. (1955) Behind the question. *Adult Leadership,* 3, April, pp. 25-26.

BOSTON CONSULTING GROUP (1968) *Management consulting.* Boston, Mass.: The Boston Consulting Group.

BOUSQUIE, G. (1973) *Comment rédiger vos rapports.* Paris: Entreprise Moderne d'Édition.

BOWER, Marvin (1968) How to get more from your agency? *Advertising Age,* November 18, pp. 123-128.

BOWER, Marvin (1968) Personal service firms venture abroad. *Columbia Journal of World Business,* 2, March-April, pp. 49-58.

BOWMAN, P.H. (1959) The role of the consultant as a motivator of action. *Mental Hygiene,* 43, January, pp. 105-110.

BRADFORD, L.P. (1976) *Making meetings work: a guide for leaders and groups members.* San Diego, Cal.: University Associates Inc.

BREWER, G.D. (1973) *Politicians, bureaucrats and the consultant,* New-York, N.Y.: Basic Books.

BRITISH INSTITUTE OF MANAGEMENT (1985) *How to select a management consultant.* London: British Institute of Management Foundation.

BRITTAIN, Victoria (1967) Competition in consultancy. *Times Review of Industry and Technology*, 5, pp. 22-25.

BRODSKY, S.L. (1977) The ambivalent consultee: the special problems of consultation to criminal justice agencies *in* Plog, S.C., Ahmed P.I., *Principles and techniques of mental health consultation.* New-York, N.Y.: Plenum Medical Book Co.

BROEKHUISEN, R.J. (1979) *Graphic communications.* Bloomington, Ill.: McKnight.

BROMBERG, H. (1967) The changing role of consultants. *Datamation*, 13, pp. 29-31.

BROOKE, Peter (1967) Executive search. *Management Decision*, 1, Autumn, pp. 9-11.

BROOKS, H. (1971) Sound off: management consultants are not human. *Optimum*, 2, 1, pp. 65-66.

BROOKS, Harvey (1964) The scientific adviser *in* Gilpin, R., Wright, C., *Scientists and national policy making.* New-York, N.Y.: Columbia University Press.

BROSIN, H.W. (1968) Communication systems of the consultation process. *in* Mendel W.M., Solomon, P., *The psychiatric consultation*, New-York, N.Y.: Grune & Statton.

BROSKOWSKI, A., KHAJAVI, F., MEHRYAR, A. (1973) An evaluation of an in-service training seminar on community consultation and education. *Journal of Community Psychology*, 1, 2, pp. 174-176.

BROWN, R.K. (1967) Research and consultancy in industrial enterprises. *Sociology*, 1, pp. 33-60.

BROWN, R.G. (1966) *Consultantmanship or the art of enjoying your work.* Cambridge, Mass.: Arthur D. Little.

BROWN, James K., LUSTERMAN, Seymour (1971) *Business and the development of ghetto enterprise.* New-York, N.Y.: National Industrial Conference Board.

BROWN, Rosemary (1980) Two cheers for consultancy, *Management Today*, April, pp. 90-97.

BROWN, Stephen, W., JACKSON, Donald W., Jr. (1975) On choosing a management consultant, *Arizona Business Bulletin*, 22, 8, October, pp. 9-14.

BROWN, William R. (1962) Help from the management consultant. *Educational Executives Overview*, 3, November, pp. 36-37.

BRUNET, L. (1983) *Le climat de travail dans les organisations.* Montréal, Qué.: Éditions Agence d'ARC.

BRYSON, Lyman (1951) Notes on a theory of advice. *Political Science Quaterly*, 66, September, pp. 321-339.

BUDSON, R.D. (1979) Consultation to halfway houses. *in* Rogawski, A.S., *New directions for mental health services: Mental health consultations in community settings, no. 3.* San Francisco, Cal.: Jossey-Bass.

BUECHNER, Robert D. (1969) Consultants guidelines for selection. *Parks & Recreation*, 4, September, pp. 54.

BUREAU OF MANAGEMENT CONSULTING SERVICES (1969) *Management consulting is a staff function designed to assist line officers and specialists with their managerial problems.* Ottawa, Can.: The Queen's Printer.

BURKE, Brian (1968) Management services — Concepts to guide management. *Cost and Management*, 42, May, pp. 21-25.

BURKE, Ronald, J. (1971) Psychologists consult with organizations: alternative strategies of involvement. *Canadian Psychologist*, 12, October, pp. 482-497.

BURKE, W.W. (1978) *The cutting edge.* La Jolla, Cal.: University Associates Inc.

BURNS, Alan (1968) The key to solving business problems. *Times*, October 28, pp. 25.

BURNS, J.E. (1971) Some tips on that executive search. *Industrial Management*, 13, May, pp. 15.

BURNSTEIN, H. (1971) Security consultant — the question or answer. *Industrial Security*, 15, August, pp. 39-40.

BUSINESS MANAGEMENT (1963) What happens when a management consultant turns company president? *Business Management*, 24, July, pp. 39-45.

BUSINESS MANAGEMENT (1965) A sensible approach to selecting a consultant. *Business Management*, 27, 6, pp. 69-70.

BUSINESS MANAGEMENT (1965) How to conduct a post-mortem on a management consultant. *Business Management*, December, pp. 47-49.

BUSINESS QUATERLY (1966) Form first professional institute for management consultants. *Business Quaterly*, 31, Winter, pp. 29.

BUSINESS WEEK (1954) What makes business call in the doctors? *Business Week*, December 11, pp. 66-68.

BUSINESS WEEK (1957) Selling U.S. advice to Europe. *Business Week*, December 21, pp. 74-77.

BUSINESS WEEK (1960) Public relations today. *Business Week*, July 2, pp. 40-62.

BUSINESS WEEK (1963) Famous firsts: man who asked the right questions. *Business Week*, August 31, pp. 74-75.

BUSINESS WEEK (1963) Famous firsts: high priest of efficiency. *Business Week*, June 22, pp. 100.

BUSINESS WEEK (1965) What management consultants can do. *Business Week*, January 23, pp. 85.

BUSINESS WEEK (1966) Linking computers to french logic. *Business Week*, December 24, pp. 96-98.

BUSINESS WEEK (1967) How McKinsey minds its business. *Business Week*, November 18, pp. 175-176.

BUSINESS WEEK (1967) Consultants with a flair for math. *Business Week*, September 16, pp. 196-198.

BUSINESS WEEK (1967) Three-star civilian with big ideas. *Business Week*, October 14, pp. 78-80.

BUSINESS WEEK (1969) Management outlook, *Business Week*, October 18, pp. 157.

BUSINESS WEEK (1970) An outside job fills the product gap. *Business Week*, May 16, pp. 54.

BUSINESS WEEK (1971) A.D. Little's general takes full command. *Business Week*, November 27, pp. 24.

BUSINESS WEEK (1971) Consultants clash over ownership. *Business Week*, November 27, pp. 66-72.

BUSINESS WEEK (1971) Who can wear a consultant's hat? *Business Week*, June 19, pp. 41-42.

BUSINESS WEEK (1975) When B-Schoolers act as company consultants. *Business Week*, July 28, pp. 36-37.

BUSINESS WEEK (1979) The new shape of management consulting, *Business Week*, May 21, pp. 98-104.

CAHIER INSTITUT DE SOCIOLOGIE (1952) *Les conseils d'entreprise en Belgique*. Bruxelles, Belg.: Université de Bruxelles.

CALDER, Grant H. (1964) *Small business counseling: an evaluation of techniques*. Salt Lake City, Utah: Bureau of Economic and Business Research, University of Utah.

CALDWELL, Kenneth S., LOWERY, Joseph M. (1962) Role of management consultants in government. *Municipal Finance*, 34, May, pp. 138-144.

CALLAGHAN, J.J. (1968) Economic studies by management consultants. *Canadian Chartered Accountant*, 92, February, pp. 129-130.

CAMPBELL, Robert M. (1966) A methodological study of the utilization of experts in business forecasting. Ph.D. dissertation, University of California Los Angeles.

CANADIAN BUSINESS (1967) A guide to the use of management consultants. *Canadian Business*, 40, July, pp. 58-61.

CANADIAN SATURDAY NIGHT (1962) Saints and some sinners. *Canadian Saturday Night*, 77, August, pp. 59.

CAPALDINI, L.A. (1970) Management consultants in bank marketing. *Bankers Magazine*, 153, Winter, pp. 50-56.

CAPLAN, G. (1970) *The theory and practice of mental health consultation*, New-York, N.Y.: Basic Books.

CAPLAN, G. (1977) Mental health consultation: Retrospect and prospect. *in* Plog, S.C. and Ahmed, P.I., *Principles and techniques of mental health consultation*. New-York, N.Y.: Plenum Medical Book Co.

CAPLAN, R.B. (1972) *Helping helpers to help*. New-York, N.Y.: Seabury Press.

CARLSON, Robert O. (1953) How can the social scientist meet the needs of advertisers? *Printers' Ink*, 245, October 30, pp. 44-56.

CARLSON, Robert O. (1961) High noon in the research market place. *Public Opinion Quaterly*, 25, Fall, pp. 331-341.

CARPER, Edith (1965) *The reorganization of the public health service (Inter-University case program #89)*. Indianapolis: The Bobbs-Merrill Co.

CARTER, B.D., CAZARES, P.R. (1976) Consultation in community mental health. *Community Mental Review*, 1, 5, pp. 4-13.

CARTWRIGHT, J. (1979) The experience of a small city in managing the consultant process. *Public Administration Review*, May-June, pp. 214-218.

CENTER FOR ECONOMIC ACTION (1967) *Utilizing a college's ressources to provide management assistance to business firms in Southern West Virginia*. Athens, W.V.: Center for Economic Action.

CHALOFSKY, N.E. (1979) The evolving role of the federal training consultant *in* Bell, C.R., Nadler, L. *The client-consultant handbook*. Houston, Tex.: Gulf.

CHANDY, J.M. (1974) The effets of an in-service orientation on teacher perception and use of the mental health consultant. Unpublished doctoral dissertation, Department of Educational Psychology, University of Texas at Austin.

CHANEY, J. (1979) A brewing controversy *in* Gore G.J., Wright, R.G. *The academic consultant connection*. Dubuque, Iowa: Kendall/Hunt Publishing Company.

CHANLAT, A. (1982) Le métier de consultant en question. *Systèmes*, Septembre, pp. 6-9.

CHARLEBOIS, M. (1981) Intervention psychosociale en milieu organisationnel. Essai-synthèse. Département de psychologie, Université de Sherbrooke.

CHARLESWOTH, Harold (1971) Further thoughts on management assistance. *Journal of Small Business Management*, 9. January, pp. 1-5.

CHARTERS, W.W., Jr. (1955) Stresses in consultation. *Adult Leadership*, 3, April, pp. 21-22.

CHATELAIN, J.P. (1972) *L'organisation et la gestion du cabinet de l'expert-comptable, du comptable agréé et du commissaire aux comptes*. Paris: Orgagestion.

CHEDZEY, C.S. (1965) Management sciences limited. *Operations Research Quarterly*, 16, pp. 265-274.

CHEMICAL WEEK (1960) In the middle: multiclient market research. *Chemical Week*, 87, November 5, pp. 73-80.

CHEMICAL WEEK (1971) Management consultants: bargain at high prices. *Chemical Week*, 108, January 13, pp. 33-34.

CHÉNIER, P. (1983) Le succès d'une intervention réside dans l'harmonie de la relation avec le conseiller. *Les Affaires*, 19 novembre, pp. 34-35.

CHERNISS, C. (1978) The consultation readiness scale: an attempt to improve consultation practice. *American Journal of Community Psychology*, 6, 1, pp. 15-21.

CHESLER, M.A., ARNSTEIN, F. (1970) The school consultant: change agent or defender of the status quo? *Integrated Education*, 8, 4, pp. 19-25.

CHESLER, M.A., BRYANT, B.I., CROWFOOT, J.E. (1975) Consultation in schools: inevitable conflict, partisanship, and advocacy. Paper presented at 83rd annual meeting of American Psychological Association, Chicago, August.

CLARK, F.A., CHERNS, A.B. (1970) A role for social scientists in organizational design *in* Heald G., *Approaches to the study of organizational behavior*. London, Eng.: Tavistock Publications.

CLARK, Peter, A., FORD, Janet R. (1970) Methodological and theoretical problems in the investigation of planned organizational change. *Sociological Review*, 18, March, pp. 29-52.

COE, C.K. (1979) *Consulting engineer: getting the most from professional service*. Athens, Ga.: University of Georgia Press.

COHEN, S. (1981) *Consulting engineering practice manual*. New-York, N.Y.: McGraw Hill Books Company.

COHEN, W. (1985) *How to make it big as a consultant*. New-York, N.Y.: Amacom.

COHEN, W.A. (1981) *How to sell to the government*. New-York, N.Y.: John Wiley & Sons.

COLLEGE MANAGEMENT (1968) Is there a consultant in your budget. *College Management*, November, pp. 16-22.

COLLERETTE, P., DÉLISLE, G. (1982) *Le changement planifié: une approche pour intervenir dans les systèmes organisationnels*. Montréal, Qué.: Éditions Agence d'ARC.

COLLIGAN. R. (1983) Training school psychologists for consultation. Paper presented at 81st annual meeting of American Psychological Association, Montreal.

COMBS, A.W., AVILA, D.L., PURKEY, W.W. (1971) *Helping relationships: basic concepts for the helping professions*. Boston, Mass.: Allyn and Bacon.

COMPTROLLER GENERAL OF THE UNITED STATES (1980) *Government earns low marks on proper use of consultants*. Washington, D.C.: U.S. General Accounting Office.

CONNELL, Edward A. (1963) The value of consultants, *American City*, 78, December, pp. 99-100.

CONNOR, R.A. Jr. (1981) Client-centered marketing: a survival strategy. *The Practicing CPA*, April, pp. 6-7.

CONNOR, R.A. Jr. DAVIDSON, J.P. (1983) Professional services consultants offer strategies. *The Washington Business Journal*, April 18, pp. 3.

CONNOR, R.A. Jr., DAVIDSON, J.P. (1985) *Marketing your consulting and professional services*. New-York, N.Y.: John Wiley & Sons.

CONNOR, R.A. Jr., Rowe, G.R. Jr. (1980) How to use your management letters to increase your fees. *The Practical Accountant*, 13, 1, pp. 51-55.

CONNOR, R.A. Jr., White, J.L. (1976) How to write client-centered management letters. *C.A. Magazine*, May, pp. 58-60.

CONOLEY, J.C. (1981) *Consultation in schools: Theory, research, procedures.* New-York, N.Y.: Academic Press.

CONQUET, A. (1973) *Comment écrire pour être lu et compris.* Paris: Éditions du Centurion.

CONQUET, A. (1977) *Comment faire un exposé.* Paris: Éditions du Centurion.

CONSOMMATION ET CORPORATIONS CANADA (1978) *Sélection, enregistrement et protection des noms corporatifs.* Ottawa, Can.: Ministère des Approvisionnements et Services Canada.

COOPER, Ian (1967) Consultants at cost. *Times Review of Industry and Technology*, 5, July, pp. 44-45.

COOPER, L. (1977) How to make more effective use of your training consultants. *Training and Development Journal,* 31, 3, pp. 16-18.

COOPER, L.G. (1971) Making the most of an educational consultant. *School Management,* 15, pp. 16-17.

CORRIGAN, Dorothy D., GALVIN, H.R. (1968) Library building consultants, problems and ethics. *ALA Bulletin,* 62, May, pp. 505-510.

COSTELLO, J. (1975) The cost of hiring a consultant. *Nation's Business*, September, pp. 6.

COTTON, H. (1967) Making the most of management advice. *Medical Economics*, 44, pp. 247-251.

COVNER, Bernard J. (1947) Principles for psychological consulting with client organizations. *Journal of Consulting Psychology,* 11, September-October, pp. 227-244.

COW, W. (1980) *Marketing architectural and engineering services.* New-York, N.Y.: Van Nostrand Reinhold.

CRAWFORD, C.C. (1956) *Professional consultants' operations and techniques.* Los Angeles, Cal.: Industrial Department Los Angeles Chamber of Commerce.

CRAWFORD, J., Kielsmeier, C. (1970) *Proposal writing.* Portland, Or.: Continuing Education Publication.

CRAY, Douglas W. (1970) N.Y.U. students organize to aid ghetto area businessmen. *New-York Times,* February 14, pp. 33.

CRISSY, William J.E. (1953) Are you hiring a consultant or a parasite? *Management Review,* 42, October, pp. 570-571.

CULBERT, Samuel A. (1969) Training change agents for business and public administration. *in* Runkel, Roger H., and Runkel, M. *The changing college classroom,* San Francisco, Cal.: Jossey-Bass.

CULBERT, Samuel A., REISEL, Jerome (1971) Organization development: an applied philosophy for managers of public enterprises. *Public Administration Review,* 31, March-April, pp. 159-169.

CURTIS, M.J., ZINS, J.E. (1981) *The theory and practice of school consultation.* Springfield, Ill.: Thomas.

CUSTER, G.E. (1959) A look at the personnel consulting business. *Personnel Administration,* 22, September-October, pp. 24-30.

CYERT, R.M., DELL, W.R., MARCH, J.G. (1958) The role of expectations in business decision making. *Administrative Science Quaterly*, 3, December, pp. 307-340.

DACCORD, Jacques (1968) The management consultant. *Executive,* 10, February, pp. 26-29.

DALTON, William (1969) Association consultants: what do they have to offer? *Association Management,* 21, November, pp. 60-62.

DARROW, R.W. (1967) New opportunities for counselors. *Public Relations Quaterly,* 11, Winter, pp. 17-24.

DAUMER, Karl H.J. (1969) Planned organizational development and change: a clinical study. Ph.D. dissertation, Case Western Reserve University.

DAVEY, Neil G. (1971) *The external consultant's role in organizational change.* East Lansing, Mich.: Graduate School of Business Administration, Michigan State University.

DAVIDSON, J.P. (1981) Promoting an accounting practice. *The National Public Accountant,* 26, 11, pp. 21-22.

DAVIDSON, J.P. (1982) The benefits of getting published. *Business Horizons*, 25, 2, March-April, pp. 55-57.

DAVIDSON, J.P., ROSENBERG, B.D. (1980) Contract proposals, *Journal of Applied Management*, July-August, pp. 10.

DAVIDSON, W.D. (1965) Working with consultants. *Industrial Canada*, 65, April, pp. 25-27.

DAVIES, Maurice B.T. (1969) Pitfalls in getting your plan adopted. *Management Services*, 6, May-June, pp. 37-44.

DAVIS, J.M., SANDOVAL, J. (1978) Metaphor in group mental health consultation. *Journal of Community Psychology*, 6, pp. 374-382.

DAVIS, Sheldon (1970) Building more effective teams. *Innovation*, 15, October, pp. 32-41.

DEAN, J. (1940) *The management counsel profession.* Bloomington, Ind.: Indiana University (Social Science Series).

DE FOREST, E. (1960) Our business is different. *Journal of Industrial Engineering,* 11, September-October, pp. 404-405.

DEKOM, A.K. (1969) *The internal consultant,* New-York, N.Y.: American Management Association.

DELANCHE, C. (1977) PME: Attention aux faux consultants. *L'Usine Nouvelle*, Novembre, pp. 84-85.

DELOITTE, HASKINS et SELLS (1981) *La constitution en société.* Montréal, Qué.: Deloitte, Haskins et Sells.

DE LONGEVIALLE, M., Nancy, R. (1968) A french view of consultants for developing countries. *Industrial Research and Development News,* 3, August, pp. 17-20.

DEMORY, B. (1980) *Comment animer des réunions de travail en 60 questions.* Paris: Chotard & Associés.

DENNEY, R.W. (1983) *Marketing accounting services.* New-York, N.Y.: Van Nostrand Reinhold.

DE PASQUALE, John A., LANGE, Richard A. (1971) Job hopping and the MBA. *Harvard Business Review*, 49, November-December, pp. 4-12.

DESSAUER, J. (1980) *Book publishing: what it is, what it does.* New-York, N.Y.: R.R. Bowker.

DEYHLE, Albrecht (1965) Management consulting or management training. *Advanced Management Journal,* 30, January, pp. 5-12.

DE VOTO, D.E. (1962) When and how to use an executive search firm. *Personnel,* 39, November-December, pp. 33-39.

DICK, R.F. (1961) When and how to use a management consultant *in* Marting, E., *The marketing job.* New-York, N.Y.: American Management Association.

DICKSON, P. (1971). *Think Tanks.* New-York, N.Y.: Atheneum.

DIMMA, William A. (1977) Management consultants through clients' eyes, *Optimum,* 8, 3, pp. 37-49.

DINKMEYER, Dan, et al. (1973) *Consulting, facilitating human potential and change processes,* Columbus, Ohio: Charles E. Merrill.

DIRECTOR (1963) Does the consultant earn his keep? *Director*, 15, April, pp. 95-97.

DISCOUNT MERCHANDISER (1969) Managing the management consultant. *Discount Merchandiser*, 9, December, pp. 53-55.

DOBSON, Jack T. (1962) The possibilities and limitations of management consulting as an aid to small business. Ph.D. Dissertation, University of Florida.

DODSWORTH, Terry (1971) Consultants feel the pinch. *Financial Times*, 8, January, pp. 15.

DOHLBERG, A.O. (1965) Economic forecasting and the consultant *in* Webster, F.E. Jr., *New direction in marketing*, Chicago, Ill.: American Marketing Association.

DONEY, L.D. HOUGHTON, W.H. (1971) Effective use of consultants in operational areas, *Data Management*, 9, 1, January, pp. 29-31.

DONHAM, Richard (1940) Management consultants deal with people. *Harvard Business Review*, 19, Autumn, pp. 33-41.

DORR, D. (1978) Training for rapid behavioral consultation. *Professional Psychology*, 9, 2, pp. 198-202.

DORYLAND, C.J. (1974) Toward internal consulting policy, *Proceedings of the 34th Annual Meeting*, New-York, N.Y.: Academy of Management.

DOUSHKESS, William N. (1970) Recording and allocating of professionals' time. *Consulting Engineer*, 35, August, pp. 77-81.

DOWNS, Anthony (1965) Some thoughts on giving people economic advice. *American Behavioral Scientist*, 9, September, pp. 30-32.

DOYLE, A.T. (1967) On dealing with management consultants. *Industrial Canada*, 68, December, pp. 19-20.

DOYLE, Michael, (1976) *How to make meetings work*. New-York, N.Y.: Wyden Books.

DUERR, Carl (1971) The art of using outside helpers, *International Management*, 26, 4, April, pp. 51-54.

DUMONT, M. (1981) J'ai lu cela quelque part... Mais où? *Revue Commerce*, Janvier, pp. 60-64.

DUMONT, M. (1981) Le centre de documentation d'entreprise-I. *Revue Commerce*, Avril, pp. 157-158.

DUMONT, M. (1981) Le centre de documentation d'entreprise-II. *Revue Commerce*, Mai, pp. 148-150.

DUMONT, M. (1981) Le centre de documentation d'entreprise-III. *Revue Commerce*, Juin, pp. 102-103.

DUMONT, M. (1981) Le centre de documentation d'entreprise-IV. *Revue Commerce*, Juillet, pp. 24-25.

DUNCAN, John W. (1971) The beginning management consultant: a study of individual adaptation to complexity. D.B.A. Thesis, Harvard University.

DUNCAN, R.B. (1973) Dimensions to consider in structuring the change agents role. Working Paper, Graduate School of Management, Northwestern University.

DUNHAM, C.F., GREEN, W.E., DOWNER, S.R. (1963) *Management counseling of small manufacturing firms*. Jackson, Ms.: Bureau of business research, University of Mississippi.

DUNNIGAN, J.A., SHENSON, H.L. (1981) *The consultant's guide to proposal writing*. Woodland Hills, Cal.: Howard L. Shenson Inc.

DUN'S REVIEW (1968) Europe's whiz kids. *Dun's Review*, 91, pp. 59-60.

DURBROW, B.R., DURBROW, B.H. (1979) So you want to be a consultant *in* Gore George J., Wright, R.G. *The academic consultant connection*. Dubuque, Iowa: Kendall/Hunt Publishing Company.

DURBROW, Brian R. (1975) The professor-consultant: an analysis for interaction with small business, *Proceedings 35th Annual Meeting of the Academy of Management,* New-York, N.Y.: Academy of Management.

DUSTAN, J., MAKANOWITZKY, B. (1960) *Training managers abroad.* New-York, N.Y.: Council for International Progress in Management.

DYER, W.G. (1976) *Insight to impact: Strategies for interpersonal and organizational change.* San Diego, Cal.: Learning Resources Corporation.

DYÈVRE, F. (1983) Les experts: le supermarché de l'expertise. *Revue Commerce,* Octobre, pp. 75-96.

ECONOMIST (1956) Minding other people's business. *Economist,* 180, August, pp. 509-510.

ECONOMIST (1968) Managing other people's business. *Economist,* June 8, pp. 64-65.

ECONOMIST (1969) Management consultants coming in droves. *Economist*, March 8, pp. 79.

EDEN, Colin, SIMS, David (1979) On the nature of problems in consulting practice, *Omega,* 7, 2, pp. 119-127.

EGERTON, Henry C., BACON, Jeremy (1970) *Consultants: selection, use, and appraisal,* New-York, N.Y.: National Industrial Conference Board.

EISENBERG, T. (1982) Tips on how to prepare effective firm brochure. *The Practical Accountant,* June, pp. 29-32.

EKEY, David C., ROBBINS, W. David (1964) *The use of consultants by manufacturers.* Richmond, Va.: University of Richmond, Bureau of business Research.

ELDIN, Hamed Kamal, SHEHZAD, Sadip (1971) Suggested criteria for selecting foreign management consultants in developing countries. *Management International,* 11, 4-5, pp. 123-132.

ELLSWORTH, John E. (1969) Management consulting in the smaller company. *Conference Board Record,* 6, July, pp. 27-30.

EMORY, C.W. (1980) *Business research methods.* Homewood, Ill.: Richard D. Irwin Inc.

ENGEL, Lee (1969) The moment of truth in management services. *Journal of Accountancy,* 127, February, pp. 33-37.

ENGLISH, J. (1968) Mental health consultation with a government agency. *in* Mendel, W.M. and Solomon, P., *The psychiatric consultation.* New-York, N.Y.: Grune & Stratton.

ENGLISH, J., MARCHIONE, Anthony R. (1977) Consulting: An avenue to academic security. Paper presented to 37th Annual National Academy of Management Meeting, Orlando, Florida.

ENVIRONMENTAL SCANNING (1979) *Consulting manual... Environmental scanning.* Rolling Hills Estates, Cal.: Environmental Scanning.

ESTEP, M.F. (1965) How to conduct a post-mortem on a management consultant. *Business Management,* December, pp. 47-49.

EWING, D.W. (1979) *Writing for results.* New-York, N.Y.: John Wiley & Sons.

EXECUTIVE (1970) Oh god, here come the consultants. Don't panic — chances are good they know less than you do. *Executive*, 12, October, pp. 27-30.

EXTON, W. (1976) On the uses of experts by management, *Conference Board Record,* 13, pp. 53-54.

FAILING, Robert G. (1969) Personal problems of the professional service firm. *Personnel,* 46, November-December, pp. 39-46.

FALK, Roger (1961) *The Business of management, art or craft?* Baltimore, M.D.: Penquin Books.

FANIBANDA, D.K. (1976) Ethical issues of mental health consultation. *Professional Psychology,* 7, pp. 547-552.

FARRELL, John R. (1964) Management reporting for the professional service organization. *NNA Bulletin,* 45, January, pp. 55-62.

FAUST, V. (1968) *The counselor-consultant in the elementary school.* Boston, Mass.: Houghton Mifflin.

FEINBERG, M.R. (1964) Outside consultants to industry: strengths, problems and pitfalls. *Personnel Psychology*, 17, pp. 107-133.

FELDMAN, R.E. (1979) Collaborative consultation: a process for joint professional-consumer development of primary prevention programs. *Journal of Community Psychology*, 7, pp. 118-128.

FENSTER, C.A., SCHLOSSBERG, H. (1979) The psychologist as police department consultant. *in* Platt, J.J. and Wicks, R.J., *The psychological consultant.* New-York, N.Y.: Grune & Stratton.

FENTON, A. (1966) The big, big world of Arthur D. Little. *Executive,* 8, pp. 32-37.

FENVESSY, S., PAKENHAM-WALSH, S. (1977) Pro and con on management consultants, *Administrative Management*, 38, pp. 126.

FERGUSON, C.K. (1968) Concerning the nature of human systems and the consultants role. *Journal of Applied Behavioral Science,* 4, 2, pp. 179-193.

FERGUSON, C.K. (1969) Concerning the nature of human systems and the consultant's role *in* Bennis W.G., Benne K.D., Chin R. *The planning of change,* New-York, N.Y.: Holt, Rinehart and Winston Inc.

FILLES, Seymour (1963) Ideas for a better consultant-client relationship. *Business Horizons,* 6, Summer, pp. 37-45.

FINANCIAL POST (1966) What Ottawa learned when it probed probes. *Financial Post,* 60, August, 27, pp. 16.

FINANCIAL POST (1968) Management consultants help in modernization. *Financial Post,* February, 10, pp. Q6-Q7.

FINANCIAL POST (1968) How part-time experts aid small companies? *Financial Post,* 62, October 26, pp. 14.

FINANCIAL POST (1969) CAMC firms say billings rise 20 % to $ 18 million. *Financial Post,* 63, June 28, pp. 40.

FINANCIAL POST (1970) Factories like free advice via Nova Scotia Government. *Financial Post,* 64, September 26, pp. 35.

FINN, D. (1960) *Public relations and management.* New-York, N.Y.: Reinhold Publishing Corporation.

FINNEY, John. W. (1968) Institute set up to aid the cities. *New-York Times*, April 27, pp. 1.

FISH, E.R. (1967) Profitability reporting in a professional consulting firm. *Management Accounting,* 48, March, pp. 20-22.

FISHER, Norman (1967) How to get the most out of your consultant, *Management Decision,* Spring, pp. 60-62.

FITZGERALD, Stephen E. (1959) How do counselors charge for services? *Public Relations Journal*, 15, October, pp. 18-20.

FLANDERS, Allen (1964) *The fawley productivity agreement.* London, Eng.: Faber & Faber.

FORBES (1962) Top adviser to top boss. *Forbes*, 89, February 15, pp.34-35.

FORBES (1966) *Marvin Bower: analyzing the analyst. Forbes*, 88, pp. 24-25.

FOREST, R.B. (1977) The care and feeding of consultants, *Info Systems*, 24, pp. 72.

FORTUNE (1944) Doctors of management, *Fortune,* July, pp. 142.

FOSTER, G. (1971) Urwick Orr's unique proposition. *Management Today*, pp. 88-93.

FRANCIS, Lee, F. (1976) Providing a link to foreign countries. *Consulting Engineer*, March, pp. 91-93.

FRANKENHUIS, J.P. (1979) How to get a good consultant. *in* Bell, C.R. and Nadler, L., *The client-consultant handbook*. Houston, Tex.: Gulf Publishing Co.

FRANKENHUIS, Jean-Pierre (1977) How to get a good consultant, *Harvard Business Review*, November-December, pp. 133-139.

FREIVALDS, John (1970) The consultant's dilemma: an industry in transition. *Internal Development Review*, 12, 3, pp. 25.

FRIEDLANDER, Frank (1968) A comparative study of consulting processes and group development. *Journal of Applied Behavioral Sciences*, 4, October-December, pp. 377-399.

FRIEDMAN, M., KUZNETS, S. (1945) *Income from independant professional practice*. New-York, N.Y.: National Bureau of Economic Research.

FRODSHAM, Anthony (1968) Consultants join the team. *Financial Times*, 30, September, pp. 19.

FUCHS, J.H. (1975) *Management consultants in action*, New-York, N.Y.: Hawthorne Books.

FUCHS, J.H. (1977) Consultants move to the executive suite, *Business Week*, November 7, pp. 78-79.

FUCHS, Jerome H. (1975) *Making the most of management consulting services*, New-York, N.Y.: American Management Association.

FULOP, Christina (1971) *Markets for employment*. London, Eng.: Institute of Economic Affairs.

GAGNON, D. (1986) *Le développement organisationnel dans une perspective d'excellence*. Montréal, Qué.: Éditions Agence d'ARC.

GAGNON, J.H. (1981) *La relation d'association dans une entreprise non incorporée*. Montréal, Qué.: Éditions Agence d'ARC.

GAGNON, J.H. (1981) *La relation d'association dans une entreprise incorporée*. Montréal, Qué.: Éditions Agence d'ARC.

GALE, Robert J. (1970) Internal management consulting in modern business. *Financial Executive*, 38, March, pp. 16-19.

GALLAGHER, W.J. (1969) *Report writing for management*. Reading, Ma.: Addison-Wesley.

GALLESSICH, J. (1972) A systems model of mental health consultation. *Psychology in the schools*, 9, 1, pp. 13-15.

GALLESSICH, J. (1973) Organizational factors influencing consultation in schools. *Journal of School Psychology*, 11, pp. 57-65.

GALLESSICH, J. (1974) Training the school psychologist for consultation. *Journal of School Psychology*, 12, 2, pp. 138-149.

GALLESSICH, J. (1980) Consultation. *in* Delworth, U., Hanson, G.R., *Student services: A handbook for the profession*. San Francisco, Cal.: Jossey-Bass Publishers.

GALLESSICH, J. (1980) Training psychologists for consultation with organizations. Paper presented at National Conference on Consultation Training, Montreal.

GALLESSICH, J. (1982) *The profession and practice of consultation*. Washington, D.C.: Jossey-Bass Publishers.

GALLESSICH, J., LADOGANA, A. (1978) Consultation training program for school counselors. *Counselor Education and Supervision*, 18, pp. 100-108.

GANESH, S.R. (1971) Choosing an OD consultant. *Business Horizons*, 14, October, pp. 49-55.

GANGUIN, E. (1971) British prisons call on MBO. *Financial Times*, March 5, pp. 12.

GARLICK, R.J. (1968) Management services a guide for selecting management consultants. *Cost and Management*, 42, June, pp. 22-25.

GARRISON, G. (1968) *The changing role of state library consultants.* Champagne, Ill.: Uuniversity of Illinois Press.

GARVIN, Andrew P., BERMONT, Hubert (1980) *How to win with information or lose without it,* Washington, D.C.: Bermont Books.

GASKELL, Philip (1978) *From writer to reader.* Oxford, Eng.: Clarendon Press.

GAUBERT, G. (1977) *Comment rédiger les documents professionnels.* Paris: Eyrolles.

GAUTHIER, B. (1984) *Recherche sociale.* Québec: Presses de l'Université du Québec.

GÉLINAS-BEAUCHAMP, C. (1982) Les principaux cabinets-conseils en administration au Québec, *Les Affaires*, 20 novembre, pp. 26-27.

GÉLINAS-BEAUCHAMP, C. (1983) Tableau des principaux cabinets-conseils au Québec, *Les Affaires*, 19 novembre, pp. 27-30.

GELINIER, Octave, BAUVIN, Gérard (1969) The new technology of information processing. *Proceedings of the third International Conference of Management Consultants,* New-York.

GENDREAU, P., ANDREWS, D.A. (1979) Psychological consultation in correctional agencies: Case studies and general issues. *in* Platt, J.J. and Wicks, R.J., *The psychological consultant.* New-York, N.Y.: Grune & Stratton.

GEORGE, W.R., SOLOMON, P.J. (1980) Marketing strategies for improving practice development. *The Journal of Accountancy,* February, pp. 79-84.

GERSHON, M.R. (1966) Working with a management consultant. *O & M Bulletin,* 21, May, pp. 64-68.

GETZE, John, (1970) Consulting service firm's business grows in downturn. *State Journal,* June 23, p. D-3.

GIBB, J.R. (1959) The role of the consultant. *Journal of Social Issues,* 15, April, pp. 1-4.

GIBB, J.R., LIPPITT, R. (Eds.) (1959) Consulting with groups and organizations, *Journal of Social Issues,* 15, 2, pp. 1-76.

GIBSON, R.E. (1971) *Managing professional services enterprises.* New-York, N.Y.: Pitman Publishing Corporation.

GITELMAN, Robert E. (1969) Toward more effective client communication. *Management Services,* 6, March-April, pp. 35-37.

GIULIANO, Vincent E. (1967) Communication levels involved in change. *Financial Executive,* 25, August, pp. 12.

GLASER, E.M. (1958) Psychological consultation with executives: a clinical approach. *American Psychologist*, 13, pp. 486-489.

GLASER, E.M. (1980) Evaluating consultation effectiveness: the views of 18 experienced consultants. Conference at the Annual American Psychological Association Convention, Montreal.

GLASER, E.M. (1981) Ethical issues in consultation practice with organizations. *Consultation,* 1, 1, pp. 12-16.

GLASER, Edward, M. (1965) Organizational arteriosclerosis: its diagnosis and treatment. *Advanced Management Journal,* 30, January, pp. 21-28.

GLASER, R., OTTO, C. (1970) 9 steps in getting the most of a training consultant. *Training in Business and Industry,* 7, 4, April, pp. 61.

GLASSER, J. (1969) The making of an entrepreneur, *MBA,* December, pp. 28-30.

GLASSMAN, Alan M., BAUM, Paul (1977) The role of survey research in organizational consulting. Paper presented to 37th Annual National Academy of Management Meeting, Orlando, Florida.

GLEECK, F. (1986) *Consultants manual.* Boca Raton, Fl.: Growth Resources Inc.

GLEECK, F. (1986) *How to start and build a consulting practice in your own field.* Boca Raton, Fl.: Growth Resources Inc.

GLEECK, F. (1986) *Marketing public seminars.* Boca Raton, Fl.: Growth Resources Inc.

GLEECK, F. (1986) *Selling consulting services.* Boca Raton, Fl.: Growth Resources Inc.

GLIDEWELL, John C. (1959) The entry problem in consultation. *Journal of Social Issues,* 15, 2, pp. 51-59.

GLOCK, Charles Y. (1961) *Case studies in bringing behavioral science into use.* Stanford, Cal.: Institute for Communication research, Stanford University.

GOLDE, Roger A. (1969) *Can you be sure of your experts?* London, Eng.: The MacMillan Co.

GOLDSTEIN, D.A. (1982) Marketing lawyers services in the 1980's, *New-York State Bar Journal,* June, pp. 202.

GOLIGHTLY, Henry O. (1964) How to select and effectively use a management consultant. *International Management,* 19, November, pp. 47-48.

GOOD, W. (1980) *Selling consulting services.* Woodland Hills, Cal.: Howard L. Shenson.

GOODMAN, J. (1980) *How to publish, promote and sell your book.* Chicago, Ill.: Adams Press.

GOODMAN, Ronald (1967) Excellence, an urgent need for public relations counselors. *Public Relations Quaterly,* 11, Winter, pp. 31-35.

GOODRYDER, E. (1978) *How to earn money as a consultant.* Boston, Ma.: Business Psychology.

GOODSTEIN, Leonard D. (1978) *Consulting with human service systems,* Reading, Mass.: Addison-Wesley.

GORDON, J.S. (1979) Consultation with youth programs. *in* Rogawski, A.S., *New directions for mental health services: Mental health consultations in community settings, No. 3.* San Francisco, Cal.: Jossey-Bass.

GORDON, Walter L. (1957) The chartered accountant's role as business advisor. *Canadian Chartered Accountant,* 71, October, pp. 315-322.

GORE, G.J., WRIGHT, R.G. (1979) *The academic consultant connection,* Dubuque, Iowa: Kendall/Hunt Publishing Company.

GOTTFRIED, Ira S. (1969) Selecting a consultant. *Journal of Data Management,* 7, October, pp. 32-35.

GOTTFRIED, Ira S. (1969) Consulting consultants. *Data Management,* 7, June, pp. 44-45.

GOUDREAU, M.L., MURRAY, Y. (1983) *Introduction à la gestion d'un bureau en pratique privée.* Montréal, Qué.: Corporation Professionnelle des Psychologues du Québec.

GOULD, C.T. (1967) Fitting management consultancy to the small man's pocket. *British Industry Week,* 17, March, pp. 20-21.

GOULDNER, A.W. (1961) Engineering and clinical approaches to consulting, *in* Bennis W.G., Benne K.D., Chin R. (Eds.) *The planning of change,* New-York, N.Y.: Holt, Rinehart and Winston.

GOULDNER, Alvin W. (1956) Explorations in applied social science. *Social Problems,* 3, pp. 169-180.

GOWAN, V.Q. (1979) *Consulting to government.* Ottawa, Can.: Infoscan Ltd.

GRANGER, Marshall (1954) Concerning management consultants. *Controller,* 22, November, pp. 507-509.

GRATWICK, John (1969) The role of the consultant in the new world economy *in* Association of Consulting Management Engineers. *Proceedings of the third international conference of management consultants.* New-York, N.Y.: Association of Consulting Management Engineers.

GRAY, D. (1984) *Start and run a profitable consulting business.* Seattle, Wa.: Self Counsel Press.

GRAZIANO, A.M. (1972) The consultant, the client, and hidden assumptions. *in* Zusman, J. and Davidson, D.L., *Practical aspects of mental health consultation*. Springfield, Ill.: Thomas.

GREEN, Howard L. (1963) Management consultants: How to know what you're getting and get what you pay for. *Management Review*, 52, 12, December, pp. 5-16.

GREEN, Howard L. (1963) Choosing and using retailing consultants. *Journal of Retailing*, 38, Winter, pp. 7-16.

GREEN, T.B., RAY, D. (1973) Consulting: a fountainhead of research opportunity, *Proceedings Academy of Management 33rd Annual Meeting*, Boston.

GREEN, Thad B., et al. (1977) How do your quantitative specialists stack-up? *Business and Economic Perspectives*, Spring, pp. 41-47.

GREEN, William, DOWNER, Selby R., CERNY, Joseph (1963). *Case studies in management counseling of small manufacturers*. Jackson, Ms.: School of Business and Government, University of Mississippi.

GREENBERG, D.S. (1968) Consulting: U.S. firms thrive on jobs for European clients. *Science*, 162, pp. 986-987.

GREENE, Paul M. (1969) So you're going to hire a consultant? *S.A.M. Advanced Management Journal*, 34, July, pp. 44-48.

GREENHOUSE, Samuel M. (1965) Management consultants; analysts or counselors? *Advanced Management Journal*, 30, January, pp. 52-54.

GREINER, L.E., METZGER, R.O. (1982) *Consulting to management*. Englewood Cliffs, N.J.: Prentice-Hall.

GREINER, Larry E. (1967) Patterns of organization change. *Harvard Business Review*, 45, May-June, pp. 119-128.

GRENIER, C. (1981) Intervention menée auprès d'un syndicat d'hôpital. Essai-synthèse. Département de psychologie. Université de Sherbrooke.

GRETTON, John (1970) Efficiency unlimited. *New Society*, August, pp. 357-359.

GROSSMAN, Lee (1974) *The change agent*, New-York, N.Y.: Amacom.

GRZYBROWSKI, G. (1977) *Parler pour être écouté*. Paris: Entreprise Moderne d'Édition.

GUILFOYLE, Joseph M. (1947) Business doctors. *Wall Street Journal*, May 22, pp. 1.

GUILFOYLE, Joseph M. (1958) Corporate S.O.S. *Wall Street Journal*, May 8, pp. 1.

GUMMESSON, E. (1979) The marketing of professional services — an organizational dilemma. *European Journal of Marketing*, 13, 5, pp. 308-318.

GUNNING, R. (1952) *The technique of clear writing*. New-York, N.Y.: McGraw-Hill Books Inc.

GUSS, Leonard (1966) The care and feeding of marketing consultants. *Journal of Marketing*, 30, July, pp. 6-8.

GUSTAFSON, David, P., DIMARCO, Nicholas J. (1973) The management consultant selection process. *Academy of Management Proceedings*, August, pp. 166-171.

GUTTMAN, H. Peter (1976) *The international consultant*, New-York, N.Y.: McGraw-Hill Books Inc.

GUZZARDI, Walter Jr. (1965) Consultants: the men who come to dinner. *Fortune*, 71, February, pp. 138-141.

HABBE, S. (1956) What about executive recruiters? *Conference Board Management Record*, 18, February, pp. 41-44.

HAMEROFF, E.J., NICHOLS, S.S. (1982) *How to guerantee professional success*. Washington, D.C.: Bermont Books Inc./Consultant's Library.

HAMILTON, David (1968) Whiz-kids of the power game. *New Scientist*, November, pp. 291-293.

HAMRICK, Claude M. Jr. (1969) Management advisory services: expectations and realities. *Oklahoma CPA,* 8, July, pp. 12-17.

HARPER, M. (1976) *Consultancy for small businesses (the concept: training the consultants),* London, Eng.: Intermediate Technology Publications.

HARRINGTON, Joseph, Jr. (1961) Using the services of a consulting research organization *in* Newgarden, Albert, *New concepts in manufacturing management,* New-York, N.Y.: American Management Association.

HARRIS, N.C. (1967) On being a consultant. *Junior College Journal,* 37, pp. 9-13.

HARRISON, Roger (1970) Choosing the depth of organizational intervention. *Journal of Applied Behavioral Science,* 6, April-June, pp. 181-202.

HARVEY, Allen (1970) Factors making for implementation success or failure. *Management Science,* 16, February, pp. 312-321.

HASLETT, J.W. (1971) Decision table for engaging a consultant, *Journal of Systems Management,* July, pp. 12-14.

HAVELOCK, R.G., HAVELOCK, M.C. (1973) *Training for change agents,* Ann Arbor, Mi.: Institute for Social Research.

HAVELOCK, R.G. (1973) *The change agent's guide to innovation in education.* Englewood Cliffs, N.J.: Educational Technology Publications.

HAYDEN, J. (1962) The role of management consultants in implementing business systems *in* Meacham A.D., Thompson V.B. *Total systems.* Detroit, Mic.: American Data Processing.

HELLER, F.A. (1970) Group feed-back analysis as a change agent. *Human Relations,* 23, 4, pp. 319-333.

HENDERSON, B. (1973) *The publish it yourself handbook.* Yonkers, N.Y.: Pushcart Press.

HENDERSON, H. (1974) A new game for the consultants, *Executive Magazine,* 16, February, pp. 31-33.

HENNESSY, E. (1970) More thrust to the smaller firms. *Director,* May, pp. 270-271.

HENRY, K. (1969) The large corporation public relations manager: emerging professional in a bureaucracy? Ph.D. Dissertation, New-York University.

HERSH, B. (1969) Pay Arthur D. Little Inc., and then start listening. *Esquire,* 71, pp. 118-121.

HERUM, John (1971) *Writing: plans, drafts and revisions.* New-York, N.Y.: Random House.

HESS, Donald, P. (1953) The management consultant as a tool for executive development. *Advanced Management,* 18, January, pp. 30-31.

HEYMAN, Victor, K. (1961) Government by contract: Boon or Bane? *Public Administration Review,* 21, Spring, pp. 59-64.

HICKMAN, J.R. (1982) A consultants primer of personal selling. *Journal of Management Consulting,* Fall, pp. 38.

HIGDON, H. (1969) *The business healers,* New-York, N.Y.: Random House.

HILL, G.C. (1971) Think tank's woes. *Wall Street Journal,* December 16, pp. 1-12.

HILL, R. (1966) The consultant business. *International Management,* 21, November, pp. 43-46.

HILTNER, S. (1971) *Le conseiller en consultation.* Paris: Desclee Brouwer.

HIRSCHOWITZ, R.G. (1977) Consultation to complex organizations in transition: The dynamics of change and the principles of applied consultation. *in* Plog, S.C. and Ahmed, P.I., *Principles and techniques of mental health consultation.* New-York, N.Y.: Plenum Medical Book Co.

HOFMANN, A. (1972) *Les graphiques dans la gestion.* Paris: Éditions d'Organisation.

HOLAHAN, C.J. (1977) Consultation in environmental psychology: A case study of a new counseling role. *Journal of Counseling Psychology*, 24, 3, pp. 251-254.

HOLLAND, P. (1972) Ethics and the consultant. Unpublished paper, George Washington University.

HOLLANDER, S.C. (1972) *Management consultants and clients*, East Lansing, Mi.: Michigan State University Press.

HOLLANDER, Stanley C. (1963) *Business consultants and clients*, East Lansing, Mi.: Michigan State University Press.

HOLLANDER, Stanley, C. (1967) *The use of consultants in developing countries*. New-York, N.Y.: United Nations Industrial Development Organization.

HOLT, H. (1965) An application of psychoanalytic group techniques to the management consultant field. *Advanced Management Journal*, 30, pp. 37-43.

HOLTZ, H. (1979) *Government contracts: proposalmanship and winning strategies*. New-York, N.Y.: Plenum Publishing Co.

HOLTZ, H. (1980) *The 100$ billion market*. New-York, N.Y.: Amacom.

HOLTZ, H. (1983) *How to succeed as an independant consultant*. New-York, N.Y.: John Wiley & Sons.

HOLTZ, H. (1983) *Successful newsletter publishing for the consultant*. Glenelg, MD.: Consultants Library.

HOLTZ, H. (1985) *Utilizing consultants successfully: a guide for management in business, government, the arts and professions*. Westport, CT.: Greenwood Press.

HOLTZ, H. (1985) *How to become a more successful consultant with your personal computer*. Glenelg, MD.: Consultants Library.

HOLTZ, H., SCHMIDT, T. (1981) *The winning proposal: how to write it*. New-York, N.Y.: McGraw-Hill Books Inc.

HONCHELL, Charles V. (1968) Municipal public works organizations and their consultants: improving the relationship. Master of Public Works thesis, University of Pittsburg.

HOPKINSON, Tom (1967) A survey of public relations counseling today and tomorrow. *Public Relations Quaterly*, 11, Winter, pp. 7-16.

HORNING, Jack (1963) Consultants' renewall role and problems reviewed, evaluated. *Journal of Housing*, 9, pp. 516-518.

HOSKYNS, J. (1966) The role of the computer consultant. *Data Processing*, pp. 232-235.

HOSLETT, J.W. (1971) Decision table for engaging a consultant. *Journal of Systems Management*, 22, July, pp. 12-14.

HOWER, Ralph M., ORTH, Charles D. III (1963) *Managers and scientists*. Boston, Mass.: Division of research, Graduate School of Business Administration, Harvard University.

HUDSON, H.P. (1980) *Publishing newsletters*. New-York, N.Y.: Charles Scribners & Sons.

HULL, Frank G. (1971) How counseling works in new haven. *Management Accounting*, 53, October, pp. 40-42.

HUMAN ORGANIZATION (1952) Research business or scholarship? *Human Organization*, 11, Winter, pp. 4.

HUMAN ORGANIZATION (1952) Research-business or scholarship? *Human Organization*, 11, Fall, pp. 3-4.

HUMAN ORGANIZATION (1953) Research-business or scholarship? *Human Organization*, 12, Summer, pp. 3-4.

HUNT, Alfred (1977) *The management consultant*, New-York, N.Y.: John Wiley & Sons.

HURLEY, James (1969) Best of a good bargain. *British Industry Week*, February 7, pp. 22.

HYMAN, Stanley (1961) *An introduction to management consultancy*. London, Eng.: William Heinemann.

HYMAN, Stanley (1970) *Associations and consultants: external aid to management*. London, Eng.: George Allen and Unwin.

INDUSTRY WEEK (1971) What consultants are up to now. *Industry Week*, 168, March 29, pp. 24-31.

INSTITUTE OF MANAGEMENT CONSULTANTS INC. (1969) *Code professional responsibility*. New-York, N.Y.: Institute of Management Consultants Inc.

INSURANCE (1969) Management consultant firm installs substantial savings control system. *Insurance*, March 29, pp. 19-20.

INTERNATIONAL CITY MANAGEMENT ASSOCIATION (1968) *Municipal use of outside consultants*. Washington, D.C.: Management Information Services.

INTERNATIONAL CONFERENCE OF MANAGEMENT CONSULTANTS (1966) *Conference Papers*. New-York, N.Y.: Association of Consulting Management Engineers.

INTERNATIONAL MANAGEMENT (1968) The company that loves consultants. *International Management*, 23, January, pp. 41-42.

INTERNATIONAL MANAGEMENT DIGEST (1959) Consultants: choose with care. *Management Review*, 48, 7, July, pp. 51-52.

IRON AGE (1964) What makes consultants fail? *Iron Age*, May 7, pp. 59.

ISCOE, I. et al. (1967) Some strategies in mental health consultation: A brief description of a project and some preliminary results. *in* Cowen, E.L., Gardner, E.A. and Zax, M., *Emergent approaches to mental health problems*. New-York, N.Y.: Appleton-Century-Crofts.

JACQUET-LAGREZE, Eric (1981) Systèmes de décisions et acteurs multiples — contribution à une théorie de l'action pour les sciences des organisations. Thèses de doctorat d'État, Paris: Université Paris — Dauphine.

JACOBSON, Jerome (1971) Pitfalls for consultants and their clients in developing countries. *International Development Review*, 2, pp. 2-7.

JAY, A. (1979) Rate yourself as a client. *in* Bell, C.R. and Nadler, L., *The client-consultant handbook*. Houston, Tex.: Gulf Publishing Co.

JAY, Anthony (1977) Rate yourself as a client, *Harvard Business Review*, July-August, pp. 84-92.

JEFFRIES, J.R., BATES, J.D. (1983) *The executive's guide to meetings, conferences and audiovisual presentations*. New-York, N.Y.: McGraw-Hill Books Inc.

JENSEN, Michael C. (1971) Consultants turn a cost corner. *New-York Times*, March 23, p. F5.

JEROME, William Travers III (1961) *Executive control: the catalyst*. New-York, N.Y.: John Wiley & Sons.

JOHNSON, B. (1982) *Private consulting: how to turn experience into employment dollars*. Englewood Cliffs, N.J.: Prentice-Hall.

JOHNSON, Robert J. (1964) Management projects and the consultant. *Systems and Procedures Journal*, 15, September-October, pp. 28-30.

JOHNSTON, J. (1963) The productivity of management consultants. *Journal of the Royal Statistical Society*, 126, 2, pp. 237-249.

JONES, Colin (1968) Economic consultancy grows up. *Financial Times*, August 8, pp. 12.

JONES, J.E., PFEIFFER, J.W. (1979) Ethical considerations in consulting. *in* Bell, C.R. and Nadler, L., *The client-consultant handbook*. Houston, Tex.: Gulf Publishing Company.

JONES, Reginald L., TRENTIN, George H. (1968) Better management control in the professional office. *Management Services*, 5, March-April, pp. 23-34.

JOYAL, M. (1981) Intervention de changement planifié dans une structure parallèle d'un service hospitalier. Essai-synthèse. Département de psychologie, Université de Sherbrooke.

JUDSON, Arnold S. (1966) *A manager is guide to making changes.* New-York, N.Y.: John Wiley & Sons.

KADUSHIN, Alfred (1977) *Consultation in social work.* New-York, N.Y.: Columbia University Press.

KADUSHIN, Alfred et al. (1978) Practice of social work consultation: a survey, *Social Work,* September, pp. 372-379.

KARLIK, Lubor (1965) Management services and industrial growth. *Industrial Development and Manufacturers Record,* 134, September, pp. 21-23.

KARLIK, Lubor (1968) Making the best use of management consultants. *Industrial Research and Development News,* 3, December, pp. 19-21.

KASLOW, F.W. (1979) The psychologist as consultant to the court. *in* Platt, J.J. and Wicks, R.J., *The psychological consultant.* New-York, N.Y.: Grune & Stratton.

KELLER, A.E. (1967) EDP consultants-pro & con. *Business Automation,* 14, pp. 34-39.

KELLER, H.R. (1981) Behavioral consultation. *in* Conoley, J.C., *Consultation in schools: Theory, research, procedures.* New-York, N.Y.: Academic Press.

KELLEY, Robert E. (1979) Should you have an internal consultant?, *Harvard Business Review,* November-December, pp. 110-120.

KELLEY, Robert E. (1981) Consulting: the complete guide to a profitable career. New-York, N.Y.: Charles Scribner's Sons.

KELLY, Richard, AHLGREN, Herbert A. (1967) Your agreement with the agency. *Industrial Marketing,* 52, 2, April, pp. 23-24.

KENNEDY, John F. (1962) *Preventing conflicts of interest on the part of advisers and consultants to the government: Presidential memorandum.* Washington, D.C.: U.S. Government Printing Office.

KENNEDY, J.H. (1979) Conflicts of interest in management consulting: real, apparent, hidden and imaginary *in* Gore George J., Wright, R.G. *The academic consultant connection.* Dubuque, Iowa: Kendall/Hunt Publishing Company.

KENNEDY, J.H. (1981) *Public relations for management consultants.* Fitzwilliam, N.H.: Consultants News.

KERN, H.M. (1969) The new emphasis on mental health consultation. *in* Bellak, L. and Barten H.H., *Progress in community mental health.* New-York, N.Y.: Grune & Stratton.

KEYS, C.B. (1980) Graduate training in organizational consultation: three dilemnas. Paper presented at National Conference on Consultation Training, Montreal.

KHAJAVI, F., BROSKOWSKI, A., MERMIS, W. (1972) Team consultation to complex organizations: some emerging issues for mental health workers. *Hospital and Community Psychiatry,* 23, pp. 235-239.

KILMANN, R.H., MITROFF, L.I. (1977) A new perspective on the consulting/intervention process: problem defining vs. problem solving, *Proceedings of the Academy of Management,* New-York, N.Y.: Academy of Management.

KILMANN, Ralph H., HERDEN, Richard P. (1976) Towards a systemic methodology for evaluating the impact of interventions on organizational effectiveness. *The Academy of Management Review,* 3, pp. 87-98.

KILMANN, Ralph H., et al. (1979) Integrating the benefits of different efforts at management consulting *in* Gore, George J., Wright, R.G. *The academic consultant connection,* Dubuque, Iowa: Kendall/Hunt Publishing Company.

KIMBALL, S.T., PEARSALL, M., BLISS, J.A. (1954) Consultants and citizens: a research relationship. *Human Organization,* 13, Spring, pp. 5-8.

KINTZER, Frederick C., CHASE, Stanley M. (1969) The consultant as a change agent. *Junior College Journal*, 39, April, pp. 54-60.

KIRBY, J.H. (1984) *Consultation: the practice for the practionner.* Muncie, In.: Accelerated Development.

KLAW, G. (1970) The management psychologists have landed. *Fortune,* 81, pp. 106-109.

KLEIN, H.J. (1977) *Other people's business (a primer on management consultants)* New-York, N.Y.: Mason-Charter.

KLINE, E.H., BUNTZ, C.G. (1979) On the effective use of public sector expertise: or why the use of outside consultants often leads to the waste of in-house skills. *Public Administration Review,* May-June, pp. 226-230.

KNESEL, D. (1983) *Free publicity: a step by step guide.* New-York, N.Y.: Sterling Publishing Co.

KOCH, W.H. (1967) A stance toward helping: reflections of the role of a consultant. *Adult Leadership*, 16, December, pp. 202.

KOLB, D.A., BOYATZIS, R.E. (1974) On the dynamics of a helping relationship *in* Kolb, D.A., Rubin, I.M., McIntyre, J.M. *Organizational psychology:a book of readings.* Englewood Cliffs, N.J.: Prentice-Hall.

KOLB, D.L.: FROHMAN, A.L. (1970) An organizational development approach to consulting. *Sloan Management Review*, 12, Fall, pp. 51-61.

KOMIVES, John L. (1971) Introduction to management assistance for small business. *Journal of Small Business Management*, 9, January, pp. 8-13.

KORENVAES, P. (1964) Peter Drucker: troubleshooter at the top. *Dun's Review*, 84, pp. 43.

KORNFELD, Leo L. (1964) The role of the management consultant firm in a data processing study. *Journal of Educational Data Processing*, 1, Summer, pp. 96-99.

KOTLER, P. BLOOM, P.N. (1984) *Marketing professional services.* Englewood Cliffs, N.J.: Prentice-Hall.

KOTLER, P., CONNOR, R.A. Jr. (1977) Marketing professional services. *Journal of Marketing,* January, pp. 71-76.

KRATOCHWILL, T., BERGAN, J. (1978) Training school psychologists: some perspectives on a competency-base behavioral consultation model. *Professional Psychology,* 9, 1, pp. 71-82.

KRENTZMAN, Harvey C., SAMARAS, John N. (1960) Can small business use consultants? *Harvard Business Review*, 38, May-June, pp. 126-136.

KREPELA, R.T. (1965) Should you consult when you retire? *Sales Management*, 94, pp. 108-109.

KUBR, M. (1976) *Management consulting: a guide to the profession*, Geneva: International Labour Office.

KUBR, M. (1978) *Le conseil en management.* Genève: Bureau International du Travail.

KUECKEN, J.A. (1978) *Starting and managing your own engineering practice.* New-York, N.Y.: Van Nostrand Reinhold.

KUHN, David G., LEE, John (1976) Outside consulting: A vital adjunct of successful teaching? *Proceedings of Academy of Management*, New-York, N.Y.: Academy of Management.

KURPIUS, D., BRUBAKER, J. (1976) *Psychoeducational consultation: definitions, functions, preparation.* Bloomington, Ind.: Indiana University Press.

KURPIUS, D., BRUBAKER, J.C. (1977) The OD consultant: an operational definition. *NSPI Journal,* 16, 1, pp. 18-20.

KUTTNER, M.S. (1978) *University education for management consulting.* New-York, N.Y.: American Institute of Certified Public Accountants.

KUTTNER, Monroe S. (1977) University education for management consultants. Paper presented to 37th Annual National Academy of Management Meeting, Orlando, Florida.

LABERGE, J.P. (1981) La consultation en gestion - I. *Revue Commerce,* Mars, pp. 122-126.

LABERGE, J.P. (1981) La consultation en gestion - II. *Revue Commerce,* Avril, pp. 37-38.

LABERGE, J.P. (1981) La consultation en gestion - III et IV. *Revue Commerce,* Mai, pp. 152-154.

LABERGE, J.P. (1981) La consultation en gestion - V et IV. *Revue Commerce,* Juin, pp. 34-36.

LABERGE, J.P. (1981) La consultation en gestion - VII. *Revue Commerce,* Juillet, pp. 26-28.

LABERGE, J.P. (1982) Comment choisir un consultant. *Revue Commerce,* Décembre, pp. 22-35.

LAFLAMME, M. (1977) *Diagnostic organisationnel et stratégie de développement: une approche globale.* Chicoutimi, Qué.: Gaëtan Morin Éditeur.

LAMBERT, N.M., YANDELL, W., SANDOVAL, J.H. (1975) Preparation of school psychologists for school-based consultation: a training activity and a service to community schools. *Journal of School Psychology,* 13, 1, pp. 68-75.

LANDRY, M., MALOUIN, J.L. (1983) Pour une meilleure utilisation des experts-conseils en administration, *Revue Internationale de Gestion,* 8, 2, pp. 4-11.

LANGROD, G. (1972) *La consultation dans l'administration contemporaine.* Paris: Cujas.

LANT, J.L. (1982) *The consultant's kit: establishing and operating your successful consulting business.* Cambridge, Ma.: JLA Publications.

LANT, J.L. (1983) *The unabashed self-promoter's guide.* Cambridge, Ma.: JLA Publications.

LANT, J.L. (1985) *Money talks: the complete guide to creating a profitable workshop or seminar in any field.* Cambridge, Ma.: JLA Publications.

LANT, J.L. (1986) *Tricks of the trade: the complete guide to succeeding in the advice business.* Cambridge, Ma.: JLA Publications.

LAROCQUE, C. (1980) Comment faire appel aux conseillers en gestion. *Revue Commerce,* Septembre, pp. 122-128.

LARONGE, M.N. (1968) Small companies: competitive pay. *Iron Age,* July 4, pp. 50-51.

LARSEN, J.K. (1980) Evaluating consultation: a comparison of measures. Conference at the Annual American Psychological Association Convention, Montreal.

LARSON, Arthur L. (1966) The role of educational consultants in school plan planning in the state of California. Ed.D. Dissertation, University of California-Berkeley.

LARSON, V. (1976) *How to write a winning proposal.* Carmel, Cal.: Creative Books.

LAUBACH, Peter B. (1957) *Company investigations of automatic data processing.* Boston, Mass.: Division of Research, Graduate School of Business Administration, Harvard University.

LAUFFER, A. (1977) *Grantsmanship.* Beverly Hills, Cal.: Sage.

LAUNOIS, S. (1970) *Le contrôleur et le conseiller en gestion,* Paris: Dunod.

LAWRENCE, Jack (1971) Choosing and using executive consultants. *Business Horizons,* 14, December, pp. 44-46.

LAWRENCE, Paul R. (1969) *Developing organizations: diagnosis and action.* Reading, Mass.: Addison-Wesley Publishing Co. Inc.

LAWRENCE, Paul R., LORSCH, Jay W. (1969) *Developing organizations psychology: an experimental approach.* Englewood Cliffs, N.J.: Prentice-Hall.

LAWRENCE, S. (1970) Man of the moment: research participation and productivity. *Personnel Management,* 2, June, pp. 10-11.

LAZER, W., WARNER, A. (1965) *The knowledge industry: Research consultants in perspective.* East Lansing, Mi.: Bureau of Business and Economic Research, Graduate School of Business Administration, Michigan State University.

LEAVITT, Harold J. (1965) Applied organizational change in industry: structural, technological and humanistic approaches *in* James G. *Handbook of organizations*, Chicago, Ill.: Rand McNally & Company.

LE BARON, W.A. III (1970) The education industry planning consultant: an emerging role. Ed.D. Dissertation, George Washington University.

LEBELL, Don. (1973) *The professional services enterprise: theory and practice.* Sherman Oaks, Cal.: Los Angeles Publishing Co.

LEE, R.J., FREEDMAN, A.M. (1986) *Consultation skills reading.* San Diego, Cal.: University Associates Inc.

LEFFERTS, R. (1982) *Getting a grant.* Englewood Cliffs, N.J.: Prentice-Hall.

LEONARD, M. (1979) Training consultants. *in* Hamilton, M.K. and Meade, C.J. *New directions for student services: Consulting on campus, No. 5.* San Francisco, Cal.: Jossey-Bass.

LESIKAR, Raymond V. (1977) *Report writing for business.* Homewood, Ill.: R.D. Irwin.

LESURE, John D. (1970) Management services training in the development of a CPA firm. *Management Services*, 7, November-December, pp. 40-45.

LETOURNEAU, C.V. (1969) How to be a hospital consultant. *Hospital Administration*, 107, May, pp. 48-49.

LEVESQUE, Robert W. (1973) How not to do consulting, *Chemical Engineering*, June 11, pp. 120-122.

LEVIN, Melvin, R. (1964) Boston University's business counseling program. *Boston University Business Review*, 11, Summer, pp. 3-12.

LEVINSON, H. (1968) Psychiatric consultation in industry. *in* Mendel. W.M. and Solomon, P., *The psychiatric consultation.* New-York, N.Y.: Grune & Stratton.

LEVITT, T. (1981) Marketing intangible products and product intangibles. *Harvard Business Review*, May-June, pp. 94-102.

LEVOY, R.P. (1966) *The $100,000 practice and how to build it.* Englewood Cliffs, N.J.: Prentice-Hall.

LEVOY, R.P. (1970) *Successful professional practice.* New-York, N.Y.: Prentice-Hall.

LEWIS, John W. (1970) Growth of internal change agents in organization development. Ph.D. dissertation, Case Western Reserve University.

LEWIS, Ralph F. (1960) Management services for small clients. *Journal of Accountancy*, 110, September, pp. 39-43.

LIPPITT, G.L. (1959) Consulting with a national organization: a case study. *Journal of Social Issues*, 15, 2, pp. 20-28.

LIPPITT, G.L. (1972), Criteria for selecting, evaluating, and developing consultants, *Training and Development Journal*, 26, 8, pp. 12-17.

LIPPITT, G.L. (1975) Research on the consulting process, Academy of Management 35th Annual Meeting, Seattle.

LIPPITT, G.L. (1976) A competency-based survey of consultant skills, Unpublished study, George Washington University.

LIPPITT, G.L. (1981) Areas of consulting in the 80s. *Academic Consultants' Communique*, 9, 2, pp. 1-2.

LIPPITT, G.L. (1981) Evaluating consultation services. *Consultation*, 1, 1, pp. 17-26.

LIPPITT, Gordon L. (1959) A study of the consultation process. *Journal of Social Issues*, 15, 2, pp. 43-50.

LIPPITT, Gordon (1969) *Organizational renewal.* New-York, N.Y.: Appleton-Century Crofts.

LIPPITT, Gordon (1970) Tips of picking a consultant. *Industry Week*, May 11, pp. 22.

LIPPITT, Gordon (1979) Research in the consulting process *in* Gore, George J., Wright, R.G. *The academic consultant connection*, Dubuque, Iowa: Kendall/Hunt Publishing Company.

LIPPITT, Gordon L. (1981) Criteria for selecting, evaluating and developing consultants, *American Management Association Management Digest*, September, pp. 20-23.

LIPPITT, G.L., LIPPITT, R. (1977) The consulting process in action *in* Jones, J.E. and Pfeiffer, J.W. (Eds.), *The 1977 annual handbook for group facilitators*, La Jolla, Cal.: University Associates.

LIPPITT, G.L., LIPPITT, R. (1978) *The consulting process in action*, La Jolla, Cal.: University Associates.

LIPPITT, G., LIPPITT, R. (1980) *La pratique de la consultation* (Traduction de François-Marie Guérin), Victoriaville, Qué.: Éditions NHP.

LIPPITT, G., LIPPITT, R. (1981) *Systems thinking - A ressource for organization diagnosis and intervention.* Washington, D.C.: International Consultants Foundation.

LIPPITT, Gordon L., NADLER, Leonard (1979) Emerging roles of the training director, *Training and Development Journal*, June, pp. 26-30.

LIPPITT, R. (1971) On finding, using, and being a consultant, *Social Science Education Consortium Newsletter*, November, pp. 2.

LIPPITT, Ronald (1959) Dimensions of the consultant's job. *Journal of Social Issues*, 15, pp. 5-11.

LOASBY, B. (1967) The organic life of Little. *Management Today*, pp. 84-87.

LOCK, Max, TETLOW, J.D. (1960) The role of the planning consultant. *Journal of the Town Planning Institute*, 46, June, pp. 172-176.

LORD, D. (1971) Consultants: the men behind the myth. *International Management*, 26, pp. 30-34.

LOTHROP, Warren C. (1964) *Management uses of research and development.* New-York, N.Y.: Harper & Row.

LOUGHARY, J.W., HOPSON, B. (1979) *Producing workshops, seminars, short courses: a trainer's handbook.* Chicago, Ill.: Follett Publishing Company.

LOEVY, Jay H. (1965) Basic values offered by the consultant *NAA Bulletin-Management Accounting*, July, pp. 26-32.

LOVEWELL, Paul J. (1967) Your money's worth from outside research. *Research/Development*, 18, February, pp. 30-33.

LUDWIG, S. (1969) How a major consultancy runs itself. *International Management*, 24, pp. 23-25.

LUMB, David Michael (1966) *Management and industrial consulting in the United Kingdom.* M.A. Thesis. University of Nottingham, England.

LUNDBERG, Craig C., RAIA, Anthony P. (1976) Issues in the practice of organizational development consultancy, *Academy of Management Proceedings*, New-York, N.Y.: Academy of Management.

LYNTON, Rolf, P. (1970) The consulting process in new institutions. Ph.D. Dissertation, State University of New-York, Buffalo.

MACDONNELL, J.J. (1958) Management advisory services external and internal. *Systems and Procedures*, 9, February, pp. 20-25.

MACDONNELL, James J. (1957) The professional practice of management advisory services. *Canadian Chartered Accountant*, 71, December, pp. 511-521.

MACDONNELL, James J. (1958) The professionel practice of management advisory services. *New-York Certified Public Accountant*, 28, June, pp. 380-381.

MACE, Myles L. (1957) Management assistance for small business. *Harvard Business Review*, 25, Autumn, pp. 587-597.

MAHON, J.J. (1982) *The marketing of professional accounting services: a personal practice development approach.* New-York, N.Y.: John Wiley & Sons.

MAISTER, D.H. (1982) Balancing the professional service firm. *Sloan Management Review,* Fall, pp. 15.

MALINOWSKI, Zenons, KINNARD, William M. Jr. (1961) *Use of external assistance by small manufacturers.* Storrs, Conn.: School of Business Administration, University of Connecticut.

MANAGEMENT SERVICES (1968) Management consultants' salaries still rising..., *Management Services,* 5, July-August, pp. 12-13.

MANAGEMENT SERVICES (1969) New group formed to set consultants' admission standards. *Management Services,* 6, March-April, pp. 6.

MANAGER (1953) Management consultants and assessment. *Manager,* 21, October, pp. 603-613.

MANN, P.A. (1973) *Psychological consultation with a police department: a demonstration of cooperative training in mental health.* Springfield, Ill.: Thomas.

MANNING, Charles S. (1967) Management and consultants. *Petroleum Management,* 39, February, pp. 74-76.

MANNING, William R., OLSEN, Lionel R. (1962) A look at management consulting firms. *American School Board Journal,* 144, May, pp. 19-20.

MANNINO, F.V., SHORE, M.F. (1980) Research in consultation training. Paper presented at National Conference on Consultation Training, Montreal.

MARCHIONE, A.R., ENGLISH, J. (1979) Improving your odds in consulting *in* Gore George J., Wright, R.G. *The academic consultant connection.* Dubuque, Iowa: Kendall/Hunt Publishing Company.

MARCUS, J. (1976) Nursing consultation: A clinical specialty. *Journal of Psychiatric Nursing and Mental Health Services,* 14, 11, pp. 29-31.

MARGULIES, N. (1978) Perspectives on the marginality of the consultant's role *in* Burke, W.W. *The cutting edge.* La Jolla, Cal.: University Associates Inc.

MARGULIES, Newton (1971) Implementing organizational change through an internal consulting team. *Training and Development Journal,* 25, July, pp. 26-33.

MARGULIES, Newton, et al. (1978) *Conceptual foundations of organizational development.* New-York, N.Y.: McGraw-Hill Books Inc.

MARGULIES, N., RAIA, A.P. (1968) Action research and the consultative process, *Business Perspectives,* 5, Fall, pp. 26-30.

MARGULIES, N., RAIA, A. (1972) *Organization development: values, processes, and technology.* New-York, N.Y.: McGraw-Hill Books Inc.

MARKS, Samuel B. (1968) The psychology of consulting: a client/consultant paradigm, *Ohio CPA,* 28, Spring, pp. 85-87.

MARRE, J. (1977) Le vrai prix d'un conseil. *Travail et Méthodes,* 338-339, pp. 48-52.

MARTIN, John A. (1972) Selection and use of outside consultants. *Police,* 16, 11, July, pp. 38-40.

MARTIN, R. (1978) Expert and referent power: A framework for understanding and maximizing consultation effectiveness. *Journal of School Psychology,* 16, pp. 49-55.

MARTIN-BATES, J.P. (1955) A consultant looks at management and himself. *Manager,* May, pp. 354-357.

MARTIN, R., MEYERS, J. (1979) *School psychologists and the practice of consultation: A national survey.* Washington, D.C.: American Psychological Association.

MASSE, J.M. (1981) L'évaluation: une composante du processus de consultation. *Revue Québécoise de Psychologie,* 2, 3, pp. 140-152.

MASSE, J.M. (1981) Consultants pour de futurs consultants. Communications présentée au Congrès d'orientation de la Corporation professionnelle des psychologues du Québec.

MASSE, J.M. (1982) Expertise québécoise de formation à la consultation. Communication présentée au Deuxième Congrès de Psychologie du Travail de Langue Française, Paris.

MASSE, J.M., PAYETTE, M. (1981) La formation de futurs consultants — Le modèle de formation développé par le Département de psychologie de l'Université de Sherbrooke. Document inédit.

MATHIEW, A. (1981) *The book market: how to write, publish and market your book*. New-York, N.Y.: Andover Press.

MATTHEWS, E. (1967) How consultants serve the oil industry. *Petroleum Management*, 39, February, pp. 63-67.

MATTHEWS, Milton P. (1964) *Small business counseling: an evaluation of techniques*. Salt Lake City, Utah: Bureau of Economic and Business Research, University of Utah.

MATUZCK, P. (1981) Program evaluation as consultation. *in* Conoley, J.C., *Consultation in schools: theory, research, procedures*. New-York, N.Y.: Academic Press.

MAYER, Richard (1971) Organizational change has to come through individual change. *Innovation*, 23, August, pp. 36-43.

MAYER, Richard J. (1971) Organization development — the engineering side of behavioral science. *Management of Personnel Quaterly*, 10, Fall, pp. 26-32.

MAYNARD, Brian (1968) Established role in management consultancy. *Financial Times*, August 20, pp. 15.

MBA (1969) Management consulting. *MBA*, 4, October, pp. 8-56.

McBURNEY, William J. (1965) Market research and the consultant *in* Webster, Frederick E., *New Directions in Marketing*, Chicago, Ill.: American Marketing Association.

McDONALD, Howard E., STROMBERGER, T.L. (1969) Cost control for the professional service firm. *Harvard Business Review*, 47, January-February, pp. 109-121.

McELVANEY, C.T., MILES, M.B. (1971) Using survey feedback and consultation. *in* Schmuck, R.A. and Miles, M.B., *Organization development in schools*. Palo Alto, Cal.: National Press Books.

McFARLAND, D.E. (1958) The labor relations consultant as contract negotiator. *Personnel*, 34, May-June, pp. 44-51.

McGARRAH, R.E. (1969) Should the university become a management consultant. *Educational Record*, 50, Summer, pp. 245-254.

McGIVERING, I.C., MATTHEWS, D.G., SCOTT, W.H. (1960) *Management in Britain*. Liverpool, Eng.: Liverpool University Press.

McGONAGLE, J., Jr. (1981) *Managing the consultant: a corporate guide*, Radnor, Penn.: Chilton Book Company.

McGREENY, C.P. (1978) Training consultants: issues and approaches. *Personnel and Guidance Journal*, 56, 6, pp. 432-435.

McGREGOR, C., BENNIS, W.C. (1967) *The professional manager*, New-York, N.Y.: McGraw-Hill Books Inc.

McIVER, Colin (1970) Why go to a small consultancy? *Marketing*, October, pp. 49-51.

McMANUS, M.L. (1973) Precepts and caveats for professor-consultants. *Proceedings of the 33rd Annual Meeting of the Academy of Management*.

McWHIRTER, D.P. (1968) Consultation with the clergy. *in* Mendel, W.M. and Solomon, P., *The psychiatric consultation*. New-York, N.Y.: Grune & Stratton.

MECHLING, T.B. (1970) Management consulting and communicating services trends. *Public Relations Quaterly*, 15, 3, pp. 5-9.

MEDWAY, F.J. (1979) How effective is school consultation? A review of recent research. *Journal of School Psychology*, 17, 3, pp. 275-282.

MELANG, Thomas (1971) Accounting controls for the professional firm. *Management Accounting*, 53, July, pp. 26-30.

MENDEL, W.M., SOLOMON, P. (1968) *The psychiatric consultation*. New-York, N.Y.: Grune & Stratton.

MENEFEE, Selden (1969) When junior colleges need help. *American Education*, 5, January, pp. 23-25.

MENZEL, R.K. (1975) A taxonomy of change-agent skills, *Journal of European Training*, 4, 5, pp. 287-288.

MEREDITH, Harry, MARTIN, Joe (1970) Management consultants in the public sector. *Canadian Public Administration*, 13, Winter, pp. 383-395.

MERRY, Uri, et al. (1977) *Developing teams and organizations: a practical handbook for managers and consultants*. Reading, Mass.: Addison-Wesley.

MERTON, R.K., LERNER, D. (1951) Social scientists and research policy *in* Merton, R.K., Lerner, D. *The Policy sciences*. Standford, Cal.: Standford University Press.

MESSING, Richard F. (1970) What consultants expect of their clients. *Management Review*, 59, May, pp. 41-45.

MEYERS, J. (1974) Specific strategies for research in consultation. Paper presented at 82nd annual meeting of American Psychological Association, New Orleans.

MEYERS, J. (1975) Consultee-centered consultation with a teacher as a technique in behavior management. *American Journal of Community Psychology*, 3, 2, pp. 111-121.

MEYERS, J., PARSONS, R.D., MARTIN, R. (1979) *Mental health consultation in the schools*. San Francisco, Cal.: Jossey-Bass.

MIAL, A. Curtis (1959) What is a consultant? *Public Relations Journal*, 15, November, pp. 31-34.

MILLER, Norman, C. Jr. (1962) Management consulting firms sometimes miss mark. Executives say. *Wall Street Journal*, 6, February, pp. 1.

MINER, J.B. (1971) Personality tests as predictors of consulting success. *Personnel Psychology*, 24, pp. 191-204.

MINER, John B. (1970) Psychological evaluations as predictors of consulting success. *Personnel Psychology*, 23, Autumn, pp. 393-405.

MINER, John B. (1970) Executive and personnel interviews as predictors of consulting success. *Personnel Psychology*, 23, Winter, pp. 521-538.

MINER, John B. (1971) Success in management consulting and the concept of eliteness motivation. *Academy of Management Journal*, 14, September, pp. 367-378.

MITCHELL, M.D. (1977) Consultant burnout. *in* Jones, J.E. and Pfeiffer, J.W., *The 1977 annual handbook for group facilitators*. San Diego, Cal.: University Associates Inc.

MOE, Edward O. (1959) Consulting with a community system: a case study, *Journal of Social Issues*, 15, 2, pp. 28-35.

MOORE, G.L. (1984) *The politics of management consultants*. New-York, N.Y.: Praeger.

MOORMAN, Thomas (1979) *How to work toward agreement*. New-York, N.Y.: Atheneum.

MORLEY, J.F. (1968) How a management consultant can help the headmaster? *Times Educational Supplement*, June 7, pp. 1901.

MORRISON, Karl (1963) *Management counseling of small business in the United States*. Jackson, Ms.: School of Business and Government, University of Mississippi.

MOSLEY, D.C. (1969) Management consulting as a professional activity of management professors. *Southern Journal of Business*, 4, July, pp. 99-103.

MOSLEY, Donald C. (1970) Professional ethics and competence in management consulting. *California Management Review*, 12, Spring, pp. 44-48.

MOYER, M.S., LOWERY, J.F. (1966) Consulting for Canadians. Part I. *Business Quaterly*, 31, Winter, pp. 25-29.

MOYER, M.S., LOWERY, J.F. (1967) Consulting for Canadians. Part II. *Business Quaterly*, 31, Spring, pp. 53-58.

MULLEN, Thomas E. (1966) Working in circles: a primer of sorts. *Viewpoint*, Autumn, pp. 16-20.

MURPHY, H. (1981) *Grantsmanship consulting*. Woodland Hills, Cal.: Howard L. Shenson Inc.

MURRAY, S.L. (1983) *How to organize and manage a seminar*. Englewood Cliffs, N.J.: Prentice-Hall.

NATIONAL INDUSTRIAL CONFERENCE BOARD (1966) *Using marketing consultants and research agencies. Business Policy Study No. 120*, New-York, N.Y.: National Industrial Conference Board.

NATION'S BUSINESS (1962) What happens when government buys advice? *Nation's Business*, 50, December, pp. 65.

NAUM, L.H. (1961) Business on the couch. *Challenge*, 9, April, pp. 6-9.

NEWMAN, R. (1976) *Psychological consultation in the schools*. New-York, N.Y.: Basic Books.

NEWSWEEK (1970) The consultant game. *Newsweek*, August 3, pp. 46.

NEW-YORK CITY (1970) *Report on consultant contracts*. New-York, N.Y.: The Council of New-York City.

NEW-YORK TIMES (1969) Consultants invade non-profit field. *New-York Times*, July 21, pp. F17.

NEW-YORK TIMES (1971) McKinsey: big brother to big business. *New-York Times*, May 30, pp. F17.

NEW-YORK TIMES (1971) Governor says the state pays $36 million in consultant fees. *New-York Times*, April 29, pp. 34.

NICHOLAS, T. (1975) *How to self-publish your own book & make it a best seller*. Wilmington, Del.: Enterprise Publishing Company.

NORCROSS, Harold (1967) Management consulting as a career, *Management Accounting*, 45, July, pp. 281-283.

NUGENT, J.H. (1979) *The Singleton markets his services ... The consultants guide to building his practice*. Palo Verdes, Cal.: La Cresta Publications.

O'CONNELL, Jeremiah J. (1966) Managing change: Planning and controlling organizational change. Ph.D. Dissertation, Columbia University.

O'GARA, J. (1971) Kahn says venture consulting is growth industry, threat to agencies. *Advertising Age*, 42, September, pp. 52.

ONUDI (1972) *Manuel relatif à l'emploi de consultants dans les pays en voie de développement*. New-York, N.Y.: Nations Unies.

ORGANISATION FOR EUROPEAN ECONOMICS COOPERATION (1958) *Some aspects of consultant engineering in the United States*. Paris: Organisation for European Economic Cooperation.

ORGANISATION FOR EUROPEAN ECONOMIC COOPERATION (1960) *Industrial design in the United States*. Paris: Organisation for European Economic Cooperation.

OTTO, Calvin P., GLASER, Rollin O. (1970) *The management of training*. Reading, Mass.: Addison-Wesley Publishing Co.

OUELLET, A. (1981) *Processus de recherche: une approche systémique*. Québec: Presses de l'Université du Québec.

OXENDINE, John E., ALVIN, N. (1971) Profit motivation and management assistance in community economic development. *Law and Contemporary Problems*, 36, Winter, pp. 136-144.

OXENFELDT, A.R. (1959) The marketing audit as a total evaluation program *in* Newgarden, A., *Analyzing and improving marketing performance*, New-York, N.Y.: American Management Association.

PAHL, Carl F. (1959) Management analysis by staff or by consultants. *Public Personnel Review*, 20, July, pp. 207-210.

PARETS, Lawrence (1970) Selecting a data processing consultant. *Financial Executive*, 38, September, pp. 36-42.

PARKER, B. (1961) The value of supervision in training psychiatrists for mental health consultation. *Mental Hygiene*, 45, pp. 94-100.

PARKER, B. (1962) Some observations on psychiatric consultation with nursery school teachers. *Mental Hygiene*, 46, 4, pp. 559-566.

PARKS, L. (1981) Indirect marketing. *The Professional Consultant*, April, pp. 12-13.

PASTER, I. (1956) The role of the consultant in industrial relations. *Michigan Business Review*, 8, November, pp. 25-31.

PASTER, I. (1971) Do you want to be a consultant. *Personnel Journal*, 50, pp. 827-833.

PATERSON, Thomas G. (1967) When you need advice at a price. *Data*, 12, June, pp. 49-53.

PATERSON, Thomas G. (1967) When you need advice at a price. *Data*, 12, March, pp. 57-60.

PATERSON, Thomas G. (1967) When you need advice at a price. *Data*, 12, February, pp. 66-70.

PATTENAUDE, R.L. (1979) Consultants in the public sector. *Public Administration Review*, May-June, pp. 203-210.

PATTENAUDE, Richard L., LANDIS, L.M. (1979) Consultants and technology transfer in the public sector, *Public Administration Review*, September-October, pp. 414-420.

PATTON, John A. (1971) What thirty years experience in consulting has taugh me. *Industrial Management*, 13, July, pp. 1-3.

PEARL, A. (1974) The psychological consultant as a change agent. *Professional Psychology*, 5, pp. 292-298.

PEARLSTINE, Norman, (1971) The finaglers. *Wall Street Journal*, December 2, pp. 1.

PECKOVER, G. (1979) What you should know before hiring a consultant. *En route (Air Canada)*, September, pp. 42-51.

PELDITCH, James (1971) What the consultant saw. *Management Today*, April, pp. 90.

PERROW, Charles (1970) *Organizational analysis: a sociological view*. Belmont, Cal.: Wadsworth Publishing.

PERSONNEL MANAGEMENT (1971) *Use of personnel consultants*. Washington, D.C.: Bureau of National Affairs.

PETERSON, Robert C. (1961) How the consultant rates his work to management. *Controller*, 29, January, pp. 32-34.

PFEIFFER, J.W., JONES, J.E. (1977) Ethical considerations in consulting *in* Jones, J.E. and Pfeiffer, J.W. (Eds.), *The 1977 annual handbook for group facilitators*, La Jolla, Cal.: University Associates.

PILON, D.H., BERGQUIST, W.H. (1979) *Consultation in higher education*. Washington, D.C.: Council for Advancement of Small Colleges.

PILON H. (1981) Processus de consultation auprès des membres d'une garderie. Essai-synthèse. Département de psychologie, Université de Sherbrooke.

PINNER, Walter (1952) *The business doctor*. London, Eng.: Sir Issac Pilman & Sons.

PINTO, P.R., NOAH, S.L. (1980) Internal vs external consultants: background and behaviors, *Academy of Management Proceedings*, pp. 75-79.

PINTO, P.R. WALKER, J.W. (1978) What do training and development professionals realy do. *Training and Development Journal*, 32, 7, pp. 58-64.

PINTO, P.R., WALKER, J.W. (1978) *A study of professional training and development roles and competencies*. Madison, Wis.: American Society of Training and Development.

PIPES, R.B. (1981) Consulting in organizations: the entry problem. *in* Conoley, J.C., *Consultation in schools: theory, research, procedures*. New-York, N.Y.: Academic Press.

PLATT, J.J., WICKS, R.J. (1979) *The psychological consultant*. New-York, N.Y.: Grune & Stratton.

POCOCK, J.W. (1953) Operations research and the management consultant, *Journal of the Operations Research Society of America*, 1, May, pp. 137-144.

POLLACK, S. (1968) Consultation with the courts. *in* Mendel, W.M. and Solomon, P., *The psychiatric consultation*. New-York, N.Y.: Grune & Stratton.

POMERANZ, Janet M., PRESTWICH, Leonard W. (1962) *Meeting the problems of very small enterprises*. Washington, D.C.: George Washington University.

POST, John (1966) Doctor your communications, *Petroleum Management*, 38, August, pp. 73-77.

POWERS, Edward L. (1971) Power in a system marketing consultants. Ph.D. Dissertation, University of South Carolina.

POYNTER, D. (1979) *The self-publishing manual*. Santa Barbara, Cal.: Parachuting Publications.

PRESSMAN, R.M., SIEGLER, R. (1983) *The independent practioner: practice and management for the allied health professional*. Toronto, Can.: Holt, Rinehart and Winston.

PRICE, John (1967) Management consultants poised for big expansion. *Times*, March 20, pp. 18.

PRINTERS' INK (1958) University research: Is it competing with ideas and men on Madison avenue? *Printers' Ink*, May 23, pp. 70-71.

PROXMIRE, William (1964) *Can small business survive?* Chicago, Ill.: Henry Regnery Co.

PYEATT, N. (1980) *The consultant's legal guide*. Washington, D.C.: Bermont Books.

QUITTMEYER, C.L. (1960) Faculty consulting practice. *Journal of the Academy of Management*, 3, August, pp. 41-50.

QUITTMEYER, Charles (1961) Management looks at consultants. *Management Review*, 50, March, pp. 4-14.

RADNOR, Michael, RUBENSTEIN, Albert H., BEAN, Alden S. (1968) Integration and utilization science activities in organizations. *Operational Research Quaterly*, 19, June, pp. 117-141.

RAE-GRANT, Q. (1972) The art of being a failure as a consultant. *in* Zusman, J. and Davidson, D.L., *Practical aspects of mental health consultation*. Springfield, Ill.: Thomas.

RAINE, Ronald V. (1980) Selecting the consultant, *Personnel Administrator*, December, pp. 41-43.

RAPP, John (1970) How to discover and evaluate client problems. *Management Services*, 7, May-June, pp. 19-28.

RASMUSSEN, Gerald R. (1963) The educational consultant planning. *American School Board Journal*, 147, September, pp. 15-16.

RASMUSSEN, Gerald R. (1963) The educational consultant and educational planning. *American School Board Journal*, 147, October, pp. 17-18.

RATHBONE, Robert, R. (1966) *Communicating technical information*. Reading, Mass.: Addison-Wesley.

RAUCH, Phillip (1959) Management consultants: When and how to use them *in* Marting, Elisabeth, *Management for the smaller company*, New-York, N.Y.: American Management Association.

READHEAD, Pamela (1971) Gloom sets in as squeeze hits consultants. *Financial Times*, March 5, pp. 17.

REDDIN, Patrick J. (1967) A general problem-solving approach in management. *Management Controls*, 14, August, pp. 179-181.

REDDIN, W.J. (1977) Confessions of an organizational change agent, *Training and Development Journal,* October, pp. 52-57.

REED, John P. (1969) The lawyer-client: A managed relationship? *Academy of Management Journal*, 12, March, pp. 67-80.

REEVES, E.T. (1976) *Savoir communiquer dans et hors de l'entreprise.* Paris: Éditions d'Organisation.

REHFUSS, J. (1979) Managing the consultanship process. *Public Administration Review*, May-June, pp. 211-213.

REHFUSS, J. (1979) The consultant responds: ZBB from theory to practice in DeKalb. *Public Administration Review*, 3, pp. 217-219.

REIFF, R. (1974) The power of the helping professions. *Journal of Applied Behavioral Science*, 10, 3, pp. 451-461.

REINHOLD, R. (1969) In academic jet set, schedule is hectic, rewards high. *New-York Times*, June 18, pp. 39.

RICE, A.K. (1963) *The enterprise and its environment.* London, Eng.: Tavistock Institute of Human Relations.

RICKLEFS, Roger (1966) European firms turn to U.S. consultants on questions of management computers. *Wall Street Journal*, 30, December, pp. 5.

RIDGEWAY, J. (1968) Universities as big business. *Harper's Magazine*, September, pp. 29-36.

RIGNY, A.J. (1982) *Diagnostic organisationnel: cas vécus.* Montréal, Qué.: Éditions Agence d'ARC.

RIVETT, P. (1971) The academic consultant. *Management Today*, September, pp. 37.

ROBBINS, Paul R., SPENCER, Esther C., FRANK, Daniel A. (1970) Some factors influencing the outcome of consultation. *American Journal of Public Health*, 60, March, pp. 524-534.

ROE, C.W. (1973) The role of the university professor as a management consultant. *Proceedings of the 15th Annual Meeting of the Southwest Division of the Academy of Management.* New-York, N.Y.: Academy of Management.

ROE, William C. (1973) The academic institutions policies towards management consulting — a model for uniform policies. *Academy of Management Proceedings*, August, pp. 178-192.

ROGAWSKI, A.S. (1977) Mental health consultation to welfare agencies. *in* Plog, S.C. and Ahmed, P.I., *Principles and techniques of mental health consultation.* New-York, N.Y.: Plenum Medical Book Co.

ROGERS, C. (1979) The characteristics of a helping relationship. *in* Bell, C.R. and Nadler, L., *The client-consultant handbook.* Houston, Tex.: Gulf Publishing Co.

ROGERS, Rolf E. (1967) The human element in systems and consulting work. *Personnel Journal,* 46, September, pp. 516-519.

ROLLE, W.C. Jr. (1968) A study of public relations consultants in metropolitan Washington. Master's thesis, The American University.

ROPER, Elmo (1957) The client over the years. *Public Opinion Quaterly*, 21, Spring, pp. 28-32.

ROSENBLUM, Geshon (1970) Social intervention consultation to organizations. *Mental Hygiene,* 54, July, pp. 393-400.

ROSEMBLUM, R., McGILLIS, D. (1979) Observations on the role of consultants in the public sector. *Public Administration Review*, May-June, pp. 219-226.

ROSENTHAL, Richard L. (1945) Rx for small business. *Harvard Business Review*, 24, Autumn, pp. 22-31.

ROSS, I. (1959) *The image merchants*. Garden City, Cal.: Doubleday and Company.

ROSS, Valerie (1977) The consultant as Lone Ranger, *Canadian Business*, September, pp. 37.

ROWLINS, Edwin W. (1957) How the air force uses management consultants. *Harvard Business Review*, 35, July-August, pp. 45-50.

ROY, Herbert, J.H. (1958) Operations research in action. *Harvard Business Review*, 36, September-October, pp. 120-128.

RUCH, Floyd L. (1964) Should industrial psychologists advertise? *Personnel Psychology*, 7, Summer, pp. 120-124.

RUSH, Harold, F. (1969) *Behavioral science: concepts and management application*. New-York, N.Y.: National Industrial Conference Board.

RYAN, Louis A. (1957) Organization of an office for management services. *Journal of Accountancy*, 103, February, pp. 46-50.

SADLER, P.J., BARRY, B.A. (1968) Action research in a small firm. *Journal of Management Studies*, 5, October, pp. 316, 337.

SALES MANAGEMENT (1967) How can you make the best use of your packaging design consultant. *Sales Management*, 98, May 15, pp. 35-38.

SANDERS, Erwin T. (1955) The contribution of the specialist to community development. *Journal of Educational Sociology*, 29, December, pp. 151-163.

SARGENT, J.R. (1969) The evolution of management counsulting in marketing and horizons for the 1970s. *Proceedings of the Third International Conference of Management Consultants*, New-York, N.Y.: Association of Counsulting Management Engineers.

SASHKIN, M. (1974) Models and roles of change agents *in* Pfeiffer, J.W. and Jones, J.E. (Eds.), *The 1974 annual handbook for group facilitators*, La Jolla, Cal.: University Associates Inc.

SAVOIE, A., FORGET, A. (1984) *Le stress au travail: mesures et prévention*. Montréal, Qué.: Éditions Agence d'ARC.

SAWYER, Howard G. (1967) Professionalism in agency-client relations. *Industrial Marketing*, 52, 2, April, pp. 28.

SCHAFFER, R.H. (1976) Advice to internal and external consultants: expand your client's capacity to use your help, *SAM Advanced Management Journal*, 41, pp. 39-52.

SCHAFFER, Robert H. (1966) *Maximizing the impact of industrial engineering*. New-York, N.Y.: American Management Association.

SCHEIN, E.H. (1979) Disengagement: reducing involvement with the client system. *in* Bell, C.R. and Nadler, L., *The client-consultant handbook*. Houston, Tex.: Gulf Publishing Co.

SCHEIN, Edgar H. (1969) *Process consultation: its role in organizational development*, Reading, Mass.: Addison-Wesley.

SCHINDLER-RAINMAN, Eva, et al. (1975) The consultant as meeting designer, *Journal of European Training*, Fall, pp. 296-308.

SCHINDLER-RAINMAN, Eva et al. (1975) *Taking your meetings out of the doldrums*. Columbus, Ohio: Association of Professional YMCA Directors.

SCHMITHORST, J. (1974) The ethical dilemma in consulting, Unpublished paper, George Washington University.

SCHREIKER, R.S. (1969) Effective with consultants and outside laboratories. *Research Management*, 12, March, pp. 103-104.

SCHREINER, John (1969) These outsiders help business to manage. *Financial Post*, 63, January 25, pp. 17-18.

SCHROEDER, Marjan (1974) The shadow consultant, *Journal of Applied Behavioral Science*, 10, 4, pp. 579-597.

SCHULTZ, Richard (1969) The organization adviser. *Personnel Journal*, February, pp. 139.

SCHWAB, J. (1968) Consultation-liaison training program. *in* Mendel, W.M. and Solomon, P., *The psychiatric consultation*. New-York, N.Y.: Grune & Stratton.

SCHWARTZ, William L.K. (1958) Using the outside expert. *Management Review*, 47, August, pp. 4-8.

SCURRAH, M., SHANI, M., ZIPFEL, C. (1971) Influence of internal and external change agents in a simulated educational organization. *Administrative Science Quaterly*, 16, March, pp. 113-120.

SEASHORE, C., VAN EGMOND, E. (1959) The consultant-trainer role in working with a total staff. *Journal of Social Issues*, 15, 2, pp. 36-42.

SELLTIZ, C., WRIGHTSMAN, I.S., COOK, S.W. (1977) *Les méthodes de recherche en sciences sociales*. Montréal, Qué.: Les Éditions HRW Ltée.

SENEY, Wilson (1963) *Effective use of business consultants*. New-York, N.Y.: Financial Executives Research Institute.

SESSIONS, Frank O., TAYLOR, T.W. (1961) In-service versus out-of-service administration of tests and criteria. *Personnel Psychology*, 14, Spring, pp. 67-73.

SHAKIN, B. (1974) Business consultants flourish in the sorry seventies. *Barron's*, August 5, pp. 11.

SHANKS, Michael (1964) Management consultants: breaking through to the british boardroom. *Director*, May, pp. 268-273.

SHAY, P.W. (1963) Management consultants *in* Heyel, C., *The Encyclopedia of Management*. New-York, N.Y.: Reinhold Publishing Corporation.

SHAY, P.W. (1971) *Management consulting in the 1970s and beyond*. New-York, N.Y.: Association of Consulting Management Engineers.

SHAY, P.W. (1973) *Professional responsabilities of management consultants: ethics and professional conduct*. New-York, N.Y.: Association of Consulting Management Engineers.

SHAY, P.W. (1974) *The common body of knowledge for management consultants*. New-York, N.Y.: Association of Consulting Management Engineers.

SHAY, Philip W. (1965) Ethics and professional practices in management consulting. *Advanced Management Journal*, 30, January, pp. 13-20.

SHAY, Philip W. (1970) *The common body of knowledge for management consultants*, New-York, N.Y.: Association of Consulting Management Engineers.

SHAY, Philip W. (1974) *How to get the best results form management consultants*, New-York, N.Y.: Association of Consulting Management Engineers.

SHEAHAN, James D. (1949) Consultants can help you. *Modern Material Handling*, 4, May, pp. 17.

SHENSON, H.L. (1978) Advertise... advertise... advertise... should you? (Part I) *The Howard L. Shenson Report*, November, pp. 12-13.

SHENSON, H.L. (1978) Advertise... advertise... advertise... should you? (Part II) *The Howard L. Shenson Report*, December, pp. 8-9.

SHENSON, H.L. (1978) Developing newsletter for profit or promotion. *The Howard L. Shenson Report*, June, pp. 14.

SHENSON, H.L. (1978) Developing newsletter for profit or promotion. *The Howard L. Shenson Report*, July, pp. 7-12.

SHENSON, H.L. (1978) Semi-annual survey of the economic status of the consulting profession. *The Howard L. Shenson Report*, September, pp. 8-11.

SHENSON, H.L. (1979) Findings: semi-annual survey of the economic status of the consulting profession. *The Howard L. Shenson Report*, May-June, pp. 12-14.

SHENSON, H.L. (1979) Marketing strategies of consultants. *The Howard L. Shenson Report*, November, pp. 11-14.

SHENSON, H.L. (1980) What works: assessing the effectiveness of marketing strategies used by consultants. *The Professional Consultant*, December, pp. 8-9.

SHENSON, H.L. (1980) *How to start and promote your own newsletter for profit and/or personal image building*. Woodland Hills, Cal.: Howard L. Shenson.

SHENSON, H.L. (1980) *How to develop and promote profitable and successful seminars and workshops*. Wooland Hills, Cal.: Howard L. Shenson.

SHENSON, H.L. (1980) A proposal checklist — how good are your proposals? *The Howard L. Shenson Report*, March, pp. 4-5.

SHENSON, H.L. (1980) *How to strategically negotiate the consulting contract*, Washington, D.C.: Bermont Books Inc./Consultant's Library.

SHENSON, H.L. (1980) *The successful consultant's guide to fee setting*. Washington, D.C.: Bermont Books Inc./Consultant's Library.

SHENSON, H.L. (1980) Findings: Survey of the economic status of the consulting profession. *The Howard L. Shenson Report*, April, pp. 2-8.

SHENSON, H.L. (1980) Findings: Semi-annual survey of the economic status of the consulting profession: July, 1980. *The Howard L. Shenson Report*, September, pp. 3-6.

SHENSON, H.L. (1980) Findings: Semi-annual survey of the economic status of the consulting profession: July 1980. *The Howard L. Shenson Report*, October, pp. 8-11.

SHENSON, H.L. (1981) Survey shows successful marketing techniques. *The Professional Consultant*, October, pp. 10-11.

SHENSON, H.L. (1981) *The consultant's guide to proposal writing*. Woodland Hills, Cal.: Howard L. Shenson.

SHENSON, H.L. (1981) *How to create and market a successful seminar or workshop*. Washington, D.C.: Bermont Books Inc./Consultant's Library.

SHENSON, H.L. (1981) Shenson comments. *The Professional Consultant*, January, pp. 1-5.

SHENSON, H.L. (1981) Semi-annual survey of the economics of the consulting profession. *The Professional Consultant*, February, pp. 7-14.

SHENSON, H.L. (1981) Economics of consulting: survey results. *The Professional Consultant*, October, pp. 1-11.

SHENSON, H.L. (1982) Cold direct mail promos: do they work? *The Professional Consultant*, July, pp. 6-7.

SHENSON, H.L. (1982) *The consulting handbook*. Woodland Hills, Cal.: Howard L. Shenson.

SHENSON, H.L. (1982) Consultant daily billing rates advance 9.3% income increase 7.6%. *The Professional Consultant*, April, pp. 1-6.

SHENSON, H.L. (1982) Successful consultants use different marketing strategies than those less successful. *The Professional Consultant*, November-December, pp. 8-12.

SHENSON, H.L. (1982) Consultant daily billing rates. *The Professional Consultant*, April, pp. 1-8.

SHENSON, H.L. (1982) Study of consulting economics. *The Professional Consultant*, November-December, pp. 1-12.

SHENSON, H.L. (1983) Report on the findings of the 9th semi-annual study of the economics of consulting. *The Professional Consultant*, May-June, pp. 1-8.

SHENSON, H.L. (1983) *How to build and maintain your own part-time/full-time consulting practice*. Woodland Hills, Cal.: Howard L. Shenson.

SHENSON, H.L. (1983) Eight tips for writing more effective reports. *The Professional Consultant*, August, pp. 3-4.

SHENSON, H.L. (1983) How to set fees on a fixed price basis. *The Professional Consultant*, April, pp. 3-7.

SHENSON, H.L. (1983) Report on the findings of the 10th semi-annual study of the economics of consulting. *The Professional Consultant*, November, pp. 1-8.

SHENSON, H.L. (1984) *How to select, manage and compensate consultants, trainers and professional practioners*. Woodland Hills, Cal.: Howard L. Shenson.

SHENSON, H.L. (1984) Report on the findings of the 11th semi-annual study of the economics of consulting, *The Professional Consultant*, May-June, pp. 1-8.

SHENSON, H.L. (1984) The 12th semi-annual survey of the economics and training profession. *The Professional Consultant and Seminar Business Report*, September, pp. 1-10.

SHENSON, H.L. (1984) Maintaining a corporate image in small practice. *The Professional Consultant*, April, pp. 1-4.

SHENSON, H.L. (1985) The economics of the consulting and training profession: report on findings from the 13th semi-annual survey. *The Professional Consultant and Seminar Business Report*, July-August, pp. 1-12.

SHENSON, H.L. (1985) How to develop successful newspaper and magazine ads for seminars and workshops. *The Professional Consultant and Seminar Business Report*, December, pp. 1-11.

SHENSON, H.L. (1985) Preparation and submission of interim & progress reports for consulting. *The Professional Consultant*, February-March-April, pp. 1-12.

SHENSON, H.L. (1985) *Strategic seminar and workshop marketing*. Woodland Hills, Cal.: Howard L. Shenson.

SHENSON, H.L. (1986) *The successful consultant's guide to fee settings*. Glenelg, Md.: Consultant's Library.

SHENSON, H.L. (1986) *Consulting: a step by step guide to building a profitable practice*. Woodland Hills, Cal.: Howard L. Shenson.

SHENSON, H.L. (1986) Consultant fees, incomes move sharply higher: results of the 14th survey. *The Professional Consultant & Seminar Business Report*, March, pp. 1-16.

SHENSON, H.L. (1986) How to develop successful newspaper and magazine ads for consulting services. *The Professional Consultant and Seminar Business Report*, January, pp. 1-12.

SHENSON, H.L. (1986) How to develop a brochure or capability statement for your consulting practice. *The Professional Consultant and Seminar Business Report*, February, pp. 1-8.

SHENSON, H.L., DOTTIE, W. (1982) *How consultants can build a lucrative paid speaking business*. Woodland Hills, Cal.: Howard L. Shenson.

SHENSON, H.L., SCHACHTER, J. (1981) *Marketing your professional services*. Woodland Hills, Cal.: Howard L. Shenson.

SHORE, William B. (1960) Developments in public administration management consultants: traditional and non-directive. *Public Administration Review*, 20, Summer, pp. 174-176.

SHORT, Simon (1968) When to get advisers in. *British Industry Week*, June 7, pp. 42-45.

SIGNELL, K.A., SCOTT, P.A. (1971) Mental health consultation: an interaction model. *Community Mental Health Journal*, 7, 4, pp. 288-302.

SIGNELL, K.A., SCOTT, P.A. (1972) Training in consultation: a crisis of role transition. *Community Mental Health Journal*, 8, 2, pp. 149-160.

SIMPSON, James W. (1963) Management consulting in Canada. *Canadian Chartered Accountant*, 83, December, pp. 406-409.

SINGER, Henry A. Management consulting. *Advanced Management Journal*, 30, January, pp. 3-4.

SINHA, D.P. (1979) *Consultants and consulting styles*. New Delhi, India: Vision Books.

SLAVIN, W.E. (1983) *How to start and manage a computer consulting practice*. Sierra Madre, Cal.: Home Enterprises Unlimited.

SMITH, B.P. (1970) The development of management services groups. *O & M Bulletin*, 25, May, pp. 89-95.

SMITH, B.R. (1982) *The country consultant*. Fitzwilliam, N.H.: Kennedy & Kennedy.

SMITH, Robert A. (1965) Consultation without revelation. *Advanced Management Journal*, 30, January, pp. 29-31.

SMITH, Robert W. (1965) Long-range planning and the consultant *in* Webster, F.E., *New directions in marketing*. Chicago, Ill.: American Marketing Association.

SMITH-MONTGOMERY, E.N. (1971) How best to get the worst from a management consultant. *Business Management*, 40, April, pp. 16-18.

SOCIETY FOR TECHNICAL COMMUNICATIONS (1973) *Proposals and their preparation*. Washington, D.C.: Society for Technical Communications.

SOFER, Cyril (1961) *The organization from within*. London, Eng.: Tavistock Publications.

SOFER, Cyril (1962) *The organization from within*. Chicago: Quadrangle Books.

SOGOFSKY, I. (1982) Marketing research firms: stress your strong suit when pricing custom studies. *Marketing News*, May 14, pp. 1.

SONG, N. (1974) Use and abuse of management consultants, *Management Review*, 63, pp. 35-38.

SPERLING, Ken (1971) Getting OD to really work. *Innovation*, 26, November, pp. 38-45.

SPIRO, H.T. (1978) *Financial planning for the independant professional*. New-York, N.Y.: John Wiley & Sons.

STANLEY, C.M. (1961) *The consulting engineer*. New-York, N.Y.: John Wiley & Sons.

ST-ARNAUD, Y. (1981) Les ingrédients de base de la relation professionnelle. *Revue Québécoise de Psychologie*, 2, 1, pp. 92-120.

ST-ARNAUD, Y., PAYETTE, M., LESCARBEAU, R. (1985) *Devenir consultant (instruments auto-gérés de formation et instruments d'intervention)*. Montréal, Qué.: Presses de l'Université de Montréal.

STEEL (1955) Business consultants: their uses and limitations. *Steel*, 137, August 15, pp. 123-130.

STEELE, F. (1969) Consultants and detectives, *Journal of Applied Behavioral Science*, 5, 2, pp. 187-202.

STEELE, F. (1982) *The role of the internal consultant: effective role-shaping for staff positions*. New-York, N.Y.: Van Nostrand Reinhold.

STEELE, Fritz (1975) *Consulting for organizational change*, Amherst, Mass.: University of Massachusetts Press.

STEINMETZ, Lawrence ., KLINE, John B., STEGALL, Donald P. (1968) *Managing the small business*. Homewood, Ill.: Richard D. Irwin.

STEMM, R.A. (1970) *Consulting: establishing and maintaining an independant practice*. Los Angeles, Cal.: Stemm's Information Systems and Indexes.

STEVENS, B.J. (1978) The use of consultants in nursing science. *Journal of Nursing Administration*, August, pp. 7-15.

STEWART, R. (1982) *Cost estimating.* New-York, N.Y.: John Wiley & Sons.

STEWART, R.D., STEWART, A.L. (1984) *Proposal preparation.* New-York, N.Y.: John Wiley & Sons.

ST-JULES, H. (1986) *La créativité dans les organisations.* Montréal, Qué.: Éditions Agence d'ARC Inc.

STORICH, A.J. (1968) *How accountants can build a profitable management services practice.* Englewood Cliffs, N.J.: Executive Reports Corporation.

STREICHLER, J. (1963) The consultant industrial in american industry from 1927 to 1960. Ph.D. Dissertation, New-York University.

STRONG, WILLIAM A., HAIRSTON, R., MAIKEN, J., TURNER, H. (1970) *Consulting for black enterprise: a challenge to the business establishment.* Milwaukee, Wis.: Center for Venture Management.

STRYKER, P. (1954) The relentless George S. May Company. *Fortune,* 49, pp. 140-141.

STRYKER, P. (1954) The ambitious consultants. *Fortune*, 49, pp. 82-85.

STRYKER, S.C. (1982) *Principles and practices of professional consulting.* Washington, D.C.: Bermont Books Inc./Consultant's Library.

STRYKER, S.C. (1984) *Guide to successful consulting with forms, letters and checklists.* Englewood Cliffs, N.J.: Prentice-Hall.

SUMMERS, E.L., KNIGHT, K.E. (1976). *Management advisory services by CPAs.* New-York, N.Y.: American Institute of Certified Public Accountants.

SWARTZ, D. (1975) Similarities and differences of internal and external consultants, *Journal of European Training*, 4, 5, pp. 258-262.

SWARTZ, Donald H., et al. (1979) Evaluating the consulting process *in* Bell, Chip R. and Nadler, Leonard, *The client-consultant handbook*, Houston, Tex.: Gulf Publishing Company.

SWARTZ, D.H., FABIAN, J. (1975) Organization development consultant role grid, *Industrial Training International*, 10, pp. 25.

SWARTZ, D., LIPPITT, G. (1975) Evaluating the consulting process, *Journal of European Training,* 4, 5, pp. 310.

SYNTEC-MANAGEMENT (1984) *Au service de l'économie et de l'homme: les conseils en management.* Paris: Chambre Syndicale des Sociétés d'Études et de Conseils.

TAGUIRI, Renato (1967) Of change and the consultant. *Arthur Young Journal,* Winter, pp. 22-24.

TATHAM, Laura E. (1964) *The efficiency experts.* London, Eng.: Business Publications.

TAYLOR, H. Stuart (1969) What industry thinks of management consultants. *Financial Times*, February 26, pp. 13.

TAYLOR, K.D. (1969) Selling management services. *Foreign Trade*, 132, November 22, pp. 20-21.

TAYLOR, L. (1980) Be fussy about the consultant you choose. *Benefits Canada*, March-April, pp. 20-21.

TAYLOR, V.E. (1967) The consultant's role. *American Aviation,* 31, December, pp. 71.

TEBBEL, J. (1967) People and jobs. *Saturday Review*, 50, December 30, pp. 8-12.

TENNANT, Charles (1971) Training management advisers. *Management by objectives,* 1, October, pp. 21-24.

TESSIER, R., TELLIER, Y. (1973) *Changement planifié et développement des organisations.* Montréal, Qué.: Les Éditions de l'IFG.

THIS, LESLIE, E. (1979) *The small meeting planner.* Houston, Tex.: Gulf Publishing Company.

THOMAS, D. (1970) Corporate think tanks. *Barron's*, March 3, pp. 3.

THOMPSON, D.E., APLIN, J.C. (1973) Organizational consulting and survey feedback. *Proceedings of the 32rd Annual Meeting of the Academy Management*, New-York, N.Y.: Academy of Management.

THOMSETT, M.C. (1980) *Fundamentals of bookeeping and accounting for the successful consultant.* Washington, D.C.: Bermont Books Inc./Consultant's Library.

THOMSON, Harvey A. (1971) The psychologist as change agent. *Canadian Psychologist*, 12, October, pp. 506-512.

THORNCRAFT, A. (1971) The uneasy world of the P.R. consultant. *Director*, December, pp. 440-443.

THORNCRAFT, Anthony (1968) Management consultants look to their own problems. *Financial Times*, 20, December, pp. 15.

TICHY, N., NISBERG, J.N. (1976) Change agent bias: what they view determines what they do, *Group & Organization Studies: The International Journal for Group Facilitators*, 1, 3, pp. 286-301.

TILLES, Seymour (1961) Understanding the consultant's role, *Harvard Business Review*, November-December, 39, pp. 87-99.

TILLES, Seymour (1963) Ideas for a better consultant-client relationship. *Business Horizons*, 6, 2, Summer, pp. 37-44.

TISDALE, P. (1983) *Agents of change: the development and practice of management consultancy.* North Pomfret, Vt.: W. Heinman/David & Charles.

TITA, Michael A. (1981) Internal consultants: captive problem solvers, *Management Review*, 70, 6, pp. 27-38.

TOLCHIN, Martin (1970) Lindsay defends use of advisers. *New-York Times*, July 17, pp. 34.

TOLCHIN, Martin (1971) Ethics board asks Lindsay to alter consultant pacts. *New-York Times*, August 10, pp. 1.

TOWSON, Robert Fenn Jr. (1958) An analysis of outside-staff services available to management. D.B.A. dissertation, George Washington University.

TREMBLAY, B. (1973) Le processus de consultation dans les organisations *in* Tessier, R., Tellier, Y. *Changement planifié et développement des organisations.* Montréal, Qué.: Les Éditions IFG.

TURNER, Everett B. (1969) Marketing professional services. *Journal of Marketing*, 33, October, pp. 56-61.

TURNER, Rufus P. (1971) *Technical report writing.* San Francisco, Cal.: Rinehart Press.

U.S. CIVIL SERVICE COMMISSION (1964) *Employment and compensation of experts and consultants: a guide for federal executives. (Personnel management series no. 3).* Washington, D.C.: U.S. Government Printing Office.

U.S. CONGRESS HOUSE (1956) *Employment and utilization of experts and consultants,* Washington, D.C.: U.S. Government Printing Office.

U.S. DEPARTMENT OF HOUSING AND URBAN DEVELOPMENT MANAGEMENT ASSISTANCE PROGRAM (1971) *Using consultants (Model cities management series, bulletin no. 11).* Washington, D.C.: U.S. Government Printing Office.

U.S. DEPARTMENMT OF LABOR (1964) *Employer and consultant reporting.* Washington, D.C.: U.S. Government Printing Office.

UNITED NATIONS INDUSTRIAL DEVELOPMENT ORGANIZATION (1968) *Manual on the use of consultants in developing countries.* New-York, N.Y.: United Nations.

UNITED NATIONS INDUSTRIAL DEVELOPMENT ORGANIZATION (1970) *Report of the regional workshop on the use of consultants.* New-York, N.Y.: United Nations.

URIS, Auren (1968) *Mastery of management*, Homewood, Ill.: Dow-Jones-Irwin.

URWICK, L.F. (1970) The management consultant as matchmaker. *Rydge's*, 43, pp. 143-145.

USHER, Donald G. (1967) A career in management consulting. *Canadian Chartered Accountant*, 90, June, pp. 466-468.

VAILL, P.B. (1971) Organization development: ten dimensions of practice. *in* Lippitt, G., This, L., Bidwell, R., *Optimizing Human Ressources*. Reading, Ma.: Addison-Wesley.

VAN DE VLIERT, Evert (1971) The organizational consultant controller? Pilot? Coach?, *S.A.M. Advanced Management Journal*, 36, July, pp. 19-26.

VASIL, Norbert F. (1963) An assessment of the advertising and promotion practices in the management consulting field. M.B.A. Thesis, George-Washington University.

VICARIOT, H. (1969) Operating company and consultant-aéroport de Paris. *Interavia*, 24, October, pp. 1711-1714.

VIGUERS, R.G. (1960) What consultants do to earn their fees. *Modern Hospital*, 94, May, pp. 81-85.

VIVIAN, John (1969) Selecting and using outside professional services. *Association Management*, 21, April, pp. 15-19.

VOCINO, T., PERNACCIARO, S.J., BLANCHARD, P.D. (1979) An evaluation of private and university consultants by state and local officials. *Public Administration Review*, 3, pp. 205-211.

VONTRESS, Clemmont E. (1968) Role of a consultant in the local ES office. *Employment Service Review*, 5, September, pp. 16-19.

WADE, Michael (1968) Fishing in management waters. *Business Management*, 98, July, pp. 18-23.

WALL, A. (1968) Headhunters prowl Europe. *International Management*, 23, July, pp. 39-41.

WALL STREET JOURNAL (1970) Outside services are dropped by some companies as a way to save money. *Wall Street Journal*, May 28, pp. 1.

WALL STREET JOURNAL (1970) Business consultants find demand for their services although the economy slows. *Wall Street Journal*, April 9, pp. 1.

WALLACE, Joan (1969) Productivity improvements: how consultants can help? *Executive*, 11, April, pp. 55-58.

WALSH, J.A. (1973) Converting clinicians to consultants in an in-service training seminar, *Journal of Community Psychology*, 1, 3, pp. 292-294.

WALSH, John E. (1973) *Guidelines for management consultants in Asia*, Tokyo: Asian Productivity Organization.

WALTON, Richard E. (1965) Two strategies of social change and their dilemmas. *Journal of Applied Behavioral Science*, April-June, pp. 167-179.

WALTON, R.E. (1969) *Interpersonal peacemaking: confrontations and third-part consultation*, Reading, Mass.: Addison-Wesley.

WARD, T.B. (1967) *The management consultant*. Oxford, England: Pergamon Press.

WARNER, H.W. (1983) A different approach: how to select a firm. *Public Relations Journal*, October, pp. 29.

WATERBOW, Herbert Reed (1970) Management consultants — Cure or cancer in the corporate body?, *Paper Trade Journal*, January, 26, pp. 58-61.

WEBER, Fred I. Jr. (1970) So you think you want to hire a management consultant? *Area Development and Research Forum*, 17, May-June, pp. 1-4.

WEBSTER, Eric (1969) What to do before the consultant comes? *Management Review*, 58, June, pp. 14-20.

WEIL, A.W. (1978) Tailor graphics to fit presentations. *Consulting Engineer*, August, pp. 36-38.

WEIL, Andrew Warren (1979) Are you preparing too many proposals?, *Consulting Engineer*, January, pp. 40-43.

WEIL, Robert I. (1966) How to select a management consultant. *Administrative Management*, 27, 11, November, pp. 59-60.

WEINGARTEN, J. (1966) And now — the captive consultant. *Dun's Review*, 88, November, pp. 57-58.

WELD, C.M. (1966) *A Dartnell survey of the experiences of 202 companies with management consultants.* Chicago, Ill.: The Dartnell Corporation.

WHEATLEY, E.W. (1983) *Marketing professional services.* Englewood Cliffs, N.J.: Prentice-Hall.

WHITESIDE, Conon D. (1969) *Accountant's guide to profitable management advisory services*, Englewood Cliffs, N.J.: Prentice-Hall Inc.

WHITTINGTON, H.G. (1968) Consultation practice in colleges and universities. *in* Mendel, W.M. and Solomon, P., *The psychiatric consultation.* New-York, N.Y.: Grune & Stratton.

WILBUR, L.P. (1979) *How to write books that sell.* Chicago, Ill.: Contemporary Books.

WILBUR, L.P. (1981) *How to write articles that sell.* New-York, N.Y.: John Wiley & Sons.

WILCOX, P.P. (1976) *Techniques de l'exposé et de communications orales.* Paris: Hommes et Techniques.

WILSON, A. (1972) *The marketing of professional services.* New-York, N.Y.: McGraw-Hill Books Company.

WILSON, A. (1974) *Practice development for professional firms.* New-York, N.Y.: McGraw-Hill Books Company.

WILSON, C.H. (1971) School administration by contract: horse sense or heresy? *School Management*, 15, March, pp. 11-13.

WITTREICH, Warren (1966) How to buy/sell professional services. *Harvard Business Review*, 44, March-April, pp. 127-134.

WOLF, W.B. (1978) *Management and consulting: an introduction to James O. McKinsey.* Ithaca, N.Y.: Cornell University.

WOODY, Robert H., WOODY, Jane D. (1971) Behavioral science consultation. *Personnel Journal*, 50, 5, May, pp. 382-391.

WRIGHT, Robert (1967) An approach to understanding the atypology of organizations: integral and differential analysis. Ph.D. Dissertation, University of Southern California.

WRIGHT, Robert (1969) Are you wasting your consultants? *Business Horizons*, 12, 5, October, pp. 75-82.

WRIGHT, Robert (1977) Ethics and the academic consultant. *Consultants' Communique*, 5, 4, pp. 2.

WRIGHT, W. W. (1962) Consultant: profit or placebo. *Controller*, 30, March, pp. 111-113.

WULFECK, W.H. (1950) The consulting psychologist in business and industry *in* Fryer, D.H., Henry, R.E. *Handbook of Applied Psychology, Vol. 2.* New-York, N.Y.: Rinehart and Company.

XEROX CORPORATION (1983) *Guide for drawing up international contracts on consulting engineering, including some related aspects of technical assistance.* New-York, N.Y.: Uniput (Xerox Corporation).

YERKES, C. (1969) The micrographic consultant. *Information and Records Management*, 3, October-November, pp. 43-45.

YOUNG, Charles (1968) *Consultancy in overseas development.* London, Eng.: Overseas Development Institute.

ZALTAM, G. et al. (1977) *Strategies for planned change.* New-York, N.Y.: John Wiley & Sons.

ZERFOSS, L.F. (1967) Use of consultants. *in* Craig, R.L., Bittel, L.R., *Training and development handbook*. New-York, N.Y.: McGraw Hill Book Co.

ZIMMERMAN, J., TOBIA, P. (1978) Programming your outside consultants for success, *Training and Development Journal*, 32, 12, pp. 14-19.

ZNANIECKI, F. (1940) *The social role of the man of knowledge*. New-York, N.Y.: Columbia University Press.

ZUSMAN, J. (1972) Mental health consultation: some theory and practice. *in* Zusman, J. and Davidson, D.L., *Practical aspects of mental health consultation*. Springfield, Ill.: Thomas.

CHEZ LE MÊME ÉDITEUR

COLLECTION

«*Psychologie industrielle et organisationnelle*»

SOUS LA DIRECTION DE M. Y. BORDELEAU

Le changement planifié, Gilles Delisle et Pierre Collerette

Le climat de travail dans les organisations, Luc Brunet

Comprendre l'organisation: approches de recherche
Y. Bordeleau, L. Brunet, R. R. Haccoun, A.-J. Rigny, A. Savoie

Le counseling en milieu de travail (les programmes d'aide aux employés), Odette Beaudoin

La créativité dans les organisations, Huguette St-Jules

Le développement organisationnel dans une perspective d'excellence, Dominique Gagnon

Diagnostic organisationnel: cas vécus, André-Jean Rigny

Le mitan de la vie et la vie professionnelle,
P. Dupuis, L. Brunet, M.-J. Hamel, P. L. Ste-Marie, P. St-Germain

Organisations sociales et comportements, Jean Guiot

Le perfectionnement des ressources humaines dans l'entreprise, A. Savoie

Les relations interpersonnelles, P. Simon et L. Albert

Le stress au travail: mesures et prévention,
André Savoie et Alain Forget

Lithographié au Canada
sur les presses de
Métropole Litho Inc.